ハリー・ポッターと謎のプリンス

J・K・ローリング

松岡佑子 訳

静山社

ハリー・ポッターと謎のプリンス　目次

主な登場人物

ハリー・ポッター
ホグワーツ魔法魔術学校の六年生。緑の目に黒い髪、額には稲妻形の傷

ロン・ウィーズリー
ハリーの親友。兄弟にチャーリー、ビル、パーシーと双子のフレッドとジョージ、妹のジニーがいる

ハーマイオニー・グレンジャー
ハリーの親友。マグル（人間）の子なのに、魔法学校の優等生

ドラコ・マルフォイ
スリザリン寮の生徒。ハリーのライバル

アルバス・ダンブルドア
ホグワーツ魔法魔術学校の校長先生

ミネルバ・マクゴナガル
ホグワーツの副校長先生で変身術の先生

ルビウス・ハグリッド
ホグワーツの鍵と領地を守る番人。魔法生物飼育学の先生

コーネリウス・ファッジ
魔法大臣

ナルシッサ・マルフォイ（シシー）
ドラコの母親。死喰い人である夫のルシウスは、現在アズカバンにいる

ベラトリックス・レストレンジ（ベラ）
ヴォルデモート卿に最も忠実な死喰い人。ナルシッサの姉で、シリウスのいとこ

セブルス・スネイプ
魔法薬学の先生。不死鳥の騎士団のメンバー

ワームテール
またの名をピーター・ペティグリュー

クリーチャー
ハリーがシリウスから引き継いだ屋敷しもべ妖精

ボージン
夜の闇横丁《ノクターン》にある、強い魔力をもった珍品をとりあつかう店「ボージン・アンド・バークス」の店主

ダーズリー一家（バーノンおじさん、ペチュニアおばさん、ダドリー）
ハリーの親戚で育ての親とその息子。まともじゃないことを毛嫌いする

ヴォルデモート（例のあの人、闇の帝王）
最強の闇の魔法使い。多くの魔法使いや魔女を殺した

インクと紙から生まれたこの本を、
双子の姉妹のように生まれた
私の美しい娘
マッケンジーに

WIZARDING WORLD

Original Title: HARRY POTTER AND THE HALF-BLOOD PRINCE

First published in Great Britain in 2005
by Bloomsbury Publishing Plc, 50 Bedford Square, London WC1B 3DP

Japanese edition first published in 2006

This book is published in Japan by arrangement with
the author through The Blair Partnership

第1章　むこうの大臣

まもなく夜中の十二時になろうとしていた。執務室に一人座り、首相は長ったらしい文書に目を通していたが、内容はさっぱり頭に残らないまま素通りしていた。さる遠国の元首からかかってくるはずの電話を待っているところなのだが、いったい、いつになったら電話をよこすつもりなのかといぶかってみたり、やたら長くてやっかいだったこの一週間の、不ゆかいな数々の記憶を押さえ込むのに精いっぱいで、ほかにはほとんど何も頭に入ってこなかった。開いたページの活字に集中しようとすればするほど、首相の目には、政敵の一人のほくそ笑む顔がありありと浮かんでくるのだった。今日も今日とて、この政敵殿はニュースに登場し、ここ一週間に起こった恐ろしい出来事を（まるで傷口に塩を塗るかのように）いちいちあげつらったばかりか、どれもこれもが政府のせいだとぶち上げてくださった。

なんのかんのと非難されたことを思い出すだけで、首相の脈拍が速くなった。連中の言うこととときたら、フェアじゃないし、真実でもない。あの橋が落ちたことだって、まさか、政府がそれを阻止できたとでも？　政府が橋梁《きょうりょう》に充分な金をかけていないなどと言うやつの面が見たい。あの橋はまだ十年とたっていないし、なぜそれが真っ二つに折れて、十数台の車が下の深い川に落ちたのか、最高の専門家でさえ説明のしようがないのだ。

それに、さんざん世間を騒がせたあの二件の残酷な殺人事件にしても、警官が足りないせいで起こったなどと、よくも言えたものだ。一方、西部地域に多大な人的・物的被害を与えたあの異常気象のハリケーンだが、政府がなんとか予測できたはずだって？　その上、政務次官の一人であるハーバート・チョーリーが、よりによってここ一週間かなり様子がおかしくなり、「家族と一緒に過ごす時間を増やす」という体のいい理由で辞めたことまで、首相であるこの**私の**責任だとでも？

「わが国はすっぽりと暗いムードに包まれている」としめくくりながら、あの政敵殿はニンマリ笑いを隠しきれないご様子だった。

残念ながら、その言葉だけは紛れもない真実だった。確かに、人々はこれまでになくみじめな思いをしている。首相自身もそう感じていた。天候までもが落ち込んでいる。七月半ばだというのに、この冷たい霧は……変だ。どうもおかしい……。


首相は文書の二ページ目をめくったが、まだまだ先が長いとわかると、やるだけむだだとあきらめ、両腕を上げて伸びをしながら、憂鬱な気持ちで部屋を見回した。瀟洒《しょうしゃ》な部屋だ。上質の大理石の暖炉の反対側にある縦長の窓はしっかり閉じられ、季節はずれの寒さをしめ出している。首相はブルッと身震いして立ち上がり、窓辺に近寄って、窓ガラスを覆うように立ち込めている薄い霧を眺めた。ちょうどその時、部屋に背を向けていた首相の背後で、軽い咳《せき》払いが聞こえた。

首相はその場に凍りつき、目の前の暗い窓ガラスに映っている自分のおびえた顔を見つめた。この咳払いは……以前にも聞いたことがある。首相はゆっくりと体の向きを変え、がらんとした部屋に顔を向けた。

「誰かね？」声だけは気丈に、首相が呼びかけた。

答える者などいはしないと、ほんの一瞬、首相はむなしい望みを抱いた。しかし、たちまち返事があった。まるで準備した文章を棒読みしているような、てきぱきと杓子《しゃくし》定規な声だった。声の主は——

最初の咳払いで首相にはわかっていたのだが――あのカエル顔の小男だ。長い銀色のかずらをつけた姿で、部屋の一番隅にある汚れた小さな油絵に描かれている。

「マグルの首相閣下。火急にお目にかかりたし。至急お返事のほどを。草々。ファッジ」

絵の主は応えをうながすように首相を見た。

「あー」首相が言った。「実はですな……今はちょっと都合が……電話を待っているところで、えー……さる国の元首からでして――」

「その件は変更可能」絵が即座に答えた。

首相はがっくりした。そうなるのではと恐れていたのだ。

「しかし、できれば私としては電話で話を――」

「その元首が電話するのを忘れるように、我々が取り計らう。そのかわり、その元首は明日の夜、電話するであろう」小男が言った。「至急ファッジ殿にお返事を」

「私としては……いや……いいでしょう」首相が力なく言った。「ファッジ大臣にお目にかかりましょう」

ネクタイを直しながら、首相は急いで机に戻った。椅子に座り、泰然自若とした表情をなんとか取りつくろったとたん、大理石のマントルピースの中で、薪《まき》もないからの火格子に、突然明るい緑の炎が燃え上がった。首相は、驚きうろたえたそぶりなど微塵《みじん》も見せまいと気負いながら、小太りの男が独楽《こま》のように回転して、炎の中に現れるのを見つめた。

まもなく男は、ライムグリーンの山高帽子を手に、細縞《ほそじま》の長いマントのそでの灰を払い落としながら、かなり高級な年代物の敷物の上に這《は》い出てきた。

「おお……首相閣下」

コーネリウス・ファッジが、片手を差し出しながら大股で進み出た。

「またお目にかかれて、うれしいですな」

同じ挨拶を返す気持ちにはなれず、首相は何も言わなかった。ファッジに会えてうれしいなどとは、お世辞にも言えなかった。ときどきファッジが現れることだけでも度肝を抜かれるのに、その上、たいがい悪い知らせを聞かされるのが落ちなのだ。

ファッジは目に見えて憔悴《しょうすい》していた。やつれてますますはげ上がり、白髪も増え、げっそりした表情だった。首相は、政治家がこんな表情をしているのを以前にも見たことがある。けっして吉兆ではない。

「何かご用ですかな？」

首相はそそくさとファッジと握手し、机の前にある一番硬い椅子をすすめた。

「いやはや、何からお話ししてよいやら」ファッジは椅子を引き寄せて座り、ライムグリーンの山高帽をひざの上に置きながらボソボソ言った。「いやはや先週ときたら、いやまったく……」

「あなたのほうもそうだったわけですな？」

首相は、つっけんどんに言った。ファッジからこれ以上何か聞かせていただくまでもなく、すでに当方は手いっぱいなのだということが、これで伝わればよいのだがと思った。

「ええ、そういうことです」

ファッジはつかれた様子で両目をこすり、陰気くさい目つきで首相を見た。

「首相閣下、私のほうもあなたと同じ一週間でしたよ。ブロックデール橋……ボーンズとバンスの殺人事件……言うまでもなく、西部地域の惨事……」

「すると――あー――そちらの――つまり、大臣のほうの人たちが何人か――関わって――そういう事件に関わっていたということで？」

ファッジはかなり厳しい目つきで首相を見すえた。

「もちろん関わっていましたとも。閣下は当然、何が起こっているかにお気づきだったでしょうな？」

「私は……」首相は口ごもった。

こういう態度を取られるからこそ、首相はファッジの訪問がいやなのだ。やせても枯れても自分は首相だ。なんにも知らないガキみたいな気持ちにさせられるのはおもしろくない。しかし、そう言えば最初からずっとこうなのだ。首相になった最初の夜、ファッジと初めて会ったその時からこうなのだ。きのうのことのように覚えている。そして、きっと死ぬまでその思い出につきまとわれるのだ。


まさにこの部屋だった。長年の夢とくわだてでついに手に入れた勝利を味わいながら、この部屋に一人たたずんでいたその時、ちょうど今夜のように、背後で咳払いが聞こえた。振り返ると小さい醜い肖像画が話しかけていた。魔法大臣がまもなく挨拶にやってくるという知らせだった。

当然のことながら、長かった選挙運動や選挙のストレスで頭がおかしくなったのだろうと、首相はそう思った。しかし、肖像画が話しかけているのだと知ったときの、ぞっとする恐ろしさも、そのあとの出来事の恐怖に比べればまだましだった。暖炉から飛び出した男が、自らを魔法使いと名乗り、首相と握手したのだ。

ファッジはご親切にもこう言った。魔女や魔法使いは、いまだに世界中に隠れ住んでいる。しかし首相をわずらわせることはないから安心するように。魔法省が魔法界全体に責任を持ち、非魔法界の人間に気取られないようにしているから――ファッジが説明する間、首相は一言も言葉を発しなかった。

さらにファッジはこう言った。魔法省の仕事は難しく、責任ある箒《ほうき》の使用法に関する規制から、ドラゴンの数を増やさないようにすることまで（この時点で首相は、机につかまって体を支えたのを覚えている)、ありとあらゆる仕事をふくんでいる。そしてファッジは、ぼうぜんとしている首相の肩を、父親のような雰囲気でたたいたものだ。

「ご心配めさるな」と、その時ファッジは言った。「たぶん、二度と私に会うことはないでしょう。わがほうでほんとうに深刻な事態が起こらないかぎり、私があなたをわずらわせることはありませんからな。マグル――非魔法族ですが――マグルに影響するような事態に立ちいたらなければということですよ。それさえなければ、平和共存ですからな。ところで、あなたは前任者よりずっと冷静ですなあ。**前首相**ときたら、私のことを政敵が仕組んだ悪い冗談だと思ったらしく、窓から放り出そうとしましてね」

ここにきて首相はやっと声が出るようになった。

「すると――悪い冗談、**ではない**と?」

最後の、一縷《いちる》の望みだったのに。

「ちがいますな」ファッジがやんわりと言った。「残念ながら、ちがいますな。そーれ」

そしてファッジは、首相のティーカップをスナネズミに変えてしまった。

「しかし」ティーカップ・スナネズミが次の演説の原稿の端をかじりだしたのを見ながら、首相は息を殺して言った。

「しかし、なぜ――なぜ誰も私に話して――?」

「魔法大臣は、その時の首相にしか姿を見せませんのでね」

ファッジは上着のポケットに杖《つえ》を突っ込みながら言った。

「秘密を守るにはそれが一番だと考えましてね」

「しかし、それなら」首相がぐちっぽく言った。「前首相はどうして私に一言警告して――?」

ファッジが笑いだした。

「親愛なる首相閣下、**あなたなら**誰かに話しますかな？」
声を上げて笑いながら、ファッジは暖炉に粉のようなものを投げ入れ、エメラルド色の炎の中に入り込み、ヒュッという音とともに姿を消した。首相は身動きもせずその場に立ちすくんでいた。言われてみれば、今夜のことは、口が裂けても一生誰にも話さないだろう。たとえ話したところで、世界広しといえども誰が信じるというのか？

ショックが消えるまでしばらくかかった。過酷な選挙運動中の睡眠不足がたたってファッジの幻覚を見たのだと、一時はそう思い込もうとした。不ゆかいな出会いを思い出させるものはすべて処分してしまおうとあがきもした。スナネズミを姪《めい》にくれてやると、姪は大喜びだった。
さらに、ファッジの来訪を告げた醜い小男の肖像画を取りはずすよう首相秘書に命じもしたが、肖像画は首相の困惑をよそに、てこでも動かなかった。大工が数人、建築業者が一人か二人、美術史専門家が一人、それに大蔵大臣まで、全員が肖像画を壁からはがそうと躍起になったがどうにもならず、首相は取りはずすのをあきらめて、自分の任期中は、何とぞこの絵が動かずにだまっていますようにと願うばかりだった。絵の主がときどきあくびをしたり、鼻の頭をかいたりするのを確かにちらりと目にした。そればかりか、泥褐色のキャンバスだけを残して、額から出ていってしまったことも一、二度ある。しかし首相は、あまり肖像画を見ないように修練したし、そんなことが起こったときには必ず、目の錯覚だとしっかり自分に言い聞かせるようになった。

ところが三年前、ちょうど今夜のような夜、一人で執務室にいると、またしても肖像画が、ファッジがまもなく来訪すると告げ、ずぶぬれであわてふためいたファッジが、暖炉からワッと飛び出した。上等なアクスミンスター織のじゅうたんにボタボタ滴を垂らしている理由を、首相が問いただす間もなく、ファッジは、首相が聞いたこともない監獄のことやら、「シリアス・ブラック」とかいう男のこと、ホグワーツとかなんとか、ハリー・ポッターという名の男の子とかについてわめき立てはじめた。どれもこれも、首相にとってはチンプンカンプンだった。

「……アズカバンに行ってきたところなんだが」

ファッジは山高帽の縁にたまった大量の水をポケットに流し込み、息を切らして言った。

「何しろ、北海のまん中からなんで、飛行もひと苦労で……吸魂鬼《ディメンター》は怒り狂っているし――」ファッジは身震いした。

「――これまで一度も脱走されたことがないんでね。とにかく、首相閣下、あなたをお訪ねせざるをえませんでしたよ。ブラックはマグル・キラーで通っているし、『例のあの人』と合流することをたくらんでいるかもしれません……と言っても、あなたは、『例のあの人』が何者かさえご存じない！」

ファッジは一瞬、とほうに暮れたように首相を見つめたが、やがてこう言った。

「さあ、さあ、おかけなさい。少し事情を説明したほうがよさそうだ……ウィスキーでもどうぞ……」

自分の部屋でおかけくださいと言われるのもしゃくだったし、ましてや自分のウィスキーをすめられるのはなおさらだったが、首相はとにかく椅子に座った。ファッジは杖を引っ張り出し、どこからともなく、なみなみと琥珀《こはく》色の液体の注がれた大きなグラスを二個取り出して、一つを首相の手に押しつけると、自分も椅子にかけた。

ファッジは一時間以上も話した。一度、ある名前を口にすることを拒み、そのかわり羊皮紙に名前を書いて、ウィスキーを持っていないほうの首相の手にそれを押しつけた。ファッジがやっと腰を上げて帰ろうとしたとき、首相も立ち上がった。

「では、あなたのお考えでは……」首相は目を細めて、左手に持った名前を見た。

「このヴォル――」

「**名前を言ってはいけないあの人！**」ファッジが唸《うな》った。

「失礼……『名前を言ってはいけないあの人』が、まだ生きているとお考えなのですね？」

「まあ、ダンブルドアはそう言うが」

ファッジは細縞のマントのひもを首の下で結びながら言った。

「しかし、我々は結局その人物を発見してはいない。私に言わせれば、配下の者がいなければ、その人物は危険ではないのでね。そこで心配すべきなのはブラックだというわけです。では、先ほど話した警告をお出しいただけますな？　けっこう。さて、首相閣下、願わくはもうお目にかかることがないよう！　おやすみなさい」


ところが、二人は三度会うことになった。それから一年とたたないうち、困りきった顔のファッジが、どこからともなく閣議室に姿を現し、首相にこう告げたのだ。

――クウィディッチ（そんなふうに聞こえた）のワールドカップでちょっと問題があり、マグルが数人「巻き込まれた」が、首相は心配しなくてよい。「例のあの人」の印が再び目撃されたといっても、なんの意味もないことだ。ほかとは関連のない特殊な事件だと確信しており、こうしている間にも、「マグル連絡室」が、必要な記憶修正措置を取っている――。

「ああ、忘れるところだった」ファッジがつけ加えた。

「三校対抗試合のために、外国からドラゴンを三頭とスフィンクスを入国させますがね、なに、日常茶飯事ですよ。しかし、非常に危険な生物をこの国に持ち込むときは、あなたにお知らせしなければならないと、規則にそう書いてあると、『魔法生物規制管理部』から言われましてね」

「それは――えっ――**ドラゴン？**」首相は急《せ》き込んで聞き返した。

「さよう。三頭です」ファッジが言った。「それと、スフィンクスです。では、ご機嫌よう」

首相はドラゴンとスフィンクスこそが極めつきで、まさかそれ以上悪くなることはなかろうと願っていた。

ところがである。それから二年とたたないうち、ファッジがまたしても炎の中からこつぜんと現れた。今度はアズカバンから集団脱走したという知らせだった。

「**集団**脱走？」

聞き返す首相の声がかすれた。

「心配ない、心配ない！」

そう叫びながら、ファッジはすでに片足を炎に突っ込んでいた。

「全員たちまち逮捕する――ただ、あなたは知っておくべきだと思って！」

首相が「ちょっと待ってください！」と叫ぶ間もなくファッジは緑色の激しい火花の中に姿を消していた。


マスコミや野党がなんと言おうと、首相はバカではなかった。ファッジが最初の出会いで請け合ったこととは裏腹に、二人はかなりひんぱんに顔を合わせているし、ファッジのあわてふためきぶりが毎回ひどくなっていることにも、首相は気づいていた。魔法大臣（首相の頭の中では、ファッジを「**むこうの大臣**」と呼んでいた）のことはあまり考えたくなかったが、この次にファッジが現れるときは、おそらくいっそう深刻な知らせになるのではないかと懸念していた。

そして今回、またもや炎の中から現れたファッジは、よれよれの姿でいらいらしていたし、ファッジがなぜやってきたのか理由がはっきりわからないと言う首相に対して、それをとがめるかのように驚いている。そんなファッジの姿を目にしたことこそ、首相にとっては、この暗澹《あんたん》たる一週間で最悪の事件と言ってもよかった。

「私にわかるはずがないでしょう？　その――えー――魔法界で何が起こっているかなんて」今度は首相がぶっきらぼうに言った。「私には国政という仕事がある。今はそれだけで充分頭痛の種なのに、この上――」

「同じ頭痛の種ですよ」ファッジが口をはさんだ。

「ブロックデール橋は古くなったわけじゃない。あのハリケーンは実はハリケーンではなかった。殺人事件もマグルの仕業じゃない。それに、ハーバート・チョーリーは、家に置かないほうが家族にとって安全でしょうな。『聖マンゴ魔法疾患傷害病院』に移送するよう、現在手配中ですよ。移すのは今夜のはずです」

「どういうこと……私にはどうも……**なんだって？**」首相がわめいた。

ファッジは大きく息を吸い込んでから話しだした。

「首相閣下、こんなことを言うのは非常に遺憾だが、あの人が戻ってきました。『名前を言ってはいけないあの人』が戻ったのです」

「戻った？　『戻った』とおっしゃるからには……生きていると？　つまり――」

首相は三年前のあの恐ろしい会話を思い出し、細かい記憶をたぐった。ファッジが話してくれた、誰よりも恐れられているあの魔法使い、数えきれない恐ろしい罪を犯したあと、十五年前に謎のように姿を消したという魔法使い。

「さよう、生きています」ファッジが答えた。

「つまり――なんというか――殺すことができなければ、生きているということになりますかな？　私にはどうもよくわからんのです。それに、ダンブルドアはちゃんと説明してくれないし――しかしともかく、『あの人』は肉体を持ち、歩いたりしゃべったり、殺したりしているわけで、ほかに言いようがなければ、さよう、生きていることになりますな」

首相はなんと言ってよいやらわからなかった。しかし、どんな話題でも熟知しているように見せかけたいという、身についた習慣のせいで、これまでの何回かの会話の詳細をなんでもいいから思い出そうと、あれこれ記憶をたどった。

「シリアス・ブラックは――あー――『名前を言ってはいけないあの人』と一緒に？」

「ブラック？　ブラック？」

ファッジは山高帽を指でくるくる回転させながら、ほかのことを考えている様子だった。

「シリウス・ブラック、のことかね？　いーや、とんでもない。ブラックは死にましたよ。我々があー――ブラックについてはまちがっていたようで。結局あの男は無実でしたよ。それに、『名前を言ってはいけないあの人』の一味でもなかったですな。とはいえ――」

ファッジは帽子をますます早回ししながら、言いわけがましく言葉を続けた。

「すべての証拠は――五十人以上の目撃者もいたわけですがね。――まあ、しかし、とにかく、あの男は死にました。実は殺されました。魔法省の敷地内で。実は調査が行われる予定で……」

首相はここでファッジがかわいそうになり、チクリと胸が痛んで自分でも驚いた。しかし、そんな気持ちは、輝かしい自己満足で、たちまちかき消されてしまった――暖炉から姿を現す分野ではおとっているかもしれないが、**私の**管轄する政府の省庁で殺人があったためしはない……少なくともいままでは……。

　幸運が逃げないまじないに、首相が木製の机にそっとふれている間も、ファッジはしゃべり続けた。

「しかし、いまはブラックのことは関係ない。要は、首相閣下、我々が戦争状態にあるということでありまして、態勢を整えなければなりません」

「戦争？」首相は神経をとがらせた。「まさか、それはちょっと大げさじゃありませんか？」

「『名前を言ってはいけないあの人』は、一月にアズカバンを脱獄した配下といまや合流したのです」

　ファッジはますます早口になり、山高帽を目まぐるしく回転させるものだから、帽子はライムグリーン色にぼやけた円になっていた。

「存在があからさまになって以来、連中は破壊騒動を引き起こしていましてね。ブロックデール橋――『あの人』の仕業ですよ、閣下。私が『あの人』に席をゆずらなければ、マグルを大量虐殺すると脅しをかけてきましてね――」

「なんと、それでは何人かが殺されたのは、**あなたの**せいだと。それなのに私は、橋の張り線や伸縮継ぎ手のさびとか、そのほか何が飛び出すかわからないような質問に答えなければならない！」首相は声を荒らげた。

「**私の**せい！」

　ファッジの顔に血が上った。

「あなたならそういう脅しに屈したかもしれないとおっしゃるわけですか？」

「たぶん屈しないでしょう」

　首相は立ち上がって部屋の中を往《い》ったり来たりしながら言った。

「しかし、私なら、脅迫者がそんな恐ろしいことを引き起こす前に逮捕するよう、全力を尽くしたでしょうな！」

「私がこれまで全力を尽くしていなかったと、本気でそうお考えですか？」

ファッジが熱くなって問いただした。

「魔法省の闇祓《オーラー》いは全員、『あの人』を見つけ出してその一味を逮捕するべくがんばりましたとも――いまでもそうです。しかし、相手は何しろ史上最強の魔法使いの一人で、ほぼ三十年にわたって逮捕をまぬかれてきた輩《やから》ですぞ！」

「それじゃ、西部地域のハリケーンも、その人が引き起こしたとおっしゃるのでしょうな？」

首相は一歩踏み出すごとにかんしゃくがつのってきた。一連の恐ろしい惨事の原因がわかっても、国民にそれを知らせることができないとは、腹立たしいにもほどがある。政府に責任があるほうがまだましだ。

「あれはハリケーンではなかった」ファッジはみじめな言い方をした。

「なんですと！」

首相はいまや、足を踏み鳴らして歩き回っていた。

「樹木は根こそぎ、屋根は吹っ飛ぶ、街灯は曲がる、人はひどいけがをする――」

「死喰《デス・イーター》い人がやったことでしてね」ファッジが言った。

「『名前を言ってはいけないあの人』の配下ですよ。それと……巨人がからんでいるとにらんでいるのですがね」

「**何が**からんでいると？」首相は、見えない壁に衝突したかのように、ばったり停止した。

ファッジは顔をしかめた。

『『あの人』は前回も、目立つことをやりたいときに巨人を使った。『誤報局』が二十四時間体制で動いていますよ。現実の出来事を見たマグル全員に記憶修正をかけるのに、忘却術士たちが何チームも動きましたし、『魔法生物規制管理部』の大半の者がサマセット州を駆けずり回ったのですが、巨人は見つからんのでして――大失敗ですな」

「そうでしょうとも！」首相がいきり立った。

「確かに魔法省の士気は相当落ちていますよ」ファッジが続けた。

「その上、アメリア・ボーンズを失うし」

「誰を？」

「アメリア・ボーンズ。魔法法執行部の部長ですよ。我々としては、『名前を言ってはいけないあの人』自身の手にかかったと考えていますがね。何しろ大変才能ある魔女でしたし、それに――状況証拠から見て、激しく戦ったらしい」

ファッジは咳払いし、自制心を働かせたらしく、山高帽を回すのをやめた。

「しかし、その事件は新聞にのっていましたが」

首相は自分が怒っていることを一瞬忘れた。

「**我々の**新聞にです。アメリア・ボーンズ……一人暮らしの中年の女性と書いてあるだけでした。確か――無残な殺され方、でしたな？　マスコミがかなり書き立てましたよ。何せ、警察が頭をひねりましてね」

「ああ、そうでしょうとも」ファッジはため息をついた。「中から鍵がかかった部屋で殺された。そうでしたな？　ところが我々のほうは、下手人が誰かをはっきり知っている。だからと言って、我々が下手人逮捕にそれだけ近いというわけでもないのですがね。それに、次はエメリーン・バンスだ。その件はお聞きになっていないのでは――」

「聞いていますとも！」首相が答えた。

「実は、その事件はこのすぐ近くで起こりましてね。新聞が大はしゃぎでしたよ。『**首相のおひざ元で法と秩序が破られた――**』」

「それでもまだ足りないとばかり――」ファッジは首相の言葉をほとんど聞いていなかった。「吸魂鬼がうじゃうじゃ出没して、あっちでもこっちでも手当たりしだい人を襲っている……」

その昔、より平和なときだったら、これを聞いても首相にはわけがわからなかったはずだが、いまや知恵がついていた。

「『吸魂鬼』はアズカバンの監獄を護《まも》っているのではなかったですかな？」

首相は慎重な聞き方をした。

「そうでした」ファッジはつかれたように言った。

「しかし、いまはもう。監獄を放棄して、『名前を言ってはいけないあの人』につきましたよ。これが打撃でなかったとは言えませんな」

「しかし」首相は徐々に恐怖が湧き上がってくるのを感じた。「その生き物は、希望や幸福を奪い去るとかおっしゃいませんでしたか？」

「確かに。しかも連中は増えている。だからこんな霧が立ち込めているわけで」

首相は、よろよろとそばの椅子にへたり込んだ。見えない生き物が町や村の空を襲って飛び、自分の支持者である選挙民に絶望や失望をまき散らしていると思うと、めまいがした。

「いいですか、ファッジ大臣――あなたは手を打つべきです！　魔法大臣としてのあなたの責任でしょう！」

「まあ、首相閣下、こんなことがいろいろあったあとで、私がまだ大臣の座にあるなんて、考えられんでしょうが？　三日前にクビになりました！　魔法界全体が、この二週間、私の辞任要求を叫び続けましてね。私の任期中にこれほど国がまとまったことはないですわ！」

ファッジは勇敢にもほほえんでみせようとした。

首相は一瞬言葉を失った。自分がこんな状態に置かれていることで怒ってはいるものの、目の前に座っているしなびた様子の男が、やはり哀れに思えた。

「ご愁傷さまです」ややあって、首相が言った。「何かお力になれることは？」

「恐れ入ります、閣下。しかし、何もありません。今夜は、最近の出来事についてあなたにご説明し、私の後任をご紹介する役目で参りました。もうとっくに着いてもいいころなのですが、何しろ魔法大臣はいま、多忙でいらっしゃる。なんやかんやとあって……」

ファッジは振り返って醜い小男の肖像画を見た。銀色の長い巻き毛のかつらをつけた男は、羽根ペンの先で耳をほじっているところだった。

ファッジの視線をとらえ、肖像画が言った。

「まもなくお見えになるでしょう。ちょうどダンブルドアへのお手紙を書き終えたところです」

「ご幸運を祈りたいですな」

ファッジは初めて辛辣な口調になった。

「ここ二週間、私はダンブルドアに毎日二通も手紙を書いたのに、頑として動こうとしない。ダンブルドアがあの子をちょっと説得する気になってくれていたら、私はもしかしたらまだ……まあ、スクリムジョールのほうがうまくやるかもしれん」

ファッジは口惜しげにむっつりとだまり込んだ。しかし、沈黙はほとんどすぐに破られた。肖像画が、突然、事務的な切り口上でこう告げた。

「マグルの首相閣下、面会の要請。緊急。至急お返事のほどを。魔法大臣ルーファス・スクリムジョール」

「はい、はい、けっこう」首相はほかのことを考えながら生返事をした。

火格子の炎がエメラルド色になって高く燃え上がり、その中心部で独楽のように回っている、今夜二人目の魔法使いの姿が見えた。やがてその魔法使いが炎から吐き出されるように年代物の敷物の上に現れたときも、首相はピクリともしなかった。ファッジが立ち上がった。しばらく迷ってから首相もそれにならい、到着したばかりの人物が身を起こして、長く黒いローブの灰を払い落とし、周りを見回すのを見つめた。

年老いたライオンのようだ――ばかばかしい印象だが、ルーファス・スクリムジョールをひと目見て、首相はそう思った。たてがみのような黄褐色の髪やふさふさした眉は白髪まじりで、細縁めがねの奥には黄色味がかった鋭い目があった。わずかに足を引きずってはいたが、手足が細長く、軽やかで大きな足取りには一種の優雅さがあった。俊敏で強靭《きょうじん》な印象がすぐに伝わってくる。この危機的なときに、魔法界の指導者としてファッジよりもスクリムジョールが好まれた理由が、首相にはわかるような気がした。

「初めまして」

首相は手を差し出しながらていねいに挨拶した。

スクリムジョールは、部屋中に目を走らせながら軽く握手し、ローブから杖を取り出した。

「ファッジからすべてお聞きになりましたね？」

スクリムジョールは入口のドアまで大股で歩いていき、鍵穴を杖でたたいた。首相の耳に、鍵がかかる音が聞こえた。

「あー――ええ」首相が答えた。

「さしつかえなければ、ドアには施錠しないでいただきたいのですが」

「邪魔されたくないので」スクリムジョールの答えは短かった。

「それにのぞかれたくもない」杖を窓に向けると、カーテンが閉まった。

「これでよい。さて、私は忙しい。本題に入りましょう。まず、あなたの安全の話をする必要がある」

首相は可能なかぎり背筋を伸ばして答えた。

「現在ある安全対策で充分満足しています。ご懸念には――」

「我々は満足していない」

スクリムジョールが首相の言葉をさえぎった。

「首相が『服従の呪文』にかかりでもしたら、マグルの前途が案じられる。執務室の隣の事務室にいる新しい秘書官だが――」

「キングズリー・シャックルボルトのことなら、手放しませんぞ！」首相が語気を荒らげた。

「あれはとてもできる男で、ほかの人間の二倍の仕事をこなす――」

「あの男が魔法使いだからだ」スクリムジョールはニコリともせずに言った。

「高度に訓練された『闇祓《やみばら》い』で、あなたを保護する任務に就いている」

「ちょっと待ってくれ！」首相がきっぱりと言った。「執務室にそちらが勝手に人を入れることはできますまい。私の部下は私が決め――」

「シャックルボルトに満足していると思ったが？」スクリムジョールが冷静に言った。

「満足している――いや、していたが――」

「それなら、問題はないでしょう？」スクリムジョールが言った。

「私は……それは、シャックルボルトの仕事が、これまでどおり……あー……優秀ならば」

首相の言葉は腰くだけに終わった。しかし、スクリムジョールはほとんど聞いていないようだった。

「さて、政務次官のハーバート・チョーリーだが――」スクリムジョールが続けて言った。「公衆の面前でアヒルに扮して道化ていた男のことだ」

「それがどうしました？」

「明らかに『服従の呪文』をかけそこねた結果です」スクリムジョールが言った。「頭をやられて混乱しています。しかし、まだ危険人物になりうる」

「ガアガア鳴いているだけですよ！」首相が力なく言った。「ちょっと休めばきっと……酒を飲みすぎないようにすればたぶん……」

「こうしている間にも、『聖マンゴ魔法疾患傷害病院』の癒師団が、診察をしています。これまでのところ、患者は癒師団の癒者三人をしめ殺そうとしました」

スクリムジョールが言った。

「この男はしばらくマグル社会から遠ざけたほうがよいと思います」

「私は……でも……チョーリーは大丈夫なのでしょうな？」

首相が心配そうに聞いた。スクリムジョールは肩をすくめ、もう暖炉に向かっていた。

「さあ、これ以上言うことはありません。閣下、これからの動きはお伝えしますよ――私個人は忙しくてうかがえないかもしれませんが、その時は、少なくともこのファッジをつかわします。顧問の資格でとどまることに同意しましたので」

ファッジはほほえもうとしてしくじり、歯が痛むような顔になっただけだった。

スクリムジョールはすでにポケットを探ってあの不可思議な粉を取り出し、炎を緑色にしていた。

首相は絶望的な顔でしばらく二人を見ていたが、いままでずっと押さえつけてきた言葉が、ついに口をついて飛び出した。

「そんなバカな――あなた方は**魔法使い**でしょうが！　**魔法**が使えるでしょう！　それならまちがいなく処理できるでしょう――つまり――**なんでも！**」

スクリムジョールはその場でゆっくり振り向き、ファッジと顔を見合わせ、互いに信じられないという目つきをした。

ファッジは今度こそほほえみそこねず、やさしくこう言った。

「閣下、問題は、相手も魔法が使えるということですよ」

そして二人の魔法使いは、明るい緑の炎の中に次々と歩み入り、姿を消した。

第2章　スピナーズ・エンド

首相執務室の窓に立ち込めていた冷たい霧は、そこから何キロも離れた場所の、汚れた川面に漂っていた。草ぼうぼうでごみの散らかった土手の間を縫うように、川が流れている。廃墟《はいきょ》になった製糸工場の名残の巨大な煙突が、黒々と不吉にそそり立っていた。暗い川のささやくような流れのほかには物音もせず、あわよくば丈高の草に埋もれたフィッシュ・アンド・チップスのおこぼれでもかぎ当てたいと、足音を忍ばせて土手を下っていくやせた狐《きつね》のほかは、生き物の気配もない。

その時、**ポン**と軽い音がして、フードをかぶったすらりとした姿が、こつぜんと川辺に現れた。狐はその場に凍りつき、この不思議な現象をじっと油断なく見つめた。そのフード姿は、しばらくの間、方向を確かめている様子だったが、やがて軽やかにすばやい足取りで、草むらに長いマントをすべらせながら歩きだした。

二度目の、少し大きい**ポン**という音とともに、またしてもフードをかぶった姿が現れた。

「お待ち！」

鋭い声に驚いて、それまで下草にぴったりと身を伏せていた狐は、隠れ場所から飛び出し、土手を駆け上がった。緑の閃光《せんこう》が走った。キャンという鳴き声。狐は川辺に落ち、絶命していた。

二人目の人影が狐のむくろをつま先でひっくり返した。

「ただの狐か」、フードの下で、軽蔑したような女の声がした。

「闇祓《やみばら》いかと思えば――シシー、お待ち！」

しかし、二人目の女が追う獲物は、一瞬立ち止まり、振り返って閃光を見はしたが、たったいま狐が転がり落ちたばかりの土手を、すでに上りだしていた。

「シシー――ナルシッサ――話を聞きなさい――」

二人目の女が追いついて、もう一人の腕をつかんだが、一人目はそれを振りほどいた。

「帰って、ベラ！」

「私の話を聞きなさい！」

「もう聞いたわ。もう決めたんだから。ほっといてちょうだい！」

ナルシッサと呼ばれた女は、土手を上りきった。古い鉄柵が、川と狭い石畳の道とを仕切っていた。二人目の女、ベラもすぐに追いついた。二人は並んで、通りのむこう側を見た。荒れはてたれんが建ての家が、闇の中にどんよりと暗い窓を見せて、何列も並んで建っていた。

「あいつは、ここに住んでいるのかい？」ベラはさげすむような声で聞いた。「**ここに？**　マグルの掃きだめに？　我々のような身分の者で、こんな所に足を踏み入れるのは、私たちが最初だろうよ――」

しかし、ナルシッサは聞いていなかった。さびた鉄柵の間をくぐり抜け、もう通りのむこうへと急いでいた。

「シシー、**お待ちったら！**」

ベラはマントをなびかせてあとを追い、ナルシッサが家並みの間の路地を駆け抜けて、どれも同じような通りの二つ目に走り込むのを目撃した。街灯が何本か壊れている。二人の女は、灯《あか》りと闇のモザイクの中を走った。獲物を追う追っ手のように、ベラは角を曲がろうとしているナルシッサに追いついた。今度は首尾よく腕をつかまえて後ろを振り向かせ、二人は向き合った。

「シシー、やってはいけないよ。あいつは信用できない――」

「闇の帝王は信用していらっしゃるわ。ちがう？」

「闇の帝王は……きっと……まちがっていらっしゃる」ベラがあえいだ。

フードの下でベラの目が一瞬ギラリと光り、二人きりかどうかあたりを見回した。

「いずれにせよ、この計画は誰にももらすなと言われているじゃないか。こんなことをすれば、闇の帝王への裏切りに――」

「放してよ、ベラ！」

ナルシッサがすごんだ。そしてマントの下から杖《つえ》を取り出し、脅すようにベラの顔に突きつけた。ベラが笑った。

「シシー、自分の姉に？　あんたにはできやしない――」

「できないことなんか、もうなんにもないわ！」

ナルシッサが押し殺したような声で言った。声にヒステリックな響きがあった。そして杖をナイフのように振り下ろした。閃光が走り、ベラは火傷《やけど》をしたかのように妹の腕を放した。

「**ナルシッサ！**」

しかしナルシッサはもう突進していた。追跡者は手をさすりながら、今度は少し距離を置いて、再びあとを追った。れんが建ての家の間の人気《ひとけ》のない迷路を、二人はさらに奥へと入り込んだ。ナルシッサは、スピナーズ・エンドという名の袋小路に入り、先を急いだ。あのそびえ立つような製糸工場の煙突が、巨大な人指し指が警告しているかのように、通りの上に浮かんで見える。板が打ちつけられた窓や、壊れた窓を通り過ぎるナルシッサの足音が、石畳にこだました。ナルシッサは一番奥の家にたどり着いた。一階の部屋のカーテンを通してチラチラとほの暗い灯りが見える。

ベラが小声で悪態をつきながら追いついたときには、ナルシッサはもう戸をたたいていた。少し息を切らし、夜風に乗って運ばれてくるどぶ川の臭気を吸い込みながら、二人はたたずんで待っていた。しばらくして、ドアのむこう側で何かが動く音が聞こえ、わずかに戸が開いた。すきまから、二人を見ている男の姿が細長く見えた。

ナルシッサがフードを脱いだ。黒い長髪が、土気色の顔と暗い目の周りでカーテンのように分かれている。ナルシッサが、まるで溺死した人のように見えた。蒼白《そうはく》な顔が、暗闇の中で輝くほど白い。長いブロンドの髪が背中に流れる様子が、まるで溺死した人のように見える。

「ナルシッサ！」

男がドアをわずかに広く開けたので、明かりがナルシッサと姉の二人を照らした。

「これはなんと、驚きましたな！」

「セブルス」ナルシッサは声を殺して言った。「お話しできるかしら？　とても急ぐの」

「いや、もちろん」

男は一歩下がって、ナルシッサを招じ入れた。まだフードをかぶったままの姉は、許しもこわずにあとに続いた。

「スネイプ」男の前を通りながら、姉がぶっきらぼうに言った。

「ベラトリックス」男が答えた。二人の背後でピシャリとドアを閉めながら、唇の薄いスネイプの口元に、あざけるような笑いが浮かんだ。

入った所がすぐに小さな居間になっていた。暗い独房のような部屋だ。壁は、クッションではなく、びっしりと本で覆われている。黒か茶色の革の背表紙の本が多い。すり切れたソファ、古いひじかけ椅子、ぐらぐらするテーブルが、天井からぶら下がったろうそくランプの薄暗い明かりの下に、ひと塊になって置かれていた。ふだんは人が住んでいないような、ほったらかしの雰囲気が漂っている。

スネイプは、ナルシッサにソファをすすめた。ナルシッサはマントをはらりと脱いで打ち捨て、座り込んで、ひざの上で組んだ震える白い手を見つめた。ベラトリックスはもっとゆっくりとフードを下ろした。妹の白さと対照的な黒髪、厚ぼったいまぶた、がっちりしたあご。ナルシッサの背後に回ってそこに立つまでの間、ベラトリックスはスネイプを凝視したまま目を離さなかった。

「それで、どういうご用件ですかな？」スネイプは二人の前にあるひじかけ椅子に腰かけた。

「ここには……ここには私たちだけですね？」ナルシッサが小声で聞いた。

「むろん、そうです。ああ、ワームテールがいますがね。しかし、虫けらは数に入らんでしょうな？」

スネイプは背後の壁の本棚に杖を向けた。すると、バーンという音とともに、隠し扉が勢いよく開いて狭い階段が現れた。そこには小男が立ちすくんでいた。

「ワームテール、お気づきのとおり、お客様だ」スネイプが面倒くさそうに言った。

小男は背中を丸めて階段の最後の数段を下り、部屋に入ってきた。小さいうるんだ目、とがった鼻、そして間の抜けた不ゆかいなニタニタ笑いを浮かべている。左手で右手をさすっているが、その右手は、まるで輝く銀色の手袋をはめているかのようだ。

「ナルシッサ！」小男がキーキー声で呼びかけた。「それにベラトリックス！　ご機嫌うるわしく――」

「ワームテールが飲み物をご用意しますよ。よろしければ」スネイプが言った。

「そのあとこやつは自分の部屋に戻ります」

ワームテールは、スネイプに何かを投げつけられたようにたじろいだ。

「わたしはあなたの召使いではない！」

ワームテールはスネイプの目をさけながらキーキー言った。

「ほう？　我輩を補佐するために、闇の帝王がおまえをここに置いたとばかり思っていたのだが」

「補佐というなら、そうです――でも、飲み物を出したりとか――あなたの家の掃除とかじゃない！」

「それは知らなかったな、ワームテール。おまえがもっと危険な任務を渇望していたとはね」

スネイプはさらりと言った。

「それならたやすいことだ。闇の帝王にお話し申し上げて――」

「そうしたければ、自分でお話しできる！」

「もちろんだとも」スネイプはニヤリと笑った。

「しかし、その前に飲み物を持ってくるんだ。しもべ妖精が造ったワインでけっこう」

ワームテールは、何か言い返したそうにしばらくぐずぐずしていたが、やがてきびすを返し、もう一つ別の隠し扉に入っていった。バタンという音や、グラスがぶつかり合う音が聞こえてきた。まもなく、ワームテールが、ほこりっぽい瓶を一本とグラス三個を盆にのせて戻ってきた。ぐらぐらするテーブルにそれを置くなり、ワームテールはあたふたとその場を離れ、本で覆われている背後の扉をバタンと閉めていなくなった。

スネイプは血のように赤いワインを三個のグラスに注ぎ、姉妹にその二つを手渡した。ナルシッサはつぶやくように礼を言ったが、ベラトリックスは何も言わずに、スネイプをにらみ続けた。スネイプは意に介するふうもなく、むしろおもしろがっているように見えた。

「闇の帝王に」スネイプはグラスを掲げ、飲み干した。

姉妹もそれにならった。スネイプがみんなに二杯目を注いだ。

二杯目を受け取りながら、ナルシッサが急《せ》き込んで言った。

「セブルス、こんなふうにお訪ねしてすみません。でも、お目にかからなければなりませんでした。あなたしか私を助けられる方はいないと思って――」

スネイプは手を上げてナルシッサを制し、再び杖を階段の隠し扉に向けた。バーンと大きな音と悲鳴が聞こえ、ワームテールがあわてて階段を駆け上がる音がした。

「失礼」スネイプが言った。

「やつは最近扉の所で聞き耳を立てるのが趣味になったらしい。どういうつもりなのか、我輩にはわかりませんがね……ナルシッサ、何をおっしゃりかけていたのでしたかな？」

ナルシッサは身を震わせて大きく息を吸い、もう一度話しはじめた。

「セブルス、ここに来てはいけないことはわかっていますわ。誰にも、何も言うなと言われています。でも――」

「それならだまってるべきだろう！」ベラトリックスがすごんだ。「特にこの相手の前では！」

「『この相手？』」スネイプが皮肉たっぷりにくり返した。

「それで、ベラトリックス、それはどう解釈すればよいのかね？」

「おまえを信用していないってことさ、スネイプ、おまえもよく知ってのとおり！」

ナルシッサはすすり泣くような声をもらし、両手で顔を覆った。スネイプはグラスをテーブルに置き、椅子に深く座りなおして両手をひじかけに置き、にらみつけているベラトリックスに笑いかけた。

「ナルシッサ、ベラトリックスが言いたくてうずうずしていることを聞いたほうがよろしいようですな。さすれば、何度もこちらの話を中断されるわずらわしさもないだろう。さあ、ベラトリックス、続けたまえ」スネイプが言った。「我輩を信用しないというのは、いかなる理由かね？」

「理由は山ほどある！」

ベラトリックスはソファの後ろからずかずかと進み出て、テーブルの上にグラスをたたきつけた。

「どこから始めようか！　闇の帝王が倒れたとき、おまえはどこにいた？　帝王が消え去ったとき、どうして一度も探そうとしなかった？　ダンブルドアの懐で暮らしていたこの歳月、おまえはいったい何をしていた？　闇の帝王が『賢者の石』を手に入れようとしたとき、おまえはどうして邪魔をした？　闇の帝王がよみがえったとき、おまえはなぜすぐに戻らなかった？　数週間前、闇の帝王のために予言を取り戻そうと我々が戦っていたとき、おまえはどこにいた？　それに、スネイプ、ハリー・ポッターはなぜまだ生きているのだ？　五年間もおまえの手中にあったというのに」

ベラトリックスは言葉を切った。胸を激しく波打たせ、ほおに血が上っている。その背後で、ナルシッサはまだ両手で顔を覆ったまま、身動きもせずに座っていた。

スネイプが笑みを浮かべた。

「答える前に──ああ、いかにも、ベラトリックス、これから答えるとも！　我輩の言葉を、陰口をたたいて我輩が闇の帝王を裏切っているなどと、でっち上げ話をする連中に持ち帰るがよい。──答える前に、そうそう、逆に一つ質問するとしよう。君の質問のどれ一つを取ってみても、闇の帝王が、我輩に質問しなかったものがあると思うかね？　それに対して満足のいく答えをしていなかったら、我輩はいまこうしてここに座り、君と話をしていられると思うかね？」

ベラトリックスはたじろいだ。

「あの方がおまえを信じておられるのは知っている。しかし──」

「あの方がまちがっていると思うのか？　それとも我輩がうまくだましたとでも？　不世出の開心術の達人である、最も偉大なる魔法使い、闇の帝王に一杯食わせたとでも？」

ベラトリックスは何も言わなかった。しかし、初めてぐらついた様子を見せた。スネイプはそれ以上追及しなかった。再びグラスを取り上げ、ひと口すすり、言葉を続けた。

「闇の帝王が倒れたとき我輩がどこにいたかと、そう聞かれましたな。我輩はあの方に命じられた場所にいた。ホグワーツ魔法魔術学校に。なんとなれば、我輩がアルバス・ダンブルドアをスパイすることを、あの方がお望みだったからだ。闇の帝王の命令で我輩があの職に就いたことは、ご承知だと拝察するが？」

　ベラトリックスはほとんど見えないほどわずかにうなずいた。そして口を開こうとしたが、スネイプが機先を制した。

「あの方が消え去ったとき、なぜお探ししようとしなかったかと、君はそうお尋ねだ。理由はほかの者と同じだ。エイブリー、ヤックスリー、カローたち、グレイバック、ルシウス――」

　スネイプはナルシッサに軽く頭を下げた。

「そのほかあの方をお探ししようとしなかった者は多数いる。我輩は、あの方はもう滅したと思った。自慢できることではない。我輩はまちがっていた。しかし、いまさら詮ないことだ……。あの時に信念を失った者たちを、あの方がお許しになっていなかったら、あの方の配下はほとんど残っていなかっただろう」

「私が残った！」ベラトリックスが熱っぽく言った。「あの方のために何年もアズカバンで過ごした、この私が！」

「なるほど。見上げたものだ」スネイプは気のない声で言った。「もちろん、牢屋《ろうや》の中ではたいしてあの方のお役には立たなかったが、しかし、そのそぶりはまさにご立派――」

「そぶり！」ベラトリックスがかん高く叫んだ。怒りで狂気じみた表情だった。

「私が吸魂鬼に耐えている間、おまえはホグワーツに居残って、ぬくぬくとダンブルドアに寵愛《ちょうあい》されていた！」

「少しちがいますな」スネイプが冷静に言った。

「ダンブルドアは我輩に、『闇の魔術に対する防衛術』の仕事を与えようとしなかった。そう。どうやら、それが、あー、『ぶり返し』につながるかもしれないと思ったらしく……我輩が昔に引き戻されるかもしれぬと」

「闇の帝王へのおまえの犠牲はそれか？　好きな科目が教えられなかったことなのか？」

ベラトリックスがあざけった。

「スネイプ、ではなぜ、それからずっとあそこに居残っていたのだ？　死んだと思ったご主人様のために、ダンブルドアのスパイを続けたとでも？」

「いいや」スネイプが答えた。

「ただし、我輩が職を離れなかったことを、闇の帝王はお喜びだ。あの方が戻られたとき、我輩はダンブルドアに関する十六年分の情報を持っていた。ご帰還祝いの贈り物としては、アズカバンの不快な思い出の垂れ流しより、かなり役に立つものだが……」

「しかし、おまえは居残った――」

「そうだ、ベラトリックス、居残った」スネイプの声に、初めていらだちの色がのぞいた。

「我輩には、アズカバンのお勤めより好ましい、居心地のよい仕事があった。知ってのとおり、死喰《しく》い人狩が行われていた。ダンブルドアの庇護《ひご》で、我輩は監獄に入らずにすんだ。好都合だったし、我輩はそれを利用した。重ねて言うが、闇の帝王は、我輩が居残ったことをとやかくおっしゃらない。それなのに、なぜ君がとやかく言うのかわからんね」

「次に君が知りたかったのは」

スネイプはどんどん先に進めた。ベラトリックスがいまにも口をはさみたがっている様子だったので、スネイプは少し声を大きくした。

「我輩がなぜ、闇の帝王と『賢者の石』の間に立ちはだかったか、でしたな。これはたやすくお答えできる。あの方は我輩を信用すべきかどうか、判断がつかないでおられた。君のように、あの方も、我輩が忠実な死喰い人からダンブルドアの犬になり下がったのではないかと思われた。あの方は哀れな状態だった。非常に弱って、凡庸な魔法使いの体に入り込んでおられた。昔の味方が、あの方をダンブルドアか魔法省に引き渡すかもしれないとのご懸念から、あの方はどうしても、かつての味方の前に姿を現そうとはなさらなかった。我輩を信用してくださらなかったのは残念でならない。もう三年早く、権力を回復なさることができたものを。我輩が現実に目にしたのは、強欲で『賢者の石』に値しないクィレルめが石を盗もうとしているところだった。認めよう。我輩は確かに全力でクィレルめをくじこうとしたのだ」

ベラトリックスは苦い薬を飲んだかのように口をゆがめた。

「しかし、おまえは、あの方がお戻りになったとき、参上しなかった。闇の印が熱くなったのを感じても、すぐにあの方の下に馳《は》せ参じはしなかった――」

「さよう。我輩は二時間後に参上した。ダンブルドアの命を受けて戻った」

「ダンブルドアの――？」ベラトリックスは逆上したように口を開いた。

「頭を使え！」スネイプが再びいらだちを見せた。

「考えるがいい！　二時間待つことで、たった二時間のことで、我輩は、確実にホグワーツにスパイとしてとどまれるようにした！　闇の帝王の側に戻るよう命を受けたから戻るにすぎないのだと、ダンブルドアに思い込ませることで、以来ずっと、ダンブルドアや不死鳥の騎士団についての情報を流すことができた！　いいかね、ベラトリックス。闇の印が何か月にもわたってますます強力になってきていた。我輩はあの方がまもなくお戻りになるにちがいないとわかっていたし、死喰い人は全員知っていた！　我輩が何をすべきか、次の動きをどうするか、カルカロフのように逃げ出すか、考える時間は充分にあった。そうではないか？」

「我輩が遅れたことで、はじめは闇の帝王のご不興を買った。しかし我輩の忠誠は変わらないとご説明申し上げたとき、いいかな、そのご立腹は完全に消え去ったのだ。もっともダンブルドアは我輩が味方だと思っていたがね。さよう。闇の帝王は、我輩が永久におそばを去ったとお考えになったが、帝王がまちがっておられた」

「しかし、おまえがなんの役に立った？」ベラトリックスが冷笑した。「我々はおまえからどんな有用な情報をもらったというのだ？」

「我輩の情報は闇の帝王に直接お伝えしてきた」スネイプが言った。「あの方がそれを君に教えないとしても――」

「あの方は私にすべてを話してくださる！」

ベラトリックスはたちまち激昂《げきこう》した。

「私のことを、最も忠実な者、最も信頼できる者とお呼びになる――」

「なるほど？」スネイプの声が微妙に屈折し、信じていないことをにおわせた。「**いまでも**そうかね？　魔法省での大失敗のあとでも？」

「あれは私のせいではない！」

ベラトリックスの顔がサッと赤くなった。

「過去において、闇の帝王は、最も大切なものを常に私にたくされた――ルシウスがあんなことをしな――」

「よくもそんな――夫を責めるなんて、**よくも！**」

ナルシッサが姉を見上げ、低い、すごみの効いた声で言った。

「責めをなすり合っても詮なきこと」

スネイプがすらりと言った。

「すでにやってしまったことだ」

「おまえは何もしなかった！」ベラトリックスがカンカンになった。

「何もだ。我らが危険に身をさらしているときに、おまえはまたしても不在だった。スネイプ、ちがうか？」

「我輩は残っていよとの命を受けた」スネイプが言った。

「君は闇の帝王と意見を異にするのかもしれんがね。我輩が死喰い人とともに不死鳥の騎士団と戦っても、ダンブルドアはそれに気づかなかっただろうと、そうお考えなのかな？　それに――失礼ながら――危険とか言われたようだが……十代の子供六人を相手にしたのではなかったのかね？」

「加勢が来たんだ。知ってのとおり。まもなく不死鳥の騎士団の半数が来た！」

ベラトリックスが唸《うな》った。

「ところで、騎士団の話が出たついでに聞くが、本部がどこにあるかは明かせないと、おまえはまだ言い張っているな？」

「『秘密の守人』は我輩ではないのだからして、我輩がその場所の名前を言うことはできない。守人の呪文がどういう効き方をするか、ご存じでしょうな？　闇の帝王は、騎士団について我輩がお伝えした情報で満足していらっしゃる。ご明察のことと思うが、その情報が過日エメリーン・バンスを捕らえて殺害することに結びついたし、さらにシリウス・ブラックを始末するにも当然役立ったはずだ。もっとも、やつを片づけた功績はすべて君のものだが」

スネイプは頭を下げ、ベラトリックスに杯を挙げた。ベラトリックスは硬い表情を変えなかった。

「私の最後の質問をさけているぞ、スネイプ。ハリー・ポッターだ。この五年間、いつでも殺せたはずだ。おまえはまだ殺《や》っていない。なぜだ？」

「この件を、闇の帝王と話し合ったのかね？」スネイプが聞いた。

「あの方は……最近私たちは……**おまえに**聞いているのだ、スネイプ！」

「もし我輩がハリー・ポッターを殺していたら、闇の帝王は、あやつの血を使ってよみがえることができず、無敵の存在となることも――」

「あの方が小僧を使うことを見越していた、とでも言うつもりか！」

ベラトリックスがあざけった。

「そうは言わぬ。あの方のご計画を知る由もなかった。すでに白状したとおり、我輩は闇の帝王が死んだと思っていた。ただ我輩は、闇の帝王が、ポッターの生存を残念に思っておられない理由を説明しようとしているだけだ。少なくとも一年前まではだが……」

「それならなぜ、小僧を生かしておいた？」

「我輩の話がわかっていないようだな？　我輩がアズカバン行きにならずにすんだのは、ダンブルドアの庇護があったればこそだ！　そのお気に入りの生徒を殺せば、ダンブルドアが我輩を敵視することになったかもしれない。ちがうかな？　しかし、単にそれだけでのことではなかった。ポッターが初めてホグワーツにやってきたとき、ポッターに関するさまざまな憶測が流れていたことを思い出していただこう。彼自身が偉大なる闇の魔法使いではないか、だからこそ闇の帝王に攻撃されても生き残ったのだというわさだ。事実、闇の帝王のかつての部下の多くが、ポッターこそ、我々全員がもう一度集結し、擁立すべき旗頭ではないかと考えた。確かに我輩は興味があった。だからして、ポッターが城に足を踏み入れた瞬間に殺してしまおうという気には、とうていなれなかった」

「もちろん、あいつには特別な能力などまったくないことが、我輩にはすぐ読めた。やつは何度かピンチにおちいったが、単なる幸運と、よりすぐれた才能を持った友人との組み合わせだけで乗りきってきた。徹底的に平凡なやつだ。もっとも、父親同様、ひとりよがりのしゃくにさわるやつではあるが。我輩は手を尽くしてやつをホグワーツから放り出そうとした。学校にふさわしからぬやつだからだ。しかし、やつを殺したり、我輩の目の前で殺されるのを放置するのはどうかな？　ダンブルドアがすぐそばにいるからには、そのような危険をおかすのは愚かというものだ」

「それで、これだけあれこれあったのに、ダンブルドアが一度もおまえを疑わなかったと信じろというわけか？」ベラトリックスが聞いた。「おまえの忠誠心の本性を、ダンブルドアは知らずに、いまだにおまえを心底信用しているというのか？」

「我輩は役柄を上手に演じてきた」スネイプが言った。

「それに、君はダンブルドアの大きな弱点を見逃している。あの人は、人の善なる性を信じずにはいられないという弱みだ。我輩が、まだ死喰い人時代のほとぼりも冷めやらぬころにダンブルドアのスタッフに加わったとき、心からの悔悟の念を縷々《るる》語って聞かせた。するとダンブルドアは諸手《もろて》を挙げて我輩を迎え入れた――ただし、先刻も言ったとおり、できうるかぎり、我輩を闇の魔術に近づけまいとした。ダンブルドアは偉大な魔法使いだ（ベラトリックスが痛烈な反論の声を上げた）――ああ、確かにそうだとも。闇の帝王も認めている。ただ、喜ばしいことに、ダンブルドアは年老いてきた。闇の帝王との先月の決闘は、ダンブルドアを動揺させた。その後も、動きにかつてほどの切れがなくなっているがために、ダンブルドアは深手を負った。しかしながら、長年にわたって一度も、このセブルス・スネイプへの信頼はとぎれたことがない。それこそが、闇の帝王にとっての我輩の大きな価値なのだ」

ベラトリックスはまだ不満そうだったが、どうやってスネイプに次の攻撃を仕掛けるべきか迷っているようだった。その沈黙に乗じて、スネイプは妹のほうに水を向けた。

「さて……我輩に助けを求めにおいでになったな、ナルシッサ？」

ナルシッサがスネイプを見上げた。絶望がはっきりとその顔に書いてある。

「ええ、セブルス。わ――私を助けてくださるのは、あなたしかいないと思います。ほかには誰も頼る人がいません。ルシウスは牢獄で、そして……」

ナルシッサは目をつむった。ふた粒の大きな涙がまぶたの下からあふれ出した。

「闇の帝王は、私がその話をすることを禁じました」

ナルシッサは目を閉じたまま言葉を続けた。

「誰にもこの計画を知られたくないとお望みです。とても……厳重な秘密なのです。でも――」

「あの方が禁じたのなら、話してはなりませんな」スネイプが即座に言った。「闇の帝王の言葉は法律ですぞ」

ナルシッサは、スネイプに冷水を浴びせられたかのように息をのんだ。ベラトリックスはこの家に入ってから初めて満足げな顔をした。

「ほら！」ベラトリックスが勝ち誇ったように妹に言った。「スネイプでさえそう言ってるんだ。しゃべるなと言われたんだから、だまっていなさい！」

しかしスネイプは、立ち上がって小さな窓のほうにツカツカと歩いていき、カーテンのすきまから人気のない通りをじっとのぞくと、再びカーテンをぐいと閉めた。そしてナルシッサを振り返り、顔をしかめてこう言った。

「たまたまではあるが、我輩はあの方の計画を知っている」スネイプが低い声で言った。

「闇の帝王が打ち明けた数少ない者の一人なのだ。それはそうだが、ナルシッサ、我輩が秘密を知る者でなかったなら、あなたは闇の帝王に対する重大な裏切りの罪を犯すことになったのですぞ」

「あなたはきっと知っていると思っていましたわ！」

ナルシッサの息づかいが少し楽になった。

「あの方は、セブルス、あなたのことをとてもご信頼で……」

「おまえが計画を知っている？」

ベラトリックスが一瞬浮かべた満足げな表情は、怒りに変わっていた。

「**おまえが**知っている？」

「いかにも」スネイプが言った。

「しかし、ナルシッサ、我輩にどう助けてほしいのかな？　闇の帝王のお気持ちが変わるよう、我輩が説得できると思っているなら、気の毒だが望みはない。まったくない」

「セブルス」ナルシッサがささやくように言った。青白いほおを涙がすべり落ちた。

「私の息子……たった一人の息子……」

「ドラコは誇りに思うべきだ」ベラトリックスが非情に言い放った。

「闇の帝王はあの子に大きな名誉をお与えになった。それに、ドラコのためにはっきり言っておきたいが、あの子は任務に尻込みしていない。自分の力を証明するチャンスを喜び、期待に心を躍らせて――」

ナルシッサはすがるようにスネイプを見つめたまま、ほんとうに泣きだした。

「それはあの子が十六歳で、何が待ち受けているのかを知らないからだわ！　セブルス、どうしてなの？　どうして私の息子が？　危険すぎるわ！　これはルシウスがまちがいを犯したことへの復讐《ふくしゅう》なんだわ、ええそうなのよ！」

スネイプは何も言わず、涙が見苦しいものであるかのように、ナルシッサの泣き顔から目をそむけていた。しかし聞こえないふりはできなかった。

「だからあの方はドラコを選んだのよ。そうでしょう？」ナルシッサは詰め寄った。

「ルシウスを罰するためでしょう？」

「ドラコが成功すれば――」

ナルシッサから目をそむけたまま、スネイプが言った。

「ほかの誰よりも高い栄誉を得るだろう」

「でも、あの子は成功しないわ！」ナルシッサはそれで気がくじけたようだった。

「あの子にどうしてできましょう？　闇の帝王ご自身でさえ――」

ベラトリックスが息をのんだ。ナルシッサはそれで気がくじけたようだった。

「いえ、つまり……まだ誰も成功したことがないのですし……セブルス……お願い……あなたははじめから、そしていままでもドラコの好きな先生だわ……ルシウスの昔からの友人で……おすがりします……あなたは闇の帝王のお気に入りで、相談役として一番信用されているし……お願いです。あの方にお話しして、説得して――？」

「闇の帝王は説得される方ではない。それに我輩は、説得しようとするほど愚かではない」

スネイプはすげなく言った。

「我輩としては、闇の帝王がルシウスにご立腹ではないなどと取りつくろうことはできない。ルシウスは指揮をとるはずだった。自分自身が捕まってしまったばかりか、ほかに何人も捕まった。おまけに予言を取り戻すことにも失敗した。さよう、闇の帝王はお怒りだ。ナルシッサ、非常にお怒りだ」

「それじゃ、思ったとおりだわ。あの方は見せしめのためにドラコを選んだのよ！」

ナルシッサは声を詰まらせた。

「あの子を成功させるおつもりではなく、途中で殺されることがお望みなのよ！」

スネイプがだまっていると、ナルシッサは最後にわずかに残った自制心さえ失ったかのようだった。立ち上がってよろよろとスネイプに近づき、ローブの胸元をつかんだ。顔をスネイプの顔に近づけ、涙をスネイプの胸元にこぼしながら、ナルシッサはあえいだ。

「あなたならできるわ。ドラコのかわりに、セブルス、**あなたなら**できる。あなたは成功するわ。きっと成功するわ。そうすればあの方は、あなたにほかの誰よりも高い報奨を――」

スネイプはナルシッサの両手首をつかみ、しがみついている両手をはずした。涙で汚れた顔を見下ろし、スネイプがゆっくりと言った。

「あの方は最後には我輩にやらせるおつもりだ。そう思う。しかし、まずドラコにやらせると、固く決めていらっしゃる。ありえないことだが、ドラコが成功したあかつきには、我輩はもう少しホグワーツにとどまり、スパイとしての有用な役割を遂行できるわけだ」

「それじゃ、あの方は、ドラコが殺されてもかまわないと！」

「闇の帝王は非常にお怒りだ」スネイプが静かにくり返した。

「あの方は予言を聞けなかった。あなたも我輩同様、よくご存じのことだが、あの方はやすやすとはお許しにならない」

ナルシッサはスネイプの足元にくずおれ、床の上ですすり泣き、うめいた。

「私の一人息子……たった一人の息子……」

「おまえは誇りに思うべきだよ！」ベラトリックスが情け容赦なく言った。

「私に息子があれば、闇の帝王のお役に立つよう、喜んで差し出すだろう！」

ナルシッサは小さく絶望の叫びを上げ、長いブロンドの髪を鷲《わし》づかみにした。スネイプがかがんで、ナルシッサの腕をつかんで立たせ、ソファにいざなった。それからナルシッサのグラスにワインを注ぎ、無理やり手に持たせた。

「ナルシッサ、もうやめなさい。これを飲んで、我輩の言うことを聞くんだ」

ナルシッサは少し静かになり、ワインをはねこぼしながら、震える手でひと口飲んだ。

「可能性だが……我輩がドラコを手助けできるかもしれん」

ナルシッサが体を起こし、ろうのように白い顔で目を見開いた。

「セブルス——ああ、セブルス——あなたがあの子を助けてくださる？　あの子を見守って、危害がおよばないようにしてくださる？」

「やってみることはできる」

ナルシッサはグラスを放り出した。グラスがテーブルの上をすべると同時に、ナルシッサはソファをすべり下りて、スネイプの足元にひざまずき、スネイプの手を両の手でかき抱いて唇を押し当てた。

「あなたがあの子を護《まも》ってくださるのなら……セブルス、誓ってくださる？　『破れぬ誓い』を結んでくださる？」

「『破れぬ誓い』？」

スネイプの無表情な顔からは、何も読み取れなかった。しかし、ベラトリックスは勝ち誇ったように高笑いした。

「ナルシッサ、聞いていなかったのかい？　ああ、こいつは確かに、**やってみる**だろうよ……いつものむなしい言葉だ。行動を起こすときになるとうまくすり抜ける……ああ、もちろん闇の帝王の命令だろうともさ！」

スネイプはベラトリックスを見なかった。その暗い目は、自分の手をつかんだままのナルシッサの涙にぬれた青い目を見すえていた。

「いかにも。ナルシッサ、『破れぬ誓い』を結ぼう」スネイプが静かに言った。

「姉君が『結び手』になることにご同意くださるだろう」

ベラトリックスは口をあんぐり開けていた。スネイプはナルシッサと向かい合ってひざまずくように座った。ベラトリックスの驚愕《きょうがく》のまなざしの下で、二人は右手を握り合った。

「ベラトリックス、杖が必要だ」スネイプが冷たく言った。

ベラトリックスは杖を取り出したが、まだあぜんとしていた。

「それに、もっとそばに来る必要がある」スネイプが言った。

ベラトリックスは前に進み出て、二人の頭上に立ち、結ばれた両手の上に杖の先を置いた。

ナルシッサが言葉を発した。

「セブルス、あなたは、闇の帝王の望みを叶えようとする私の息子、ドラコを見守ってくださいますか？」

「そうしよう」スネイプが言った。

まぶしい炎が、細い舌のように杖から飛び出し、灼熱《しゃくねつ》の赤いひものように二人の手の周りに巻きついた。

「そしてあなたは、息子に危害がおよばぬよう、力のかぎり護ってくださいますか？」

「そうしよう」スネイプが言った。

二つ目の炎の舌が杖から噴き出し、最初の炎とからみ合い、輝く細い鎖を形作った。

「そして、もし必要になれば……ドラコが失敗しそうな場合は……」

ナルシッサがささやくように言った（スネイプの手がナルシッサの手の中でピクリと動いたが、手を引っ込めはしなかった)。

「闇の帝王がドラコに遂行を命じた行為を、あなたが実行してくださいますか?」

一瞬の沈黙が流れた。ベラトリックスは目を見開き、握り合った二人の手に杖を置いて見つめていた。

「そうしよう」スネイプが言った。

驚くベラトリックスの顔が、三つ目の細い炎の閃光で赤く照り輝いた。舌のような炎が杖から飛び出し、ほかの炎とからみ合い、握り合わされた二人の手にがっしりと巻きついた。縄のように。炎の蛇のように。

第3章　遺志と意思

ハリー・ポッターは大いびきをかいていた。この四時間というもの、ほとんどずっと部屋の窓際に椅子を置いて座り、だんだん暗くなる通りを見つめ続けていたが、とうとう眠り込んでしまったのだ。冷たい窓ガラスに顔の半分を押しつけ、めがねは半ばずり落ち、口はあんぐり開いている。ハリーの吐く息で窓ガラスの一部が曇り、街灯のオレンジ色の光を受けて光っている。街灯の人工的な明かりがハリーの顔からすべての色味を消し去り、真っ黒なくしゃくしゃ髪の下で幽霊のような顔に見せていた。

部屋の中には雑多な持ち物や、ちまちましたがらくたがばらまかれている。床にはふくろうの羽根やりんごの芯、キャンディの包み紙が散らかり、ベッドにはごたごたと丸められたローブの間に呪文の本が数冊、乱雑に転がっている。そして机の上の明かりだまりには、新聞が雑然と広げられていた。一枚の新聞に派手な大見出しが見える。

ハリー・ポッター　選ばれし者？

最近魔法省で「名前を言ってはいけないあの人」が再び目撃された不可解な騒動について、いまだに流言蜚語《ひご》が飛び交っている。

忘却術士の一人は、昨夜魔法省を出る際に、名前を明かすことを拒んだ上で、動揺した様子で次のように語った。

「我々は何も話してはいけないことになっている。何も聞かないでくれ」

しかしながら、魔法省内のさる高官筋は、かの伝説の「予言の間」が騒動の中心となった現場だと認めた。

魔法省のスポークス魔《マ》ンはこれまで、そのような場所の存在を認めることさえ拒否してきたが、魔法界では、家屋侵入と窃盗未遂の廉《かど》で現在アズカバンに服役中の死喰《しく》い人たちが、予言を盗もうとしたのではないか、と考える魔法使いが増えている。問題の予言がどのようなものかは知られていないが、巷《ちまた》では、「死の呪文」を受けて生き残った唯一の人物であり、さらに問題の夜に魔法省にいたことが知られている、ハリー・ポッターに関するものではないかと推測されている。一部の魔法使いの間では、ポッターが「選ばれし者」と呼ばれ、予言が、「名前を言ってはいけないあの人」を排除できるただ一人の者として、ポッターを名指ししたと考えられている。

問題の予言の現在の所在は――ただし予言が存在するならばではあるが――杳《よう》として知れない。

しかし（二面五段目に続く）

もう一枚の新聞が、最初の新聞の脇に置かれている。大見出しはこうだ。

スクリムジョール、ファッジの後任者

一面の大部分は、一枚の大きなモノクロ写真で占められている。ふさふさしたライオンのたてがみのような髪に、傷だらけの顔の男だ。写真が動いている――男が天井に向かって手を振っていた。

魔法法執行部闇祓《やみばら》い局の前局長ルーファス・スクリムジョールが、コーネリウス・ファッジのあとを受けて魔法大臣に就任した。魔法界はおおむねこの任命を歓迎しているが、就任の数時間後には、新大臣とウィゼンガモット法廷主席魔法戦士として復帰したアルバス・ダンブルドアとの亀裂のうわさが浮上した。

スクリムジョールの補佐官らは、スクリムジョールが魔法大臣就任直後、ダンブルドアと会見したことを認めたが、話し合いの内容についてはコメントをさけた。アルバス・ダンブルドアはかねてから（三面二段目に続く）

その新聞の左に置かれた別の新聞は、「魔法省、生徒の安全を保証」という見出しがはっきり見えるように折ってあった。

新魔法大臣ルーファス・スクリムジョールは、今日、秋の新学期にホグワーツ魔法魔術学校に帰る学生の安全を確保するため、新しい強硬策を講じたと語った。

大臣は「当然のことだが、魔法省は、新しい厳重なセキュリティ計画の詳細について公表するつもりはない」と語ったが、内部情報筋によれば、安全措置には、防衛呪文と呪い、一連の複雑な反対呪文、さらにホグワーツ校の護衛専任の、闇祓い小規模特務部隊などがふくまれる。

新大臣が生徒の安全のために強硬な姿勢を取ったことで、大多数が安堵《あんど》したと思われる。オーガスタ・ロングボトム夫人は次のように語った。「孫のネビルは――たまたまハリー・ポッターと仲良しで、ついでに申し上げますと、この六月、魔法省で彼と肩を並べて死喰い人と戦ったのですが記事の続きは大きな鳥かごの下に隠れて見えない。かごの中には見事な白ふくろうがいた。琥珀《こはく》色の眼《め》で部屋を睥睨《へいげい》し、ときどき首をぐるりと回しては、いびきをかいているご主人様をじっと見つめた。一、二度、もどかしそうにくちばしを鳴らしたが、ぐっすり眠り込んでいるハリーには聞こえなかった。大きなトランクが部屋のまん中に置かれていた。ふたが開いている。受け入れ態勢充分の雰囲気だ。しかし、トランクの底を覆う程度に、着古した下着の残骸や菓子類、からのインク瓶や折れた羽根ペンなどがあるだけで、ほとんどからっぽだ。そのそばの床には、紫色のパンフレットが落ちていて、目立つ文字でこう書いてあった。

魔法省公報

あなたの家と家族を闇の力から護《まも》るには

魔法界は現在、死喰い人と名乗る組織の脅威にさらされています。次の簡単な安全指針を遵守すれば、あなた自身と家族、そして家を攻撃から護るのに役立ちます。

1　一人で外出しないこと

2　暗くなってからは特に注意すること。外出は、可能なかぎり暗くなる前に完了するよう段取りすること

3　家の周りの安全対策を見なおし、家族全員が、「盾の呪文」、「目くらまし呪文」、未成年の家族の場合は「付き添い姿くらまし」術などの緊急措置について認識するよう確認すること

4　親しい友人や家族の間で通用する安全のための質問事項を決め、ポリジュース薬（二ページ参

照）使用によって他人になりすました死喰い人を見分けられるようにすること

5　家族、同僚、友人または近所の住人の行動がおかしいと感じた場合は、すみやかに魔法警察部隊に連絡すること。「服従の呪文」（四ページ参照）にかかっている可能性がある

6　住宅その他の建物の上に闇の印が現れた場合は、入るべからず。ただちに闇祓い局に連絡すること

7　未確認の目撃情報によれば、死喰い人が「亡者」（一〇ページ参照）を使っている可能性がある。「亡者」を目撃した場合、または遭遇した場合は、ただちに魔法省に報告すること

ハリーは眠りながら唸《うな》った。窓伝いに顔が数センチすべり落ち、めがねがさらにずり落ちたが、目を覚まさない。何年か前にハリーが修理した目覚まし時計が、窓の下枠に置かれてチクタク大きな音を立てながら、十一時一分前を指していた。そのすぐ脇には羊皮紙が一枚、ハリーのぐったりした手で押さえられていて、斜めに細長い文字が書きつけてある。三日前に届いた手紙だが、ハリーがそれ以来何度も読み返したせいで、固く巻かれていた羊皮紙が、いまでは真っ平らになっていた。

親愛なるハリー

君の都合さえよければ、わしはプリベット通り四番地を金曜の午後十一時に訪ね、「隠れ穴」まで君を連れていこうと思う。そこで夏休みの残りを過ごすようにと、君に招待が来ておる。

君さえよければ、「隠れ穴」に向かう途中で、わしがやろうと思っていることを手伝ってもらえればうれしい。このことは、君に会ったときに、もう少しくわしく説明するとしよう。

このふくろうで返信されたし。それでは金曜日に会いましょうぞ。

信頼を込めて

アルバス・ダンブルドア

ハリーはもう内容をそらんじていたが、今夜は七時に窓際に陣取り、それから数分おきにこの「お墨つき」をちらちら見ていた。窓際からは、プリベット通りの両端がかなりよく見える。ダンブルドアの手紙を何度も読み返したところで、意味がないことはわかっていた。手紙で指示されたように、配達してきたふくろうに「はい」の返事を持たせて帰したのだし、いまは待つよりほかない。ダンブルドアは、来るか来ないかのどっちかだ。

しかしハリーは、荷物をまとめていなかった。たった二週間ダーズリー一家とつき合っただけで救い出されるのは、話がうますぎるような気がした。何かがうまくいかなくなるような感じをぬぐいきれなかった——ダンブルドアへの返事が行方不明になってしまったかもしれないし、ダンブルドアが都合でハリーを迎えにこられなくなる可能性もある。この手紙がダンブルドアからのものではなく、いたずらや冗談、罠《わな》だったと判明するかもしれない。荷造りをしたあとでがっかりして、また荷を解かなければならないような状況には耐えられなかった。唯一旅立つそぶりを見せるのに、ハリーは白ふくろうのヘドウィグを安全に鳥かごに閉じ込めておいた。

目覚まし時計の分針が十二を指した。まさにその時、窓の外の街灯が消えた。

ハリーは、急に暗くなったことが引き金になったかのように目を覚ました。急いでめがねをかけなおし、窓ガラスにくっついたほおをひっぺがして、そのかわり鼻を押しつけ、ハリーは目を細めて歩道を見つめた。背の高い人物が、長いマントをひるがえし、庭の小道を歩いてくる。

ハリーは電気ショックを受けたように飛び上がり、椅子を蹴飛ばし、床に散らばっているものを手当たりしだいに引っつかんではトランクに投げ入れはじめた。ローブをひとそろいと呪文の本を二冊、それにポテトチップをひと袋、部屋のむこう側からポーンと放り投げたとき、玄関の呼び鈴が鳴った。

一階の居間で、バーノンおじさんが叫んだ。

「こんな夜遅くに訪問するとは、いったい何やつだ？」

ハリーは片手に真鍮《しんちゅう》の望遠鏡を持ち、もう一方の手にスニーカーを一足ぶら下げたまま、その場に凍りついた。ダンブルドアがやってくるかもしれないと、ダーズリー一家に警告するのを完全に忘れていた。大変だという焦りと、噴き出したい気持ちとの両方を感じながら、ハリーはトランクを乗り越え、部屋のドアをぐいと開けた。そのとたん、深い声が聞こえた。

「こんばんは。ダーズリーさんとお見受けするが？　わしがハリーを迎えにくることは、ハリーからお聞きおよびかと存ずるがの？」

ハリーは階段を一段飛ばしに飛び下り、下から数段目の所で急停止した。長い経験が、できるかぎりおじさんの腕の届かない所にいるべきだと教えてくれたからだ。玄関口に、銀色の髪とあごひげを腰まで伸ばした、痩身の背の高い人物が立っていた。折れ曲がった鼻に半月めがねをのせ、旅行用の長い黒マントを着て、とんがり帽子をかぶっている。ダンブルドアと同じぐらいふさふさの口ひげをたくわえた（もっとも黒いひげだが）バーノン・ダーズリーは、赤紫の部屋着を着て、自分の小さな目が信じられないかのように訪問者を見つめていた。

「あなたのあぜんとした疑惑の表情から察するに、ハリーは、わしの来訪を前もって警告し**なかった**のですな」ダンブルドアは機嫌よく言った。「しかしながら、あなたがわしを温かくお宅に招じ入れたということにいたしましょうぞ。この危険な時代に、あまり長く玄関口にぐずぐずしているのは賢明ではないからのう」

ダンブルドアはすばやく敷居をまたいで中に入り、玄関ドアを閉めた。

「前回お訪ねしたのは、ずいぶん昔じゃった」

ダンブルドアは曲がった鼻の上からバーノンおじさんを見下ろした。

「アガパンサスの花が実に見事ですのう」

バーノン・ダーズリーはまったく何も言わない。ハリーは、おじさんがまちがいなく言葉を取り戻すと思った。しかももうすぐだ――おじさんのこめかみのピクピクが危険な沸騰点に達している――しかし、ダンブルドアの持つ何かが、おじさんの息を一時的に止めてしまったかのようだった。ダンブルドアの格好がずばり魔法使いそのものだったせいかもしれないし、もしかしたら、バーノンおじさんでさえ、この人物には脅しがきかないと感じたせいなのかもしれない。

「ああ、ハリー、こんばんは」ダンブルドアは大満足の表情で、半月めがねの上からハリーを見上げた。

「上々、上々」

この言葉でバーノンおじさんは奮い立ったようだった。バーノンおじさんにしてみれば、ハリーを見て「上々」と言うような人物とは、絶対に意見が合うはずはないのだ。

「失礼になったら申し訳ないが――」おじさんが切り出した。一言一言に失礼さがちらついている。

「――しかし、悲しいかな、意図せざる失礼が驚くほど多いものじゃ」ダンブルドアは重々しく文章を完結させた。

「なれば、何も言わぬが一番じゃ。ああ、これはペチュニアとお見受けする」

キッチンのドアが開いて、そこにハリーのおばがゴム手袋をはめ、寝巻きの上に部屋着をはおって立っていた。明らかに、寝る前のキッチン徹底磨き上げの最中らしい。かなり馬に似たその顔には
ショック以外の何も読み取れない。

「アルバス・ダンブルドアじゃ」

バーノンおじさんが紹介する気配がないので、ダンブルドアは自己紹介した。

「お手紙をやり取りいたしましたのう」

爆発する手紙を一度送ったことをペチュニアおばさんに思い出させるにしては、こういう言い方は変わっているとハリーは思った。しかし、ペチュニアおばさんは反論しなかった。

「そして、こちらは息子さんのダドリーじゃな？」

ダドリーがその時、居間のドアから顔をのぞかせた。縞《しま》のパジャマの襟から突き出たブロンドのでかい顔は、驚きと恐れで口をぱっくり開け、体のない首だけのような奇妙さだった。ダンブルドアは、どうやらダーズリー一家の誰かが口をきくかどうかを確かめているらしく、わずかの間待っていたが、沈黙が続いたので、ほほえんだ。

「わしが居間に招き入れられたことにしましょうかの？」

ダドリーは、ダンブルドアが前を通り過ぎるときにあわてて道を空けた。ハリーは望遠鏡とスニーカーをひっつかんだまま、最後の数段を一気に飛び下り、ダンブルドアのあとに従った。ダンブルドアは暖炉に一番近いひじかけ椅子に腰を下ろし、無邪気な顔であたりを観察していた。ダンブルドアの姿は、はなはだしく場ちがいだった。

「あの――先生、出かけるんじゃありませんか？」ハリーは心配そうに聞いた。

「そうじゃ、出かける。しかし、まずいくつか話し合っておかなければならないことがあるのじゃ」ダンブルドアが言った。

「それに、おおっぴらに話をしないほうがよいのでな。もう少しの時間、おじさんとおばさんのご厚意に甘えさせていただくとしよう」

「させていただく？　そうするんだろうが？」

バーノン・ダーズリーが、ペチュニアを脇にして居間に入ってきた。ダドリーは二人のあとをこそこそついてきた。

「いや、そうさせていただく」ダンブルドアはあっさりと言った。

ダンブルドアはすばやく杖《つえ》を取り出した。あまりの速さにハリーにはほとんど杖が見えなかった。軽くひと振りすると、ソファが飛ぶように前進して、ダーズリー一家三人のひざを後ろからすくい、三人は束になってソファに倒れた。もう一度杖を振ると、ソファはたちまち元の位置まで後退した。

「居心地よくしようのう」ダンブルドアがほがらかに言った。

ポケットに杖をしまうとき、その手が黒くしなびているのにハリーは気がついた。肉が焼け焦げて落ちたかのようだった。

「先生——どうなさったのですか、その——？」

「ハリー、あとでじゃ」ダンブルドアが言った。「おかけ」

ハリーは残っているひじかけ椅子に座り、驚いて口もきけないダーズリー一家のほうを見ないようにした。

「普通なら茶菓でも出してくださるものじゃが」ダンブルドアがバーノンおじさんに言った。

「しかし、これまでの様子から察するに、そのような期待は、楽観的すぎてバカバカしいと言えるじゃろう」

三度目の杖がピクリと動き、空中からほこりっぽい瓶とグラスが五個現れた。瓶が傾いて、それぞれのグラスに蜂蜜色の液体をたっぷりと注ぎ入れ、グラスがふわふわと五人のもとに飛んでいった。

「マダム・ロスメルタの最高級オーク樽《だる》熟成蜂蜜酒じゃ」

ダンブルドアはハリーに向かってグラスを挙げた。ハリーは自分のグラスを捕まえ、ひと口すすった。これまでに味わったことのない飲み物だったが、とてもおいしかった。ダーズリー一家は互いにこわごわ顔を見合わせたあと、自分たちのグラスを完全に無視しようとした。しかしそれは至難のわざだった。何しろグラスが、三人の頭を脇から軽くこづいていたからだ。ハリーはダンブルドアが大いに楽しんでいるのではないかという気持ちを打ち消せなかった。

「さて、ハリー」ダンブルドアがハリーを見た。「面倒なことが起きてのう。君が我々のためにそれを解決してくれることを望んでおるのじゃ。我々というのは、不死鳥の騎士団のことじゃが。しかしまず君に話さねばならんことがある。シリウスの遺言が一週間前に見つかってのう、所有物のすべてを君に遺《のこ》したのじゃ」

ソファのほうから、バーノンおじさんがこっちに顔を向けたが、ハリーはおじさんを見もしなかったし、「あ、はい」と言うほか、何も言うべき言葉を思いつかなかった。

「ほとんどが単純明快なことじゃ」ダンブルドアが続けた。「グリンゴッツの君の口座に、ほどほどの金貨が増えたこと、そして君がシリウスの私有財産を相続したことじゃ。少々やっかいな遺産は――」

「名付け親が死んだと？」

バーノンおじさんがソファから大声で聞いた。ダンブルドアもハリーもおじさんのほうを見た。蜂蜜酒のグラスが、今度は相当しつこく、バーノンの頭を横からぶっていた。おじさんはそれを払いのけようとした。

「死んだ？　こいつの名付け親が？」

「そうじゃ」

ダンブルドアは、なぜダーズリー一家に打ち明けなかったのかと、ハリーに尋ねたりはしなかった。

「問題は」ダンブルドアは邪魔が入らなかったかのようにハリーに話し続けた。「シリウスがグリモールド・プレイス十二番地を君に遺したのじゃ」

「屋敷を相続しただと？」

バーノンおじさんが小さい目を細くして、意地汚く言った。しかし、誰も答えなかった。

「ずっと本部として使っていいです」ハリーが言った。「僕はどうでもいいんです。あげます。僕はほんとにいらないんだ」

ハリーは、できればグリモールド・プレイス十二番地に二度と足を踏み入れたくなかった。シリウスは、あそこを離れようとあれほど必死だった。それなのに、あの家に閉じ込められて、かび臭い暗い部屋をたった一人で徘徊していた。ハリーは、そんなシリウスの記憶に一生つきまとわれるだろうと思った。

「それは気前のよいことじゃ」ダンブルドアが言った。

「しかしながら、我々は一時的にあの建物から退去した」

「なぜです？」

「そうじゃな」

バーノンおじさんは、しつこい蜂蜜酒のグラスに、いまや矢継ぎ早に頭をぶたれてブツクサ言っていたが、ダンブルドアは無視した。

「ブラック家の伝統で、あの屋敷は代々、ブラックの姓を持つ直系の男子に引き継がれる決まりになっておった。シリウスはその系譜の最後の者じゃった。弟のレギュラスが先に亡くなり、二人とも子供がおらなかったからのう。遺言で、シリウスはあの家を君に所有してほしいということは明白になったが、それでも、あの屋敷になんらかの呪文や呪いがかけられており、ブラック家の純血の者以外は、何人も所有できぬようになっていないともかぎらんのじゃ」

一瞬、生々しい光景がハリーの心をよぎった。グリモールド・プレイス十二番地のホールにかかっていたシリウスの母親の肖像画が、叫んだり怒りの唸り声を上げたりする様子だ。

「きっとそうなっています」ハリーが言った。

「まことに」ダンブルドアが言った。「もしそのような呪文がかけられておれば、あの屋敷の所有権は、生存しているシリウスの親族の中で最も年長の者に移る可能性が高い。つまり、いとこのベラトリックス・レストレンジということじゃ」

ハリーは思わず立ち上がった。ひざにのせた望遠鏡とスニーカーが床を転がった。ベラトリックス・レストレンジ。シリウスを殺したあいつが屋敷を相続するというのか？

「そんな」ハリーが言った。

「まあ、我々も当然、ベラトリックスが相続しないほうが好ましい」ダンブルドアが静かに言った。「状況は複雑を極めておる。たとえば、あの場所を特定できぬように、我々のほうでかけた呪文じゃが、所有権がシリウスの手を離れたとなると、はたして持続するかどうかわからぬ。いまにもベラトリックスが戸口に現れるかもしれぬ。当然、状況がはっきりするまで、あそこを離れなければならなかったのじゃ」

「でも、僕が屋敷を所有することが許されるのかどうか、どうやったらわかるのですか？」

「幸いなことに」ダンブルドアが言った。「一つ簡単なテストがある」

ダンブルドアはからのグラスを椅子の脇の小さなテーブルに置いたが、次の行動に移る間を与えず、バーノンおじさんが叫んだ。

「**このいまいましいやつを、どっかにやってくれんか？**」

ハリーが振り返ると、ダーズリー家の三人が、腕で頭をかばってしゃがみ込んでいた。グラスが三人それぞれの頭を上下に飛び跳ね、中身がそこら中に飛び散っていた。

「おお、すまなんだ」ダンブルドアは礼儀正しくそう言うと、また杖を上げた。三つのグラスが全部消えた。「しかし、お飲みくださるのが礼儀というものじゃよ」

バーノンおじさんは、嫌味の連発で応酬したくてたまらなそうな顔をしたが、ダンブルドアの杖に豚のようにちっぽけな目をとめたまま、ペチュニアやダドリーと一緒に小さくなってクッションに身を沈め、だまり込んだ。

「よいかな」ダンブルドアは、バーノンおじさんが何も叫ばなかったかのように、ハリーに向かって再び話しかけた。「君が屋敷を相続したとすれば、もう一つ相続するものが――」

ダンブルドアはヒョイと五度目の杖を振った。**バチン**と大きな音がして、屋敷しもべ妖精が現れた。豚のような鼻、コウモリのような巨大な耳、血走った大きな目のしもべ妖精が、垢《あか》べっとりのボロを着て、毛足の長い高級そうなカーペットの上にうずくまっている。ペチュニアおばさんが、身の毛もよだつ叫びを上げた。こんな汚らしいものが家に入ってきたのは、人生始まって以来のことなのだ。ダドリーはでっかいピンク色の裸足の両足を床から離し、ほとんど頭の上まで持ち上げて座った。まるでこの生き物が、パジャマのズボンに入り込んで駆け上がってくるとでも思ったようだ。バーノンおじさんは「**一体全体**、こいつはなんだ?」とわめいた。

「――クリーチャーじゃ」ダンブルドアが最後の言葉を言い終えた。

「クリーチャーはしない、クリーチャーはしない、クリーチャーはそうしない!」

しもべ妖精は、しわがれ声でバーノンおじさんと同じぐらい大声を上げ、節くれだった長い足で地団駄を踏みながら自分の耳を引っぱった。

「クリーチャーはミス・ベラトリックスのものですから、ああ、そうですとも、クリーチャーはブラック家のものですから、クリーチャーは新しい女主人様がいいのですから、クリーチャーはポッター小僧には仕えないのですから、クリーチャーはそうしない、しない、しない――」

「ハリー、見てのとおり」ダンブルドアは、クリーチャーの「しない、しない、しない」とわめき続けるしわがれ声に消されないよう大きな声で言った。

「クリーチャーは君の所有物になるのに多少抵抗を見せておる」

「どうでもいいんです」身をよじって地団駄を踏むしもべ妖精に、嫌悪のまなざしを向けながら、ハリーは同じ言葉をくり返した。「僕、いりません」

「**しない、しない、しない、しない**――」

「クリーチャーがベラトリックス・レストレンジの所有に移るほうがよいのか？　クリーチャーがこの一年、不死鳥の騎士団本部で暮らしていたことを考えてもかね？」

「**しない、しない、しない、しない**――」

ハリーはダンブルドアを見つめた。クリーチャーがベラトリックス・レストレンジと暮らすのを許してはならないとわかってはいたが、所有するなどとは、シリウスを裏切った生き物に責任を持つなどとは、考えるだけでいとわしかった。

「命令してみるのじゃ」ダンブルドアが言った。「君の所有に移っているなら、クリーチャーは君に従わねばならぬ。さもなくば、この者を正当な女主人から遠ざけておくよう、ほかのなんらかの策を講ぜねばなるまい」

「**しない、しない、しない、しないぞ！**」

クリーチャーの声が高くなって叫び声になった。ハリーはほかに何も思いつかないまま、ただ「クリーチャー、だまれ！」と言った。

一瞬、クリーチャーは窒息するかのように見えた。のどを押さえて、死に物狂いで口をパクパクさせ、両眼が飛び出していた。数秒間必死で息をのみ込んでいたが、やがてクリーチャーはうつ伏せにカーペットに身を投げ出し（ペチュニアおばさんがヒーッと泣いた）、両手両足で床をたたいて、激しく、しかし完全に無言でかんしゃくを爆発させていた。

「さて、これで事は簡単じゃ」ダンブルドアはうれしそうに言った。「シリウスはやるべきことをやったようじゃのう。君はグリモールド・プレイス十二番地と、そしてクリーチャーの正当な所有者じゃ」

「僕――僕、こいつをそばに置かないといけないのですか？」

ハリーは仰天した。足元でクリーチャーがジタバタし続けている。

「そうしたいなら別じゃが」ダンブルドアが言った。

「わしの意見を言わせてもらえば、ホグワーツに送って厨房《ちゅうぼう》で働かせてはどうじゃな。そうすれば、ほかのしもべ妖精が見張ってくれよう」

「ああ」ハリーはホッとした。「そうですね。そうします。えーと――クリーチャー――ホグワーツに行って、そこの厨房でほかのしもべ妖精と一緒に働くんだ」

クリーチャーは、今度は仰向けになって、手足を空中でバタバタさせていたが、心底おぞましげに、ハリーの顔を上下逆さまに見上げてにらむなり、もう一度**バチン**という大きな音を立てて消えた。

「よろしい」ダンブルドアが言った。

「もう一つ、ヒッポグリフのバックビークのことがある。シリウスが死んで以来、ハグリッドが世話をしておるが、バックビークはいまや君のものじゃ。ちがった措置を取りたいのであれば……」

「いいえ」ハリーは即座に答えた。「ハグリッドと一緒にいていいです。バックビークはそのほうがうれしいと思います」

「ハグリッドが大喜びするじゃろう」

ダンブルドアがほほえみながら言った。

「バックビークに再会できて、ハグリッドは興奮しておった。ところで、バックビークの安全のためにじゃが、しばらくの間、あれをウィザウィングズと呼ぶことに決めたのじゃ。もっとも、魔法省が、かつて死刑宣告をしたあのヒッポグリフだと気づくとは思えんがのう。さあ、ハリー、トランクは詰め終わっているのかね？」

「えーっと……」

「わしが現れるかどうか疑っていたのじゃな？」ダンブルドアは鋭く指摘した。

「ちょっと行って――あの――仕上げてきます」

ハリーは急いでそう言うと、望遠鏡とスニーカーをあわてて拾い上げた。

必要なものを探し出すのに十分ちょっとかかった。やっとのことで、ベッドの下から「透明マント」を引っ張り出し、「色変わりインク」のふたを元どおり閉め、大鍋を詰め込んだ上から無理やりトランクのふたを閉じた。それから片手で重いトランクを持ち上げ、もう片方にヘドウィグのかごを持って、一階に戻った。

ダンブルドアが玄関ホールで待っていてくれなかったのはがっかりだった。また居間に戻らなければいけない。

誰も話をしていなかった。ダンブルドアは小さくフンフン鼻歌を歌い、すっかりくつろいだ様子だったが、その場の雰囲気たるや、冷えきったおかゆより冷たく固まっていた。

「先生――用意ができました」と声をかけながら、ハリーはとてもダーズリー一家に目をやる気になれなかった。

「よしよし」ダンブルドアが言った。「では、最後にもう一つ」

そしてダンブルドアはもう一度ダーズリー一家に話しかけた。

「当然おわかりのように、ハリーはあと一年で成人となる――」

「ちがうわ」ペチュニアおばさんが、ダンブルドアの到着以来、初めて口をきいた。

「とおっしゃいますと？」ダンブルドアは礼儀正しく聞き返した。

「いいえ、ちがいますわ。ダドリーより一か月下だし、ダッダーちゃんはあと二年たたないと十八になりません」

「ああ」ダンブルドアは愛想よく言った。「しかし、魔法界では、十七歳で成人となるのじゃ」

バーノンおじさんが「生意気な」とつぶやいたが、ダンブルドアは無視した。

「さて、すでにご存じのように、魔法界でヴォルデモート卿《きょう》と呼ばれている者が、この国に戻ってきておる。魔法界はいま、戦闘状態にある。ヴォルデモート卿がすでに何度も殺そうとしたハリーは、十五年前よりさらに大きな危険にさらされているのじゃ。十五年前とは、わしがそなたたちに、ハリーの両親が殺されたことを説明し、ハリーを実の息子同様に世話するよう望むという手紙をつけて、ハリーをこの家の戸口に置き去りにしたときのことじゃ」

ダンブルドアは言葉を切った。気軽で静かな声だったし、怒っている様子はまったく見えなかったが、ハリーはダンブルドアから何かひやりとするものが発散するのを感じたし、ダーズリー一家がわずかに身を寄せ合うのにも気づいた。

「そなたたちはわしが頼んだようにはせなんだ。ハリーを息子として遇したことはなかった。ハリーはただ無視され、そなたたちの手でたびたび残酷に扱われていた。せめてもの救いは、二人の間に座っておるその哀れな少年がこうむったような、言語道断の被害を、ハリーはまぬかれたということじゃろう」

ペチュニアおばさんもバーノンおじさんも、反射的にあたりを見回した。二人の間にはさまっているダドリー以外に、誰かがいることを期待したようだった。

「我々が――ダッダーを虐待したと？　何を――？」

バーノンがカンカンになってそう言いかけたが、ダンブルドアは人指し指を上げて、静かにと合図した。まるでバーノンおじさんを急に口がきけなくしてしまったかのように、沈黙が訪れた。

「わしが十五年前にかけた魔法は、この家をハリーが家庭と呼べるうちは、ハリーに強力な保護を与えるというものじゃった。ハリーがこの家でどんなにみじめだったにしても、どんなにうとまれ、どんなにひどい仕打ちを受けていたにしても、そなたたちは、しぶしぶではあったが、少なくともハリーに居場所を与えた。この魔法は、ハリーが十七歳になったときに効き目を失うであろう。つまり、ハリーが一人前の男になった瞬間にじゃ。わしは一つだけお願いする。ハリーが十七歳の誕生日を迎える前に、もう一度ハリーがこの家に戻ることを許してほしい。そうすれば、その時が来るまでは、護りは確かに継続するのじゃ」

ダーズリー一家は誰も何も言わなかった。ダドリーは、いったいいつ自分が虐待されたのかをまだ考えているかのように、顔をしかめていた。バーノンおじさんはのどに何かつっかえたような顔をしていた。しかし、ペチュニアおばさんは、なぜか顔を赤らめていた。

「さて、ハリー……出発の時間じゃ」

立ち上がって長い黒マントのしわを伸ばしながら、ダンブルドアがついにそう言った。

「またお会いするときまで」とダンブルドアは挨拶したが、ダーズリー一家は、自分たちとしてはその時が永久に来なくてよいという顔をしていた。帽子を脱いで挨拶した後、ダンブルドアはすっと部屋を出た。

「さよなら」

急いでダーズリーたちにそう挨拶し、ハリーもダンブルドアに続いた。ダンブルドアはヘドウィグの鳥かごを上にのせたトランクのそばで立ち止まった。

「これはいまのところ、邪魔じゃな」

ダンブルドアは再び杖を取り出した。

「『隠れ穴』で待っているように送っておこう。ただ、透明マントだけは持っていきなさい……万が一のためにじゃ」

トランクの中がごちゃごちゃなので、ダンブルドアに見られまいとして苦労しながら、ハリーはやっと透明マントを引っ張り出した。それを上着の内ポケットにしまい込むと、ダンブルドアが杖をひと振りし、トランクも、鳥かごも、ヘドウィグも消えた。ダンブルドアがさらに杖を振ると、玄関の戸が開き、ひんやりした霧の闇が現れた。

「それではハリー、夜の世界に踏み出し、あの気まぐれで蠱惑《こわく》的な女性を追求するのじゃ。冒険という名の」

第4章　ホラス・スラグホーン

この数日というもの、ハリーは目覚めている時間は一瞬も休まず、ダンブルドアが迎えにきてくれますようにと必死に願い続けていた。にもかかわらず、一緒にプリベット通りを歩きはじめると、ハリーはとても気詰まりな思いがした。これまで、ホグワーツの外で校長と会話らしい会話をしたことがない。いつも机をはさんで話をしていたからだ。その上、最後に面と向かって話し合ったときの記憶がよみがえり、気まずい思いをいやが上にも強めていた。あの時ハリーは、さんざんどなったばかりか、ダンブルドアの大切にしていたものをいくつか、力任せに打ち砕いた。

しかし、ダンブルドアのほうは、まったくゆったりしたものだった。

「ハリー、杖《つえ》を準備しておくのじゃ」ダンブルドアはほがらかに言った。

「でも、先生、僕は、学校の外で魔法を使ってはいけないのではありませんか？」

「襲われた場合は」ダンブルドアが言った。「わしが許可する。君の思いついた反対呪文や逆呪いをなんなりと使ってよいぞ。しかし、今夜は襲われることを心配しなくともよかろう」

「どうしてですか、先生？」

「わしと一緒じゃからのう」

ダンブルドアはさらりと言った。

「ハリー、このあたりでよかろう」

プリベット通りの端で、ダンブルドアが急に立ち止まった。

「君はまだ当然、『姿あらわし』テストに合格しておらんの？」

「はい」ハリーが言った。「十七歳にならないとだめなのではないのですか？」

「そのとおりじゃ」ダンブルドアが言った。

「それでは、わしの腕にしっかりつかまらなければならぬ。左腕にしてくれるかの――気づいておろうが、わしの杖腕はいま、多少もろくなっておるのでな」

ハリーは、ダンブルドアが差し出した左腕をしっかりつかんだ。

「それでよい」ダンブルドアが言った。

「さて、参ろう」

ハリーは、ダンブルドアの腕がねじれて抜けていくような感じがして、ますます固く握りしめた。気がつくと、すべてが闇の中だった。四方八方からぎゅうぎゅう押さえつけられている。息ができない。鉄のベルトで胸をしめつけられているようだ。目の玉が顔の奥に押しつけられ、鼓膜が頭がい骨深く押し込められていくようだった。そして――。

ハリーは冷たい夜気を胸いっぱい吸い込んで、涙目になった目を開けた。たったいま細いゴム管の中を無理やり通り抜けてきたような感じだった。しばらくしてやっと、プリベット通りが消えていることに気づいた。いまは、ダンブルドアと二人で、どこやらさびれた村の小さな広場に立っていた。広場のまん中に古ぼけた戦争記念碑が建ち、ベンチがいくつか置かれている。遅ればせながら、理解が感覚に追いついてきた。ハリーはたったいま、生まれて初めて「姿あらわし」したのだ。

「大丈夫かな？」ダンブルドアが気づかわしげにハリーを見下ろした。「この感覚には慣れが必要でのう」

「大丈夫です」

ハリーは耳をこすった。なんだか耳が、プリベット通りを離れるのをかなり渋ったような感覚だった。

「でも、僕は箒《ほうき》のほうがいいような気がします」

ダンブルドアはほほえんで、旅行用マントの襟元をしっかり合わせなおし、「こっちじゃ」と言った。ダンブルドアはきびきびした歩調で、からっぽの旅籠《はたご》や何軒かの家を通り過ぎた。近くの教会の時計を見ると、ほとんど真夜中だった。

「ところで、ハリー」ダンブルドアが言った。「君の傷痕じゃが……近ごろ痛むかな？」

ハリーは思わず額に手を上げて、稲妻形の傷痕をさすった。

「いいえ」ハリーが答えた。「でも、それがおかしいと思っていたんです。ヴォルデモートがまたとても強力になったのだから、しょっちゅう焼けるように痛むだろうと思っていました」

ハリーがちらりと見ると、ダンブルドアは満足げな表情をしていた。

「わしはむしろその逆を考えておった」ダンブルドアが言った。

「君はこれまでヴォルデモート卿《きょう》の考えや感情に接近するという経験をしてきたのじゃが、ヴォルデモート卿はやっと、それが危険だということに気づいたのじゃ。どうやら、君に対して『閉心術』を使っているようじゃな」

「なら、僕は文句ありません」

心をかき乱される夢を見なくなったことも、ヴォルデモートの心をのぞき見てぎくりとするような場面がなくなったことも、ハリーは惜しいとは思わなかった。

二人は角を曲がり、電話ボックスとバス停を通り過ぎた。ハリーはまたダンブルドアを盗み見た。

「先生？」

「なんじゃね？」

「あの――ここはいったいどこですか？」

「ここはのう、ハリー、バドリー・ババートンというすてきな村じゃ」

「それで、ここで何をするのですか？」

「おう、そうじゃ、君にまだ話してなかったのう」ダンブルドアが言った。

「さて、近年何度これと同じことを言うたか、数えきれぬほどじゃが、またしても、先生が一人足りない。ここに来たのは、わしの古い同僚を引退生活から引っ張り出し、ホグワーツに戻るよう説得するためじゃ」

「先生、僕はどんな役に立つんですか？」

「ああ、君が何に役立つかは、いまにわかるじゃろう」

ダンブルドアはあいまいな言い方をした。

「ここを左じゃよ、ハリー」

二人は両側に家の立ち並んだ狭い急な坂を上った。窓という窓は全部暗かった。ここ二週間、プリベット通りを覆っていた奇妙な冷気が、この村にも流れていた。吸魂鬼のことを考え、ハリーは振り返りながら、ポケットの中の杖を再確認するように握りしめた。

「先生、どうしてその古い同僚の方の家に、直接『姿あらわし』なさらなかったんですか？」

「それはの、玄関の戸を蹴破ると同じぐらい失礼なことだからじゃ」ダンブルドアが言った
「入室を拒む機会を与えるのが、我々魔法使いの間では礼儀というものでな。いずれにせよ、魔法界の建物はだいたいにおいて、好ましからざる『姿あらわし』に対して魔法で護《まも》られておる。たとえば、ホグワーツでは――」

「――建物の中でも校庭でも『姿あらわし』ができない」ハリーがすばやく言った。「ハーマイオニー・グレンジャーが教えてくれました」

「まさにそのとおり。また左折じゃ」

二人の背後で、教会の時計が十二時を打った。昔の同僚を、こんな遅い時間に訪問するのは失礼にならないのだろうかと、ハリーはダンブルドアの考えをいぶかしく思ったが、せっかく会話がうまく成り立つようになったので、ハリーにはもっと差し迫って質問したいことがあった。

「先生、『日刊予言者新聞』で、ファッジがクビになったという記事を見ましたが……」

「そうじゃ」

ダンブルドアは、今度は急な脇道を上っていた。

「後任者は、君も読んだことと思うが、闇祓《やみばら》い局の局長だった人物で、ルーファス・スクリムジョールじゃ」

「その人……適任だと思われますか？」ハリーが聞いた。

「おもしろい質問じゃ」ダンブルドアが言った。

「確かに能力はある。コーネリウスよりは意思のはっきりした、強い個性を持っておる」

「ええ、でも僕が言いたいのは──」

「君が言いたかったことはわかっておる。ルーファスは行動派の人間で、人生の大半を闇の魔法使いと戦ってきたのじゃから、ヴォルデモート卿を過小評価してはおらぬ」

ハリーは続きを待ったが、ダンブルドアは、「日刊予言者新聞」に書かれていたスクリムジョールとの意見の食いちがいについて何も言わなかった。ハリーも、その話題を追及する勇気がなかったので、話題を変えた。

「それから……先生……マダム・ボーンズのことを読みました」

「そうじゃ」ダンブルドアが静かに言った。

「手痛い損失じゃ。偉大な魔女じゃった。この奥じゃ。たぶん――アツッ」

ダンブルドアはけがをした手で指差していた。

「先生、その手はどう――？」

「いまは説明している時間がない」ダンブルドアが言った。

「スリル満点の話じゃから、それにふさわしく語りたいでのう」

ダンブルドアはハリーに笑いかけた。すげなく拒絶されたわけではなく、質問を続けてよいという意味だと、ハリーはそう思った。

「先生――ふくろうが魔法省のパンフレットを届けてきました。死喰《しく》い人に対して我々がどういう安全措置を取るべきかについての……」

「そうじゃ、わしも一通受け取った」

ダンブルドアはほほえんだまま言った。

「役に立つと思ったかの？」

「あんまり」

「そうじゃろうと思うた。たとえばじゃが、君はまだ、わしのジャムの好みを聞いておらんのう。わしがほんとうにダンブルドア先生で、騙《かた》り者ではないことを確かめるために」

「それは、でも……」ハリーは叱られているのかどうか、よくわからないまま答えはじめた。

「君の後学のために言うておくが、ハリー、ラズベリーじゃよ……もっとも、わしが死喰い人なら、わしに扮する前に、必ずジャムの好みを調べておくがのう」

「あ……はい」ハリーが言った。

「あの、パンフレットに、『亡者』とか書いてありました。いったい、どういうものですか？　パンフレットではっきりしませんでした」

「屍《しかばね》じゃ」ダンブルドアが冷静に言った。

「闇の魔法使いの命令どおりのことをするように魔法がかけられた死人のことじゃ。しかし、ここしばらくは亡者が目撃されておらぬ。前回ヴォルデモートが強力だったとき以来……あやつは、言うまでもなく、死人で軍団ができるほど多くの人を殺した。ハリー、ここじゃよ。ここ……」

二人は、こぎれいな石造りの、庭つきの小さな家に近づいていた。門に向かっていたダンブルドアが急に立ち止まった。しかしハリーは、「亡者」という恐ろしい考えを咀嚼《そしゃく》するのに忙しく、ほかのことに気づく余裕もなかったので、ダンブルドアにぶつかってしまった。

「なんと、なんと、なんと」

ダンブルドアの視線をたどったハリーは、きちんと手入れされた庭の小道の先を見て愕然《がくぜん》とした。玄関のドアの蝶番《ちょうつがい》がはずれてぶら下がっていた。

ダンブルドアは通りの端から端まで目を走らせた。まったく人の気配がない。

「ハリー、杖を出して、わしについてくるのじゃ」ダンブルドアが低い声で言った。

ダンブルドアは門を開け、ハリーをすぐ後ろに従えて、すばやく、音もなく小道を進んだ。そして杖を掲げてかまえ、玄関のドアをゆっくり開けた。

「**ルーモス、光よ**」

ダンブルドアの杖先に灯《あか》りがともり、狭い玄関ホールが照らし出された。左側のドアが開けっ放しだった。杖灯りを掲げ、ダンブルドアは居間に入っていった。ハリーはすぐ後ろについていた。

乱暴狼藉《ろうぜき》の跡が目に飛び込んできた。バラバラになった大型の床置時計が足元に散らばり、文字盤は割れ、振り子は打ち捨てられた剣のように、少し離れた所に横たわっている。ピアノが横倒しになって、鍵盤が床の上にばらまかれ、そのそばには落下したシャンデリアの残骸が光っている。クッションはつぶれて脇の裂け目から羽毛が飛び出しているし、グラスや陶器のかけらが、そこいら中に粉をまいたように飛び散っていた。ダンブルドアは杖をさらに高く掲げ、光が壁を照らすようにした。壁紙にどす黒いべっとりした何かが飛び散っている。ハリーが小さく息をのんだので、ダンブルドアが振り返った。

「気持ちのよいものではないのう」

ダンブルドアが重い声で言った。

「そう、何か恐ろしいことが起こったのじゃ」

ダンブルドアは注意深く部屋のまん中まで進み、足元の残骸をつぶさに調べた。ハリーもあとに従い、ピアノの残骸やひっくり返ったソファの陰に死体が見えはしないかと、半分びくびくしながらあたりを見回したが、そんな気配はなかった。

「先生、争いがあったのでは――その人が連れ去られたのではありませんか？」

壁の中ほどまで飛び散る血痕を残すようなら、どんなにひどく傷ついていることかと、つい想像してしまうのを打ち消しながら、ハリーが言った。

「いや、そうではあるまい」

ダンブルドアは、横倒しになっている分厚すぎるひじかけ椅子の裏側をじっと見ながら静かに言った。

「では、その人は――？」

「まだそのあたりにいるとな？　そのとおりじゃ」

ダンブルドアは突然サッと身をひるがえし、ふくれすぎたひじかけ椅子のクッションに杖の先を突っ込んだ。すると椅子が叫んだ。

「痛い！」

「こんばんは、ホラス」

ダンブルドアは体を起こしながら挨拶した。

ハリーはあんぐり口を開けた。いまのいままでひじかけ椅子があった所に、堂々と太ったはげ頭の老人がうずくまり、下っ腹をさすりながら、涙目で恨みがましくダンブルドアを見上げていた。

「そんなに強く杖で突く必要はなかろう」

男はよいしょと立ち上がりながら声を荒らげた。

「痛かったぞ」

飛び出した目と、堂々たる銀色のセイウチひげ。ライラック色の絹のパジャマ。その上にはおった栗色のビロードの上着についているピカピカのボタンと、つるつる頭のてっぺんに、杖灯りが反射した。頭のてっぺんはダンブルドアのあごにも届かないくらいだ。

「なんでバレた？」

まだ下っ腹をさすりながらよろよろ立ち上がった男が、うめくように言った。ひじかけ椅子のふりをしていたのを見破られたばかりにしては、見事なほど恥じ入る様子がない。

「親愛なるホラスよ」

ダンブルドアはおもしろがっているように見えた。

「ほんとうに死喰い人が訪ねてきていたのなら、家の上に闇の印が出ていたはずじゃ」

男はずんぐりした手で、はげ上がった広い額をピシャリとたたいた。

「闇の印か」男がつぶやいた。

「何か足りないと思っていた……まあ、よいわ。いずれにせよ、そんなひまはなかっただろう。君が部屋に入ってきたときには、腹のクッションのふくらみを仕上げたばかりだったし」

男は大きなため息をつき、その息で口ひげの端がひらひらはためいた。

「片づけの手助けをしましょうかの？」ダンブルドアが礼儀正しく聞いた。

「頼む」男が言った。

背の高い痩身の魔法使いと背の低い丸い魔法使いが、二人背中合わせに立ち、二人とも同じ動きで杖をスイーッと掃くように振った。

家具が飛んで元の位置に戻り、飾り物は空中で元の形になったし、羽根はクッションに吸い込まれ、破れた本はひとりでに元どおりになりながら本棚に収まった。石油ランプは脇机まで飛んで戻り、また火がともった。おびただしい数の銀の写真立ては、破片が部屋中をキラキラと飛んで、そっくり元に戻り、曇り一つなく机の上に降り立った。裂け目も割れ目も穴も、そこら中で閉じられ、壁もひとりでにきれいにふき取られた。

「ところで、あれはなんの血だったのかね？」

再生した床置時計のチャイムの音にかき消されないように声を張り上げて、ダンブルドアが聞いた。

「ああ、あの壁か？　ドラゴンだ」

ホラスと呼ばれた魔法使いが、シャンデリアがひとりでに天井にねじ込まれるガリガリ、チャリンチャリンというやかましい音にまじって叫んだ。

最後にピアノが**ポロン**と鳴り、そして静寂が訪れた。

「ああ、ドラゴンだ」ホラスが気軽な口調でくり返した。

「わたしの最後の一本だが、このごろ値段は天井知らずでね。いや、まだ使えるかもしれん」

ホラスはドスドスと食器棚の上に置かれたクリスタルの小瓶に近づき、瓶を明かりにかざして中のどろりとした液体を調べた。

「フム、ちょっとほこりっぽいな」

ホラスは瓶を戸棚の上に戻し、ため息をついた。ハリーに視線が行ったのはその時だった。

「ほほう」

丸い大きな目がハリーの額に、そしてそこに刻まれた稲妻形の傷に飛んだ。

「**ほっほう！**」

「こちらは」ダンブルドアが紹介をするために進み出た。「ハリー・ポッター。ハリー、こちらが、わしの古い友人で同僚のホラス・スラグホーンじゃ」

スラグホーンは、抜け目のない表情でダンブルドアに食ってかかった。

「それじゃあ、その手でわたしを説得しようと考えたわけだな？　いや、答えはノーだよ、アルバス」

スラグホーンは決然と顔をそむけたまま、誘惑に抵抗する雰囲気を漂わせて、ハリーのそばを通り過ぎた。

「一緒に一杯飲むぐらいのことはしてもよかろう？」ダンブルドアが問いかけた。「昔のよしみで？」

スラグホーンはためらった。

「よかろう、一杯だけだ」スラグホーンは無愛想に言った。

ダンブルドアはハリーにほほえみかけ、つい先ほどまでスラグホーンが化けていた椅子とそうちがわない椅子を指して、座るようにうながした。その椅子は、火の気の戻ったばかりの暖炉と、明るく輝く石油ランプのすぐ脇にあった。ハリーは、ダンブルドアが自分をなぜかできるだけ目立たせたがっているとはっきり感じながら、椅子に腰かけた。確かに、デカンターとグラスの準備に追われていたスラグホーンが、再び部屋を振り返ったとき、真っ先にハリーに目が行った。

「フン」

まるで目が傷つくのを恐れるかのように、スラグホーンは急いで目をそらした。

「ほら――」

スラグホーンは、勝手に腰かけていたダンブルドアに飲み物を渡し、ハリーに盆をぐいと突き出してから、元どおりになったソファにとっぷりと腰を下ろし、不機嫌にだまり込んだ。脚が短すぎて、床に届いていない。

「さて、元気だったかね、ホラス？」ダンブルドアが尋ねた。

「あまりパッとしない」スラグホーンが即座に答えた。

「胸が弱い。ゼイゼイする。リュウマチもある。昔のようには動けん。まあ、そんなもんだろう。年だ。疲労だ」

「それでも、即座にあれだけの歓迎の準備をするには、相当すばやく動いたに相違なかろう」ダンブルドアが言った。「警告はせいぜい三分前だったじゃろう？」

スラグホーンは半ばいらいら、半ば誇らしげに言った。

「二分だ。『侵入者よけ』が鳴るのが聞こえなんだ。風呂に入っていたのでね。しかし」

再び我に返ったように、スラグホーンは厳しい口調になった。

「アルバス、わたしが老人である事実は変わらん。静かな生活と多少の人生の快楽を勝ち得た、つかれた年寄りだ」

ハリーは部屋を見回しながら、確かにそういうものを勝ち得ていると思った。ごちゃごちゃした息が詰まるような部屋ではあったが、快適でないとは誰も言わないだろう。ふかふかの椅子や足のせ台、飲み物や本、チョコレートの箱やふっくらしたクッション。誰が住んでいるかを知らなかったら、ハリーはきっと、金持ちの小うるさいひとり者の老婦人が住んでいると思ったことだろう。

「ホラス、君はまだわしほどの年ではない」ダンブルドアが言った。

「まあ、君自身もそろそろ引退を考えるべきだろう」

スラグホーンはぶっきらぼうに言った。淡いスグリ色の目は、すでにダンブルドアの傷ついた手をとらえていた。

「昔のような反射神経ではないらしいな」

「まさにそのとおりじゃ」

ダンブルドアは落ち着いてそう言いながら、そでを振るようにして黒く焼け焦げた指の先をあらわにした。ひと目見て、ハリーは首の後ろがゾクッとした。

「確かにわしは昔より遅くなった。しかしまた一方……」

ダンブルドアは肩をすくめ、年の功はあるものだというふうに、両手を広げた。すると、傷ついていない左手に、以前には見たことがない指輪がはめられているのにハリーは気づいた。金細工と思われる、かなり不器用に作られた大ぶりの指輪で、まん中に亀裂の入った黒いどっしりした石がはめ込んである。スラグホーンもしばらく指輪に目をとめたが、わずかに顔をしかめて、はげ上がった額に一瞬しわが寄るのを、ハリーは見た。

「ところで、ホラス、侵入者よけのこれだけの予防線は……死喰い人のためかね？　それともわしのためかね？」ダンブルドアが聞いた。

「わたしみたいな哀れなよれよれの老いぼれに、死喰い人がなんの用がある？」

スラグホーンが問いただした。

「連中は、君の多大なる才能を、恐喝、拷問、殺人に振り向けさせたいと欲するのではないかのう」ダンブルドアが答えた。

「連中がまだ勧誘しにきておらんというのは、ほんとうかね？」

スラグホーンは一瞬ダンブルドアを悲しげな目つきで見ながら、つぶやいた。

「やつらにそういう機会を与えなかった。一年間、居場所を変え続けていたんだ。同じ場所に、一週間以上とどまったためしがない。マグルの家を転々とした。――この家の主《あるじ》は休暇でカナリア諸島でね。とても居心地がよかったから去るのは残念だ。やり方を一度飲み込めば至極簡単だよ。マグルが『かく《スニーコ》れん防止器《スコープ》』がわりに使っているちゃちな防犯ブザーに、単純な『凍結呪文』をかけること、ピアノを運び込むとき近所の者に絶対見つからないようにすること、これだけでいい」

「巧みなものじゃ」ダンブルドアが言った。

「しかし、静かな生活を求めるよれよれの老いぼれにしては、たいそうつかれる生き方に聞こえるがのう。さて、ホグワーツに戻れば――」

「あのやっかいな学校にいれば、わたしの生活はもっと平和になるとでも言い聞かせるつもりなら、アルバス、言うだけむだだ！　たとえ隠れ住んでいても、ドローレス・アンブリッジが去ってから、おかしなうわさがわたしの所にいくつか届いているぞ！　君がこのごろ教師にそういう仕打ちをしているなら――」

「アンブリッジ先生は、ケンタウルスの群れと面倒を起こしたのじゃ」

ダンブルドアが言った。

「君なら、ホラス、まちがっても『禁じられた森』にずかずか踏み入って、怒ったケンタウルスたちを『汚らわしい半獣』呼ばわりするようなことはあるまい」

「そんなことをしたのか？　あの女は？」スラグホーンが言った。

「愚かしい女め。もともとあいつは好かん」

ハリーがクスクス笑った。ダンブルドアもスラグホーンも、ハリーのほうを振り向いた。

「すみません」ハリーがあわてて言った。「ただ――僕もあの人が嫌いでした」

ダンブルドアが突然立ち上がった。

「帰るのか？」間髪を容れず、スラグホーンが期待顔で言った。

「いや、手水場《ちょうずば》を拝借したいが」ダンブルドアが言った。

「ああ」スラグホーンは明らかに失望した声で言った。

「廊下の左手二番目」

ダンブルドアは部屋を横切って出ていった。その背後でドアが閉まると、沈黙が訪れた。しばらくして、スラグホーンが立ち上がったが、どうしてよいやらわからない様子だった。ちらりとハリーを見るなり、肩をそびやかして暖炉まで歩き、暖炉を背にしてどでかい尻を温めた。

「彼がなぜ君を連れてきたか、わからんわけではないぞ」スラグホーンが唐突に言った。

ハリーはただスラグホーンを見た。スラグホーンのうるんだ目が、今度は傷痕の上をすべるように見ただけでなく、ハリーの顔全体も眺めた。

「君は父親にそっくりだ」

「ええ、みんながそう言います」ハリーが言った。

「目だけがちがう。君の目は――」

「ええ、母の目です」何度も聞かされて、ハリーは少しうんざりしていた。

「フン。うん、いや、教師として、もちろんえこひいきすべきではないが、彼女はわたしの気に入りの一人だった。君の母親のことだよ」

ハリーの物問いたげな顔に応えて、スラグホーンが説明をつけ加えた。

「リリー・エバンズ。教え子の中でもずば抜けた一人だった。そう、生き生きとしていた。魅力的な子だった。わたしの寮に来るべきだったと、彼女によくそう言ったものだが、いつもいたずらっぽく言い返されたものだった」

「どの寮だったのですか？」

「わたしはスリザリンの寮監だった」スラグホーンが答えた。

「それ、それ」

ハリーの表情を見て、ずんぐりした人指し指をハリーに向かって振りながら、スラグホーンが急いで言葉を続けた。

「そのことでわたしを責めるな！　君は彼女と同じくグリフィンドールなのだろうな？　そう、普通は家系で決まる。必ずしもそうではないが。シリウス・ブラックの名を聞いたことがあるか？　聞いたはずだ――この数年、新聞に出ていた――数週間前に死んだな――」

見えない手が、ハリーの内臓をギュッとつかんでねじったかのようだった。

「まあ、とにかく、シリウスは学校で君の父親の大の親友だった。ブラック家は全員わたしの寮だったが、シリウスはグリフィンドールに決まった！　残念だ――能力ある子だったのに。弟のレギュラスが入学して来たときは獲得したが、できればひとそろい欲しかった」

オークションで競り負けた熱狂的な蒐集《しゅうしゅう》家のような言い方だった。思い出にふけっているらしく、スラグホーンはその場でのろのろと体を回し、熱が尻全体に均等に行き渡るようにしながら、反対側の壁を見つめた。

「言うまでもなく、君の母親はマグル生まれだった。そうと知ったときには信じられなかったね。絶対に純血だと思った。それほど優秀だった」

「僕の友達にもマグル生まれが一人います」ハリーが言った。「しかも学年で一番の女性です」

「ときどきそういうことが起こるのは不思議だ。そうだろう？」スラグホーンが言った。

「別に」ハリーが冷たく言った。

スラグホーンは驚いて、ハリーを見下ろした。

「わたしが偏見を持っているなどと、思ってはいかんぞ！」スラグホーンが言った。

「いや、いや、いーや！　君の母親は、いままで一番気に入った生徒の一人だったと、たったいま言ったはずだが？　それにダーク・クレスウェルもいるな。彼女の下の学年だった――いまでは小鬼連《ゴブリン》絡室の室長だ――これもマグル生まれで、非常に才能のある学生だった。いまでも、グリンゴッツの出来事に関して、すばらしい内部情報をよこす！」

スラグホーンはいはずむように体を上下に揺すりながら、満足げな笑みを浮かべてドレッサーの上にずらりと並んだ輝く写真立てを指差した。それぞれの額の中で小さな写真の主が動いている。

「全部昔の生徒だ。サイン入り。バーナバス・カッフに気づいただろうが、『日刊予言者新聞』の編集長で、毎日のニュースに関するわたしの解釈に常に関心を持っている。それにアンブロシウス・フルーム――ハニーデュークスの――誕生日のたびにひと箱よこす。それもすべて、わたしがシセロン・ハーキスに紹介してやったおかげで、彼が最初の仕事に就けたからだ！　後ろの列――首を伸ばせば見えるはずだが――あれがグウェノグ・ジョーンズ。言うまでもなく女性だけのチームのホリヘッド・ハーピーズのキャプテンだ……わたしとハーピーズの選手たちとは、姓名の名のほうで気軽に呼びあう仲だと聞くと、みんな必ず驚く。それに欲しければいつでも、ただの切符が手に入る！」

スラグホーンは、この話をしているうちに、大いにゆかいになった様子だった。

「それじゃ、この人たちはみんなあなたの居場所を知っていて、いろいろなものを送ってくるのですか？」

ハリーは、菓子の箱やクィディッチの切符が届き、助言や意見を熱心に求める訪問者たちが、スラグホーンの居場所を突き止められるのなら、死喰い人だけがまだ探し当てていないのはおかしいと思った。壁から血のりが消えるのと同じぐらいあっという間に、スラグホーンの顔から笑いがぬぐい去られた。

「無論ちがう」

スラグホーンは、ハリーを見下ろしながら言った。

「一年間誰とも連絡を取っていない」

ハリーには、スラグホーンが自分自身の言ったことにショックを受けているように思えた。スラグホーンは一瞬、相当動揺した様子だった。それから肩をすくめた。

「しかし……賢明な魔法使いは、こういうときにはおとなしくしているものだ。ダンブルドアが何を話そうと勝手だが、いまこの時にホグワーツに職を得るのは、公に『不死鳥の騎士団』への忠誠を表明するに等しい！　騎士団員はみな、まちがいなくあっぱれで勇敢で、立派な者たちだろうが、わたし個人としてはあの死亡率はいただけない――」

「ホグワーツで教えても、『不死鳥の騎士団』に入る必要はありません」

ハリーはあざけるような口調を隠しきることができなかった。シリウスが洞窟にうずくまって、ネズミを食べて生きていた姿を思い出すと、スラグホーンの甘やかされた生き方に同情する気には、とうていなれなかった。

「大多数の先生は団員ではありませんし、それに誰も殺されていません――でも、クィレルは別です。あんなふうにヴォルデモートと組んで仕事をしていたのですから、当然の報いを受けたんです」

スラグホーンも、ヴォルデモートの名前を聞くのが耐えられない魔法使いの一人だろうという確信があった。ハリーの期待は裏切られなかった。スラグホーンは身震いして、ガアガアと抗議の声を上げたが、ハリーは無視した。

「ダンブルドアが校長でいるかぎり、教職員はほかの大多数の人より安全だと思います。ダンブルドアは、ヴォルデモートが恐れたただ一人の魔法使いのはずです。そうでしょう？」

ハリーはかまわず続けた。

スラグホーンはひと呼吸、ふた呼吸、空を見つめた。ハリーの言ったことをかみしめているようだった。

「まあ、そうだ。確かに、『名前を言ってはいけないあの人』はダンブルドアとはけっして戦おうとはしなかった」

スラグホーンはしぶしぶつぶやいた。

「それに、わたしが死喰い人に加わらなかった以上、『名前を言ってはいけないあの人』がわたしを友とみなすとはとうてい思えない、とも言える……その場合は、わたしはアルバスともう少し近しいほうが安全かもしれん……アメリア・ボーンズの死が、わたしを動揺させなかったとは言えない……あれだけ魔法省に人脈があって保護されていたのに、その彼女が……」

ダンブルドアが部屋に戻ってきた。スラグホーンはまるでダンブルドアが家にいることを忘れていたかのように飛び上がった。

「ああ、いたのか、アルバス。ずいぶん長かったな。腹でもこわしたか？」

「いや、マグルの雑誌を読んでいただけじゃ」ダンブルドアが言った。

「編み物のパターンが大好きでな。さて、ハリー、ホラスのご厚意にだいぶ長々と甘えさせてもらった。いとまする時間じゃ」

ハリーはまったく躊躇《ちゅうちょ》せずに従い、すぐに立ち上がった。スラグホーンは狼狽《ろうばい》した様子だった。

「行くのか？」

「いかにも。勝算がないものは、見ればそうとわかるものじゃ」

「勝算がない……？」

スラグホーンは、気持ちが揺れているようだった。ダンブルドアが旅行用マントのひもを結び、ハリーが上着のジッパーを閉めるのを見つめながら、ずんぐりした親指同士をくるくる回してそわそわしていた。

「さて、ホラス、君が教職を望まんのは残念じゃ」

ダンブルドアは傷ついていないほうの手を挙げて別れの挨拶をした。

「ホグワーツは、君が再び戻れば喜んだであろうがのう。我々の安全対策は大いに増強されてはおるが、君の訪問ならいつでも歓迎しましょうぞ。君がそう望むならじゃが」

「ああ……まあ……ご親切に……どうも……」

「では、さらばじゃ」

「さようなら」ハリーが言った。

二人が玄関口まで行ったときに、後ろから叫ぶ声がした。

「わかった、わかった。引き受ける！」

ダンブルドアが振り返ると、スラグホーンは居間の出口に息を切らせて立っていた。

「引退生活から出てくるのかね？」

「そうだ、そうだ」

スラグホーンが急《せ》き込んで言った。

「ばかなことにちがいない。しかしそうだ」

「すばらしいことじゃ」

ダンブルドアがニッコリした。

「では、ホラス、九月一日にお会いしましょうぞ」

「ああ、そういうことになる」スラグホーンが唸《うな》った。

二人が庭の小道に出たとき、スラグホーンの声が追いかけてきた。

「ダンブルドア、給料は上げてくれるだろうな！」

ダンブルドアはクスクス笑った。門の扉が二人の背後でバタンと閉まり、暗闇と渦巻く霧の中、二人はもと来た坂道を下った。

「よくやった、ハリー」ダンブルドアが言った。

「僕、なんにもしてません」ハリーが驚いて言った。

「いいや、したとも。ホグワーツに戻ればどんなに得るところが大きいかを、君はまさに自分の身をもってホラスに示したのじゃ。ホラスのことは気に入ったかね？」

「あ……」

ハリーはスラグホーンが好きかどうかわからなかった。あの人はあの人なりに、いい人なのだろうと思ったが、同時に虚栄心が強いように思えた。それに、言葉とは裏腹に、マグル生まれの者が優秀な魔女であることに、異常なほど驚いていた。

「ホラスは」

ダンブルドアが話を切り出し、ハリーは、何か答えなければならないという重圧から解放された。

「快適さが好きなのじゃ。それに、有名で、成功した力のある者と一緒にいることも好きでのう。そういう者たちに自分が影響を与えているると感じることが楽しいのじゃ。けっして自分が王座に着きたいとは望まず、むしろ後方の席が好みじゃ——それ、ゆったりと体を伸ばせる場所がのう。ホグワーツでもお気に入りを自ら選んだ。時には野心や頭脳により、時には魅力や才能によって、さまざまな分野でやがては抜きん出るであろう者を選び出すという、不思議な才能を持っておった。ホラスはお気に入りを集めて、自分を取り巻くクラブのようなものを作った。そのメンバー間で人を紹介したり、有用な人脈を固めたりして、その見返りに常に何かを得ていた。好物の砂糖漬けパイナップルの箱詰めだとか、小鬼連絡室の次の室長補佐を推薦する機会だとか」

突然、ハリーの頭の中に、ふくれ上がった大蜘蛛《ぐも》が周囲に糸をつむぎ出し、あちらこちらに糸をひっかけ、大きくておいしそうなハエを手元にたぐり寄せる姿が、生々しく浮かんだ。

「こういうことを君に聞かせるのは」

ダンブルドアが言葉を続けた。

「ホラスに対して——これからスラグホーン先生とお呼びしなければならんのう——悪感情を持たせるためではなく、君に用心させるためじゃ。まちがいなくあの男は、君を蒐集しようとする。君は蒐集物の中の宝石になるじゃろう。『生き残った男の子』……または、このごろでは『選ばれし者』と呼ばれておるのじゃからのう」

その言葉で、周りの霧とはなんの関係もない冷気がハリーを襲った。数週間前に聞いた言葉を思い出したのだ。恐ろしい、ハリーにとって特別な意味のある言葉を。

一方が生きるかぎり、他方は生きられぬ……。

ダンブルドアは、さっき通った教会の所まで来ると歩みを止めた。

「このあたりでいいじゃろう、ハリー。わしの腕につかまるがよい」

今度は覚悟ができていたので、ハリーは「姿あらわし」する態勢になっていたが、それでも快適ではなかった。しめつける力が消えて、再び息ができるようになったとき、ハリーは田舎道でダンブルドアの脇に立っていた。目の前に、世界で二番目に好きな建物のくねくねした影が見えた。「隠れ穴」だ。たったいま、体中に走った恐怖にもかかわらず、その建物を見ると自然に気持ちがたかぶった。あそこにロンがいる……ハリーが知っている誰よりも料理が上手なウィーズリーおばさんも……。

「ハリー、ちょっとよいかな」

門を通り過ぎながらダンブルドアが言った。

「別れる前に、少し君と話がしたい。二人きりで。ここではどうかな？」

ダンブルドアはウィーズリー家の箒がしまってある、崩れかかった石の小屋を指差した。なんだろうと思いながら、ハリーはダンブルドアに続いて、キーキー鳴る戸をくぐり、普通の戸棚より少し小さいくらいの小屋の中に入った。ダンブルドアは杖先に灯りをともし、松明《たいまつ》のように光らせて、ハリーにほほえみかけた。

「このことを口にするのを許してほしいのじゃが、ハリー、魔法省でいろいろとあったにもかかわらず、よう耐えておると、わしはうれしくもあり、君を少し誇らしくも思うておる。シリウスも君を誇りに思ったじゃろう。そう言わせてほしい」

ハリーはぐっとつばを飲んだ。声がどこかへ行ってしまったようだった。シリウスの話をするのは耐えられないと思った。バーノンおじさんが「名付け親が死んだと？」と言うのを聞いただけでハリーは胸が痛んだし、シリウスの名前がスラグホーンの口から気軽に出てくるのを聞くのはなおつらかった。

「残酷なことじゃ」

ダンブルドアが静かに言った。

「君とシリウスがともに過ごした時間はあまりにも短かった。長く幸せな関係になるはずだったものを、無残な終わり方をした」

ダンブルドアの帽子を登りはじめたばかりのクモから目を離すまいとしながら、ハリーはうなずいた。ハリーにはわかった。ダンブルドアは理解してくれているのだ。そしてたぶん見抜いているのかもしれない。ダンブルドアの手紙が届くまでは、ダーズリーの家で、ハリーが食事もとらずほとんどベッドに横たわりきりで、霧深い窓を見つめていたことを。そして吸魂鬼がそばにいるときのように、冷たくむなしい気持ちに沈んでいたことをも。

「信じられないんです」

ハリーはやっと低い声で言った。

「あの人がもう僕に手紙をくれないなんて」

突然目頭が熱くなり、ハリーは瞬《まばた》きした。あまりにも些細《ささい》なことなのかもしれないが、ホグワーツの外に、まるで両親のようにハリーの身の上を心配してくれる人がいるということこそ、名付け親がいるとわかった大きな喜びだった……もう二度と、郵便配達ふくろうがその喜びを運んでくることはない……。

「シリウスは、それまで君が知らなかった多くのものを体現しておった」

ダンブルドアはやさしく言った。

「それを失うことは、当然、大きな痛手じゃ……」

「でも、ダーズリーの所にいる間に」ハリーが口をはさんだ。声がだんだん力強くなっていた。「僕、わかったんです。閉じこもっていてはだめだって――神経がまいっちゃいけないって。シリウスはそんなことを望まなかったはずです。それに、どっちみち人生は短いんだ……マダム・ボーンズも、エメリーン・バンスも……次は僕かもしれない。そうでしょう？　でも、もしそうなら」

ハリーは、今度はまっすぐに、杖灯りに輝くダンブルドアの青い目を見つめながら、激しい口調で言った。

「僕は必ず、できるだけ多くの死喰い人を道連れにします。それに、僕の力がおよぶならヴォルデモートも」

「父君、母君の息子らしい言葉じゃ。そして、真にシリウスの名付け子じゃ！」

ダンブルドアは満足げにハリーの背中をたたいた。

「君に脱帽じゃ――クモを浴びせかけることにならなければ、ほんとうに帽子を脱ぐところじゃが」

「さて、ハリーよ、密接に関連する問題なのじゃが……君はこの二週間、『日刊予言者新聞』を取っておったと思うが？」

「はい」ハリーの心臓の鼓動が少し速くなった。

「されば、『予言の間』での君の冒険については、情報もれどころか情報洪水だったことがわかるじゃろう？」

「はい」ハリーは同じ返事をくり返した。

「ですから、いまではみんなが知っています。僕がその――」

「いや、世間は知らぬことじゃ」ダンブルドアがさえぎった。

「君とヴォルデモートに関してなされた予言の全容を知っているのは、世界中でたった二人だけじゃ。そしてその二人とも、この臭い、クモだらけの箒小屋に立っておるのじゃ。しかし、多くの者が、ヴォルデモートが死喰い人に予言を盗ませようとしたこと、そしてその予言が君に関することだという推量をしたし、それが正しい推量であることは確かじゃ」

「そこで、わしの考えにまちがいはないと思うが、君は予言の内容を誰にも話しておらんじゃろうな？」

「はい」ハリーが言った。

「それはおおむね賢明な判断じゃ」ダンブルドアが言った。

「ただし、君の友人に関しては、ゆるめるべきじゃろう。そう、ミスター・ロナルド・ウィーズリーとミス・ハーマイオニー・グレンジャーのことじゃ」

ハリーが驚いた顔をすると、ダンブルドアは言葉を続けた。

「この二人は知っておくべきじゃと思う。これほど大切なことを二人に打ち明けぬというのは、二人にとってかえって仇《あだ》になる」

「僕が打ち明けないのは――」

「――二人を心配させたり怖がらせたりしたくないと？」

ダンブルドアは半月めがねの上からハリーをじっと見ながら言った。

「もしくは、君自身が心配したり怖がったりしていると打ち明けたくないということかな？　ハリー、君にはあの二人の友人が必要じゃ。君がいみじくも言ったように、シリウスは、君が閉じこもることを望まなかったはずじゃ」

ハリーは何も言わなかったが、ダンブルドアは答えを要求しているようには見えなかった。

「話は変わるが、関連のあることじゃ。今学年、君にわしの個人教授を受けてほしい」

「個人――先生と？」だまって考え込んでいたハリーは、驚いて聞いた。

「そうじゃ。君の教育に、わしがより大きく関わる時が来たと思う」

「先生、何を教えてくださるのですか？」

「ああ、あっちをちょこちょこ、こっちをちょこちょこじゃ」ダンブルドアは気楽そうに言った。

ハリーは期待して待ったが、ダンブルドアがくわしく説明しなかったので、ずっと気になっていた別のことを尋ねた。

「先生の授業を受けるのでしたら、スネイプとの『閉心術』の授業は受けなくてよいですね？」

「スネイプ**先生**じゃよ、ハリー――そうじゃ、受けないことになる」

「よかった」ハリーはホッとした。

「だって、あれは――」

ハリーはほんとうの気持ちを言わないようにしようと、言葉を切った。

「ぴったり当てはまる言葉は『大しくじり』じゃろう」ダンブルドアがうなずいた。

ハリーは笑いだした。

「それじゃ、これからはスネイプ先生とあまりお会いしないことになりますね」ハリーが言った。

「だって、O・W・L《ふくろう》テストで『優』を取らないと、あの先生は『魔法薬』を続けさせてくれないです し、僕はそんな成績は取れていないことがわかっています」

「取らぬふくろうの羽根算用はせぬことじゃ」

ダンブルドアは重々しく言った。

「そういえば、成績は今日中に、もう少しあとで配達されるはずじゃ。さて、ハリー、別れる前にあと二件ある」

「まず最初に、これからはずっと、常に透明マントを携帯してほしい。ホグワーツの中でもじゃ。万一のためじゃよ。よいかな？」

ハリーはうなずいた。

「そして最後に、君がここに滞在する間、『隠れ穴』には魔法省による最大級の安全策が施されておる。

これらの措置のせいで、アーサーとモリーにはすでにある程度のご不便をおかけしておる——たとえばじゃが、郵便は、届けられる前に全部、魔法省に検査されておる。二人はまったく気にしておらぬ。君の安全を一番心配しておるからじゃ。しかし、君自身が危険に身をさらすようなまねをすれば、二人の恩を仇で返すことになるじゃろう」

「わかりました」ハリーはすぐさま答えた。

「それならよろしい」

そう言うと、ダンブルドアは箒小屋の戸を押し開けて庭に歩み出た。

「台所に明かりが見えるようじゃ。君のやせ細りようをモリーが嘆く機会を、これ以上先延ばしにしてはなるまいのう」

第5章　ヌラーがべっとり

ハリーとダンブルドアは、「隠れ穴」の裏口に近づいた。いつものように古いゴム長靴やさびた大鍋が周りに散らかっている。遠くの鳥小屋から、コッコッと鶏の低い眠そうな鳴き声が聞こえた。ダンブルドアが三度戸をたたくと、台所の窓越しに、中で急に何かが動くのがハリーの目に入った。

「誰？」

神経質な声がした。ハリーにはそれがウィーズリーおばさんの声だとわかった。

「名を名乗りなさい！」

「わしじゃ、ダンブルドアじゃよ。ハリーを連れておる」

すぐに戸が開いた。背の低い、ふっくらしたウィーズリーおばさんが、着古した緑の部屋着を着て立っていた。

「ハリー、まあ！　まったく、アルバスったら、ドキッとしたわ。明け方前には着かないっておっしゃったのに！」

「運がよかったのじゃ」

ダンブルドアがハリーを中へといざないながら言った。

「スラグホーンは、わしが思ったよりずっと説得しやすかったのでな。もちろんハリーのお手柄じゃ。ああ、これはニンファドーラ！」

ハリーが見回すと、こんな遅い時間なのに、ウィーズリーおばさんは一人ではなかった。くすんだ茶色の髪にハート形の青白い顔をした若い魔女が、大きなマグを両手にはさんでテーブル脇に座っていた。

「こんばんは、先生」魔女が挨拶した。「よう、ハリー」

「やあ、トンクス」

ハリーはトンクスがやつれたように思った。病気かもしれない。無理をして笑っているようだ。見た目には、いつもの風船ガムピンクの髪をしていないので、まちがいなく色あせている。

「わたし、もう帰るわ」

トンクスは短くそう言うと、立ち上がってマントを肩に巻きつけた。

「モリー、お茶と同情をありがとう」

「わしへの気づかいでお帰りになったりせんよう」ダンブルドアがやさしく言った。

「わしは長くはいられないのじゃ。ルーファス・スクリムジョールと、緊急に話し合わねばならんことがあってのう」

「いえいえ、わたし、帰らなければいけないの」

トンクスはダンブルドアと目を合わせなかった。「おやすみ――」

「ねえ、週末の夕食にいらっしゃらない？　リーマスとマッド‐アイも来るし――？」

「ううん、モリー、だめ……でもありがとう……みんな、おやすみなさい」

トンクスは急ぎ足でダンブルドアとハリーのそばを通り、庭に出た。戸口から数歩離れた所で、トンクスはくるりと回り、跡形もなく消えた。ウィーズリーおばさんが心配そうな顔をしているのに、ハリーは気づいた。

「さて、ホグワーツで会おうぞ、ハリー」ダンブルドアが言った。

「くれぐれも気をつけることじゃ。モリー、ご機嫌よろしゅう」

ダンブルドアはウィーズリー夫人に一礼して、トンクスに続いて出ていき、まったく同じ場所で姿を消した。庭に誰もいなくなると、ウィーズリーおばさんは戸を閉め、ハリーの肩を押して、テーブルを照らすランタンの明るい光の所まで連れていき、ハリーの姿を確かめた。

「ロンと同じだわ」

ハリーを上から下まで眺めながら、おばさんがため息をついた。

「二人ともまるで『引き伸ばし呪文』にかかったみたい。この前ロンに学校用のローブを買ってやってから、あの子、まちがいなく十センチは伸びてるわね。ハリー、お腹すいてない？」

「うん、すいてる」ハリーは、突然空腹感に襲われた。

「お座りなさいな。何かあり合わせを作るから」

腰かけたとたん、ペチャンコ顔の、オレンジ色の毛がふわふわした猫がひざに飛び乗り、のどをゴロゴロ鳴らしながら座り込んだ。

「じゃ、ハーマイオニーもいるの？」

クルックシャンクスの耳の後ろをカリカリかきながら、ハリーはうれしそうに聞いた。

「ええ、そうよ。おととい着いたわ」

ウィーズリーおばさんは、大きな鉄鍋を杖《つえ》でコツコツたたきながら答えた。鍋はガランガランと大きな音を立てて飛び上がり、かまどにのって、たちまちぐつぐつ煮えだした。

「もちろん、みんなもう寝てますよ。あなたがあと数時間は来ないと思ってましたからね。さあ、さあ――」

おばさんは、また鍋をたたいた。鍋が宙に浮き、ハリーのほうに飛んできて傾いた。ウィーズリーおばさんは深皿をサッとその下に置き、とろりとしたオニオンスープが湯気を立てて流れ出すのを見事に受けた。

「パンはいかが?」

「いただきます」

おばさんが肩越しに杖を振ると、パンひと塊とナイフが優雅に舞い上がってテーブルに降りた。パンが勝手に切れて、スープ鍋がかまどに戻ると、ウィーズリーおばさんはハリーのむかい側に腰かけた。

「それじゃ、あなたがホラス・スラグホーンを説得して、引き受けさせたのね?」

ロがスープでいっぱいで話せなかったので、ハリーはうなずいた。

「アーサーも私もあの人に教えてもらったの」おばさんが言った。

「長いことホグワーツにいたのよ。ダンブルドアと同じころに教えはじめたと思うわ。あの人のこと、好き?」

今度はパンで口がふさがり、ハリーは肩をすくめて、どっちつかずに首を振った。

「そうでしょうね」おばさんはわけ知り顔でうなずいた。

「もちろんあの人は、その気になればいい人になれるわ。だけどアーサーは、あの人のことをあんまり好きじゃなかった。魔法省はスラグホーンのお気に入りだらけよ。あの人はいつもそういう手助けが上手なの。でもアーサーにはあんまり目をかけたことがなかった――出世株だとは思わなかったらしいの。でも、ほら、スラグホーンにだって、それこそ目ちがいってものがあるのよ。ロンはもう手紙で知らせたかしら――ごく最近のことなんだけど――アーサーが昇格したの!」

ウィーズリーおばさんが、はじめからこれを言いたくてたまらなかったことは、火を見るより明らかだった。ハリーは熱いスープをしこたま飲み込んだ。のどが火ぶくれになるのがわかるような気がした。

「すごい!」ハリーが息をのんで言った。

「やさしい子ね」

おばさんがニッコリした。ハリーが涙目になっているのを、知らせを聞いて感激しているとかんちがいしたらしい。

「そうなの。ルーファス・スクリムジョールが、新しい状況に対応するために、新しい局をいくつか設置してね、アーサーは『偽の防衛呪文ならびに保護器具の発見ならびに没収局』の局長になったのよ。とっても大切な仕事で、いまでは部下が十人いるわ！」

「それって、何を——？」

「ええ、あのね、『例のあの人』がらみのパニック状態で、あちこちでおかしなものが売られるようになったの。『例のあの人』や『死《し》喰《く》い人』から護《まも》るはずのいろんなものがね。どんなものか想像がつくというものだわ——保護薬と称して実は腫れ草の膿《うみ》を少し混ぜた肉汁ソースだったり、防衛呪文のはずなのに、実際は両耳が落ちてしまう呪文を教えたり……まあ、犯人はだいたいがマンダンガス・フレッチャーのような、まっとうな仕事をしたことがないような連中で、みんなの恐怖につけ込んだ仕業なんだけど、ときどきとんでもないやっかいなものが出てくるの。このあいだアーサーが、呪いのかかった『かくれん防止器』をひと箱没収したけど、死喰い人が仕掛けたものだということは、ほとんどまちがいないわ。だからね、とっても大切なお仕事なの。それで、アーサーに言ってやりましたとも。点火プラグだとかトースターだとか、マグルのがらくたを処理できないのがさびしいなんて言うのは、ばかげてるってね」

ウィーズリーおばさんは、点火プラグをなつかしがるのは当然だと言ったのがハリーであるかのように、厳しい目つきで話し終えた。

「ウィーズリーおじさんは、まだお仕事中ですか？」ハリーが聞いた。

「そうなのよ。実は、ちょっとだけ遅すぎるんだけど……真夜中ごろに戻るって言ってましたからね……」

おばさんはテーブルの端に置いてある洗濯物かごに目をやった。かごに積まれたシーツの山の上に、大きな時計が危なっかしげにのっていた。ハリーはすぐその時計を思い出した。針が九本、それぞれに家族の名前が書いてある。いつもはウィーズリー家の居間にかかっているが、いま置いてある場所から考えると、ウィーズリーおばさんが家中持ち歩いているらしい。九本全部がいまや「命が危ない」を指していた。

「このところずっとこんな具合なのよ」

おばさんがなにげない声で言おうとしているのが、見え透いていた。

「『例のあの人』のことが明るみに出て以来ずっとそうなの。いまは、誰もが命が危ない状況なのでしょうけれど……うちの家族だけということはないと思うわ……でも、ほかにこんな時計を持っている人を知らないから、確かめようがないの。あっ！」

急に叫び声を上げ、おばさんが時計の文字盤を指した。ウィーズリーおじさんの針が回って「移動中」になっていた。

「お帰りだわ！」

そしてそのとおり、まもなく裏口の戸をたたく音がした。ウィーズリーおばさんは勢いよく立ち上がり、ドアへと急いだ。片手をドアの取っ手にかけ、顔を木のドアに押しつけて、おばさんが小声で呼びかけた。

「アーサー、あなたなの？」

「そうだ」

ウィーズリーおじさんのつかれた声が聞こえた。

「しかし、私が『死喰い人』だったとしても同じことを言うだろう。質問しなさい！」

「まあ、そんな……」

「モリー！」

「はい、はい……あなたの一番の望みは何？」

「飛行機がどうして浮いていられるのかを解明すること」

ウィーズリーおばさんはうなずいて、取っ手を回そうとした。ところがむこう側でウィーズリーおじさんがしっかり取っ手を押さえているらしく、ドアは頑として閉じたままだった。

「モリー！　私も君にまず質問しなければならん！」

「アーサーったら、まったく。こんなこと、ばかげてるわ……」

「私たち二人きりのとき、君は私になんて呼んでほしいかね？」

ランタンのほの暗い明かりの中でさえ、ハリーはウィーズリーおばさんが真っ赤になるのがわかった。ハリーも耳元から首が急に熱くなるのを感じて、できるだけ大きな音を立ててスプーンと皿をガチャつかせ、あわててスープをがぶ飲みした。

おばさんは恥ずかしさに消え入りたそうな様子で、ドアの端のすきまに向かってささやいた。

「かわいいモリウォブル」

「正解」ウィーズリーおじさんが言った。「さあ中に入れてもいいよ」

おばさんが戸を開けると、夫が姿を現した。赤毛がはげ上がった細身の魔法使いで、角縁めがねをかけ、長いほこりっぽい旅行用マントを着ている。

「あなたがお帰りになるたびにこんなことをくり返すなんて、私、いまだに納得できないわ」

夫のマントを脱がせながら、おばさんはまだほおを染めていた。

「だって、あなたに化ける前に、死喰い人はあなたから無理やり答えを聞き出したかもしれないでしょ！」

「わかってるよ、モリー。しかしこれが魔法省の手続きだし、私が模範を示さないと。何かいいにおいがするね――オニオンスープかな？」

ウィーズリー氏は、期待顔でにおいのするテーブルのほうを振り向いた。

「ハリー！　朝まで来ないと思ったのに！」

二人は握手し、ウィーズリーおじさんはハリーの隣の椅子にドサッと座り込んだ。おばさんがおじさんの前にもスープを置いた。

「ありがとう、モリー。今夜は大変だった。どこかのばか者が『変化メダル』を売りはじめたんだ。首にかけるだけで、自由に外見を変えられるとか言ってね。十万種類の変身、たった十ガリオン！」

「それで、それをかけると実際どうなるの？」

「だいたいは、かなり気持ちの悪いオレンジ色になるだけだが、何人かは、体中に触手のようなイボが吹き出してきた。聖マンゴの仕事がまだ足りないと言わんばかりだ！」

「フレッドとジョージならおもしろがりそうな代物だけど」

おばさんがためらいがちに言った。

「あなた、ほんとうに――？」

「もちろんだ！」おじさんが言った。「あの子たちは、こんな時にそんなことはしない！　みんなが必死に保護を求めているというときに！」

「それじゃ、遅くなったのは『変化メダル』のせいなの？」

「いや、エレファント・アンド・キャッスルで質の悪い『逆火呪《さかび》い』があるとタレ込みがあった。しかし幸い、我々が到着したときにはもう、魔法警察部隊が片づけていた……」

ハリーはあくびを手で隠した。

「もう寝なくちゃね」

ウィーズリーおばさんの目はごまかせなかった。

「フレッドとジョージの部屋を、あなたのために用意してありますよ。自由にお使いなさいね」

「でも、二人はどこに？」

「ああ、あの子たちはダイアゴン横丁。いたずら専門店の上にある、小さなアパートで寝起きしているの。とっても忙しいのでね」

ウィーズリーおばさんが答えた。

「最初は正直言って、感心しなかったわ。でも、あの子たちはどうやら、ちょっと商才があるみたい！さあ、さあ、あなたのトランクはもう上げてありますよ」

「おじさん、おやすみなさい」

ハリーは椅子を引きながら挨拶した。クルックシャンクスが軽やかにひざから飛び下り、しゃなしゃなと部屋から出ていった。

「おやすみ、ハリー」おじさんが言った。

おばさんと二人で台所を出るとき、ハリーは、おばさんがちらりと洗濯物かごの時計に目をやるのに気づいた。針全部がまたしても「命が危ない」を指していた。

フレッドとジョージの部屋は三階にあった。おばさんがベッド脇の小机に置いてあるランプを杖で指すと、すぐに灯《あか》りがともり、部屋は心地よい金色の光で満たされた。小窓の前に置かれた机には、大きな花瓶に花が生けてあった。しかし、そのかぐわしい香りでさえ、火薬のようなにおいが漂っているのをごまかすことはできなかった。床の大半は、封をしたままの、何も印のない段ボール箱で占められていた。ハリーの学校用トランクもその間にあった。部屋は一時的に倉庫として使われているように見えた。

大きな洋だんすの上にヘドウィグが止まっていて、ハリーに向かってうれしげにホーとひと声鳴いてから、窓から飛び立っていった。ハリーの顔を見るまで狩に出ないで待っていたのにちがいない。ハリーはおばさんにおやすみの挨拶をして、パジャマに着替え、二つあるベッドの一つにもぐり込んだ。枕カバーの中に何やら固いものがあるので、中を探って引っ張り出すと、紫とオレンジ色のべたべたしたものが出てきた。見覚えのある「ゲーゲー・トローチ」だった。ハリーはひとり笑いしながら横になり、たちまち眠りに落ちた。

数秒後に、とハリーには思えたが、大砲のような音がしてドアが開き、ハリーは起こされてしまった。ガバッと起き上がると、カーテンをサーッと開ける音が聞こえた。まぶしい太陽の光が両目を強くつつくようだった。ハリーは片手で目を覆い、もう一方の手でそこいら中をさわってめがねを探した。

「どうじだんだ?」

「君がもうここにいるなんて、僕たち知らなかったぜ!」

興奮した大声が聞こえ、ハリーは頭のてっぺんにきつい一発を食らった。

「ロン、ぶっちゃだめよ!」女性の声が非難した。

ハリーの手がめがねを探し当てた。急いでめがねをかけたものの、光がまぶしすぎてほとんど何も見えない。長い影が近づいてきて、目の前で一瞬揺れた。瞬《まばた》きすると焦点が合って、ロン・ウィーズリーがニヤニヤ見下ろしているのが見えた。

「元気か？」

「最高さ」

ハリーは頭のてっぺんをさすりながら、また枕に倒れ込んだ。

「君は？」

「まあまあさ」

ロンは、段ボールをひと箱引き寄せて座った。

「いつ来たんだ？　ママがたったいま教えてくれた！」

「今朝一時ごろだ」

「マグルのやつら、大丈夫だったか？　ちゃんと扱ってくれたか？」

「いつもどおりさ」

そう言う間に、ハーマイオニーがベッドの端にちょこんと腰かけた。

「連中、ほとんど僕に話しかけなかった。僕はそのほうがいいんだけどね。ハーマイオニー、元気？」

「ええ、私は元気よ」

ハーマイオニーは、まるでハリーが病気にかかりかけているかのように、じっと観察していた。

ハリーにはその気持ちがわかるような気がしたが、シリウスの死やほかの悲惨なことを、いまは話したくなかった。

「いま何時？　朝食を食べそこねたのかなあ？」ハリーが言った。

「心配するなよ。ママがお盆を運んでくるから。君が充分食ってない様子だって思ってるのさ」

まったくママらしいよと言いたげに、ロンは目をグリグリさせた。

「それで、最近どうしてた？」

「別に。おじとおばの所で、どうにも動きが取れなかっただろ?」

「うそつけ!」ロンが言った。「ダンブルドアと一緒に出かけたじゃないか!」

「そんなにわくわくするようなものじゃなかったよ。ダンブルドアは、昔の先生を引退生活から引っ張り出すのを、僕に手伝ってほしかっただけさ。名前はホラス・スラグホーン」

「なんだ」

ロンががっかりしたような顔をした。

「僕たちが考えてたのは——」

ハーマイオニーがサッと警告するような目でロンを見た。ロンは超スピードで方向転換した。

「——考えてたのは、たぶん、そんなことだろうってさ」

「ほんとか?」ハリーは、おかしくて聞き返した。

「ああ……そうさ、アンブリッジがいなくなったし、当然新しい『闇の魔術に対する防衛術』の先生がいるだろ? だから、えーと、どんな人?」

「ちょっとセイウチに似てる。それに、前はスリザリンの寮監だった。ハーマイオニー、どうかしたの?」

ハーマイオニーは、いまにも奇妙な症状が現れるのを待つかのように、ハリーを見つめていたが、あわててあいまいにほほえみ、表情を取りつくろった。

「ううん、なんでもないわ、もちろん! それで、んー、スラグホーンはいい先生みたいだった?」

「わかんない」ハリーが答えた。「アンブリッジ以下ってことは、ありえないだろ?」

「アンブリッジ以下の人、知ってるわ」

入口で声がした。ロンの妹がいらいらしながら、つっかかるように前かがみの格好で入ってきた。

「おっはよ、ハリー」

「いったいどうした？」ロンが聞いた。

「**あの女よ**」

ジニーはハリーのベッドにドサッと座った。

「頭に来るわ」

「あの人、今度は何をしたの？」ハーマイオニーが同情したように言った。

「私に対する口のきき方よ――まるで三つの女の子に話すみたいに！」

「わかるわ」ハーマイオニーが声を落とした。「あの人、ほんとに自意識過剰なんだから」

ハーマイオニーがウィーズリーおばさんのことをこんなふうに言うなんて、とハリーは度肝を抜かれ、ロンが怒ったように言い返すのも当然だと思った。

「二人とも、ほんの五秒でいいから、あの人をほっとけないのか？」

「えーえ、どうぞ、あの人をかばいなさいよ」ジニーがピシャリと言った。

「あんたがあの女にメロメロなことぐらい、みんな知ってるわ」

ロンの母親のことにしてはおかしい。ハリーは何かが抜けていると感じはじめた。

「誰のことを――？」

質問が終わらないうちに答えが出た。部屋の戸が再びパッと開き、ハリーは無意識に、ベッドカバーを思いきりあごの下まで引っ張り上げた。おかげでハーマイオニーとジニーが床にすべり落ちた。

入口に若い女性が立っていた。息をのむほどの美しさに、部屋中の空気が全部のまれてしまったようだった。背が高く、すらりとたおやかで、長いブロンドの髪。その姿からかすかに銀色の光が発散しているかのようだった。非の打ち所がない姿をさらに完全にしたのは、女性のささげているどっさり朝食がのった盆だった。

「アリー」ハスキーな声が言った。「おいさしぶーりね！」

女性がサッと部屋の中に入り、ハリーに近づいてきたその時、かなり不機嫌な顔のウィーズリーおばさんが、ひょこひょことあとから現れた。

「お盆を持って上がる必要はなかったのよ。私が自分でそうするところだったのに！」

「なんでもありませーん」

そう言いながら、フラー・デラクールは盆をハリーのひざにのせ、ふわーっとかがんでハリーの両ほおにキスした。ハリーはその唇が触れた所が焼けるような気がした。

「私、このいとに、とても会いたかったでーす。私のシースタのガブリエル、あなた覚えてますか？『アリー・ポター』のこと、あの子、いつもあなしていまーす。また会えると、きーっと喜びます」

「あ……あの子もここにいるの？」ハリーの声がしわがれた。

「いいえ、いーえ、おばかさーん」

フラーは玉を転がすように笑った。

「来年の夏でーす。その時、私たち──あら、あなた知らないですか？」

フラーは大きな青い目を見開いて、非難するようにウィーズリー夫人を見た。おばさんは「まだハリーに話す時間がなかったのよ」と言った。

フラーは豊かなブロンドの髪を振ってハリーに向きなおり、その髪がウィーズリー夫人の顔を鞭《むち》のように打った。

「私、ビルと結婚しまーす！」

「ああ」

ハリーは無表情に言った。ウィーズリーおばさんもハーマイオニーもジニーも、けっして目を合わせまいとしていることに、いやでも気づかないわけにはいかなかった。

「ウワー、あ――おめでとう！」

フラーはまた踊るようにかがんで、ハリーにキスした。

「ビルはいま、とーても忙しいです。アードにあたらいていまーす。そして、私、グリンゴッツでパートタイムであたらいていまーす。えいーごのため。それで彼、私をしばらーくここに連れてきました。家族のいとを知るためでーす。あなたがここに来るというあなしを聞いてうれしかったでーす。――お料理と鶏が好きじゃないと、ここはあまりすることがありませーん！　じゃ――朝食を楽しーんでね、アリー！」

そう言い終えると、フラーは優雅に向きを変え、ふわーっと浮かぶように部屋を出ていき、静かにドアを閉めた。

ウィーズリーおばさんが何か言ったが、「シッシッ！」と聞こえた。

「ママはあの女が大嫌い」ジニーが小声で言った。

「嫌ってはいないわ！」

おばさんが不機嫌にささやくように言った。

「二人が婚約を急ぎすぎたと思うだけ、それだけです！」

「知り合ってもう一年だぜ」ロンは妙にふらふらしながら、閉まったドアを見つめていた。

「それじゃ、長いとは言えません！　どうしてそうなったか、もちろん私にはわかりますよ。『例のあの人』が戻ってきていろいろ不安になっているからだわ。明日にも死んでしまうかもしれないと思って。だから、普通なら時間をかけるようなことも、決断を急ぐの。前にあの人が強力だったときも同じだったわ。あっちでもこっちでも、そこいら中で駆け落ちして――」

「ママとパパもふくめてね」ジニーがおちゃめに言った。

「そうよ、まあ、お父さまと私は、お互いにぴったりでしたもの。待つ意味がないでしょう？」

ウィーズリー夫人が言った。

「ところがビルとフラーは……さあ……どんな共通点があるというの？　ビルは勤勉で地味なタイプなのに、あの娘は――」

「派手な牝牛《めうし》」ジニーがうなずいた。

「でもビルは地味じゃないわ。『呪い破り』でしょう？　ちょっと冒険好きで、わくわくするようなものにひかれる……きっとそれだからヌラーにまいったのよ」

「ジニー、そんな呼び方をするのはおやめなさい」

ウィーズリーおばさんは厳しく言ったが、ハリーもハーマイオニーも笑った。

「さあ、もう行かなくちゃ……ハリー、温かいうちに卵を食べるのよ」

おばさんは悩みつかれた様子で、部屋を出ていった。ロンはまだ少しくらくらしているようだった。頭を振ってみたら治るかもしれないと、ロンは耳の水をはじき出そうとしている犬のようなしぐさをした。

「同じ家にいたら、あの人に慣れるんじゃないのか？」ハリーが聞いた。

「ああ、そうさ」ロンが言った。「だけど、あんなふうに突然飛び出してこられると……」

「救いようがないわ」

ハーマイオニーが腹を立てて、つんけんしながらロンからできるだけ離れ、壁際で回れ右して腕組みし、ロンのほうを向いた。

「あの人に、ずーっとうろうろされたくはないでしょう？」

まさかという顔で、ジニーがロンに聞いた。ロンが肩をすくめただけなのを見て、ジニーが言った。

「とにかく、賭けてもいいけど、ママががんばってストップをかけるわ」

「どうやってやるの?」ハリーが聞いた。

「トンクスを何度も夕食に招待しようとしてる。ビルがトンクスのほうを好きになればいいって期待してるんだと思うな。そうなるといいな。家族にするなら、私はトンクスのほうがずっといい」

「そりゃあ、うまくいくだろうさ」ロンが皮肉った。

「いいか、まともな頭の男なら、フラーがいるのにトンクスを好きになるかよ。そりゃ、トンクスはまあまあの顔さ。髪の毛や鼻に変なことさえしなきゃ。だけど――」

「トンクスは、**ヌラー**よりめちゃくちゃいい性格してるよ」ジニーが言った。

「それにもっと知的よ。闇祓《やみばら》いですからね!」隅のほうからハーマイオニーが言った。

「フラーはバカじゃないよ。三校対抗試合選手に選ばれたぐらいだ」ハリーが言った。

「あなたまでが!」ハーマイオニーが苦々しく言った。

「ヌラーが『アリー』って言う、言い方が好きなんでしょう?」ジニーが軽蔑したように言った。

「ちがう」

ハリーは、口をはさまなきゃよかったと思いながら言った。

「僕はただ、ヌラーが――じゃない、フラーが――」

「私は、トンクスが家族になってくれたほうがずっといい」ジニーが言った。「少なくともトンクスはおもしろいもの」

「このごろじゃ、あんまりおもしろくないぜ」ロンが言った。

「近ごろトンクスを見るたびに、だんだん『嘆きのマートル』に似てきてるな」

「そんなのフェアじゃないわ」

ハーマイオニーがピシャリと言った。

「あのことからまだ立ち直っていないのよ……あの……つまり、あの人はトンクスのいとこだったんだから！」

ハリーは気がめいった。シリウスに行き着いてしまった。ハリーはフォークを取り上げて、スクランブルエッグをがばがばと口に押し込みながら、この部分の会話に誘い込まれることだけは、なんとしてもさけたいと思った。

「トンクスとシリウスはお互いにほとんど知らなかったんだぜ！」ロンが言った。「シリウスは、トンクスの人生の半分ぐらいの間アズカバンにいたし、それ以前だって、家族同士が会ったこともなかったし——」

「それは関係ないわ」ハーマイオニーが言った。「トンクスは、シリウスが死んだのは自分のせいだと思ってるの！」

「どうしてそんなふうに思うんだ？」ハリーは我を忘れて聞いてしまった。

「だって、トンクスはベラトリックス・レストレンジと戦っていたでしょう？　自分がとどめを刺してさえいたら、ベラトリックスがシリウスを殺すことはできなかっただろうって、そう感じていると思う」

「ばかげてるよ」ロンが言った。

「生き残った者の罪悪感よ」ハーマイオニーが言った。

「ルーピンが説得しようとしているのは知っているけど、トンクスはすっかり落ち込んだきりなの。実際、『変化術』にも問題が出てきているわ！」

「何術だって——？」

「いままでのように姿形を変えることができないの」

ハーマイオニーが説明した。

「ショックか何かで、トンクスの能力に変調をきたしたんだと思うわ」

「そんなことが起こるとは知らなかった」ハリーが言った。

「私も」ハーマイオニーが言った。

「でもきっと、ほんとうにめいっていると……」

ドアが再び開いて、ウィーズリーおばさんの顔が飛び出した。

「ジニー」おばさんがささやいた。「下りてきて、昼食の準備を手伝って」

「私、この人たちと話をしてるのよ！」ジニーが怒った。

「すぐによ！」おばさんはそう言うなり顔を引っ込めた。

「ヌラーと二人きりにならなくてすむように、私に来てほしいだけなのよ！」

ジニーが不機嫌に言った。長い赤毛を見事にフラーそっくりに振って、両腕をバレリーナのように高く上げ、ジニーは踊るように部屋を出ていった。

「あなたたちも早く下りてきたほうがいいよ」部屋を出しなにジニーが言った。

つかの間の静けさに乗じて、ハリーはまた朝食を食べた。ハーマイオニーは、フレッドとジョージの段ボール箱をのぞいていたが、ときどきハリーを横目で見た。ロンは、ハリーのトーストを勝手につまみはじめたが、まだ夢見るような目でドアを見つめていた。

「これ、なあに？」

しばらくしてハーマイオニーが、小さな望遠鏡のようなものを取り出して聞いた。

「さあ」ロンが答えた。

「でも、フレッドとジョージがここに残していったぐらいだから、たぶん、まだいたずら専門店に出すには早すぎるんだろ。だから、気をつけろよ」

「君のママが、店は流行ってるって言ってたけど」ハリーが言った。

「フレッドとジョージはほんとに商才があるって言ってた」

「それじゃ言い足りないぜ」ロンが言った。

「ガリオン金貨をざっくざくかき集めてるよ！　早く店が見たいな。僕たち、まだダイアゴン横丁に行ってないんだ。だってママが、用心には用心して、パパが一緒じゃないとだめだって言うんだよ。ところがパパは、仕事でほんとに忙しくて。でも、店はすごいみたいだぜ」

「それで、パーシーは？」

ハリーが聞いた。ウィーズリー家の三男は、家族と仲たがいしていた。

「君のママやパパと、また口をきくようになったのかい？」

「いンや」ロンが言った。

「だって、ヴォルデモートが戻ってきたことでは、はじめから君のパパが正しかったって、パーシーにもわかったはずだし――」

「ダンブルドアがおっしゃったわ。他人の正しさを許すより、まちがいを許すほうがずっとたやすい」

ハーマイオニーが言った。

「ダンブルドアがね、ロン、あなたのママにそうおっしゃるのを聞いたの」

「ダンブルドアが言いそうな、へんてこりんな言葉だな」ロンが言った。

「ダンブルドアって言えば、今学期、僕に個人教授してくれるんだってさ」

ハリーがなにげなく言った。

ロンはトーストにむせ、ハーマイオニーは息をのんだ。

「そんなことをだまってたなんて！」ロンが言った。

「いま思い出しただけだよ」ハリーは正直に言った。

「ここの箒《ほうき》小屋で、今朝そう言われたんだ」

「おったまげー……ダンブルドアの個人教授！」ロンは感心したように言った。

「ダンブルドアはどうしてまた……？」

ロンの声が先細りになった。ハーマイオニーと目を見交わすのを、ハリーは見た。ハリーはフォークとナイフを置いた。ベッドに座っているだけにしては、ハリーの心臓の鼓動がやけに速くなった。ダンブルドアがそうするようにと言った……いまこそその時ではないか？ハリーは、ひざの上に流れ込む陽《ひ》の光に輝いているフォークをじっと見つめたまま、切り出した。

「ダンブルドアがどうして僕に個人教授してくれるのか、はっきりとはわからない。でも、予言のせいにちがいないと思う」

ロンもハーマイオニーもだまったままだった。ハリーは、二人とも凍りついたのではないかと思った。ハリーは、フォークに向かって話し続けた。

「ほら、魔法省で連中が盗もうとしたあの予言だ」

「でも、予言の中身は誰も知らないわ」ハーマイオニーが急いで言った。「砕けてしまったもの」

「ただ、『日刊予言者』に書いてあったのは――」

ロンが言いかけたが、ハーマイオニーが「シーッ！」と制した。

「『日刊予言者』にあったとおりなんだ」

ハリーは意を決して二人を見上げた。ハーマイオニーは恐れ、ロンは驚いているようだった。

「砕けたガラス玉だけが予言を記録していたのではなかった。ダンブルドアの校長室で、僕は予言の全部を聞いた。本物の予言はダンブルドアに告げられていたから、僕に話して聞かせることができたんだ。その予言によれば」

ハリーは深く息を吸い込んだ。

「ヴォルデモートにとどめを刺さなければならないのは、どうやらこの僕らしい……少なくとも、予言によれば、二人のどちらかが生きているかぎり、もう一人は生き残れない」

三人は、一瞬、互いにだまって見つめ合った。その時、バーンという大音響とともに、ハーマイオニーが黒煙の陰に消えた。

「ハーマイオニー！」

ハリーもロンも同時に叫んだ。朝食の盆がガチャンと床に落ちた。

煙の中から、ハーマイオニーが咳《せ》き込みながら現れた。望遠鏡を握り、片方の目に鮮やかな紫のくまどりがついている。

「これを握りしめたの。そしたらこれ——これ、私にパンチを食らわせたの！」

ハーマイオニーがあえいだ。

確かに、望遠鏡の先からバネつきの小さな拳が飛び出しているのが見えた。

「大丈夫さ」

ロンは笑いださないようにしようと必死になっていた。

「ママが治してくれるよ。軽いけがならお手のもん——」

「ああ、でもそんなこと、いまはどうでもいいわ！」

ハーマイオニーが急《せ》き込んだ。

「ハリー、ああ、ハリー……」

ハーマイオニーは再びハリーのベッドに腰かけた。

「私たち、いろいろと心配していたの。魔法省から戻ったあと……もちろん、あなたには何も言いたくなかったんだけど、でも、ルシウス・マルフォイが、予言はあなたとヴォルデモートに関わることだって言ってたものだから、それで、もしかしたらこんなことじゃないかって、私たちそう思っていたの……ああ、ハリー……」

ハーマイオニーはハリーをじっと見た。そしてささやくように言った。

「怖い？」

「いまはそれほどでもない」ハリーが言った。

「最初に聞いたときは、確かに……でもいまは、なんだかずっと知っていたような気がする。最後にはあいつと対決しなければならないことを……」

「ダンブルドア自身が君を迎えにいくって聞いたとき、僕たち、君に予言に関わることを何か話すんじゃないか、何かを見せるんじゃないかって思ったんだ」

ロンが夢中になって話した。

「僕たち、少しは当たってただろ？　君に見込みがないと思ったら、ダンブルドアは個人教授なんかしないよ。時間のむだ使いなんか――ダンブルドアはきっと、君に勝ち目があると思っているんだ！」

「そうよ」ハーマイオニーが言った。

「ハリー、いったいあなたに何を教えるのかしら？　とっても高度な防衛術かも……強力な反対呪文……呪い崩し……」

ハリーは聞いていなかった。太陽の光とはまったく関係なく、体中に温かいものが広がっていた。胸の硬いしこりが溶けていくようだった。ロンもハーマイオニーも、見かけよりずっと強いショックを受けているにちがいない。しかし、二人はいまもハリーの両脇にいる。ハリーを汚染された危険人物扱いして尻込みしたりせず、なぐさめ、力づけてくれている。ただそれだけで、ハリーにとっては言葉に言い尽くせないほどの大きな価値があった。

「……それに回避呪文全般とか」ハーマイオニーが言い終えた。

「まあ、少なくともあなたは、今学期履修する科目が一つだけはっきりわかっているわけだから、ロンや私よりましだわ。O・W・Lテストの結果は、いつ来るのかしら？」

「そろそろ来るさ。もう一か月もたってる」ロンが言った。

「そう言えば」

ハリーは今朝の会話をもう一つ思い出した。

「ダンブルドアが、O・W・Lの結果は、今日届くだろうって言ってたみたいだ！」

「今日？」

ハーマイオニーが叫び声を上げた。

「**今日？**　なんでそれを――ああ、どうしましょう――あなた、それをもっと早く――」

ハーマイオニーがはじかれたように立ち上がった。

「ふくろうが来てないかどうか、確かめてくる……」

十分後、ハリーが服を着て、からの盆を手に階下に下りていくと、ハーマイオニーはじりじり心配しながら台所のテーブルの前にかけ、ウィーズリーおばさんは、半パンダになったハーマイオニーの顔をなんとかしようとしていた。

「どうやっても取れないわ」

ウィーズリーおばさんが心配そうに言った。おばさんはハーマイオニーのそばに立ち、片手に杖を持ち、もう片方には『癒者のいろは』を持って、「切り傷、すり傷、打撲傷」のページを開けていた。

「いつもはこれでうまくいくのに。まったくどうしたのかしら」

「フレッドとジョージの考えそうな冗談よ。絶対に取れなくしたんだ」ジニーが言った。

「でも取れてくれなきゃ！」

ハーマイオニーが金切り声を上げた。

「一生こんな顔で過ごすわけにはいかないわ！」

「そうはなりませんよ。解毒剤を見つけますから、心配しないで」

ウィーズリーおばさんがなぐさめた。

「ビルが、フレッドとジョージがどんなにおもしろいか、あなしてくれまーした！」

フラーが、落ち着き払ってほほえんだ。

「ええ、私、笑いすぎて息もできないわ」ハーマイオニーがかみついた。

ハーマイオニーは急に立ち上がり、両手を握り合わせて指をひねりながら、台所を往《い》ったり来たりしはじめた。

「ウィーズリーおばさん、ほんとに、ほんとに、午前中にふくろうが来なかった？」

「来ませんよ。来たら気づくはずですもの」

おばさんが辛抱強く言った。

「でもまだ九時にもなっていないのですからね、時間は充分……」

「『古代ルーン文字』はめちゃめちゃだったわ」

ハーマイオニーが熱に浮かされたようにつぶやいた。

「少なくとも一つ重大な誤訳をしたのはまちがいないの。それに『闇の魔術に対する防衛術』の実技は全然よくなかったし。『変身術』は、あの時は大丈夫だと思ったけど、いま考えると――」

「ハーマイオニー、だまれよ。心配なのは君だけじゃないんだぜ！」

ロンが大声を上げた。

「それに、君のほうは、大いによろしいの『O・優』を十科目も取ったりして……」

「言わないで、言わないで、言わないで！」

ハーマイオニーはヒステリー気味に両手をバタバタ振った。

「きっと全科目落ちたわ！」

「落ちたらどうなるのかな？」

ハリーは部屋のみんなに質問したのだが、答えはいつものようにハーマイオニーから返ってきた。

「寮監に、どういう選択肢があるかを相談するの。先学期の終わりに、マクゴナガル先生にお聞きしたわ」

ハリーの内臓がのたうった。あんなに朝食を食べなければよかったと思った。

「ボーバトンでは」フラーが満足げに言った。「やり方がちがいまーすね。私、そのおおがいいと思いまーす。試験は六年間勉強してからで、五年ではないでーす。それから――」

フラーの言葉は悲鳴にのみ込まれた。ハーマイオニーが台所の窓を指差していた。空に、はっきりと黒い点が三つ見え、だんだん近づいてきた。

「まちがいなく、あれはふくろうだ」

勢いよく立ち上がって、窓際のハーマイオニーのそばに行ったロンが、かすれ声で言った。

「それに三羽だ」

ハリーも急いでハーマイオニーのそばに行き、ロンの反対側に立った。

「私たちそれぞれに一羽」

ハーマイオニーは恐ろしげに小さな声で言った。

「ああ、だめ……ああ、だめ……ああ、だめ……」

ハーマイオニーは、ハリーとロンの片ひじをがっちり握った。

ふくろうはまっすぐ「隠れ穴」に飛んできた。きりりとしたモリフクロウが三羽、家への小道の上をだんだん低く飛んでくる。近づくとますますはっきりしてきたが、それぞれが大きな四角い封筒を運んでいる。

「ああ、**だめー！**」

ハーマイオニーが悲鳴を上げた。

ウィーズリーおばさんが三人を押し分けて、台所の窓を開けた。一羽、二羽、三羽と、ふくろうが窓から飛び込み、テーブルの上にきちんと列を作って降り立った。三羽そろって右足を上げた。

ハリーが進み出た。ハリー宛の手紙はまん中のふくろうの足に結わえつけてあった。震える指でハリーはそれをほどいた。その左で、ロンが自分の成績をはずそうとしていた。ハリーの右側で、ハーマイオニーはあまりに手が震えて、ふくろうを丸ごと震えさせていた。

台所では誰も口をきかなかった。ハリーはやっと封筒をはずし、急いで封を切り、中の羊皮紙を広げた。

普通魔法レベル成績

合格	不合格
優・O（大いによろしい）	不可・P（よくない）
良・E（期待以上）	落第・D（どん底）
可・A（まあまあ）	トロール並み・T

ハリー・ジェームズ・ポッターは次の成績を修めた。

天文学	可・A	薬草学	良・E
魔法生物飼育学	良・E	魔法史	落第・D
呪文学	良・E	魔法薬学	良・E
闇の魔術に対する防衛術	優・O	変身術	良・E
占い学	不可・P		

ハリーは羊皮紙を数回読み、読むたびに息が楽になった。大丈夫だ。占い学は失敗すると、はじめからわかっていたし、試験の途中で倒れたのだから、魔法史に合格するはずはなかった。しかしほかは全部合格だ！　ハリーは評価点を指でたどった……変身術と薬草学はいい成績で通ったし、魔法薬学でさえ「期待以上」の良だ！　それに、「闇の魔術に対する防衛術」で「O・優」を修めた。最高だ！

ハリーは周りを見た。ハーマイオニーはハリーに背を向けてうなだれているが、ロンは喜んでいた。

「占い学と魔法史だけ落ちたけど、あんなもの、誰か気にするか？」

ロンはハリーに向かって満足そうに言った。

「ほら――替えっこだ――」

ハリーはざっとロンの成績を見た。「O・優」は一つもない……。

「君が『闇の魔術に対する防衛術』でトップなのは、わかってたさ」

ロンはハリーの肩にパンチをかました。

「俺たち、よくやったよな？」

「よくやったわ！」

ウィーズリーおばさんは誇らしげにロンの髪をくしゃくしゃっとなでた。

「7O・W・Lだなんて、フレッドとジョージを合わせたより多いわ！」

「ハーマイオニー？」

まだ背を向けたままのハーマイオニーに、ジニーが恐る恐る声をかけた。

「どうだったの？」

「私――悪くないわ」ハーマイオニーがか細い声で言った。

「冗談やめろよ」

ロンがツカツカとハーマイオニーに近づき、成績表を手からサッともぎ取った。

「それ見ろ――『O・優』が九個、『E・良』が一個、『闇の魔術に対する防衛術』だ」

ロンは半分おもしろそうに、半分あきれてハーマイオニーを見下ろした。

「君、まさか、がっかりしてるんじゃないだろうな？」

ハーマイオニーが首を横に振ったが、ハリーは笑いだした。

「さあ、我らはいまやN・E・W・T《イモリ》学生だ！」ロンがニヤリと笑った。

「ママ、ソーセージ残ってない？」

ハリーは、もう一度自分の成績を見下ろした。これ以上望めないほどのよい成績だ。一つだけ、後悔に小さく胸が痛む……闇祓いになる野心はこれでおしまいだった。「魔法薬学」で必要な成績を取ることができなかった。できないことははじめからわかっていたが、それでも、あらためて小さな黒い「E・良」の文字を見ると、胃が落ち込むのを感じた。

ハリーはいい闇祓いになるだろうと、最初に言ってくれたのが、変身した死喰い人だったことを考えるととても奇妙だったが、なぜかその考えがいままでハリーをとらえてきた。それ以外になりたいものを思いつかなかった。しかも、一か月前に予言を聞いてからは、それがハリーにとってしかるべき運命のように思えていた。

……**一方が生きるかぎり、他方は生きられぬ**……。

ヴォルデモートを探し出して殺す使命を帯びた、高度に訓練を受けた魔法使いの仲間になれたなら、予言を成就し、自分が生き残る最大のチャンスが得られたのではないだろうか？

第6章　ドラコ・マルフォイの回り道

それから数週間、ハリーは「隠れ穴」の庭の境界線の中だけで暮らした。毎日の大半をウィーズリー家の果樹園で、二人制クィディッチをして過ごした（ハリーがハーマイオニーと組み、ロン・ジニー組との対戦だ。ハーマイオニーは恐ろしく下手で、ジニーは手ごわかったので、いい勝負だった）。そして夜になると、ウィーズリーおばさんが出してくれる料理を、全部二回おかわりした。

「日刊予言者新聞」には、ほぼ毎日のように、失踪事件や奇妙な事故、その上死亡事件も報道されていたが、それさえなければ、こんなに幸せで平和な休日はなかっただろう。ビルとウィーズリーおじさんが、ときどき新聞より早くニュースを持ち帰ることもあった。

ハリーの十六歳の誕生パーティには、リーマス・ルーピンが身の毛もよだつ知らせを持ち込み、誕生祝いがだいなしになって、ウィーズリーおばさんは不機嫌だった。ルーピンはげっそりやつれた深刻な顔つきで、鳶《とび》色の髪には無数の白髪がまじり、着ているものは以前にもましてぼろぼろで、継ぎだらけだった。

「吸魂鬼の襲撃事件がまた数件あった」

おばさんにバースデーケーキの大きなひと切れを取り分けてもらいながら、リーマス・ルーピンが切り出した。

「それに、イゴール・カルカロフの死体が、北のほうの掘っ建て小屋で見つかった。その上に闇の印が上がっていたよ――まあ、正直なところ、あいつが死喰《しく》い人から脱走して、一年も生きながらえたことのほうが驚きだがね。シリウスの弟のレギュラスなど、私が覚えているかぎりでは、数日しかもたなかった」

「ええ、でも」ウィーズリーおばさんが顔をしかめた。

「何か別なことを話したほうが――」

「フローリアン・フォーテスキューのことを聞きましたか？」

隣のフラーに、せっせとワインを注いでもらいながら、ビルが問いかけた。

「あの店は――」

「――ダイアゴン横丁のアイスクリームの店？」

ハリーはみずおちに穴が開いたような気持ちの悪さを感じながら口をはさんだ。

「僕に、いつもただでアイスクリームをくれた人だ。あの人に何かあったんですか？」

「拉致された。現場の様子では」

「どうして？」

ロンが聞いた。

「さあね。何か連中の気に入らないことをしたんだろう。フローリアンは気のいいやつだったのに」

「ダイアゴン横丁といえば」

ウィーズリーおじさんが話しだした。

「オリバンダーもいなくなったようだ」

「杖作《つえ》りの？」ジニーが驚いて聞いた。

「そうなんだ。店がからっぽでね。争った跡がない。自分で出ていったのか誘拐されたのか、誰にもわからない」

「でも、杖は――杖が欲しい人はどうなるの?」

「ほかのメーカーで間に合わせるだろう」ルーピンが言った。

「しかし、オリバンダーは最高だった。もし敵がオリバンダーを手中にしたとなると、我々にとってはあまり好ましくない状況だ」


この、かなり暗い誕生祝い夕食会の次の日、ホグワーツからの手紙と教科書のリストが届いた。ハリーへの手紙にはびっくりすることがふくまれていた。クィディッチのキャプテンになったのだ。

「これであなたは、監督生と同じ待遇よ!」

ハーマイオニーがうれしそうに叫んだ。

「私たちと同じ特別なバスルームが使えるとか!」

「ワーォ、チャーリーがこんなのをつけてたこと、覚えてるよ」

ロンが大喜びでバッジを眺め回した。

「ハリー、かっこいいぜ。君は僕のキャプテンだ――また僕をチームに入れてくれればの話だけど、ハハハ……」

「さあ、これが届いたからには、ダイアゴン横丁行きをあんまり先延ばしにはできないでしょうね」

ロンの教科書リストに目を通しながら、ウィーズリーおばさんがため息をついた。

「土曜に出かけましょう。お父さまがまた仕事にお出かけになる必要がなければだけど。お父さまなしでは、私はあそこへ行きませんよ」

「ママ、『例のあの人』がフローリシュ・アンド・ブロッツ書店の本棚の陰に隠れてるなんて、マジ、そう思ってるの?」ロンが鼻先で笑った。

「フォーテスキューもオリバンダーも、休暇で出かけたわけじゃないでしょ？」

おばさんがたちまち燃え上がった。

「安全措置なんて笑止千万だと思うんでしたら、ここに残りなさい。私があなたの買い物を――」

「だめだよ。僕、行きたい。フレッドとジョージの店が見たいよ！」ロンがあわてて言った。

「それなら、坊ちゃん、態度に気をつけることね。一緒に連れていくには幼すぎるって、私に思われないように！」

おばさんはプリプリしながら柱時計を引っつかみ、洗濯したばかりのタオルの山の上に、バランスを取ってのっけた。九本の針が全部、「命が危ない」を指し続けていた。

「それに、ホグワーツに戻るときも、同じことですからね！」

危なっかしげに揺れる時計をのせた洗濯物かごを両腕に抱え、母親が荒々しく部屋を出ていくのを見届け、ロンは信じられないという顔でハリーを見た。

「おっどろきー……もうここじゃ冗談も言えないのかよ……」

それでもロンは、それから数日というもの、ヴォルデモートに関する軽口をたたかないように気をつけた。それ以後はウィーズリー夫人のかんしゃく玉が破裂することもなく、土曜日の朝が明けた。だが、朝食のとき、おばさんはとてもピリピリしているように見えた。ビルはフラーと一緒に家に残ることになっていたが（ハーマイオニーとジニーは大喜びだった）、テーブルのむかい側から、ぎっしり詰まった巾着をハリーに渡した。

「僕のは？」ロンが目を見張って、すぐさま尋ねた。

「バーカ、これはもともとハリーのものだ」ビルが言った。

「ハリー、君の金庫から出してきておいたよ。何しろこのごろは、金を下ろそうとすると、一般の客なら五時間はかかる。小鬼《ゴブリン》がそれだけ警戒措置を厳しくしているんだよ。二日前も、アーキー・フィルポットが『潔白検査棒』を突っ込まれて……まあ、とにかく、こうするほうが簡単なんだから」

「ありがとう、ビル」

ハリーは礼を言って巾着をポケットに入れた。

「このいとはいつも思いやりがありまーす」

フラーはビルの鼻をなでながら、うっとりとやさしい声で言った。ジニーがフラーの陰で、コーンフレークの皿に吐くまねをした。ハリーはコーンフレークにむせ、ロンがその背中をトントンとたたいた。


どんより曇った陰気な日だった。マントを引っかけながら家を出ると、以前に一度乗ったことのある魔法省の特別車が一台、前の庭でみんなを待っていた。

「パパが、またこんなのに乗れるようにしてくれて、よかったなぁ」

ロンが、車の中で悠々と手足を伸ばしながら感謝した。台所の窓から手を振るビルとフラーに見送られ、車はすべるように「隠れ穴」を離れた。ロン、ハリー、ハーマイオニー、ジニーの全員が、広い後部座席にゆったりと心地よく座った。

「慣れっこになってはいけないよ。これはただハリーのためなんだから」

ウィーズリーおじさんが振り返って言った。おじさんとおばさんは前の助手席に魔法省の運転手と一緒に座っていた。そこは必要に応じて、ちゃんと二人がけのソファのような形に引き伸ばされていた。

「ハリーには、第一級セキュリティの資格が与えられている。それに、『漏れ鍋』でも追加の警護員が待っている」

ハリーは何も言わなかったが、闇祓《やみばら》いの大部隊に囲まれて買い物をするのは、気が進まなかった。透明マントをバックパックに詰め込んできていたし、ダンブルドアがそれで充分だと考えたのだから、魔法省にだってそれで充分なはずだと思った。ただし、あらためて考えてみると、魔法省がハリーのマントのことを知っているかどうかは、定かではない。

「さあ、着きました」

驚くほど短時間しかたっていなかったが、運転手がその時初めて口をきいた。車はチャリング・クロス通りで速度を落とし、「漏れ鍋」の前で停まった。

「ここでみなさんを待ちます。だいたいどのくらいかかりますか？」

「一、二時間だろう」ウィーズリーおじさんが答えた。

「ああ、よかった。もう来ている！」

おじさんをまねて車の窓から外をのぞいたハリーは、心臓が小躍りした。パブ「漏れ鍋」の外には、闇祓いたちではなく、巨大な黒ひげの姿が待っていた。ホグワーツの森番、ルビウス・ハグリッドだ。長いビーバー皮のコートを着て、ハリーを見つけると、通りすがりのマグルたちがびっくり仰天して見つめるのもおかまいなしに、ニッコリと笑いかけた。

「ハリー！」

大音声で呼びかけ、ハリーが車から降りたとたん、ハグリッドは骨も砕けそうな力で抱きしめた。

「バックビーク――いや、ウィザウィングズだ――ハリー、あいつの喜びようをおまえさんに見せてやりてえ。また戸外に出られて、あいつはうれしくてしょうがねえんだ――」

「それなら僕もうれしいよ」

ハリーは肋骨《ろっこつ》をさすりながらニヤッとした。

「『警護員』がハグリッドのことだって、僕たち知らなかった！」

「ウン、ウン。まるで昔に戻ったみてえじゃねえか？　あのな、魔法省は闇祓いをごっそり送り込もうとしたんだが、ダンブルドアが俺一人で大丈夫だって言いなすった」

ハグリッドは両手の親指を胸ポケットに突っ込んで、誇らしげに胸を張った。

「そんじゃ、行こうか――モリー、アーサー、どうぞお先に――」

「漏れ鍋」はものの見事にからっぽだった。ハリーの知るかぎりこんなことは初めてだ。昔はあれほど混んでいたのに、歯抜けでしなびた亭主のトムしか残っていない。中に入ると、トムが期待顔で一行を見たが、口を開く前にハグリッドがもったいぶって言った。

「今日は通り抜けるだけだが、トム、わかってくれ。なんせ、ホグワーツの仕事だ」

トムは陰気にうなずき、またグラスを磨きはじめた。ハリー、ハーマイオニー、ハグリッド、それにウィーズリー一家は、パブを通り抜けて肌寒い小さな裏庭に出た。ごみバケツがいくつか置いてある。ハグリッドはピンクの傘を上げて、壁のれんがの一つを軽くたたいた。たちまち壁がアーチ形に開き、そのむこうに曲がりくねった石畳の道が延びていた。一行は入口をくぐり、立ち止まってあたりを見回した。

ダイアゴン横丁は様変わりしていた。キラキラと色鮮やかに飾りつけられたショーウィンドウの、呪文の本も魔法薬の材料も大鍋も、その上に貼りつけられた魔法省の大ポスターに覆われて見えない。くすんだ紫色のポスターのほとんどは、夏の間に配布された魔法省パンフレットに書かれていた、保安上の注意事項を拡大したものだったが、中にはまだ捕まっていない死喰い人の、動くモノクロ写真もあった。一番近くの薬問屋の店先で、ベラトリックス・レストレンジがニヤニヤ笑っている。

窓に板が打ちつけられている店もあり、「フローリアン・フォーテスキュー」のアイスクリーム・パーラーもその一つだった。一方、通り一帯にみすぼらしい屋台があちこち出現していた。一番近い屋台は「フローリシュ・アンド・ブロッツ」の前にしつらえられ、しみだらけの縞《しま》の日よけをかけた店の前には、段ボールの看板がとめてあった。

護符：狼人間《おおかみ》、吸魂鬼、亡者に有効

怪しげな風体の小柄な魔法使いが、チェーンに銀の符牒《ふちょう》をつけたものを腕いっぱい抱えて、通行人に向かってジャラジャラ鳴らしていた。

「奥さん、お嬢ちゃんにお一ついかが？」

一行が通りかかると、売り子はジニーを横目で見ながらウィーズリー夫人に呼びかけた。

「お嬢ちゃんのかわいい首を護《まも》りませんか？」

「私が仕事中なら……」ウィーズリーおじさんが護符売りを怒ったようににらみつけながら言った。

「そうね。でもいまは誰も逮捕したりなさらないで。急いでいるんですから」

おばさんは落ち着かない様子で買い物リストを調べながら言った。

「『マダム・マルキン』のお店に最初に行ったほうがいいわ。ハーマイオニーは新しいドレスローブを買いたいし、ロンは学校用のローブからくるぶしが丸見えですもの。それに、ハリー、あなたも新しいのがいるわね。とっても背が伸びたわ——さ、みんな——」

「モリー、全員が『マダム・マルキン』の店に行くのはあまり意味がない」ウィーズリーおじさんが言った。「その三人はハグリッドと一緒に行って、我々は『フローリシュ・アンド・ブロッツ』でみんなの教科書を買ってはどうかね？」

「さあ、どうかしら」

おばさんが不安そうに言った。買い物を早くすませたい気持ちと、ひと塊になっていたい気持ちとの間で迷っているのが明らかだった。

「ハグリッド、あなたはどう――？」

「気ぃもむな。モリー、こいつらは俺と一緒で大丈夫だ」

ハグリッドが、ごみバケツのふたほど大きい手を気軽に振って、なだめるように言った。おばさんは完全に納得したようには見えなかったが、二手に分かれることを承知して、夫とジニーと一緒に「フローリシュ・アンド・ブロッツ」にそそくさと走っていった。ハリー、ロン、ハーマイオニーは、ハグリッドと一緒に「マダム・マルキン」に向かった。

通行人の多くが、ウィーズリーおばさんと同じようにせっぱ詰まった心配そうな顔でそばを通り過ぎていくのに、ハリーは気づいた。もう立ち話をしている人もいない。買い物客は、それぞれしっかり自分たちだけで固まって、必要なことだけに集中して動いていた。一人で買い物をしている人は誰もいない。

「俺たち全部が入ったら、ちいときついかもしれん」

ハグリッドはマダム・マルキンの店の外で立ち止まり、体を折り曲げて窓からのぞきながら言った。

「俺は外で見張ろう。ええか？」

そこで、ハリー、ロン、ハーマイオニーは一緒に小さな店内に入った。最初見たときは誰もいないように見えたが、ドアが背後で閉まったとたん、緑と青のスパンコールのついたドレスローブがかけてあるローブかけのむこう側から、聞き覚えのある声が聞こえてきた。

「……お気づきでしょうが、母上、もう子供じゃないんだ。僕はちゃんと一人で買い物できます」

チッチッと舌打ちする音と、マダム・マルキンだとわかる声が聞こえた。

「あのね、坊ちゃん、あなたのお母様のおっしゃるとおりですよ。もう誰も、一人でふらふら歩いちゃいけないわ。子供かどうかとは関係なく――」

「そのピン、ちゃんと見て打つんだ！」

青白い、あごのとがった顔にプラチナ・ブロンドの十代の青年が、ローブかけの後ろから現れた。すそそで口とに何本ものピンを光らせて、深緑の端正なひとそろいを着ている。青年は鏡の前に大股で歩いていき、自分の姿を確かめていたが、やがて、肩越しにハリー、ロン、ハーマイオニーの姿が映っているのに気づいた。青年は薄いグレーの目を細くした。

「母上、何が臭いのかいぶかっておいででしたら、たったいま、『穢《けが》れた血』が入ってきましたよ」ドラコ・マルフォイが言った。

「そんな言葉は使ってほしくありませんね！」

ローブかけの後ろから、マダム・マルキンが巻き尺と杖を手に急ぎ足で現れた。

「それに、私の店で杖を引っ張り出すのもお断りです！」

ドアのほうをちらりと見たマダム・マルキンが、あわててつけ加えた。そこにハリーとロンが、二人とも杖をかまえてマルフォイをねらっているのが見えたからだ。

ハーマイオニーは二人の少し後ろに立って、「やめて、ねえ、そんな価値はないわ……」とささやいていた。

「フン、学校の外で魔法を使う勇気なんかないくせに」マルフォイがせせら笑った。

「グレンジャー、目のあざは誰にやられた？　そいつらに花でも贈りたいよ」

「いいかげんになさい！」

マダム・マルキンは厳しい口調でそう言うと、振り返って加勢を求めた。

「奥様――どうか――」

ローブかけの陰から、ナルシッサ・マルフォイがゆっくりと現れた。

「それをおしまいなさい」

ナルシッサが、ハリーとロンに冷たく言った。

「私の息子をまた攻撃したりすれば、それがあなたたちの最後の仕業になるようにしてあげますよ」

「へーえ？」

ハリーは一歩進み出て、ナルシッサの落ち着き払った高慢な顔をじっと見た。青ざめてはいても、その顔はやはり姉に似ている。ハリーはもう、ナルシッサと同じぐらいの背丈になっていた。

「仲間の死喰い人を何人か呼んで、僕たちを始末してしまおうというわけか？」

マダム・マルキンは悲鳴を上げて、心臓のあたりを押さえた。

「そんな、非難めいたことを――そんな危険なことを――杖をしまって。お願いだから！」

しかし、ハリーは杖を下ろさなかった。ナルシッサ・マルフォイは不快げな笑みを浮かべていた。

「ダンブルドアのお気に入りだと思って、どうやらまちがった安全感覚をお持ちのようね、ハリー・ポッター。でも、ダンブルドアがいつもそばであなたを護ってくれるわけじゃありませんよ」

ハリーは、からかうように店内を見回した。

「ウワー……どうだい……ダンブルドアはいまここにいないや！　それじゃ、試しにやってみたらどうだい？　アズカバンに二人部屋を見つけてもらえるかもしれないよ。敗北者のご主人と一緒にね！」

マルフォイが怒ってハリーにつかみかかろうとしたが、長すぎるローブに足を取られてよろめいた。

ロンが大声で笑った。

「母上に向かって、ポッター、よくもそんな口のきき方を！」マルフォイがすごんだ。

「ドラコ、いいのよ」

ナルシッサがほっそりした白い指をドラコの肩に置いて制した。

「私がルシウスと一緒になる前に、ポッターは愛するシリウスと一緒になることでしょう」

ハリーはさらに杖を上げた。

「ハリー、だめ！」

ハーマイオニーがうめき声を上げ、ハリーの腕を押さえて下ろさせようとした。

「落ち着いて……やってはだめよ……困ったことになるわ……」

マダム・マルキンは一瞬おろおろしていたが、何も起こらないほうに賭けて、何も起こっていないかのように振る舞おうと決めたようだった。マダム・マルキンは、まだハリーをにらみつけているマルフォイのほうに身をかがめた。

「この左そではもう少し短くしたほうがいいわね。ちょっとそのように――」

「痛い！」

マルフォイは大声を上げて、マダム・マルキンの手をたたいた。

「気をつけてピンを打つんだ！　母上――もうこんなものは欲しくありません――」

マルフォイはローブを引っ張って頭から脱ぎ、マダム・マルキンの足元にたたきつけた。

「そのとおりね、ドラコ」

ナルシッサは、ハーマイオニーを侮蔑的な目で見た。

「この店の客がどんなくずかわかった以上……『トウィルフィット・アンド・タッティング』の店のほうがいいでしょう」

そう言うなり、二人は足音も荒く店を出ていった。マルフォイは出ていきざま、ロンにわざと思いきり強くぶつかった。

「ああ、**まったく！**」

マダム・マルキンは落ちたローブをサッと拾い上げ、杖で電気掃除機のように服をなぞってほこりを取った。

マダム・マルキンは、ロンとハリーの新しいローブの寸法直しをしている間、ずっと気もそぞろで、ハーマイオニーに魔女用のローブではなく男物のローブを売ろうとしたりした。最後におじぎをして三人を店から送り出したときは、やっと出ていってくれてうれしいという雰囲気だった。

「全部買ったか？」

三人が自分のそばに戻ってきたのを見て、ハグリッドがほがらかに聞いた。

「まあね」ハリーが言った。「マルフォイ親子を見かけた？」

「ああ」ハグリッドはのんきに言った。「だけんど、あいつら、まさかダイアゴン横丁のどまん中で面倒を起こしたりはせんだろう。ハリー、やつらのことは気にすんな」

ハリー、ロン、ハーマイオニーは顔を見合わせた。しかし、ハグリッドの安穏とした考えを正すことができないうちに、ウィーズリーおじさん、おばさんとジニーが、それぞれ重そうな本の包みをさげてやってきた。

「みんな大丈夫？」おばさんが言った。「ローブは買ったの？　それじゃ、薬問屋と『イーロップ』の店にちょっと寄って、それからフレッドとジョージのお店に行きましょう――離れないで、さあ……」

ハリーもロンも、もう「魔法薬学」を取らないことになるので、薬問屋では何も材料を買わなかったが、「イーロップのふくろう百貨店」では、ヘドウィグとピッグウィジョンのために、ふくろうナッツの大箱をいくつも買った。その後、おばさんが一分ごとに時計をチェックする中、一行は、フレッドとジョージの経営するいたずら専門店、「ウィーズリー《W》・ウィザード《W》・ウィーズ《W》」を探して、さらに歩いた。

「もうほんとに時間がないわ」おばさんが言った。

「だからちょっとだけ見て、それから車に戻るのよ。もうこのあたりのはずだわ。ここは九十二番地……九十四……」

「**ウワーッ**」ロンが道のまん中で立ち止まった。

ポスターで覆い隠されたさえない店頭が立ち並ぶ中で、フレッドとジョージのウィンドウは、花火大会のように目を奪った。たまたま通りがかった人も、振り返ってウィンドウを見ていたし、何人かは愕《がく》然《ぜん》とした顔で立ち止まり、その場に釘《くぎ》づけになっていた。左側のウィンドウには目のくらむような商品の数々が、回ったり跳ねたり光ったり、はずんだり叫んだりしていた。見ているだけでハリーは目がチカチカしてきた。右側のウィンドウは巨大ポスターで覆われていて、色は魔法省のと同じ紫色だったが、黄色の文字が鮮やかに点滅していた。

「例のあの人」なんか、気にしてる場合か？
ウーンと気になる新製品
「ウンのない人」
便秘のセンセーション　国民的センセーション！

ハリーは声を上げて笑った。そばで低いうめき声のようなものが聞こえたので振り向くと、ウィーズリーおばさんが、ポスターを見つめたまま声も出ない様子だった。おばさんの唇が動き、口の形で「ウンのない人」と読んでいた。

「あの子たち、きっとこのままじゃすまないわ！」おばさんがかすかな声で言った。

「そんなことないよ！」ハリーと同じく笑っていたロンが言った。「これ、すっげえ！」

ロンとハリーが先に立って店に入った。お客で満員だ。ハリーは商品棚に近づくこともできなかった。目を凝らして見回すと、天井まで積み上げられた箱が見え、そこには双子が先学期、中退する前に完成した「ずる休みスナックボックス」が山積みされていた。「鼻血ヌルヌル・ヌガー」が一番人気の商品らしく、棚にはつぶれた箱ひと箱しか残っていない。「だまし杖」がぎっしり詰まった容器もある。一番安い杖は、振るとゴム製の鶏かパンツに変わるだけだが、一番高い杖は、油断していると持ち主の頭や首をたたく。羽根ペンの箱を見ると、「自動インク」、「綴《つづ》りチェック」、「さえた解答」などの種類があった。

人混みの間にすきまができたので、押し分けてカウンターに近づいてみると、そこには就学前の十歳児たちがわいわい集まって、木製のミニチュア人形が、本物の絞首台に向かってゆっくり階段を上っていくのを見ていた。その下に置かれた箱にはこう書いてある。


何度も使えるハングマン首吊り綴《つ》り遊び——綴らないと吊るすぞ！

やっと人混みをかき分けてやってきたハーマイオニーが、カウンターのそばにある大きなディスプレーを眺めて、商品の箱の裏に書かれた説明書きを読んでいた。「『特許・白昼夢呪文』……」箱には、海賊船の甲板に立っているハンサムな若者とうっとりした顔の若い女性の絵が、ど派手な色で描かれていた。

簡単な呪文で、現実味のある最高級の夢の世界へ三十分。平均的授業時間に楽々フィット。ほとんど気づかれません（副作用として、ボーっとした表情と軽いよだれあり）。十六歳未満お断り。

「あのね」ハーマイオニーが、ハリーを見て言った。「これ、ほんとうにすばらしい魔法だわ！」

「よくぞ言った、ハーマイオニー」二人の背後で声がした。「その言葉にひと箱無料進呈だ」

フレッドが、ニッコリ笑って二人の前に立っていた。赤紫色のローブが、燃えるような赤毛と見事に反発し合っている。

「ハリー、元気か？」二人は握手した。

「それで、ハーマイオニー、その目はどうした？」

「あなたのパンチ望遠鏡よ」ハーマイオニーが無念そうに言った。

「あ、いっけねー、あれのこと忘れてた」フレッドが言った。「ほら――」

フレッドはポケットから丸い容器を取り出して、ハーマイオニーに渡した。ハーマイオニーが用心深くネジぶたを開けると、中にどろりとした黄色の軟膏《なんこう》があった。

「軽く塗っとけよ。一時間以内にあざが消える」フレッドが言った。

「俺たちの商品はだいたい自分たちが実験台になってるんだ。ちゃんとしたあざ消しを開発しなきゃならなかったんでね」

ハーマイオニーは不安そうだった。

「これ、**安全**、なんでしょうね？」

「太鼓判さ」フレッドが元気づけるように言った。

「ハリー、来いよ。案内するから」

軟膏を目の周りに塗りつけているハーマイオニーを残し、ハリーはフレッドについて店の奥に入った。そこには手品用のトランプやロープのスタンドがあった。

「マグルの手品だ！」

フレッドが指差しながらうれしそうに言った。

「親父《おやじ》みたいな、ほら、マグル好きの変人用さ。もうけはそれほど大きくないけど、かなりの安定商品だ。めずらしさが大受けでね……ああ、ジョージだ……」

フレッドの双子の相方が、元気いっぱいハリーと握手した。

「案内か？　奥に来いよ、ハリー。俺たちのもうけ商品ラインがある――**万引きは、君、ガリオン金貨より高くつくぞ！**」

ジョージが小さな少年に向かって警告すると、少年はすばやく手を引っ込めた。手を突っ込んでいた容器には、

食べられる闇の印――食べると誰でも吐き気がします！

というラベルが貼ってあった。

ジョージがマグル手品商品の脇のカーテンを引くと、そこには表より暗く、あまり混んでいない売り場があって、商品棚には地味なパッケージが並んでいた。

「最近、このまじめ路線を開発したばかりだ」フレッドが言った。「奇妙な経緯だな……」

「まともな『盾の呪文』一つできないやつが、驚くほど多いんだ。魔法省で働いている連中もだぜ」

ジョージが言った。「そりゃ、ハリー、君に教えてもらわなかった連中だけどね」

「そうだとも……まあ、『盾の帽子』はちょいと笑えると、俺たちはそう思ってた。こいつをかぶってから、呪文をかけてみろって、誰かをけしかける。そしてその呪文が、かけたやつに跳ね返るときのそいつの顔を見るってわけさ。ところが魔法省は、補助職員全員のためにこいつを五百個も注文したんだぜ！　しかもまだ大量注文が入ってくる！」

「そこで俺たちは商品群を広げた。『盾のマント』、『盾の手袋』……」

「……そりゃ、『許されざる呪文』に対してはあんまり役には立たないけど、小から中程度の呪いや呪詛《じゅそ》に関しては……」

「それから俺たちは考えた。『闇の魔術に対する防衛術』全般をやってみようとね。何しろ金のなる木だ」

ジョージは熱心に話し続けた。

「こいつはいけるぜ。ほら、『インスタント煙幕』。ペルーから輸入してる。急いで逃げるときに便利なんだ」

「それに『おとり爆弾』なんか、棚に並べたとたん、足が生えたような売れ行きだ。ほら」

フレッドはへんてこりんな黒いラッパのようなものを指差した。ほんとうにこそこそ隠れようとしている。

「こいつをこっそり落とすと、逃げていって、見えない所で景気よく一発音を出してくれる。注意をそらす必要があるときにいい」

「便利だ」ハリーは感心した。

「取っとけよ」

ジョージが一、二個捕まえてハリーに放ってよこした。

短いブロンドの若い魔女がカーテンのむこうから首を出した。同じ赤紫のユニフォームを着ているのに、ハリーは気づいた。

「ミスター・ウィーズリーとミスター・ウィーズリー、お客さまがジョーク鍋を探しています」

ハリーは、フレッドとジョージがミスター・ウィーズリーと呼ばれるのを聞いて、とても変な気がしたが、二人はごく自然に呼びかけに応じた。

「わかった、ベリティ。いま行く」ジョージが即座に答えた。

「ハリー、好きなものを何でも持ってけ。いいか？　代金無用」

「そんなことできないよ！」

ハリーはすでに「おとり爆弾」の支払いをしようと巾着を取り出していた。

「ここでは君は金を払わない」

ハリーが差し出した金を手を振って断りながら、フレッドがきっぱりと言った。

「でも――」

「君が、俺たちに起業資金を出してくれた。忘れちゃいない」ジョージが断固として言った。

「好きなものをなんでも持っていってくれ。ただし、聞かれたら、どこで手に入れたかを忘れずに言ってくれ」

ジョージは客の応対のため、カーテンのむこうにするりと消え、フレッドは店頭の売り場までハリーを案内して戻った。そこには、「特許・白昼夢呪文」にまだ夢中になっているハーマイオニーとジニーがいた。

「お嬢さん方、我らが特製『ワンダーウィッチ』製品をごらんになったかな？」フレッドが聞いた。

「レディーズ、こちらへどうぞ……」

窓のそばに、思いっきりピンク色の商品が並べてあり、興奮した女の子の群れが興味津々でクスクス笑っていた。ハーマイオニーもジニーも用心深く、尻込みした。

「さあ、どうぞ」フレッドが誇らしげに言った。「どこにもない最高級『ほれ薬』」

ジニーが疑わしげに片方の眉を吊《つ》り上げた。「効くの？」

「もちろん、効くさ。一回で最大二十四時間。問題の男子の体重にもよる──」

「──それに女子の魅力度にもよる」

突然、ジョージがそばに姿を現した。

「しかし、我らの妹には売らないのである」

ジョージが急に厳しい口調でつけ加えた。

「すでに約五人の男子が夢中であると聞きおよんでいるからには──」

「ロンから何を聞いたか知らないけど、大うそよ」

手を伸ばして棚から小さなピンクのつぼを取りながら、ジニーが冷静に言った。

「これは何？」

「『十秒で取れる保証つきにきび取り』」フレッドが言った。「おできから黒にきびまでよく効く。しかし、話をそらすな。いまはディーン・トーマスという男子とデート中か否か？」

「そうよ」ジニーが言った。「それに、この間見たときは、あの人、確かに一人だった。五人じゃなかったわよ。こっちはなんなの？」

ジニーは、キーキーかん高い音を出しながらかごの底を転がっている、ふわふわしたピンクや紫の毛玉の群れを指差していた。

「ピグミーパフ」ジョージが言った。「ミニチュアのパフスケインだ。いくら繁殖させても追いつかないぐらいだよ。それじゃ、マイケル・コーナーは？」

「捨てたわ。負けっぷりが悪いんだもの」

ジニーはかごの桟から指を一本入れ、ピグミーパフがそこにわいわい集まってくる様子を見つめていた。

「かーわいいっ！」

「連中は抱きしめたいほどかわいい。うん」フレッドが認めた。

「しかし、ボーイフレンドを渡り歩く速度が速すぎないか？」

ジニーは腰に両手を当ててフレッドを見た。ウィーズリーおばさんそっくりのにらみがきいたその顔に、フレッドがよくもひるまないものだと、ハリーは驚いたくらいだ。

「よけいなお世話よ。それに、**あなたに**お願いしておきますけど」

商品をどっさり抱えてジョージのすぐそばに現れたロンに向かって、ジニーが言った。

「この二人に、私のことで、よけいなおしゃべりをしてくださいませんように！」

「全部で三ガリオン九シックル一クヌートだ」

ロンが両腕に抱え込んでいる箱を調べて、フレッドが言った。

「出せ」

「僕、弟だぞ！」

「そして、君がちょろまかしているのは兄の商品だ。三ガリオン九シックル。びた一クヌートたりとも負けられないところだが、一クヌート負けてやる」

「だけど三ガリオン九シックルなんて持ってない！」

「それなら全部戻すんだな。棚をまちがえずに戻せよ」

ロンは箱をいくつか落とし、フレッドに向かって悪態をついて下品な手まねをした。それが運悪く、その瞬間をねらったかのように現れたウィーズリーおばさんに見つかった。

「今度そんなまねをしたら、指がくっつく呪いをかけますよ」

ウィーズリーおばさんが語気を荒らげた。

「ママ、ピグミーパフが欲しいわ」間髪を容《い》れずジニーが言った。

「何をですって？」おばさんが用心深く聞いた。

「見て、かわいいんだから……」

ウィーズリーおばさんは、ピグミーパフを見ようと脇に寄った。その一瞬、ハリー、ロン、ハーマイオニーは、まっすぐに窓の外を見ることができた。ドラコ・マルフォイが、一人で通りを急いでいるのが見えた。ウィーズリー・ウィザード・ウィーズ店を通り過ぎながら、ちらりと後ろを振り返ったマルフォイの姿は、一瞬の後、窓枠の外に出てしまい、三人には見えなくなった。

「あいつのお母上はどこへ行ったんだろう？」ハリーは眉をひそめた。

「どうやらまいたらしいな」ロンが言った。

「でも、どうして？」ハーマイオニーが言った。

ハリーは考えるのに必死で、何も言わなかった。ナルシッサ・マルフォイは、大事な息子からそう簡単に目を離したりはしないはずだ。固いガードから脱出するためには、マルフォイは相当がんばらなければならなかったはずだ。ハリーの大嫌いなあのマルフォイのことだから、無邪気な理由で脱走したのでないことだけは確かだ。

ハリーはサッと周りを見た。ウィーズリーおばさんとジニーはピグミーパフをのぞき込み、ウィーズリーおじさんは、インチキするための印がついたマグルのトランプをひと組、うれしそうにいじっている。フレッドとジョージは二人とも客の接待だ。窓のむこうには、ハグリッドがこちらに背を向けて、通りを端から端まで見渡しながら立っている。

「ここに入って、早く」

ハリーはバックパックから透明マントを引っ張り出した。

「あ――私、どうしようかしら、ハリー」

ハーマイオニーは心配そうにウィーズリーおばさんを見た。

「来いよ！　**さあ！**」ロンが呼んだ。

ハーマイオニーはもう一瞬躊躇《ちゅうちょ》したが、ハリーとロンについてマントにもぐり込んだ。フレッド・ジョージ商品にみんなが夢中で、三人が消えたことには、誰も気づかない。ハリー、ロン、ハーマイオニーは、できるだけ急いで混み合った店内をすり抜け、外に出た。しかし、通りに出たときにはすでに、三人が姿を消したと同じぐらい見事に、マルフォイの姿も消えていた。

「こっちの方向に行った」

ハリーは、鼻歌を歌っているハグリッドに聞こえないよう、できるだけ低い声で言った。

「行こう」

三人は左右に目を走らせながら、急ぎ足で店のショーウィンドウやドアの前を通り過ぎた。やがてハーマイオニーが行く手を指差した。

「あれ、そうじゃない？」ハーマイオニーが小声で言った。「左に曲がった人」

「びっくりしたなぁ」ロンも小声で言った。

マルフォイが、あたりを見回してからすっと入り込んだ先が、「夜の闇横丁《ノクターン》」だったからだ。

「早く。見失っちゃうよ」ハリーが足を速めた。

「足が見えちゃうわ！」

マントがくるぶしあたりでひらひらしていたので、ハーマイオニーが心配した。近ごろでは、三人そろってマントに隠れるのはかなり難しくなっていた。

「かまわないから」

ハリーがいらいらしながら言った。

「とにかく急いで！」

しかし、闇の魔術専門の夜の闇横丁は、まったく人気《ひとけ》がないように見えた。通りがかりに窓からのぞいても、どの店にも客の影はまったく見えない。危険で疑心暗鬼のこんな時期に、闇の魔術に関するものを買うのは――少なくとも買うのを見られるのは――自ら正体を明かすようなものなのだろうと、ハリーは思った。

ハーマイオニーがハリーのひじを強くつねった。

「イタッ！」

「シーッ！　あそこにいるわ！」ハーマイオニーがハリーに耳打ちした。

三人はちょうど、夜の闇横丁でハリーが来たことのあるただ一軒の店の前にいた。「ボージン・アンド・バークス」、邪悪なものを手広く扱っている店だ。どくろや古い瓶類のショーケースの間に、こちらに背を向けてドラコ・マルフォイが立っていた。ハリーがマルフォイ父子をさけて隠れた、あの黒い大きなキャビネット棚のむこう側に、ようやく見える程度の姿だ。マルフォイの手の動きから察すると、さかんに話をしているらしい。猫背で脂っこい髪の店主、ボージン氏がマルフォイと向き合っている。憤りと恐れの入りまじった、奇妙な表情だった。

「あの人たちの言ってることが聞こえればいいのに！」ハーマイオニーが言った。

「聞こえるさ！」ロンが興奮した。「待ってて――コンニャロ――」

ロンはまだ箱をいくつか抱え込んだままだったが、一番大きな箱をいじり回しているうちに、ほかの箱をいくつか落としてしまった。

「『伸び耳』だ。どうだ！」

ロンは薄いオレンジ色の長いひもを取り出し、ドアの下に差し込もうとしていた。

「すごいわ！」ハーマイオニーが言った。

「ああ、ドアに『邪魔よけ呪文』がかかってないといいけど――」

「かかってない！」ロンが大喜びで言った。「聞けよ！」

三人は頭を寄せ合って、ひもの端にじっと耳を傾けた。まるでラジオをつけたようにはっきりと大きな音で、マルフォイの声が聞こえた。

「……直し方を知っているのか？」

「かもしれません」

ボージンの声には、あまり関わりたくない雰囲気があった。

「拝見いたしませんとなんとも。店のほうにお持ちいただけませんか？」

「できない」マルフォイが言った。「動かすわけにはいかない。どうやるのかを教えてほしいだけだ」

ボージンが神経質に唇をなめるのが、ハリーの目に入った。

「さあ、拝見しませんと、何しろ大変難しい仕事でして、もしかしたら不可能かと。何もお約束はできないしだいで」

「そうかな？」マルフォイが言った。

その言い方だけで、ハリーにはマルフォイがせせら笑っているのがわかった。

「もしかしたら、これで、もう少し自信が持てるようになるだろう」

マルフォイがボージンに近寄ったので、キャビネット棚に隠されて姿が見えなくなった。ハリー、ロン、ハーマイオニーは横歩きしてマルフォイの姿をとらえようとしたが、見えたのはボージンの恐怖の表情だけだった。

「誰かに話してみろ」マルフォイが言った。「痛い目にあうぞ。フェンリール・グレイバックを知っているな？　僕の家族と親しい。ときどきここに寄って、おまえがこの問題に充分に取り組んでいるかどうかを確かめるぞ」

「そんな必要は――」

「それは僕が決める」マルフォイが言った。「さあ、もう行かなければ。それで、**こっちのあれ**を安全に保管するのを忘れるな。あれは、僕が必要になる」

「いまお持ちになってはいかがです？」

「そんなことはしないに決まっているだろう。バカめが。そんなものを持って通りを歩いたら、どういう目で見られると思うんだ？　とにかく売るな」

「もちろんですとも……若様」

ボージンは、ハリーが以前に見た、ルシウス・マルフォイに対するのと同じぐらい深々とおじぎした。

「誰にも言うなよ、ボージン。母上もふくめてだ。わかったか？」

「もちろんです。もちろんです」

ボージンは再びおじぎしながら、ボソボソと言った。

次の瞬間、ドアの鈴が大きな音を立て、マルフォイが満足げに意気揚々と店から出てきた。ハリー、ロン、ハーマイオニーのすぐそばを通り過ぎたので、マントがひざのあたりでまたひらひらするのを感じた。店の中で、ボージンは凍りついたように立っていた。ねっとりした笑いが消え、心配そうな表情だった。

「いったいなんのことだ？」

ロンが「伸び耳」を巻き取りながら小声で言った。

「さあ」ハリーは必死で考えた。「何かを直したがっていた……それに、何かを店に取り置きしたがっていた……『こっちのあれ』って言ったとき、何を指差してたか、見えたか？」

「いや、あいつ、キャビネット棚の陰になってたから――」

「二人ともここにいて」ハーマイオニーが小声で言った。

「何をする気――？」

しかしハーマイオニーはもう、マントの下から出ていた。窓ガラスに姿を映して髪をなでつけ、ドアの鈴を鳴らし、ハーマイオニーはどんどん店に入っていった。ロンはあわてて「伸び耳」をドアの下から入れ、ひもの片方をハリーに渡した。

「こんにちは。いやな天気ですね？」

ハーマイオニーは明るくボージンに挨拶した。ボージンは返事もせず、うさんくさそうにハーマイオニーを見た。ハーマイオニーは楽しそうに鼻歌を歌いながら、飾ってある雑多な商品の間をゆっくり歩いた。

「あのネックレス、売り物ですか？」

前面がガラスのショーケースのそばで立ち止まって、ハーマイオニーが聞いた。

「千五百ガリオン持っていればね」ボージンが冷たく答えた。

「ああ――ン――――うーん。それほどは持ってないわ」ハーマイオニーは歩き続けた。

「それで……このきれいな……えぇと……どくろは？」

「十六ガリオン」

「それじゃ、売り物なのね？　別に……誰かのために取り置きとかでは？」

ボージンは目を細めてハーマイオニーを見た。ハリーには、ハーマイオニーのねらいがなんなのかずばりわかり、これはまずいぞと思った。ハーマイオニーも明らかに、見破られたと感じたらしく、急に慎重さをかなぐり捨てた。

「実は、あの――いまここにいた男の子、ドラコ・マルフォイだけど、あの、友達で、誕生日のプレゼントをあげたいの。でも、もう何かを予約してるなら、当然、同じものはあげたくないので、それで……あの……」

かなり下手な作り話だと、ハリーは思った。どうやら、ボージンも同じ考えだった。

「失《う》せろ」

ボージンが鋭く言った。

「出て失せろ！」

ハーマイオニーは二度目の失せろを待たずに、急いでドアに向かった。ボージンがすぐあとを追ってきた。鈴がまた鳴り、ボージンはハーマイオニーの背後でピシャリとドアを閉めて、「閉店」の看板を出した。

「まあね」ロンがハーマイオニーに、またマントを着せかけながら言った。

「やってみる価値はあったけど、君、ちょっとバレバレで――」

「あーら、なら、次のときはあなたにやってみせていただきたいわ。秘術名人さま！」

ハーマイオニーがバシッと言い返した。

ロンとハーマイオニーは、ウィーズリー・ウィザード・ウィーズに戻るまでずっと口げんかしていたが、店の前で口論をやめざるをえなかった。三人がいないことに、はっきり気づいた心配顔のウィーズリーおばさんとハグリッドをかわして、二人に気取られないように通り抜けなければならなかったからだ。いったん店に入ってから、ハリーはサッと透明マントを脱いで、バックパックに隠した。それから、ウィーズリーおばさんの詰問に答えている二人と一緒になって、自分たちは店の奥にずっといた、おばさんはちゃんと探さなかったのだろうと言い張った。

第7章　ナメクジ・クラブ

夏休み最後の一週間のほとんどを、ハリーは夜の闇横丁《ノクターン》でのマルフォイの行動の意味を考えて過ごした。店を出たときのマルフォイの満足げな表情がどうにも気がかりだった。マルフォイをあそこまで喜ばせることが、よい話であるはずがない。

ところが、ロンもハーマイオニーも、どうやらハリーほどにはマルフォイの行動に関心を持っていないらしいのが、ハリーを少しいらだたせた。少なくとも二人は、二、三日たつとその話にあきてしまったようだった。

「ええ、ハリー、あれは怪しいって、そう言ったじゃない」ハーマイオニーがいらいら気味に言った。ハーマイオニーは、フレッドとジョージの部屋の出窓に腰かけ、両足を段ボールにのせて、真新しい『上級ルーン文字翻訳法』を読んでいたが、しぶしぶ本から目を上げた。

「でも、いろいろ解釈のしようがあるって、そういう結論じゃなかった？」

「『輝きの手』を壊しちまったかもしれないし」

ロンは箒《ほうき》の尾の曲がった小枝をまっすぐに伸ばしながら、上の空で言った。

「マルフォイが持ってたあのしなびた手のこと、覚えてるだろ？」

「だけど、あいつが『**こっちのあれを**安全に保管するのを忘れるな』って言ったのはどうなんだ？」

ハリーは、この同じ質問を何度くり返したかわからない。

「ボージンが、壊れたものと同じのをもう一つ持っていて、マルフォイは両方欲しがっている。僕にはそう聞こえた」

「そう思うか？」ロンは、今度は箒の柄のほこりをかき落とそうとしていた。

「ああ、そう思う」ハリーが言った。

ロンもハーマイオニーも反応しないので、ハリーが一人で話し続けた。

「マルフォイの父親はアズカバンだ。マルフォイが復讐《ふくしゅう》したがってると思わないか？」

ロンが、目をパチクリしながら顔を上げた。

「マルフォイが？　復讐？　何ができるっていうんだ？」

「そこなんだ。僕にはわからない！」

ハリーはじりじりした。

「でも、何かたくらんでる。僕たち、それを真剣に考えるべきだと思う。あいつの父親は死喰《しく》い人だし、それに――」

ハリーは突然言葉を切って、口をあんぐり開け、ハーマイオニーの背後の窓を見つめた。驚くべき考えがひらめいたのだ。

「ハリー？」ハーマイオニーが心配そうに言った。「どうかした？」

「傷痕がまた痛むんじゃないだろな？」ロンが不安そうに聞いた。

「あいつが死喰い人だ」ハリーがゆっくりと言った。

「父親にかわって、あいつが死喰い人なんだ！」

しんとなった。そしてロンが、はじけるように笑いだした。

「**マルフォイが？**　十六歳だぜ、ハリー！『例のあの人』が、**マルフォイ**なんかを入れると思うか？」

「とてもありえないことだわ、ハリー」

ハーマイオニーが抑圧的な口調で言った。

「どうしてそんなことが――？」

「マダム・マルキンの店。マダムがあいつのそでをまくろうとしたら、腕には触れなかったのに、あいつ、叫んで腕をぐいっと引っ込めた。左の腕だった。闇の印がつけられていたんだ」

ロンとハーマイオニーは顔を見合わせた。

「さあ……」ロンは、まったくそうは思えないという調子だった。

「ハリー、マルフォイは、あの店から出たかったただけだと思うわ」

「僕たちには見えなかったけど、あいつはボージンに、何かを見せた」ハーマイオニーが言った。

「ボージンがまともに怖がる何かだ。『印』だったんだ。まちがいない――ボージンに、誰を相手にしているのかを見せつけたんだ。ボージンがどんなにあいつを真に受けたか、君たちも見たはずだ！」

ロンとハーマイオニーがまた顔を見合わせた。

「はっきりわからないわ、ハリー……」

「そうだよ。僕はやっぱり、『例のあの人』がマルフォイを入れるなんて思えないな……」

いらだちながらも、自分の考えは絶対まちがいないと確信して、ハリーは汚れたクィディッチのユニフォームをひと山引っつかみ、部屋を出た。ウィーズリーおばさんが、ここ何日も、洗濯物や荷造りをぎりぎりまで延ばさないようにと、みんなを急《せ》かしていたのだ。階段の踊り場で、洗濯したての服をひと山抱えて自分の部屋に帰る途中のジニーに出くわした。

「いま台所に行かないほうがいいわよ」ジニーが警告した。

「ヌラーがべっとりだから」

「すべらないように気をつけるよ」ハリーがほほえんだ。

ハリーが台所に入ると、まさにそのとおり、フラーがテーブルのそばに腰かけ、ビルとの結婚式の計画をとめどなくしゃべっていた。ウィーズリーおばさんは、勝手に外葉がむける芽キャベツの山を、不機嫌な顔で監視していた。

「……ビルと私、あな嫁の付き添いをふーたりだけにしようと、ほとんど決めましたね。ジニーとガブリエール、一緒にとーてもかわいーいと思いまーす。私、ふーたりに、淡いゴールドの衣装、着せよーうと考えていますね――もちろんピーンクは、ジニーの髪と合わなくて、いどいでーす――」

「ああ、ハリー！」

ウィーズリーおばさんがフラーの一人舞台をさえぎり、大声で呼びかけた。

「よかった。明日のホグワーツ行きの安全対策について、説明しておきたかったの。魔法省の車がまた来ます。駅には闇祓《やみばら》いたちが待っているはず――」

「トンクスは駅に来ますか？」

ハリーは、クィディッチの洗濯物を渡しながら聞いた。

「いいえ、来ないと思いますよ。アーサーの口ぶりでは、どこかほかに配置されているようね」

「あのいと、このごろぜーんぜん身なりをかまいません。あのトンクス」

フラーはティースプーンの裏に映るハッとするほど美しい姿を確かめながら、思いにふけるように言った。

「大きなまちがいでーす。私の考えでは――」

「ええ、それは**どうも**」

ウィーズリーおばさんがまたしてもフラーをさえぎって、ピリリと言った。

「ハリー、もう行きなさい。できれば今晩中にトランクを準備してほしいわ。いつもみたいに出がけにあわてることがないようにね」

そして次の朝、事実、いつもより出発の流れがよかった。魔法省の車が「隠れ穴」の前にすべるように入ってきたときには、みんなそこに待機していた。トランクは詰め終わり、ハーマイオニーの猫、クルックシャンクスは旅行用のバスケットに安全に閉じ込められ、ヘドウィグとロンのふくろうのピッグウィジョン、それにジニーの新しい紫のピグミーパフ、アーノルドはかごに収まっていた。

「オールヴォワ、アリー」

フラーがお別れのキスをしながら、ハスキーな声で言った。ロンは期待顔で進み出たが、ジニーの突き出した足に引っかかって転倒し、フラーの足元の地べたにぶざまに大の字になった。カンカンに怒って、まっ赤な顔に泥をくっつけたまま、ロンはさよならも言わずにさっさと車に乗り込んだ。

キングズ・クロス駅で待っていたのは、陽気なハグリッドではなかった。そのかわり、マグルの黒いスーツを着込んだ厳《いか》めしいひげ面の闇祓いが二人、車が停車するなり進み出て一行をはさみ、一言も口をきかずに駅の中まで行軍させた。

「早く、早く。壁のむこうに」

粛々とした効率のよさにちょっと面食らいながら、ウィーズリーおばさんが言った。

「ハリーが最初に行ったほうがいいわ。誰と一緒に――？」

おばさんは問いかけるように闇祓いの一人を見た。その闇祓いは軽くうなずき、ハリーの二の腕をがっちりつかんで、九番線と十番線の間にある壁にいざなおうとした。

「自分で歩けるよ。せっかくだけど」

ハリーはいらいらしながら、つかまれた腕をぐいと振りほどいた。だんまりの連れを無視して、ハリーはカートを硬い壁に真っ向から突っ込んだ。次の瞬間、ハリーは九と四分の三番線に立ち、そこには、紅のホグワーツ特急が、人混みの上に白い煙を吐きながら停車していた。

すぐあとから、ハーマイオニーとウィーズリー一家がやってきた。強面《こわもて》の闇祓いに相談もせず、ハリーはロンとハーマイオニーに向かって、空いているコンパートメントを探すのにプラットホームを歩くから、一緒に来いよと合図した。

「だめなのよ、ハリー」ハーマイオニーが申し訳なさそうに言った。「ロンも私も、まず監督生の車両に行って、それから少し通路のパトロールをしないといけないの」

「ああ、そうか。忘れてた」ハリーが言った。

「みんな、すぐに汽車に乗ったほうがいいわ。あと数分しかない」

ウィーズリーおばさんが腕時計を見ながら言った。

「じゃあ、ロン、楽しい学期をね……」

「ウィーズリーおじさん、ちょっとお話ししていいですか?」とっさにハリーは心を決めた。

「いいとも」

おじさんはちょっと驚いたような顔をしたが、ハリーのあとについて、みんなに声が聞こえない所まで行った。

ハリーは慎重に考え抜いて、誰かに話すのであれば、ウィーズリーおじさんがその人だという結論に達していた。第一に、おじさんは魔法省で働いているので、さらに調査をするには一番好都合な立場にあること。第二に、ウィーズリーおじさんなら怒って爆発する危険性があまりない、と考えたからだ。

ハリーたちがその場を離れるとき、ウィーズリーおばさんとあの強面の闇祓いが、疑わしげに二人を見ているのに、ハリーは気づいていた。

「僕たちがダイアゴン横丁に行ったとき――」

ハリーは話しはじめたが、おじさんは顔をしかめて機先を制した。

「フレッドとジョージの店の奥にいたはずの君とロン、ハーマイオニーが、実はその間どこに消えていたのか、それを聞かされるということかね？」

「どうしてそれを――？」

「ハリー、何を言ってるんだね。この私は、フレッドとジョージを育てたんだよ」

「あー……うん、そうですね。僕たち奥の部屋にはいませんでした」

「けっこうだ。それじゃ、最悪の部分を聞こうか」

「あの、僕たち、ドラコ・マルフォイを追っていました。僕の透明マントを使って」

「何か特別な理由があったのかね？　それとも単なる気まぐれだったのかい？」

「マルフォイが何かたくらんでいると思ったからです」

おじさんの、あきれながらもおもしろがっている顔を無視して、ハリーは話し続けた。

「あいつは母親をうまくまいたんです。僕、そのわけが知りたかった」

「そりゃ、そうだ」

おじさんは、しかたがないだろうという言い方をした。

「それで？　なぜだかわかったのかね？」

「あいつは『ボージン・アンド・バークス』の店に入りました」ハリーが言った。「そしてあそこのボージンっていう店主を脅しはじめ、何かを修理する手助けをさせようとしてました。それから、もう一つ別なものをマルフォイのために保管しておくようにと、ボージンに言いました。修理が必要なものと同じ種類のもののような言い方でした。二つひと組のような。それから……」

ハリーは深く息を吸い込んだ。

「もう一つ、別のことですが、マダム・マルキンがあいつの左腕にさわろうとしたとき、マルフォイがものすごく飛び上がるのを、僕たち見たんです。僕は、あいつが闇の印を刻印されていると思います。父親のかわりに、あいつが死喰い人になったんだと思います」

ウィーズリー氏はギョッとしたようだった。少し間を置いて、おじさんが言った。

「ハリー、『例のあの人』が十六歳の子を受け入れるとは思えないが――」

「『例のあの人』が何をするかしないかなんて、ほんとうにわかる人がいるんですか？」

ハリーが声を荒らげた。

「ごめんなさい、ウィーズリーおじさん。でも、調べてみる価値がありませんか？　マルフォイが何かを修理したがっていて、そのためにボージンを脅す必要があるのなら、たぶんその何かは、闇のものとか、何か危険なものなのではないですか？」

「正直言って、ハリー、そうではないように思うよ」おじさんがゆっくりと言った。

「いいかい、ルシウス・マルフォイが逮捕されたとき、我々は館を強制捜査した。危険だと思われるものは、我々がすべて持ち帰った」

「何か見落としたんだと思います」ハリーがかたくなに言った。

「ああ、そうかもしれない」とおじさんは言ったが、ハリーは、おじさんが調子を合わせているだけだと感じた。

二人の背後で汽笛が鳴った。ほとんど全員、汽車に乗り込み、ドアが閉まりかけていた。

「急いだほうがいい」おじさんがうながし、おばさんの声が聞こえた。

「ハリー、早く！」

ハリーは急いで乗り込み、おじさんとおばさんがトランクを列車にのせるのを手伝った。

「さあ、クリスマスには来るんですよ。ダンブルドアとすっかり段取りしてありますからね。すぐに会えますよ」

ハリーがデッキのドアを閉め、列車が動きだすと、おばさんが窓越しに言った。

「体に気をつけるのよ。それから――」

汽車が速度を増した。

「――いい子にするのよ。それから――」

おばさんは汽車に合わせて走っていた。

「――危ないことをしないのよ！」

ハリーは、汽車が角を曲がり、おじさんとおばさんが見えなくなるまで手を振った。それから、みんながどこにいるか探しにかかった。ロンとハーマイオニーは監督生車両に閉じ込められているだろうと思ったが、ジニーは少し離れた通路で友達としゃべっていた。ハリーはトランクを引きずってジニーのほうに移動した。

ハリーが近づくと、みんなが臆面もなくじろじろ見た。ハリーを見ようと、コンパートメントのガラスに顔を押しつける者さえいる。「日刊予言者新聞」で「選ばれし者」のうわさをさんざん書かれてしまったからには、今学期は「じぃーっ」やら「じろじろ」やらが増えるのに耐えなければならないだろうと予測はしていたが、まぶしいスポットライトの中に立つ感覚が楽しいとは思わなかった。ハリーはジニーの肩を軽くたたいた。

「コンパートメントを探しにいかないか？」

「だめ、ハリー。ディーンと落ち合う約束してるから」ジニーは明るくそう言った。「またあとでね」

「うん」

ハリーは、ジニーが長い赤毛を背中に揺らして立ち去るのを見ながら、ズキンと奇妙に心が波立つのを感じた。夏の間、ジニーがそばにいることに慣れてしまい、学校ではジニーが、自分やロン、ハーマイオニーといつも一緒にいるわけではないことを忘れていた。ハリーは瞬《まばた》きをしてあたりを見回した。するとうっとりしたまなざしの女の子たちに周りを囲まれていた。

「やあ、ハリー！」

背後で聞き覚えのある声がした。

「ネビル！」

ハリーはホッとした。振り返ると、丸顔の男の子が、ハリーに近づこうともがいていた。

「こんにちは、ハリー」

ネビルのすぐ後ろで、大きいおぼろな目をした長い髪の女の子が言った。

「やあ、ルーナ。元気？」

「元気だよ。ありがとう」

ルーナが言った。胸に雑誌を抱きしめている。表紙に大きな字で、「メラメラめがねの付録つき」と書いてあった。

「それじゃ、『ザ・クィブラー』はまだ売れてるの？」

ハリーが聞いた。先学期、ハリーが独占インタビューを受けたこの雑誌に、なんだか親しみを覚えた。

「うん、そうだよ。発行部数がぐんと上がった」ルーナがうれしそうに言った。

「席を探そう」

ハリーがうながして、三人は無言で見つめる生徒たちの群れの中を歩きはじめた。やっと空いているコンパートメントを見つけ、ハリーはありがたいとばかり急いで中に入った。

「みんな、**僕たち**のことまで見つめてる」ネビルが、自分とルーナを指した。

「僕たちが、君と一緒にいるから！」

「みんなが君たちを見つめてるのは、君たちも魔法省にいたからだ」

トランクを荷物棚に上げながら、ハリーが言った。

「あそこでの僕たちのちょっとした冒険が、『日刊予言者新聞』に書きまくられていたよ。君たちも見たはずだ」

「うん、あんなに書き立てられて、ばあちゃんが怒るだろうと思ったんだ」ネビルが言った。

「ところが、ばあちゃんたら、とっても喜んでた。僕がやっと父さんに恥じない魔法使いになりはじめたって言うんだ。新しい杖《つえ》を買ってくれたんだよ。見て！」

ネビルは杖を取り出して、ハリーに見せた。

「桜と一角獣《ユニコーン》の毛」ネビルは得意げに言った。

「オリバンダーが売った最後の一本だと思う。次の日にいなくなったんだもの——オイ、こっちにおいで、トレバー！」

ネビルは、またしても自由への逃走をくわだてたヒキガエルを捕まえようと、座席の下にもぐり込んだ。

「ハリー、今学年もまだDAの会合をするの？」

ルーナは『ザ・クィブラー』のまん中からサイケなめがねを取りはずしながら聞いた。

「もうアンブリッジを追い出したんだから、意味ないだろう？」

そう言いながら、ハリーは腰をかけた。

ネビルは、座席の下から顔を突き出す拍子に頭を座席にぶつけた。とても失望した顔をしていた。

「僕、ＤＡが好きだった！　君からたくさん習った！」

「あたしもあの会合が楽しかったよ」ルーナがけろりとして言った。

「友達ができたみたいだった」

ルーナはときどきこういう言い方をして、ハリーをぎくりとさせる。ハリーは、哀れみと当惑が入りまじって、のたうつような気持ちになった。しかし、ハリーが何も言わないうちに、コンパートメントの外が騒がしくなった。四年生の女子たちがドアの外に集まって、ヒソヒソ、クスクスやっていた。

「あなたが聞きなさいよ！」

「いやよ、あなたよ！」

「私がやるわ！」

そして、大きな黒い目に長い黒髪の、えらが張った大胆そうな顔立ちの女の子が、ドアを開けて入ってきた。

「こんにちは、ハリー。私、ロミルダ。ロミルダ・ベインよ」

女の子が大きな声で自信たっぷりに言った。

「私たちのコンパートメントに来ない？　**この人たち**と一緒にいる必要はないわ」

ネビルとルーナを指差しながら、女の子が聞こえよがしのささやき声で言った。指されたネビルは、座席の下から尻を突き出してトレバーを手探りしていたし、ルーナは付録の「メラメラめがね」をかけて、多彩色のほうけたふくろうのような顔をしていた。

「この人たちは僕の友達だ」ハリーは冷たく言った。

「あら」女の子は驚いたような顔をした。「そう。オッケー」

女の子は、ドアを閉めて出ていった。

「みんなは、あんたに、あたしたちよりもっとかっこいい友達を期待するんだ」

ルーナはまたしても、率直さで人を面食らわせる腕前を発揮した。

「君たちはかっこいいよ」ハリーは言葉少なに言った。「あの子たちの誰も魔法省にいなかった。誰も僕と一緒に戦わなかった」

「いいこと言ってくれるわ」

ルーナはニッコリして、鼻の「メラメラめがね」を押し上げ、腰を落ち着けて『ザ・クィブラー』を読みはじめた。

「だけど、僕たちは、『**あの人**』には立ち向かってない」

ネビルが、髪に綿ごみやほこりをくっつけ、あきらめ顔のトレバーを握って、座席の下から出てきた。

「君が立ち向かった。ばあちゃんが君のことをなんて言ってるか、聞かせたいな。『**あのハリー・ポッター は、魔法省全部を束にしたより根性があります！**』。ばあちゃんは君を孫に持ってたら、ほかにはなんにもいらないだろうな……」

ハリーは、気まずい思いをしながら笑った。そして、急いで話題を変えて、O・W・L《ふくろう》テストの結果を話した。ネビルが自分の点数を数え上げ、変身術が「A・可」しか取れなかったから、N・E・W・T《イモリ》レベルの変身術を履修させてもらえるかどうかといぶかる様子を、ハリーは話を聞いているふりをしながら見つめていた。

ヴォルデモートは、ネビルの幼年時代にも、ハリーの場合と同じぐらい暗い影を落としている。だが、ハリーの持つ運命がもう少しでネビルのものになるところだったということを、ネビル自身はまったく知らない。予言は二人のどちらにも当てはまる可能性があった。それなのに、ヴォルデモートは、なぜなのか計り知れない理由で、ハリーこそ予言が示唆した者だと考えた。

ヴォルデモートがネビルを選んでいれば、いまハリーのむかい側に座っているネビルが、稲妻形の傷と予言の重みを持つ者になっていただろうに……いや、そうだろうか？　ネビルの母親は、リリーがハリーのために死んだように、ネビルを救うために死んだだろうか？　きっとそうしただろう……でもネビルの母親が、息子とヴォルデモートとの間に割って入ることができなかったとしたら？　その場合には「選ばれし者」は存在さえしなかったのではないだろうか？　ネビルがいま座っている席はからっぽだったろうし、傷痕のないハリーが自分の母親にさよならのキスをしていたのではないだろうか？　ロンの母親にではなく……。

「ハリー、大丈夫？　なんだか変だよ」ネビルが言った。

ハリーはハッとした。

「ごめん――僕――」

「ラックスパートにやられた？」

ルーナが巨大な極彩色のめがねの奥から、気の毒そうにハリーをのぞき見た。

「僕――えっ？」

「ラックスパート……目に見えないんだ。耳にふわふわ入っていって、頭をぼーっとさせるやつ」ルーナが言った。「このへんを一匹飛んでるような気がしたんだ」

ルーナは見えない巨大な蛾《が》をたたき落とすかのように、両手でパシッパシッと空をたたいた。ハリーとネビルは顔を見合わせ、あわててクィディッチの話を始めた。

車窓から見る外の天気は、この夏ずっとそうだったように、まだら模様だった。汽車は、ヒヤリとする霧の中かと思えば、次は明るい陽《ひ》の光が淡く射《さ》している所を通った。太陽がほとんど真上に見え、何度目かの、つかの間の光が射し込んできたとき、ロンとハーマイオニーがやっとコンパートメントにやってきた。

「ランチのカート、早く来てくれないかなぁ。腹ペコだ」

ハリーの隣の席にドサリと座ったロンが、胃袋のあたりをさすりながら待ち遠しそうに言った。

「やあ、ネビル、ルーナ。ところでさ」ロンはハリーに向かって言った。「マルフォイが監督生の仕事をしていないんだ。ほかのスリザリン生と一緒に、コンパートメントに座ってるだけ。通り過ぎるときにあいつが見えた」

ハリーは気を引かれて座りなおした。先学年はずっと、監督生としての権力を嬉々《きき》として濫用していたのに、力を見せつけるチャンスを逃すなんてマルフォイらしくない。

「君を見たとき、あいつ何をした？」

「いつものとおりのこれさ」

ロンは事もなげにそう言って、下品な手の格好をやって見せた。

「だけど、あいつらしくないよな？　まあ――**こっちのほうは**、あいつらしいけど――」

ロンはもう一度手まねしてみせた。

「でも、なんで一年生をいじめに来ないんだ？」

「さあ」

ハリーはそう言いながら、忙しく考えをめぐらしていた。マルフォイには、下級生いじめより大切なことがあるのだ、とは考えられないだろうか？

「たぶん、『尋問官親衛隊』のほうがお気に召してたのよ」ハーマイオニーが言った。

「監督生なんて、それに比べるとちょっと迫力に欠けるように思えるんじゃないかしら」

「そうじゃないと思う」ハリーが言った。「たぶん、あいつは――」

持論を述べないうちに、コンパートメントのドアがまた開いて、三年生の女子が息を切らしながら入ってきた。

「私、これを届けるように言われてきました。ネビル・ロングボトムとハリー・ポ、ポッターに」ハリーと目が合うと、女の子は真っ赤になって言葉がつっかえながら、紫のリボンで結ばれた羊皮紙の巻紙を二本差し出した。ハリーもネビルもわけがわからずに、それぞれに宛てられた巻紙を受け取った。女の子は転がるようにコンパートメントを出ていった。

「なんだい、それ？」

ハリーが巻紙をほどいていると、ロンが聞いた。

「招待状だ」ハリーが答えた。

ハリー

コンパートメントCでのランチに参加してもらえれば大変うれしい。

敬具

H・E・F・スラグホーン教授

「スラグホーン教授って、誰？」

ネビルは、自分宛の招待状に当惑している様子だ。

「新しい先生だよ」ハリーが言った。「うーん、たぶん、行かなきゃならないだろうな？」

「だけど、どうして僕に来てほしいの？」

ネビルは、まるで罰則が待ちかまえているかのようにこわごわ聞いた。

「わからないな」

ハリーはそう言ったが、実は、まったくわからないわけではなかった。ただ、直感が正しいかどうかの証拠が何もない。

「そうだ」ハリーは急にひらめいた。

「透明マントを着ていこう。そうすれば、途中でマルフォイをよく見ることができるし、何をたくらんでいるかわかるかもしれない」

アイデアはよかったが、実現せずじまいだった。通路はランチ・カートを待つ生徒でいっぱいで、マントをかぶったまま通り抜けることは不可能だった。じろじろ見られるのをさけるためにだけでも使えたらよかったのに、と残念に思いながら、ハリーはマントを鞄《かばん》に戻した。視線は、さっきよりさらに強烈になっているようだった。ハリーをよく見ようと、生徒たちがあちこちのコンパートメントから飛び出した。

例外はチョウ・チャンで、ハリーを見るとコンパートメントに駆け込んだ。ハリーが前を通り過ぎるとき、わざとらしく友達のマリエッタと話し込んでいる姿が見えた。マリエッタは厚化粧をしていたが、顔を横切って奇妙なにきびの配列が残っているのを、完全に隠しおおせてはいなかった。ハリーはちょっとほくそ笑んで、先へと進んだ。

コンパートメントCに着くとすぐ、スラグホーンに招待されていたのはハリーたちだけではないことがわかったが、スラグホーンの熱烈歓迎ぶりから見て、ハリーが一番待ち望まれていたらしい。

「ハリー、よく来た！」

ハリーを見て、スラグホーンがすぐに立ち上がった。ビロードで覆われた腹が、コンパートメントの空間をすべて埋め尽くしているように見える。てかてかのはげ頭と巨大な銀色の口ひげが、陽の光を受けて、チョッキの金ボタンと同じぐらいまぶしく輝いている。

「よく来た、よく来てくれた！　それで、君はミスター・ロングボトムだろうね！」

ネビルがこわごわうなずいた。スラグホーンにうながされて、二人はドアに一番近い、二つだけ空いている席に向かい合って座った。ハリーはほかの招待客を、ちらりと見回した。同学年の顔見知りのスリザリン生が一人いる。ほお骨が張り、細長い目が吊《つ》り上がった、背の高い黒人の男子生徒だ。そのほか、ハリーの知らない七年生が二人、それと、隅の席にスラグホーンの隣で押しつぶされながら、どうしてここにいるのかさっぱりわからないという顔をしているのは、ジニーだ。

「さーて、みんなを知っているかな？」

スラグホーンがハリーとネビルに聞いた。

「ブレーズ・ザビニは、もちろん君たちの学年だな――」

ザビニは顔見知りの様子も見せず、挨拶もしなかったが、ハリーとネビルも同様だった。グリフィンドールとスリザリンの学生は、基本的に憎しみ合っていたのだ。

「こちらはコーマック・マクラーゲン。お互いに出会ったことぐらいはあるんじゃないかね――？ ん？」

大柄でバリバリの髪の青年は片手を挙げ、ハリーとネビルはうなずいて挨拶した。

「――そしてこちらはマーカス・ベルビィ。知り合いかどうかは――？」

やせて神経質そうなベルビィが、無理やりほほえんだ。

「――そして**こちらの**チャーミングなお嬢さんは、君たちを知っているとおっしゃる！」

スラグホーンが紹介を終えた。

ジニーがスラグホーンの後ろで、ハリーとネビルにしかめっ面をしてみせた。

「さてさて、楽しいかぎりですな」

スラグホーンがくつろいだ様子で言った。

「みんなと多少知り合えるいい機会だ。さあ、ナプキンを取ってくれ。わたしは自分でランチを準備してきたのだよ。記憶によれば、ランチ・カートは杖形甘草飴《あめ》がどっさりで、年寄りの消化器官にはちときつい……ベルビィ、雉《きじ》肉はどうかな？」

ベルビィはぎくりとして、冷たい雉肉の半身のようなものを受け取った。

「こちらのマーカス君にいま話していたところなんだが、わたしはマーカスのおじさんのダモクレスを教えさせてもらってね」

今度はロールパンのバスケットをみんなに差し出しながら、スラグホーンがハリーとネビルに向かって言った。

「優秀な魔法使いだった。実に優秀な。当然のマーリン勲章を受けてね。おじさんにはしょっちゅう会うのかね？　マーカス？」

運の悪いことに、ベルビィはいましがた、雉肉の塊を口いっぱいにほお張ったところだった。返事をしようと焦って、ベルビィはあわててそれを飲み込み、顔を紫色にしてむせはじめた。

「**アナプニオ、気の道開け**」

スラグホーンは杖をベルビィに向け、落ち着いて唱えた。ベルビィの気道はどうやらたちまち開通したようだった。

「あまり……あまりひんぱんには。いいえ」ベルビィは涙をにじませながら、ゼイゼイ言った。

「まあ、もちろん、彼は忙しいだろうと拝察するが」

スラグホーンはベルビィを探るような目で見た。

「『トリカブト薬』を発明するのに、おじさんは相当大変なお仕事をなさったにちがいない！」

「そうだと思います……」

ベルビィは、スラグホーンの質問が終わったとわかるまでは、怖くてもう一度雉肉をほお張る気にはなれないようだった。

「えー……おじと僕の父は、あの、あまりうまくいかなくて、だから、僕はあまり知らなくて……」

スラグホーンが冷ややかにほほえんだので、ベルビィの声はだんだん細くなった。スラグホーンは次にマクラーゲンに話しかけた。

「さて、コーマック、**君のこと**だが」スラグホーンが言った。

「君がおじさんのチベリウスとよく会っているのを、わたしはたまたま知っているんだがね。何しろ、彼は、君とノグテイル狩に行ったときのすばらしい写真をお持ちだ。ノーフォーク州、だったかな？」

「ああ、ええ、楽しかったです。あれは」マクラーゲンが言った。

「バーティ・ヒッグズやルーファス・スクリムジョールと一緒でした――もちろん、あの人が大臣になる前でしたけれど――」

「ああ、バーティやルーファスも知っておるのかね？」

スラグホーンがニッコリして、今度は小さな盆にのったパイをすすめはじめたが、なぜかベルビィは抜かされた。

「さあ、話してくれないか……」

ハリーの思ったとおりだった。ここに招かれた客は、誰か有名人か有力者とつながりがある――ジニーを除いて、全員がそうだ。

マクラーゲンの次に尋問されたザビニは、有名な美人の魔女を母に持っているらしい（母親は七回結婚し、どの夫もそれぞれ推理小説のような死に方をして、妻に金貨の山を残したということを、ハリーはなんとか理解できた）。

次はネビルの番だった。どうにも居心地のよくない十分だった。何しろ、有名な闇祓いだったネビルの両親は、ベラトリックス・レストレンジとほかの二人の死喰い人たちに、正気を失うまで拷問されたのだ。ネビルを面接した結果、ハリーの印象では、両親のなんらかの才能を受け継いでいるかどうかについて、スラグホーンは結論を保留したようだった。

「さあ、今度は」

スラグホーンは、一番人気の出し物を紹介する司会者の雰囲気で、大きな図体の向きを変えた。

「ハリー・ポッター！　いったい**何から**始めようかね？　夏休みに会ったときは、ほんの表面をなでただけ、そういうような感じでしたな！」

スラグホーンは、ハリーが、脂の乗った特別大きな雉肉でもあるかのように眺め回し、それから口を開いた。

「『選ばれし者』。いま、君はそう呼ばれている！」

ハリーは何も言わなかった。ベルビィ、マクラーゲン、ザビニの三人もハリーを見つめている。

「もちろん」

スラグホーンは、ハリーをじっと見ながら話し続けた。

「もう何年もうわさはあった……わたしは覚えておるよ、あの――それ――あの**恐ろしい**夜のあと――リリーも――ジェームズも――そして君は生き残った――そして、うわさが流れた。君がきっと、尋常ならざる力を持っているにちがい――」

ザビニがコホンと咳《せき》をした。明らかに「それはどうかな」とからかっていた。スラグホーンの背後から突然、怒りの声が上がった。

「そうでしょうよ、ザビニ。**あなたは**とっても才能があるものね……格好をつけるっていう才能……」

「おや、おや！」

スラグホーンはジニーを振り返って心地よさそうにクスクス笑った。ジニーの視線がスラグホーンの巨大な腹を乗り越えて、ザビニをにらみつけていた。

「ブレーズ、気をつけたほうがいい！　こちらのお嬢さんがいる車両を通り過ぎるときに、ちょうど見えたんですよ。それは見事な『コウモリ鼻糞《はなくそ》の呪い』をかけるところがね！　わたしなら彼女には逆らわないね！」

ザビニは、フンという顔をしただけだった。

「とにかく」

スラグホーンはハリーに向きなおった。

「この夏は**いろいろと**うわさがあった。もちろん、何を信じるべきかはわからんがね。『日刊予言者』は不正確なことを書いたり、まちがいを犯したことがある――しかし、証人が多かったことからしても、疑いの余地はないと思われるが、魔法省で**相当**の騒ぎがあったし、君はその真っただ中にいた！」

言い逃れるとしたら完全にうそをつくしかないと思い、ハリーはうなずいただけでだまり続けた。スラグホーンはハリーにニッコリ笑いかけた。

「慎み深い、実に慎み深い。ダンブルドアが気に入っているだけのことはある――それでは、**やはり**あの場にいたわけだね？　しかし、そのほかの話は――あまりにも、もちろん扇情的で、何を信じるべきかわからないというわけだ――たとえば、あの伝説的予言だが――」

「僕たち予言を聞いてません」

ネビルが、ゼラニウムのようなピンク色になりながら言った。

「そうよ」ジニーががっちりそれを支持した。

「ネビルも私もそこにいたわ。『選ばれし者』なんてバカバカしい話は、『日刊予言者』の、いつものでっち上げよ」

「君たち二人もあの場にいたのかね？」

スラグホーンは興味津々で、ジニーとネビルを交互に見た。しかし、うながすようにほほえむスラグホーンを前にして、二人は貝のように口をつぐんでいた。

「そうか……まあ……『日刊予言者新聞』は、もちろん、往々にして記事を大げさにする……」

スラグホーンはちょっとがっかりしたような調子で話し続けた。

「あのグウェノグが私に話してくれたことだが――そう、もちろん、グウェノグ・ジョーンズだよ。ホリヘッド・ハーピーズの――」

そのあとは長々しい思い出話にそれていったが、スラグホーンがまだ自分を無罪放免にしたわけでもなく、ネビルやジニーの話に納得しているわけでもないと、ハリーははっきりそう感じ取っていた。

スラグホーンが教えた著名な魔法使いたちの逸話で、だらだらと午後が過ぎていった。そうした教え子たちは、全員、喜んでホグワーツの「スラグ・クラブ」とかに属したという。ハリーはその場を離れたくてしかたがなかったが、失礼にならずに出る方法の見当がつかなかった。列車が何度目かの長い霧の中を通り過ぎ、真っ赤な夕陽が見えたとき、スラグホーンはやっと、薄明かりの中で目をしばたたき、周りを見回した。

「なんと、もう暗くなってきた！　ランプがともったのに気づかなんだ！　みんな、もう帰ってローブに着替えたほうがいい。マクラーゲン、ノグテイルに関する例の本を借りに、そのうちわたしの所に寄りなさい。ハリー、ブレーズ――いつでもおいで。ミス、あなたもどうぞ」

スラグホーンはジニーに向かって、にこやかに目をキラキラさせた。

「さあ、お帰り、お帰り！」

ザビニは、ハリーを押しのけて暗い通路に出ながら、意地の悪い目つきでハリーを見た。ハリーはそれにおまけをつけてにらみ返した。ハリーはザビニのあとを、ジニー、ネビルと一緒に歩いた。

「終わってよかった」ネビルがつぶやいた。「変な人だね？」

「ああ、ちょっとね」

ハリーは、ザビニから目を離さずに言った。

「ジニー、どうしてあそこに来るはめになったの？」

「ザカリアス・スミスに呪いをかけてるところを見られたの」ジニーが言った。

「DAにいたあのハッフルパフ生のバカ、覚えてるでしょう？　魔法省で何があったかって、しつっこく私に聞いて、最後にはほんとにうるさくなったから、呪いをかけてやった――そのときスラグホーンが入ってきたから、罰則を食らうかと思ったんだけど、すごくいい呪いだと思っただけなんだって。それでランチに招かれたってわけ！　バッカバカしいよね？」

「母親が有名だからって招かれるより、まともな理由だよ」

ザビニの後頭部をにらみつけながら、ハリーが言った。

「それとか、おじさんのおかげで――」

ハリーはそこでだまり込んだ。突然ひらめいた考えは、無鉄砲だが、うまくいけばすばらしい……もうすぐザビニは、スリザリンの六年生がいるコンパートメントに入っていく。マルフォイがそこにいるはずだ。スリザリンの仲間以外には誰にも話を聞かれないと思っているだろう……もしそこに、ザビニのあとから姿を見られずに入り込むことができれば、どんな秘密でも見聞きできるのではないか？　確かに旅はもう残り少ない――車窓を飛び過ぎる荒涼たる風景から考えて、ホグズミード駅はあと三十分と離れていないだろう――しかし、どうやら自分以外には、この疑いを真剣に受け止めてくれる人がいないようだ。となれば、自分で証明するしかない。

「二人とも、あとで会おう」

ハリーは声をひそめてそう言うと、透明マントを取り出してサッとかぶった。

「でも、何を――？」ネビルが聞いた。

「あとで！」

ハリーはそうささやくなり、ザビニを追ってできるだけ音を立てないように急いだ。もっとも、汽車のガタゴトいう音でそんな気づかいはほとんど無用だった。

通路はいまやからっぽと言えるほどだった。生徒たちはほとんど全員、学校用のローブに着替えて荷物をまとめるために、それぞれの車両に戻っていた。ハリーはザビニに触れないぎりぎりの範囲で密着していたが、ザビニがコンパートメントのドアを開けるのを見計らってすべり込むのには間に合わなかった。ザビニがドアを閉め切る寸前に、ハリーはあわてて片足を突き出してドアを止めた。

「どうなってるんだ？」

ザビニはかんしゃくを起こして、何度もドアを閉めようと横に引き、ハリーの足にぶっつけた。

ハリーはドアをつかんで力いっぱい押し開けた。ザビニは取っ手をつかんだままだったので、横っ飛びにグレゴリー・ゴイルのひざに倒れた。ハリーはどさくさに紛れてコンパートメントに飛び込み、空席になっていたザビニの席に飛び上がり、荷物棚によじ登った。

ゴイルとザビニが歯をむき出して唸《うな》り合い、みんなの目がそっちに向いていたのは幸いだった。マントがはためいたとき、まちがいなくくるぶしから先がむき出しになったと感じたからだ。上のほうに消えていくスニーカーを、マルフォイが確かに目で追っていたような気がして、ハリーは一瞬ヒヤリとした。

やがてゴイルがドアをピシャリと閉め、ザビニをひざから振り落とした。ザビニはくしゃくしゃになって自分の席に座り込んだ。ビンセント・クラッブはまた漫画を読みだし、マルフォイは鼻で笑いながらパンジー・パーキンソンのひざに頭をのせて、二つ占領した席に横になった。

ハリーは、一寸たりともマントから体がはみ出さないよう窮屈に体を丸めて、パンジー・パーキンソンが、マルフォイの額にかかるなめらかなブロンドの髪をなでるのを眺めていた。パンジーは、こんなにうらやましい立場はないだろうと言わんばかりに、得意げな笑みを浮かべていた。車両の天井で揺れるランタンがこの光景を明るく照らし出し、ハリーは真下でクラッブが読んでいる漫画の、一字一句を読み取ることができた。

「それで、ザビニ」マルフォイが言った。

「スラグホーンは何がねらいだったんだ?」

「いいコネを持っている連中に取り入ろうとしただけさ」

まだゴイルをにらみつけながら、ザビニが言った。

「大勢見つかったわけではないけどね」

マルフォイはこれを聞いて、おもしろくない様子だった。

「ほかには誰が招かれた？」マルフォイが問いただした。

「グリフィンドールのマクラーゲン」ザビニが言った。

「ああ、そうだ。あいつのおじは魔法省で顔がきく」マルフォイが言った。

「――ベルビィとかいうやつ。レイブンクローの――」

「まさか、あいつはまぬけよ！」パンジーが言った。

「――あとはロングボトム、ポッター、それからウィーズリーの女の子」

ザビニが話し終えた。

マルフォイがパンジーの手を払いのけて、突然起き上がった。

「**ロングボトム**を招いたって？」

「ああ、そういうことになるな。ロングボトムがあの場にいたからね」

ザビニは投げやりに言った。

「スラグホーンが、ロングボトムのどこに関心があるっていうんだ？」

ザビニは肩をすくめた。

「ポッター、尊いポッターか。『**選ばれし者**』を一目見てみたかったのは明らかだな」

マルフォイがあざ笑った。

「しかし、ウィーズリーの女の子とはね！　**あいつ**のどこがそんなに特別なんだ？」

「男の子に人気があるわ」

パンジーは、横目でマルフォイの反応を見ながら言った。

「あなたでさえ、ブレーズ、あの子が美人だと思ってるでしょう？　しかも、あなたのおめがねにかなうのはとっても難しいって、みんな知ってるわ！」

「顔がどうだろうと、あいつみたいに血を裏切る穢《けが》れた小娘に手を出すものか」

ザビニが冷たく言った。パンジーはうれしそうな顔をした。マルフォイはまたそのひざに頭をのせ、パンジーが髪をなでるがままにさせた。

「まあ、僕はスラグホーンの趣味を哀れむね。少しぼけてきたのかもしれないな。残念だ。父上はいつも、あの人が盛んなときにはいい魔法使いだったとおっしゃっていた。父上は、あの人にちょっと気に入られていたんだ。スラグホーンは、たぶん僕がこの汽車に乗っていることを聞いていなかったのだろう。そうでなければ――」

「僕なら、招待されようなんて期待は持たないだろうな」ザビニが言った。

「僕が一番早く到着したんだが、その時スラグホーンにノットの父親のことを聞かれた。どうやら旧知の仲だったらしい。しかし、彼は魔法省で逮捕されたと言ってやったら、スラグホーンはあまりいい顔をしなかった。ノットも招かれていなかっただろう？　スラグホーンは死喰い人には関心がないのだろうと思うよ」

マルフォイは腹を立てた様子だったが、無理に、妙にしらけた笑い方をした。

「まあ、あいつが何に関心があろうと、知ったこっちゃない。結局のところ、あいつがなんだっていうんだ？　たかがまぬけな教師じゃないか」

マルフォイがこれ見よがしのあくびをした。

「つまり、来年、僕はホグワーツになんかいないかもしれないのに、薹《とう》の立った太っちょの老いぼれが、僕のことを好きだろうとなんだろうと、どうでもいいことだろう？」

「来年はホグワーツにいないかもしれないって、どういうこと？」

パンジーが、マルフォイの毛づくろいをしていた手をとたんに止めて、憤慨したように言った。

「まあ、先のことはわからないだろう？」

マルフォイがわずかにニヒルな笑いを浮かべて言った。

「僕は――あー――もっと次元の高い大きなことをしているかもしれない」

荷物棚で、マントに隠れてうずくまりながら、ハリーの心臓の鼓動が早くなった。ロンやハーマイオニーが聞いたらなんと言うだろう？　クラッブとゴイルはポカンとしてマルフォイを見つめていた。次元の高い大きなことがどういう計画なのか、さっぱり見当がつかないらしい。ザビニでさえ、高慢な風貌がそこなわれるほどあからさまな好奇心をのぞかせていた。パンジーは言葉を失ったように、再びマルフォイの髪をのろのろとなではじめた。

「もしかして――**『あの人』**のこと？」

マルフォイは肩をすくめた。

「母上は僕が卒業することをお望みだが、僕としては、このごろそれがあまり重要だとは思えなくてね。つまり、考えてみると……闇の帝王が支配なさるとき、O・W・LやN・E・W・Tが何科目なんて、『あの人』が気になさるか？　もちろん、そんなことは問題じゃない……『あの人』のためにどのように奉仕し、どのような献身ぶりを示してきたかだけが重要だ」

「それで、**君が**『あの人』のために何かできると思っているのか？」

ザビニが容赦なく追及した。

「十六歳で、しかもまだ完全な資格もないのに？」

「たったいま、言わなかったか？　『あの人』はたぶん、僕に資格があるかどうかなんて気になさらない。僕にさせたい仕事は、たぶん資格なんて必要ないものかもしれない」

マルフォイが静かに言った。

クラッブとゴイルは、二人とも怪獣像《ガーゴイル》よろしく口を開けて座っていた。パンジーは、こんなに神々しいものは見たことがないという顔で、マルフォイをじっと見下ろしていた。

「ホグワーツが見える」

自分が作り出した効果をじっくり味わいながら、マルフォイは暗くなった車窓を指差した。

「ローブを着たほうがいい」

ハリーはマルフォイを見つめるのに気を取られ、ゴイルがトランクに手を伸ばしたのに気づかなかった。ゴイルがトランクを振り回して棚から下ろす拍子に、ハリーの頭の横にゴツンと当たり、ハリーは思わず声をもらした。マルフォイが顔をしかめて荷物棚を見上げた。

ハリーはマルフォイが怖いわけではなかったが、仲のよくないスリザリン生たちに、透明マントに隠れているところを見つかってしまうのは気に入らなかった。目はうるみ、頭はズキズキ痛んでいたが、ハリーはマントを乱さないように注意しながら杖を取り出し、息をひそめて待った。マルフォイは、結局空耳だったと思いなおしたらしく、ハリーはホッとした。マルフォイは、ほかのみんなと一緒にローブを着て、トランクの鍵をかけ、汽車が速度を落としてガタン、ガタンと徐行を始めると、厚手の新しい旅行マントのひもを首の所で結んだ。

ハリーは通路がまた人で混み合ってくるのを見ながら、ハーマイオニーとロンが自分の荷物をかわりにプラットホームに降ろしてくれればいいが、と願っていた。このコンパートメントがすっかりからになるまで、ハリーはこの場から動けない。

最後に大きくガタンと揺れ、列車は完全に停止した。ゴイルがドアをバンと開け、二年生の群れをげんこつで押しのけながら、強引に出ていった。クラッブとザビニがそれに続いた。

「先に行け」

マルフォイに握ってほしそうに手を伸ばして待っているパンジーに、マルフォイが言った。

「ちょっと調べたいことがある」

パンジーがいなくなった。コンパートメントには、ハリーとマルフォイだけだった。生徒たちは列をなして通り過ぎ、暗いプラットホームに降りていった。マルフォイはコンパートメントのドアの所に行き、ブラインドを下ろし、通路側からのぞかれないようにした。それからトランクの上にかがんで、いったん閉じたふたをまた開けた。

ハリーは荷物棚の端からのぞき込んだ。心臓の鼓動が少し速くなった。マルフォイがパンジーから隠したいものはなんだろう？　修理がそれほど大切だという、あの謎の品が見えるのだろうか？

「ペトリフィカス　トタルス！　石になれ！」

マルフォイが不意をついてハリーに杖を向け、ハリーはたちまち金縛りにあった。スローモーションのように、ハリーは荷物棚から転げ落ち、床を震わせるほどの痛々しい衝撃とともにマルフォイの足元に落下した。透明マントは体の下敷きになり、脚をエビのように丸めてうずくまったままの滑稽な格好で、ハリーの全身が現れた。筋肉のひと筋も動かせない。ニンマリほくそ笑んでいるマルフォイを下からじっと見つめるばかりだった。

「やはりそうか」マルフォイが酔いしれたように言った。

「ゴイルのトランクがおまえにぶつかったのが聞こえた。それに、ザビニが戻ってきたとき、何か白いものが一瞬、空中に光るのを見たような気がした……」

マルフォイはハリーのスニーカーにしばらく目をとめていた。

「ザビニが戻ってきたときにドアをブロックしたのは、おまえだったんだな？」

マルフォイは、どうしてやろうかとばかり、しばらくハリーを眺めていた。

「ポッター、おまえは、僕が聞かれて困るようなことを、何も聞いちゃいない。しかし、せっかくここにおまえがいるうちに……」

そしてマルフォイは、ハリーの顔を思いきり踏みつけた。ハリーは鼻が折れるのを感じた。そこら中に血が飛び散った。

「いまのは僕の父上からだ。さてと……」

マルフォイは動けないハリーの体の下からマントを引っ張り出し、ハリーを覆った。

「汽車がロンドンに戻るまで、誰もおまえを見つけられないだろうよ」

マルフォイが低い声で言った。

「また会おう、ポッター……それとも会わないかな」

そして、わざとハリーの指を踏みつけ、マルフォイはコンパートメントを出ていった。

第8章　勝ち誇るスネイプ

　ハリーは筋一本動かせなかった。透明マントの下で、鼻から流れるどろりとした生温かい血がほおを伝うのを感じながら、通路の人声や足音を聞いていた。汽車が再び発車する前に、必ず誰かがコンパートメントをチェックするのではないか？　初めはそう考えた。しかし、たとえ誰かがコンパートメントをのぞいても、姿は見えないだろうし、ハリーは声も出ない。すぐにそう気づいて、ハリーは落胆した。せいぜい、誰かが中に入ってきて、ハリーを踏みつけてくれるのを望むほかない。

　ひっくり返されて、滑稽な姿をさらす亀のように転がり、開いたままの口に流れ込む鼻血に吐き気をもよおしながら、ハリーはこの時ほどマルフォイが憎いと思ったことはなかった。なんというバカバカしい状況におちいってしまったのだろう……そして、いま、最後の足音が消え去っていく。みんなが暗いプラットホームをぞろぞろ歩いている。トランクを引きずる音、ガヤガヤという大きな話し声が聞こえた。

　ロンやハーマイオニーは、ハリーがとうに一人で列車を降りてしまったと思うだろう。ホグワーツに到着して大広間の席に着いてから、グリフィンドールのテーブルをあちこち見回して、やっとハリーがいないことに気づくだろう。ハリーのほうは、そのころにはまちがいなく、ロンドンへの道のりの半分を戻ってしまっているだろう。

　ハリーは何か音を出そうとした。うめき声でもいい。しかし不可能だった。その時、ダンブルドアのような魔法使いの何人かは、声を出さずに呪文がかけられることを思い出した。そして、手から落ちてしまった杖《つえ》を「呼び寄せ」ようと、「**アクシオ！　杖よ来い！**」と頭の中で何度も何度も唱えたが、何事も起こらなかった。

湖を取り囲む木々がサラサラと触れ合う音や、遠くでホーと鳴くふくろうの声が聞こえたような気がした。しかし、捜索が行われている気配はまったくない。しかも（そんなことを期待する自分が少しいやになったが）、ハリー・ポッターはどこに消えてしまったのだろうと、大騒ぎする声も聞こえない。セストラルのひく馬車の隊列がガタゴトと学校に向かう姿や、マルフォイがそのどれかの馬車に乗って、仲間のスリザリン生にハリーをやっつけた話をし、その馬車から押し殺したような笑い声が聞こえる情景を想像すると、ハリーの胸に絶望感が広がっていった。

汽車がガタンと揺れ、ハリーは転がって横向きになった。天井のかわりに、今度はほこりだらけの座席の下を、ハリーは見つめていた。エンジンが唸《うな》りを上げて息を吹き返し、床が振動しはじめた。ホグワーツ特急が発車する。そして、ハリーがまだ乗っていることを誰も知らない……。

その時、透明マントが勢いよくはがされるのを感じ、頭上で声がした。

「よっ、ハリー」

赤い光がひらめき、ハリーの体が解凍した。少しは体裁のよい姿勢で座れるようになったし、傷ついた顔から鼻血を手の甲でサッとぬぐうこともできた。顔を上げると、トンクスだった。いまはがしたばかりの透明マントを持っている。

「ここを出なくちゃ。早く」列車の窓が水蒸気で曇り、汽車はまさに駅を離れようとしていた。「さあ、飛び降りよう」

トンクスのあとから、ハリーは急いで通路に出た。トンクスはデッキのドアを開け、プラットホームに飛び降りた。汽車は速度を上げはじめ、ホームが足元を流れるように見えた。ハリーもトンクスに続いた。着地でよろめき、体勢を立てなおしたときには、紅に光る機関車はさらにスピードを増し、やがて角を曲がって見えなくなった。

ずきずき痛む鼻に、冷たい夜気がやさしかった。トンクスがハリーを見つめていた。あんな滑稽な格好で発見されたことで、ハリーは腹が立ったし、恥ずかしかった。トンクスはだまって透明マントを返した。

「誰にやられた？」

「ドラコ・マルフォイ」ハリーが悔しげに言った。「ありがとう……あの……」

「いいんだよ」トンクスがにこりともせずに言った。暗い中で見るトンクスは、「隠れ穴」で会ったときと同じくすんだ茶色の髪で、みじめな表情をしていた。

「じっと立っててくれれば、鼻を治してあげられるよ」

ご遠慮申し上げたい、とハリーは思った。校医のマダム・ポンフリーの所へ行くつもりだった。癒術の呪文にかけては、校医のほうがやや信頼できる。しかしそんなことを言うのは失礼だと思い、ハリーは目をつむってじっと動かずに立っていた。

「**エピスキー、鼻血癒えよ**」トンクスが唱えた。

鼻がとても熱くなり、それからとても冷たくなった。ハリーは恐る恐る鼻に手をやった。どうやら治っている。

「どうもありがとう！」

「『マント』を着たほうがいい。学校まで歩いていこう」

トンクスが相変わらずニコリともせずに言った。ハリーが再びマントをかぶると、トンクスが杖を振った。杖先からとても大きな銀色の獣が現れ、暗闇を矢のように走り去った。

「いまのは『守護霊』だったの？」

ハリーは、ダンブルドアが同じような方法で伝言を送るのを見たことがあった。

「そう。君を保護したと城に伝言した。そうしないと、みんなが心配する。行こう。ぐずぐずしてはいられない」

二人は学校への道を歩きはじめた。

「どうやって僕を見つけたの？」

「君が列車から降りていないことに気づいたし、君がマントを持っていることも知っていた。何か理由があって隠れているのかもしれないと考えた。あのコンパートメントにブラインドが下りているのを見て、調べてみようと思ったんだ」

「でも、そもそもここで何をしているの？」ハリーが聞いた。

「わたしはいま、ホグズミードに配置されているんだ。学校の警備を補強するために」

トンクスが言った。

「ここに配置されているのは、君だけなの？　それとも――」

「プラウドフット、サベッジ、それにドーリッシュもここにいる」

「ドーリッシュって、先学期ダンブルドアがやっつけたあの闇祓《やみばら》い？」

「そう」

いましがた馬車が通ったばかりのわだちの跡をたどりながら、二人は暗く人気のない道を黙々と歩いた。マントに隠れたまま、ハリーは横のトンクスを見た。

去年、トンクスは聞きたがり屋だったし（時には、うるさいと思うぐらいだった）、よく笑い、冗談を飛ばした。いまのトンクスは老けたように見えたし、まじめで決然としていた。これが魔法省で起こったことの影響なのだろうか？　ハーマイオニーなら、シリウスのことでトンクスになぐさめの言葉をかけなさい、トンクスのせいではないと言いなさいとうながすだろうな――ハリーは気まずい思いでそう考えたが、どうしても言い出せなかった。シリウスが死んだことで、トンクスを責める気はさらさらなかった。トンクスの責任でもなければ誰の責任でもない（むしろ自分の責任だ）。でも、できればシリウスのことは話したくなかった。

二人はだまったまま、寒い夜を、ただてくてく歩いた。トンクスの長いマントが、二人の背後でささやくように地面をこすっていた。

いつも馬車で移動していたので、ホグワーツがホグズミード駅からこんなに遠いとは、これまで気づかなかった。やっと門柱が見えたときには、ハリーは心からホッとした。

門の両脇に立つ高い門柱の上には、羽の生えたイノシシがのっている。寒くて腹ペコだったし、別人のように陰気なトンクスとは早く別れたいとハリーは思った。ところが門を押し開けようと手を出すと、鎖がかけられて閉まっていた。

「**アロホモラ！**」

杖をかんぬきに向け、ハリーは自信を持って唱えたが、何も起こらない。

「そんなもの通じないよ」トンクスが言った。「ダンブルドア自身が魔法をかけたんだ」

ハリーはあたりを見回した。

「僕、城壁をよじ登れるかもしれない」ハリーが提案した。

「いいや、できないはずだ」トンクスが、にべもなく言った。

「『侵入者よけ呪文』がいたる所にかけられている。夏の間に警備措置が百倍も強化された」

「それじゃ」トンクスが助けてもくれないので、ハリーはいらいらしはじめた。「ここで野宿して朝を待つしかないということか」

「誰かが君を迎えにくる」トンクスが言った。

「ほら」

遠く、城の下のほうで、ランタンの灯《あか》りが上下に揺れていた。うれしさのあまり、ハリーは、この際フィルチだってかまうものかと思った。ゼイゼイ声でハリーの遅刻を責めようが、親指じめの拷問を定期的に受ければ時間を守れるようになるだろうとわめこうが、がまんできる。

黄色の灯りが二、三メートル先に近づき、姿を現すために透明マントを脱いだとき、初めてハリーは、相手が誰かに気づいた。そして、混じりけなしの憎しみが押し寄せてきた。灯りに照らし出されて、鉤《かぎ》鼻にべっとりとした黒い長髪のセブルス・スネイプが立っていた。

「さて、さて、さて」

意地悪く笑いながら、スネイプは杖を取り出してかんぬきを一度たたいた。鎖がくねくねとそり返り、門がきしみながら開いた。

「ポッター、出頭するとは感心だ。ただし、制服のローブを着ると、せっかくの容姿をそこなうと考えたようだが」

「着替えられなかったんです。手元に持ってなくて――」

ハリーは話しはじめたが、スネイプがさえぎった。

「ニンファドーラ、待つ必要はない。ポッターは我輩の手中で、極めて――あー――安全だ」

「わたしは、ハグリッドに伝言を送ったつもりだった」トンクスが顔をしかめた。

「ハグリッドは、新学年の宴会に遅刻した。このポッターと同じようにな。かわりに我輩が受け取ったところで」

スネイプは一歩下がってハリーを中に入れながら言った。

「君の新しい守護霊は興味深い」

スネイプはトンクスの鼻先で、ガランと大きな音を立てて扉を閉めた。スネイプが再び杖で鎖をたたくと、鎖はガチャガチャ音を立てながらすべるように元に戻った。

「我輩は、昔のやつのほうがいいように思うが」スネイプの声には、紛れもなく悪意がこもっていた。

「新しいやつは弱々しく見える」

スネイプがぐるりとランタンの向きを変えたその時、トンクスの顔に、怒りと衝撃の色が浮かんでいるのを、ハリーはちらりと見た。次の瞬間、トンクスの姿は再び闇に包まれた。

「おやすみなさい」

スネイプとともに学校に向かって歩きだしながら、ハリーは振り返って呼びかけた。

「ありがとう……いろいろ」

「またね、ハリー」

一分かそこら、スネイプは口をきかなかった。ハリーは、自分の体から憎しみが波のように発散するのを感じた。スネイプの体を焼くほど強い波なのに、スネイプが何も感じていないのは信じられなかった。初めて出会ったときから、ハリーはスネイプを憎悪していた。しかし、スネイプがシリウスに対して取った態度のせいで、いまやスネイプは、ハリーにとって絶対に、そして永久に許すことができない存在になっていた。

ハリーはこの夏の間にじっくり考えたし、ダンブルドアがなんと言おうと、すでに結論を出していた。スネイプは、騎士団のほかのメンバーがヴォルデモートと戦っているときに、シリウスがのうのうと隠れていたと言った。おそらく、悪意に満ちたスネイプの言葉の数々が強い引き金になって、あの夜、シリウスが死んだあの夜、シリウスは向こう見ずにも魔法省に出かけたのだ。

ハリーはこの考えにしがみついていた。そうすればスネイプを責めることができるし、責めることで満足できたからだ。それに、シリウスの死を悲しまないやつがいるとすれば、それは、いまハリーと並んで暗闇の中をずんずん歩いていく、この男だ。

「遅刻でグリフィンドール五〇点減点だな」スネイプが言った。

「それから、フーム、マグルの服装のせいで、さらに二〇点減点。まあ、新学期に入ってこれほど早期にマイナス得点になった寮はなかったろうな――まだデザートも出ていないのに。記録を打ち立てたかもしれんな、ポッター」

腸《はらわた》が煮えくり返り、白熱した怒りと憎しみが炎となって燃え上がりそうだった。しかし、遅れた理由をスネイプに話すくらいなら、身動きできないままロンドンに戻るほうがまだましだ。

「たぶん、衝撃の登場をしたかったのだろうねえ？」

スネイプがしゃべり続けた。

「空飛ぶ車がない以上、宴の途中で大広間に乱入すれば、劇的な効果があるにちがいないと判断したのだろう」

ハリーはそれでもだまったままだったが、胸中は爆発寸前だった。スネイプがハリーを迎えにこなければならなかったのはこのためだと、ハリーにはわかっていた。ほかの誰にも聞かれることなく、ハリーをチクチクとさいなむことができるこの数分間のためだ。

二人はやっと城の階段にたどり着いた。がっしりした樫《かし》の扉が左右に開き、板石を敷き詰めた広大な玄関ホールが現れると、大広間に向かって開かれた扉を通して、はじけるような笑い声や話し声、食器やグラスが触れ合う音が二人を迎えた。ハリーは透明マントをまたかぶれないだろうかと思った。そうすれば誰にも気づかれずにグリフィンドールの長テーブルに座れる（都合の悪いことに、グリフィンドールのテーブルは玄関ホールから一番遠くにある）。

しかし、ハリーの心を読んだかのようにスネイプが言った。

「マントは、なしだ。全員が君を見られるように、歩いていきたまえ。それがお望みだったと存ずるがね」

ハリーは即座にくるりと向きを変え、開いている扉にまっすぐ突き進んだ。スネイプから離れるためならなんでもする。長テーブル四卓と一番奥に教職員テーブルが置かれた大広間は、いつものように飾りつけられていた。ろうそくが宙に浮かび、その下の食器類をキラキラ輝かせている。しかし、急ぎ足で歩いているハリーには、すべてがぼやけた光の点滅にしか見えなかった。あまりの速さに、ハッフルパフ生がハリーを見つめはじめるころにはもうそのテーブルを通り過ぎ、よく見ようと生徒たちが立ち上がったときにはもう、ロンとハーマイオニーを見つけ、ベンチ沿いに飛ぶように移動して、二人の間に割り込んでいた。

「どこにいたん――なんだい、その顔はどうしたんだ？」

ロンは周りの生徒たちと一緒になってハリーをじろじろ見ながら言った。

「なんで？　どこか変か？」

ハリーはガバッとスプーンをつかみ、そこにゆがんで映っている自分の顔を、目を細くして見た。

「血だらけじゃない！」ハーマイオニーが言った。「こっちに来て――」

ハーマイオニーは杖を上げて、「**テルジオ！　ぬぐえ！**」と唱え、血のりを吸い取った。

「ありがと」ハリーは顔に手を触れて、きれいになったのを感じながら言った。「鼻はどんな感じ？」

「普通よ」ハーマイオニーが心配そうに言った。「あたりまえでしょう？　ハリー、何があったの？　死ぬほど心配したわ！」

「あとで話すよ」ハリーはそっけなく言った。

ジニー、ネビル、ディーン、シェーマスが聞き耳を立てているのに、ちゃんと気づいていたのだ。グリフィンドールのゴーストの「ほとんど首無しニック」まで、盗み聞きしようと、テーブルに沿ってふわふわ漂っていた。

「でも――」ハーマイオニーが言いかけた。

「いまはだめだ、ハーマイオニー」

ハリーは、意味ありげな暗い声で言った。ハリーが何か勇ましいことに巻き込まれたと、みんなが想像してくれればいいと願った。できれば死喰《しく》い人二人に吸魂鬼一人ぐらいが関わったと思ってもらえるといい。もちろん、マルフォイは、話をできるかぎり吹聴しようとするだろうが、グリフィンドール生の間にはそれほど伝わらない可能性だってある。

ハリーはロンの前に手を伸ばして、チキンのもも肉を二、三本とポテトチップをひとつかみ取ろうとしたが、取る前に全部消えて、かわりにデザートが出てきた。

「とにかくあなたは、組分け儀式も逃してしまったしね」

ロンが大きなチョコレートケーキに飛びつくそばで、ハーマイオニーが言った。

「帽子は何かおもしろいこと言った？」糖蜜タルトを取りながら、ハリーが聞いた。

「同じことのくり返し、ええ……敵に立ち向かうのに全員が結束しなさいって」

「ダンブルドアは、ヴォルデモートのことを何か言った？」

「まだよ。でも、ちゃんとしたスピーチは、いつもごちそうのあとまで取っておくでしょう？　もうまもなくだと思うわ」

「スネイプが言ってたけど、ハグリッドが宴会に遅れてきたとか――」

「スネイプに会ったって？　どうして？」

ケーキをパクつくのに大忙しの合間を縫って、ロンが言った。

「偶然、出くわしたんだ」ハリーは言い逃れた。

「ハグリッドは数分しか遅れなかったわ」ハーマイオニーが言った。

「ほら、ハリー、あなたに手を振ってるわよ」

ハリーは教職員テーブルを見上げ、まさにハリーに手を振っていたハグリッドに向かってニヤッとした。ハグリッドは、マクゴナガル先生のような威厳ある振る舞いができたためしがない。ハグリッドの隣に座っているグリフィンドール寮監のマクゴナガル先生は、頭のてっぺんがハグリッドのひじと肩の中間あたりまでしか届いていない。そのマクゴナガル先生が、ハグリッドの熱狂的な挨拶をとがめるような顔をしていた。

驚いたことに、マクゴナガル先生をはさんでハグリッドと反対側の席に、占い学のトレローニー先生が座っていた。北塔にある自分の部屋をめったに離れたことがないこの先生を、新学年の宴会で見かけたのは初めてだった。相変わらず奇妙な格好だ。ビーズをキラキラさせ、ショールを何枚かだらりとかけ、めがねで両眼が巨大に拡大されている。

トレローニーはいかさまくさいと、ずっとそう思っていたハリーにとって、先学期の終わりの出来事は衝撃的だった。ヴォルデモートがハリーの両親を殺し、ハリーをも襲う原因となった予言の主は、このトレローニーだとわかったのだ。そう知ってしまうと、ますますそばにはいたくなかった。ありがたいことに、今学年は占い学を取らないことになるだろう。標識灯のような大きな目がハリーの方向にぐるりと回ってきた。ハリーはあわてて目をそらし、スリザリンのテーブルを見た。

ドラコ・マルフォイが、鼻をへし折られるまねをしてみんなを大笑いさせ、やんやの喝采を受けていた。ハリーはまたしても腸が煮えくり返り、下を向いて糖蜜タルトを見つめた。一対一でマルフォイと戦えるなら、すべてをなげうってもいい……。

「それで、スラグホーン先生は何がお望みだったの？」ハーマイオニーが聞いた。

「魔法省で、ほんとは何が起こったかを知ること」ハリーが言った。

「先生も、ここにいるみんなも同じだわ」ハーマイオニーがフンと鼻を鳴らした。

「列車の中でも、みんなにそのことを問い詰められたわよね？　ロン？」

「ああ」ロンが言った。

「君がほんとに『選ばれし者』なのかどうか、みんなが知りたがって——」

「まさにそのことにつきましては、ゴーストの間でさえ、さんざん話題になっております」

ほとんど首無しニックがほとんどつながっていない首をハリーのほうに傾けたので、首がひだ襟の上で危なっかしげにぐらぐらした。

「私はポッターの権威者のように思われております。私たちの親しさは知れ渡っていますからね。ただし、私は霊界の者たちに、君をわずらわせてまで情報を聞き出すようなまねはしないと、はっきり宣言しております。『ハリー・ポッターは、私になら、全幅の信頼を置いて秘密を打ち明けることができると知っている』そう言ってやりましたよ。『彼の信頼を裏切るくらいなら、むしろ死を選ぶ』とね」

「それじゃたいしたこと言ってないじゃないか。もう死んでるんだから」ロンが意見を述べた。

「またしてもあなたは、なまくら斧《おの》のごとき感受性を示される」

ほとんど首無しニックは公然たる侮辱を受けたかのようにそう言うと、宙に舞い上がり、するするとグリフィンドールのテーブルの一番端に戻った。ちょうどその時、教職員テーブルのダンブルドアが立ち上がった。大広間に響いていた話し声や笑い声が、あっという間に消えた。

「みなさん、すばらしい夜じゃ！」

ダンブルドアがニッコリと笑い、大広間の全員を抱きしめるかのように両手を広げた。

「手をどうなさったのかしら？」ハーマイオニーが息をのんだ。

気づいたのはハーマイオニーだけではなかった。ダンブルドアの右手は、ダーズリー家にハリーを迎えにきた夜と同じように、死んだような黒い手だった。ささやき声が広間中を駆けめぐった。ダンブルドアはその反応を正確に受け止めたが、単にほほえんだだけで、紫と金色のそでを振り下ろして傷を覆った。

「何も心配にはおよばぬ」ダンブルドアは気軽に言った。

「さて……新入生よ、歓迎いたしますぞ。上級生にはお帰りなさいじゃ！　今年もまた、魔法教育がびっしりと待ち受けておる……」

「夏休みにダンブルドアに会ったときも、ああいう手だった」

ハリーがハーマイオニーにささやいた。

「でも、ダンブルドアがとっくに治しているだろうと思ったのに……そうじゃなければ、マダム・ポンフリーが治したはずなのに」

「あの手はもう死んでるみたいに見えるわ」

ハーマイオニーが吐き気をもよおしたように言った。

「治らない傷というものもあるわ……昔受けた呪いとか……それに解毒剤の効かない毒薬もあるし……」

「……そして、管理人のフィルチさんからみなに伝えるようにと言われたのじゃが、『ウィーズリー・ウィザード・ウィーズ』とかいう店で購入したいたずら用具は、すべて完全禁止じゃ」

「各寮のクィディッチ・チームに入団したい者は、例によって寮監に名前を提出すること。試合の解説者も新人を募集しておるので、同じく応募すること」

「今学年は新しい先生をお迎えしておる。スラグホーン先生じゃ」

スラグホーンが立ち上がった。はげ頭がろうそくに輝き、ベストを着た大きな腹が下のテーブルに影を落とした。

「先生は、かつてわしの同輩だった方じゃが、昔教えておられた『魔法薬学』の教師として復帰なさることにご同意いただいた」

「魔法薬？」

「**魔法薬？**」

聞きちがえたのでは、という声が広間中のあちこちで響いた。

「魔法薬？」ロンとハーマイオニーが、ハリーを振り向いて同時に言った。

「だってハリーが言ってたのは――」

「ところでスネイプ先生は」

ダンブルドアは不審そうなガヤガヤ声にかき消されないよう、声を上げて言った。

「『闇の魔術に対する防衛術』の後任の教師となられる」

「そんな！」

あまり大きい声を出したので、多くの人がハリーのほうを見たが、ハリーは意に介さず、カンカンになって教職員テーブルをにらみつけた。どうしていまになって、スネイプが「闇の魔術に対する防衛術」に着任するんだ？　ダンブルドアが信用していないからスネイプはその職に就けないというのは、周知のことじゃなかったのか？

「だって、ハリー、あなたは、スラグホーンが『闇の魔術に対する防衛術』を教えるって言ったじゃない！」ハーマイオニーが言った。

「そうだと思ったんだ！」

ハリーは、ダンブルドアがいつそう言ったのかを必死で思い出そうとした。しかし考えてみると、スラグホーンが何を教えるかを、ダンブルドアが話してくれたという記憶がない。

ダンブルドアの右側に座っているスネイプは、名前を言われても立ち上がりもせず、スリザリン・テーブルからの拍手に大儀そうに応えて、片手を挙げただけだった。しかしハリーは、憎んでもあまりあるスネイプの顔に、勝ち誇った表情が浮かんでいるのを、確かに読み取った。

「まあ、一つだけいいことがある」ハリーが残酷にも言った。「この学年の終わりまでには、スネイプはいなくなるだろう」

「どういう意味だ？」ロンが聞いた。

「あの職は呪われている。一年より長く続いたためしがない……クィレルは途中で死んだくらいだ。僕個人としては、もう一人死ぬように願をかけるよ……」

「ハリー！」ハーマイオニーはショックを受け、責めるように言った。

「今学年が終わったら、スネイプは元の『魔法薬学』に戻るだけの話かもしれない」

ロンが妥当なことを言った。

「あのスラグホーンてやつ、長く教えたがらないかもしれない。ムーディもそうだった」

ダンブルドアが咳払《せき》いした。私語していたのはハリー、ロン、ハーマイオニーだけではなかった。スネイプがついに念願を成就したというニュースに、大広間中がてんでんに会話を始めていた。

たったいまどんなに衝撃的なニュースを発表したかなど、気づいていないかのように、ダンブルドアは教職員の任命についてはそれ以上何も言わなかった。しかし、ちょっと間を置き、完全に静かになるのを待って、話を続けた。

「さて、この広間におる者は誰でも知ってのとおり、ヴォルデモート卿《きょう》とその従者たちが、再び跋扈《ばっこ》し、力を強めておる」

ダンブルドアが話すにつれ、沈黙が張りつめ、研ぎ澄まされていくようだった。ハリーはマルフォイをちらりと見た。マルフォイはダンブルドアには目もくれず、まるで校長の言葉など傾聴に値しないかのように、フォークを杖で宙に浮かしていた。

「現在の状況がどんなに危険であるか、また、我々が安全に過ごすことができるよう、ホグワーツの一人一人が充分注意すべきであるということは、どれほど強調しても強調しすぎることはない。この夏、城の魔法の防衛が強化された。いっそう強力な新しい方法で、我々は保護されておる。しかし、やはり、生徒や教職員の各々が、軽率なことをせぬように慎重を期さねばならぬ。それじゃからみなに言うておく。どんなにうんざりするようなことであろうと、先生方が生徒のみなに課す安全上の制約事項を遵守するよう――特に、決められた時間以降は、夜間、ベッドを抜け出してはならぬという規則じゃ。わしからのたっての願いじゃが、城の内外で何か不審なもの、怪しげなものに気づいたら、すぐに教職員に報告するよう。生徒諸君が、常に自分自身と互いの安全とに最大の注意を払って行動するものと信じておる」

ダンブルドアのブルーの目が生徒全体を見渡し、それからもう一度ほほえんだ。

「しかしいまは、ベッドが待っておる。みなが望みうるかぎり最高にふかふかで暖かいベッドじゃ。みなにとって一番大切なのは、ゆっくり休んで明日からの授業に備えることじゃろう。それではおやすみの挨拶じゃ。そーれ行け、ピッピッ！」

いつもの騒音が始まった。ベンチを後ろに押しやって立ち上がった何百人もの生徒が、列をなして大広間からそれぞれの寮に向かった。一緒に大広間を出ればじろじろ見られるし、マルフォイに近づけば、鼻を踏みつけた話をくり返させるだけだ。どちらにしても急ぎたくなかったハリーは、スニーカーの靴ひもを結びなおすふりをしてぐずぐずし、グリフィンドール生の大部分をやり過ごした。ハーマイオニーは、一年生を引率するという監督生の義務をはたすために飛んでいったが、ロンはハリーと残った。

「君の鼻、ほんとはどうしたんだ?」

急いで大広間を出てゆく群れの一番後ろにつき、誰にも声が聞こえなくなったとき、ロンが聞いた。

ハリーはロンに話した。ロンが笑わなかったことが、二人の友情の絆《きずな》の証《あかし》だった。

「マルフォイが、何か鼻に関係するパントマイムをやってるのを見たんだ」

ロンが暗い表情で言った。

「ああ、まあ、それは気にするな」ハリーは苦々しげに言った。

「僕がやつに見つかる前に、あいつが何を話してたかだけど……」

マルフォイの自慢話を聞いてロンが驚愕《きょうがく》するだろうと、ハリーは期待していた。ところが、ロンはさっぱり感じないようだった。ハリーに言わせれば、ガチガチの石頭だ。

「いいか、ハリー、あいつはパーキンソンの前でいいかっこして見せただけだ……『例のあの人』が、あいつにどんな任務を与えるっていうんだ?」

「ヴォルデモートは、ホグワーツに誰かを置いておく必要はないか? 何も今度が初めてってていうわけじゃ――」

「ハリー、その名前を言わねえでほしいもんだ」

二人の背後で、とがめるような声がした。振り返るとハグリッドが首を振っていた。

「ダンブルドアはその名前で呼ぶよ」ハリーは頑として言った。

「ああ、そりゃ、それがダンブルドアちゅうもんだ。そうだろうが？」

ハグリッドが謎めいたことを言った。

「そんで、ハリー、なんで遅れた？　俺は心配しとったぞ」

「汽車の中でもたもたしてね」ハリーが言った。

「**ハグリッドは**どうして遅れたの？」

「グロウプと一緒でなあ」ハグリッドがうれしそうに言った。

「時間のたつのを忘れっちまった。いまじゃ山ン中に新しい家があるぞ。ダンブルドアがしつらえなすった──おっきないい洞穴だ。あいつは森にいるときより幸せでな。二人で楽しくしゃべくっとったのよ」

「ほんと？」

ハリーは、意識的にロンと目を合わせないようにしながら言った。ハグリッドの父親ちがいの弟は、最後に会ったとき、樹木を根元から引っこ抜く才能のある狂暴な巨人で、言葉はたった五つの単語だけしか持たず、そのうち二つはまともに発音さえできなかった。

「ああ、そうとも。あいつはほんとに進歩した」

ハグリッドは得意げに言った。

「二人とも驚くぞ。俺はあいつを訓練して助手にしようと考えちょる」

ロンは大きくフンと言ったが、なんとかごまかして、大きなくしゃみをしたように見せかけた。三人はもう樫の扉のそばまで来ていた。

「とにかく、明日会おう。昼食のすぐあとの時間だ。早めに来いや。そしたら挨拶できるぞ、バック

――おっと――ウィザウィングズに！」

片腕を挙げて上機嫌でおやすみの挨拶をしながら、ハグリッドは正面扉から闇の中へと出ていった。

ハリーは、ロンと顔を見合わせた。ロンも自分と同じく気持ちが落ち込んでいるのがわかった。

「『魔法生物飼育学』を取らないんだろう？」

ロンがうなずいた。

「君もだろう？」

ハリーもうなずいた。

「それに、ハーマイオニーも」ロンが言った。「取らないよな？」

ハリーはまたうなずいた。お気に入りの生徒が、三人ともハグリッドの授業を取らないと知ったら、ハグリッドはいったいなんと言うか。ハリーは考えたくもなかった。

第9章　謎のプリンス

次の日の朝食前に、ハリーとロンは談話室でハーマイオニーに会った。自分の説に支持が欲しくて、ハリーは早速、ホグワーツ特急で盗み聞きしたマルフォイの言葉を話して聞かせた。

「だけど、あいつは当然パーキンソンにかっこつけただけだよな？」

ハーマイオニーが何も言わないうちに、ロンがすばやく口をはさんだ。

「そうねえ」

ハーマイオニーがあいまいに答えた。

「わからないわ……自分を偉く見せたがるのはマルフォイらしいけど……でもそれにしてはちょっと大きすぎるし……」

「そうだよ」

ハリーはあいづちを打ったが、それ以上は押せなかった。というのも、あまりにも大勢の生徒たちがハリーを見つめていたし、口に手を当ててヒソヒソ話をするばかりでなく、ハリーたちの会話に聞き耳を立てていたからだ。

「指差しは失礼だぞ」

三人で肖像画の穴から出ていく生徒の列に並びながら、ロンが特に細い一年生にかみついた。片手で口を覆って、ハリーのことを友達にヒソヒソ話していた男の子は、たちまち真っ赤になり、驚いた拍子に穴から転がり落ちた。ロンはニヤニヤ笑った。

「六年生になるって、いいなあ。それに、今年は自由時間があるぜ。まるまる空いている時間だ。ここに座ってのんびりしてればいい」

「その時間は勉強するのに必要なのよ、ロン！」

三人で廊下を歩きながら、ハーマイオニーが言った。

「ああ、だけど今日はちがう」ロンが言った。「今日は楽勝だと思うぜ」

「ちょっと！」

ハーマイオニーが腕を突き出して、通りがかりの四年生の男子を止めた。男の子は、ライムグリーンの円盤をしっかりつかんで、急いでハーマイオニーを追い抜こうとしていた。

「『かみつきフリスビー』は禁止されてるわ。よこしなさい」

ハーマイオニーは厳しい口調で言った。しかめっ面の男の子は、歯をむき出しているフリスビーを渡し、ハーマイオニーの腕をくぐり抜けて友達のあとを追った。ロンはその姿が見えなくなるのを待って、ハーマイオニーの握りしめているフリスビーを引ったくった。

「上出来。これ欲しかったんだ」

ハーマイオニーが抗議する声は、大きなクスクス笑いにのまれてしまった。ラベンダー・ブラウンだった。ロンの言い方がとてもおかしいと思ったらしく、笑いながら三人を追い越し、振り返ってロンをちらりと見た。ロンは、かなり得意げだった。

大広間の天井は、高い格子窓で四角に切り取られて見える外の空と同じく、静かに青く澄み、淡い雲が霞《かすみ》のように流れていた。オートミールや卵、ベーコンをかっ込みながら、ハリーとロンは、昨夜のハグリッドとのばつの悪い会話をハーマイオニーに話して聞かせた。

「だけど、私たちが『魔法生物飼育学』を続けるなんて、ハグリッドったら、そんなこと、考えられるはずがないじゃない！」

ハーマイオニーも気落ちした顔になった。

「だって、私たち、いつそんなそぶりを……あの……熱中ぶりを見せたかしら？」

「まさに、そこだよ。だろ？」

ロンは目玉焼きを丸ごと飲み込んだ。

「授業で一番努力したのは僕たちだけど、ハグリッドが好きだからだよ。だけどハグリッドは、僕たちがあんなバカバカしい**学科を**好きだと思い込んでる。Ｎ・Ｅ・Ｗ・Ｔ《イモリ》レベルで、あれを続けるやつがいると思うか？」

ハリーもハーマイオニーも答えなかったし、答える必要はなかった。同学年で魔法生物飼育学を続ける学生が一人もいないことは、はっきりしていた。十分後に、ハグリッドが教職員テーブルを離れ際に陽気に手を振ったときも、三人はハグリッドと目を合わせず、中途半端に手を振り返した。

食事のあと、みんなその場にとどまり、マクゴナガル先生が、教職員テーブルから立つのを待った。時間割を配る作業は、今年はこれまでより複雑だった。マクゴナガル先生はまず最初に、それぞれが希望するＮ・Ｅ・Ｗ・Ｔの授業に必要とされる、Ｏ・Ｗ・Ｌ《ふくろう》の合格点が取れているかどうかを、確認する必要があった。

ハーマイオニーは、すぐにすべての授業の継続を許された。「呪文学」「闇の魔術に対する防衛術」「変身術」「薬草学」「数占い」「古代ルーン文字学」「魔法薬学」。そして、一時間目の古代ルーン文字学の教室にさっさと飛んでいった。ネビルは処理に少し時間がかかった。マクゴナガル先生がネビルの申込書を読み、Ｏ・Ｗ・Ｌの成績を照らし合わせている間、ネビルの丸顔は心配そうだった。

「『薬草学』。けっこう」先生が言った。「スプラウト先生は、あなたがＯ・Ｗ・Ｌで『Ｏ・優』を取って授業に戻ることをお喜びになるでしょう。それから『闇の魔術に対する防衛術』は、期待以上の『Ｅ・良』で資格があります。ただ、問題は『変身術』です。気の毒ですがロングボトム、『Ａ・可』ではＮ・Ｅ・Ｗ・Ｔレベルを続けるには充分ではありません。授業についていけないだろうと思います」

ネビルはうなだれた。マクゴナガル先生は四角いめがねの奥からネビルをじっと見た。

「そもそもどうして変身術を続けたいのですか？　私《わたくし》は、あなたが特に授業を楽しんでいるという印象を受けたことはありませんが」

ネビルはみじめな様子で、「ばあちゃんが望んでいます」のようなことをつぶやいた。

「フンッ」マクゴナガル先生が鼻を鳴らした。

「あなたのおばあさまは、どういう孫を持つべきかという考えでなく、あるがままの孫を誇るべきだと気づいてもいいころです――特に魔法省での一件のあとは」

ネビルは顔中をピンクに染め、まごついて目をパチパチさせた。マクゴナガル先生は、これまで一度もネビルをほめたことがなかった。

「残念ですが、ロングボトム、私はあなたをＮ・Ｅ・Ｗ・Ｔのクラスに入れることはできません。ただ、『呪文学』では『Ｅ・良』を取っていますね――呪文学のＮ・Ｅ・Ｗ・Ｔを取ったらどうですか？」

「ばあちゃんが、呪文学は軟弱な選択だと思っています」ネビルがつぶやいた。

「呪文学をお取りなさい」マクゴナガル先生が言った。

「私からオーガスタに一筆入れて、思い出してもらいましょう。**自分が**呪文学のＯ・Ｗ・Ｌに落ちたからといって、学科そのものが必ずしも価値がないとは言えません」

信じられない、といううれしそうな表情を浮かべたネビルに、マクゴナガル先生はちょっとほほえみかけ、真っ白な時間割を杖先《つえさき》でたたいて、新しい授業の詳細が書き込まれた時間割を渡した。

マクゴナガル先生は、次にパーバティ・パチルに取りかかった。パーバティの最初の質問は、ハンサムなケンタウルスのフィレンツェがまだ占い学を教えるかどうかだった。

「今年は、トレローニー先生と二人でクラスを分担します」

マクゴナガル先生は不満そうな声で言った。先生が、「占い学」という学科を蔑視しているのは周知のことだ。

「六年生はトレローニー先生が担当なさいます」

パーバティは五分後に、ちょっと打ちしおれて占い学の授業に出かけた。

ハリーのほうを向きながら、マクゴナガル先生は自分のノートを調べていた。

「さあ、ポッター、ポッターっと……」

「『呪文学』『闇の魔術に対する防衛術』『薬草学』『変身術』……すべてけっこうです。あなたの変身術の成績には、ポッター、私自身満足しています。大変満足です。さて、なぜ『魔法薬学』を続ける申し込みをしなかったのですか？　闇祓《やみばら》いになるのがあなたの志だったと思いますが？」

「そうでした。でも、先生は僕に、O・W・Lで『O・優』を取らないとだめだとおっしゃいました」

「確かに、スネイプ先生がこの学科を教えていらっしゃる間はそうでした。しかし、スラグホーン先生はO・W・Lで『E・良』の学生でも、喜んでN・E・W・Tに受け入れます。魔法薬学に進みたいですか？」

「はい」ハリーが答えた。「でも、教科書も材料も、何も買っていません――」

「スラグホーン先生が、何か貸してくださると思います」マクゴナガル先生が言った。

「よろしい。ポッター、あなたの時間割です。ああ、ところで――グリフィンドールのクィディッチ・チームに、すでに二十人の候補者が名前を連ねています。追っつけあなたにリストを渡しますから、時間があるときに選抜の日を決めればよいでしょう」

しばらくして、ロンもハリーと同じ学科を許可され、二人は一緒にテーブルを離れた。

「どうだい」ロンが時間割を眺めてうれしそうに言った。

「僕たちいまが自由時間だぜ……それに休憩時間のあとも自由時間……昼食のあともだよ……**やったぜ！**」

二人は談話室に戻った。七年生が五、六人いるだけで、がらんとしていた。ハリーが一年生でクィディッチ・チームに入ったときのオリジナル・メンバーで、ただ一人残っているケイティ・ベルもそこにいた。

「君がそれをもらうだろうと思っていたわ。おめでとう」

ケイティはハリーの胸にあるキャプテン・バッジを指して、離れた所から声をかけた。

「いつ選抜するのか教えてよ！」

「バカなこと言うなよ」ハリーが言った。

「君は選抜なんか必要ない。五年間ずっと君のプレーを見てきたんだ……」

「最初からそれじゃいけないな」

ケイティが警告するように言った。

「私よりずっとうまい人がいるかもしれないじゃない。これまでだって、キャプテンが古顔ばっかり使ったり、友達を入れたりして、せっかくのいいチームをダメにした例はあるんだよ……」

ロンはちょっとばつが悪そうな顔をして、ハーマイオニーが四年生から取り上げた「かみつきフリスビー」で遊びはじめた。フリスビーは、談話室を唸《うな》り声を上げて飛びまわり、歯をむき出してタペストリーにかみつこうとした。クルックシャンクスの黄色い目がそのあとを追い、近くに飛んでくるとシャーッと威嚇した。

一時間後、二人は、太陽が降り注ぐ談話室をしぶしぶ離れ、四階下の「闇の魔術に対する防衛術」の教室に向かった。ハーマイオニーは重い本を腕いっぱい抱え、「理不尽だわ」という顔で、すでに教室の外に並んでいた。

「ルーン文字学で宿題をいっぱい出されたの」

ハリーとロンがそばに行くと、ハーマイオニーが不安げに言った。

「エッセイを四十センチ、翻訳が二つ、それにこれだけの本を水曜日までに読まなくちゃならないのよ！」

「ご愁傷さま」ロンがあくびをした。

「見てらっしゃい」ハーマイオニーが恨めしげに言った。「スネイプもきっと山ほど出すわよ」

その言葉が終わらないうちに教室のドアが開き、スネイプが、いつものとおり、両開きのカーテンのようなねっとりした黒髪で縁取られた土気色の顔で、廊下に出てきた。行列がたちまち、シーンとなった。

「中へ」スネイプが言った。

ハリーは、あたりを見回しながら入った。スネイプはすでに、教室にスネイプらしい個性を持ち込んでいた。窓にはカーテンが引かれていつもより陰気くさく、ろうそくで明かりを取っている。壁にかけられた新しい絵の多くは、身の毛もよだつけがや奇妙にねじ曲がった体の部分をさらして、痛み苦しむ人の姿だった。薄暗い中で凄惨な絵を見回しながら、生徒たちは無言で席に着いた。

「我輩はまだ教科書を出せとは頼んでおらん」

ドアを閉め、生徒と向き合うために教壇の机に向かって歩きながら、スネイプが言った。ハーマイオニーはあわてて『顔のない顔に対面する』の教科書を鞄《かばん》に戻し、椅子の下に置いた。

「我輩が話をする。充分傾聴するのだ」

暗い目が、顔を上げている生徒たちの上を漂った。ハリーの顔に、ほかの顔よりわずかに長く視線が止まった。

「我輩が思うに、これまで諸君はこの学科で五人の教師に習った」

――思うに？　……スネイプめ、全員が次々といなくなるのを見物しながら、今度こそ自分がその職に就きたいと思っていたくせに。ハリーは心の中で痛烈にあざけった。

「当然、こうした教師たちは、それぞれ自分なりの方法と好みを持っていた。そうした混乱にもかかわらず、かくも多くの諸君がからくもこの学科のO・W・L合格点を取ったことに、我輩は驚いておる。N・E・W・Tはそれよりずっと高度であるからして、諸君が全員それについてくるようなことがあれば、我輩はさらに驚くであろう」

スネイプは、今度は低い声で話しながら教室の端を歩きはじめ、クラス中が首を伸ばしてスネイプの姿を見失わないようにした。

「闇の魔術は」スネイプが言った。「多種多様、千変万化、流動的にして永遠なるものだ。それと戦うということは、多くの頭を持つ怪物と戦うに等しい。首を一つ切り落としても別の首が、しかも前より獰猛《どうもう》で賢い首が生えてくる。諸君の戦いの相手は、固定できず、変化し、破壊不能なものだ」

ハリーはスネイプを凝視した。危険な敵である「闇の魔術」をあなどるべからずというのならうなずける。しかし、いまのスネイプのように、やさしく愛撫《あいぶ》するような口調で語るのは、話がちがうだろう？

「諸君の防衛術は」スネイプの声がわずかに高くなった。「それ故、諸君が破ろうとする相手の術と同じく、柔軟にして創意的でなければならぬ。これらの絵は――」

絵の前を早足で通り過ぎながら、スネイプは何枚かを指差した。

「術にかかった者たちがどうなるかを正しく表現している。たとえば『磔《はりつけ》の呪文』の苦しみ（スネイプの手は、明らかに苦痛に悲鳴を上げている魔女の絵を指していた）、『吸魂鬼の接吻《キス》』の感覚（壁にぐったりと寄りかかり、うつろな目をしてうずくまる魔法使い）、『亡者』の攻撃を挑発した者（地上に血だらけの塊）」

「それじゃ、亡者が目撃されたんですか？」

パーバティ・パチルがかん高い声で聞いた。

「まちがいないんですか？『あの人』がそれを使っているんですか？」

「闇の帝王は過去に亡者を使った」スネイプが言った。「となれば、再びそれを使うかもしれぬと想定するのが賢明というものだ。さて……」

スネイプは教室の後ろを回り込み、教壇の机に向かって教室の反対側の端を歩きだした。黒いマントをひるがえして歩くその姿を、クラス全員がまた目で追った。

「……諸君は、我輩の見るところ、無言呪文の使用に関してはずぶの素人だ。無言呪文の利点は何か？」

ハーマイオニーの手がサッと挙がった。スネイプはほかの生徒を見渡すのに時間をかけたが、選択の余地がないことを確認してからやっと、ぶっきらぼうに言った。

「それでは――ミス・グレンジャー？」

「こちらがどんな魔法をかけようとしているかについて、敵対者になんの警告も発しないことです」

ハーマイオニーが答えた。「それが、一瞬の先手を取るという利点になります」

「『基本呪文集・六学年用』と、一字一句たがわぬ丸写しの答えだ」

スネイプがそっけなく言った（隅にいたマルフォイがせせら笑った）。

「しかし、おおむね正解だ。さよう。呪文を声高に唱えることなく魔法を使う段階に進んだ者は、呪文をかける際、驚きという要素の利点を得る。言うまでもなく、すべての魔法使いが使える術ではない。集中力と意思力の問題であり、こうした力は、諸君の何人かに――」

スネイプは再び、悪意に満ちた視線をハリーに向けた。

「欠如している」

スネイプが、先学年の惨憺《さんたん》たる「閉心術」の授業のことを念頭に置いているのはわかっていた。ハリーは意地でもその視線をはずすまいと、スネイプをにらみつけ、やがてスネイプが視線をはずした。

「これから諸君は」スネイプが言葉を続けた。「二人ひと組になる。一人が**無言で**相手に呪いをかけようとする。相手も**同じく無言で**その呪いを跳ね返そうとする。始めたまえ」

スネイプは知らないのだが、ハリーは先学年、このクラスの半数に（DAのメンバーだった者全員に）「盾の呪文」を教えた。しかし、無言で呪文をかけたことがある者は一人としていない。しばらくすると、当然のごまかしが始まり、声に出して呪文を唱えるかわりに、ささやくだけの生徒がたくさんいた。十分後には、例によってハーマイオニーが、ネビルのつぶやく「くらげ足の呪い」を一言も発せずに跳ね返すのに成功した。まっとうな先生なら、グリフィンドールに二〇点を与えただろうと思われる見事な成果なのに――ハリーは悔しかったが、スネイプは知らぬふりだ。相変わらず育ちすぎたコウモリそのものの姿で、生徒が練習する間をバサーッと動き回り、課題に苦労しているハリーとロンを、立ち止まって眺めた。

ハリーに呪いをかけるはずのロンは、呪文をブツブツ唱えたいのをこらえて唇を固く結び、顔を紫色にしていた。ハリーは呪文を跳ね返そうと杖をかまえ、永久にかかってきそうもない呪いを、やきもきと待ちかまえていた。

「悲劇的だ、ウィーズリー」しばらくしてスネイプが言った。

「どれ——我輩が手本を——」

スネイプがあまりにすばやく杖をハリーに向けたので、ハリーは本能的に反応した。無言呪文など頭から吹っ飛び、ハリーは叫んだ。

「**プロテゴ！　護《まも》れ！**」

「盾の呪文」があまりに強烈で、スネイプはバランスを崩して机にぶつかった。クラス中が振り返り、スネイプが険悪な顔で体勢を立てなおすのを見つめた。

「我輩が**無言**呪文を練習するように言ったのを、覚えているのか、ポッター？」

「はい」ハリーはつっぱった。

「はい、**先生**」

「僕に『先生』なんて敬称をつけていただく必要はありません、先生」

自分が何を言っているか考える間もなく、言葉が口をついて出ていた。ハーマイオニーをふくむ何人かが息をのんだ。しかし、スネイプの背後では、ロン、ディーン、シェーマスがよくぞ言ったとばかりニヤリと笑った。

「罰則。土曜の夜。我輩の部屋」スネイプが言った。

「何人たりとも、我輩に向かって生意気な態度は許さんぞ、ポッター……たとえ『**選ばれし者**』であってもだ」

「あれはよかったぜ、ハリー！」

それからしばらくして、休憩時間に入り、安全な場所まで来ると、ロンがうれしそうに高笑いした。

「あんなこと言うべきじゃなかったわ」

ハーマイオニーは、ロンをにらみながら言った。

「どうして言ったの？」

「あいつは僕に呪いをかけようとしたんだ。もし気づいてなかったのなら言うけど！」

ハリーは、いきりたって言った。

「僕は『閉心術』の授業で、そういうのをいやというほど経験したんだ！　たまにはほかのモルモットを使ったらいいじゃないか？　だいたいダンブルドアは何をやってるんだ？　あいつに『防衛術』を教えさせるなんて！　あいつが闇の魔術のことをどんなふうに話すか聞いたか？　あいつは闇の魔術に恋してるんだ！　**千変万化、破壊不能**とかなんとか――」

「でも」ハーマイオニーが言った。「私は、なんだかあなたみたいなことを言ってるなと思ったわ」

「**僕**みたいな？」

「ええ。ヴォルデモートと対決するのはどんな感じかって、私たちに話してくれたときだけど。あなたはこう言ったわ。呪文をごっそり覚えるのとはちがう、たった一人で、自分の頭と肝っ玉だけしかないんだって――それ、スネイプが言っていたことじゃない？　結局は勇気とすばやい思考だってこと」

ハーマイオニーが自分の言葉をまるで『基本呪文集』と同じように暗記する価値があると思っていてくれたことで、ハリーはすっかり毒気を抜かれ、反論もしなかった。

「ハリー、よう、ハリー！」

振り返るとジャック・スローパーだった。前年度のグリフィンドール・クィディッチ・チームのビーターの一人だ。羊皮紙の巻紙を持って急いでやってくる。

「君宛だ」

スローパーは息を切らしながら言った。

「おい、君が新しいキャプテンだって聞いたけど、選抜はいつだ？」

「まだはっきりしない」

スローパーがチームに戻れたら、それこそ幸運というものだ、とハリーは内心そう思った。

「知らせるよ」

「ああ、そうかぁ。今度の週末だといいなと思ったんだけど――」

ハリーは聞いてもいなかった。羊皮紙に書かれた細長い斜め文字には見覚えがあった。まだ言い終わっていないスローパーを置き去りにして、ハリーは羊皮紙を開きながら、ロンとハーマイオニーと一緒に急いで歩きだした。

親愛なるハリー
土曜日に個人教授を始めたいと思う。午後八時にわしの部屋にお越し願いたい。
今学期最初の一日を、君が楽しく過ごしていることを願っておる。

敬具
アルバス・ダンブルドア

追伸　わしは「ペロペロ酸飴《あめ》」が好きじゃ。

「ペロペロ酸飴が好きだって？」

ハリーの肩越しに手紙をのぞき込んでいたロンが、わけがわからないという顔をした。

「校長室の外にいる、怪獣像《ガーゴイル》を通過するための合言葉なんだ」

ハリーが声を落とした。

「ヘンッ！　スネイプはおもしろくないぞ……僕の罰則がふいになる！」

休憩の間中、ハリー、ロン、ハーマイオニーは、ダンブルドアがハリーに何を教えるのだろうと推測し合った。ロンは、死喰《しく》い人が知らないような、ものすごい呪いとか呪詛《じゅそ》である可能性が高いと言った。ハーマイオニーはそういうものは非合法だと言い、むしろダンブルドアは、ハリーに高度な防衛術を教えたがっているのだろうと言った。

休憩のあと、ハーマイオニーは数占いに出かけ、ハリーとロンは談話室に戻って、いやいやながらスネイプの宿題に取りかかった。それがあまりにも複雑で、昼食後の自由時間にハーマイオニーが二人の所に来たときにも、まだ終わっていなかった（もっとも、ハーマイオニーのおかげで、宿題の進み具合が相当早まった）。午後の授業開始のベルが鳴ったときに、やっと二人は宿題を終えた。三人は二時限続きの魔法薬学の授業を受けに、これまで長いことスネイプの教室だった地下牢《ろう》教室に向かって、通い慣れた通路を下りていった。

教室の前に並んで見回すと、N・E・W・Tレベルに進んだ生徒はたった十二人しかいなかった。クラッブとゴイルが、O・W・Lの合格点を取れなかったのは明らかだったが、スリザリンからはマルフォイをふくむ四人が残っていた。レイブンクローから四人、ハッフルパフからはアーニー・マクミランが一人だった。アーニーは気取ったところがあるが、ハリーは好きだった。

「ハリー」

ハリーが近づくと、アーニーはもったいぶって手を差し出した。

「今朝は『闇の魔術に対する防衛術』で声をかける機会がなくて。僕はいい授業だと思ったね。もっとも、『盾の呪文』なんかは、かのDA常習犯である我々にとっては、むろん旧聞に属する呪文だけど……やあ、ロン、元気ですか？――ハーマイオニーは？」

二人が「元気」までしか言い終わらないうちに、地下牢の扉が開き、スラグホーンが腹を先にして教室から出てきた。生徒が列をなして教室に入るのを迎えながら、スラグホーンはニッコリ笑い、巨大なセイウチひげもその上でニッコリの形になっていた。ハリーとザビニに対して、スラグホーンは特別に熱い挨拶をした。

地下牢は常日頃とちがって、すでに蒸気や風変わりな臭気に満ちていた。ハリー、ロン、ハーマイオニーは、ぐつぐつ煮え立ついくつもの大鍋のそばを通り過ぎながら、なんだろうと鼻をヒクヒクさせた。スリザリン生四人が一つのテーブルを取り、レイブンクロー生も同様にした。残ったハリー、ロン、ハーマイオニーとアーニーは、一緒のテーブルに着くことになった。

四人は金色の大鍋に一番近いテーブルを選んだ。この鍋は、ハリーがいままでにかいだ中でも最も蠱《こ》惑《わく》的な香りの一つを発散していた。なぜかその香りは、糖蜜パイや箒《ほうき》の柄のウッディなにおい、そして「隠れ穴」でかいだのではないかと思われる、花のような芳香を同時に思い起こさせた。ハリーは知らぬ間にその香りをゆっくりと深く吸い込み、香りを飲んだかのように、自分が薬の香気に満たされているのを感じた。いつの間にかハリーは大きな満足感に包まれ、ロンに向かって笑いかけた。ロンものんびりと笑いを返した。

「さて、さて、さーてと」

スラグホーンが言った。巨大な塊のような姿が、いく筋も立ち昇る湯気のむこうでゆらゆら揺れて見えた。

「みんな、はかりを出して。魔法薬キットもだよ。それに『上級魔法薬』の……」

「先生?」ハリーが手を挙げた。

「ハリー、どうしたのかね?」

「僕は本もはかりも何も持っていません――ロンもです――僕たちN・E・W・Tが取れるとは思わなかったものですから、あの――」

「ああ、そうそう。マクゴナガル先生が確かにそうおっしゃっていた……心配にはおよばんよ、ハリー、まったく心配ない。今日は貯蔵棚にある材料を使うといい。はかりも問題なく貸してあげられるし、教科書も古いのが何冊か残っている。『フローリシュ・アンド・ブロッツ』に手紙で注文するまでは、それで間に合うだろう……」

スラグホーンは隅の戸棚にズンズン歩いていき、中をガザガサやっていたが、やがて、だいぶくたびれた感じのリバチウス・ボラージ著『上級魔法薬』を二冊引っ張り出した。スラグホーンは、黒ずんだはかりと一緒にその教科書を、ハリーとロンに渡した。

「さーてと」

スラグホーンは教室の前に戻り、もともとふくれている胸をさらにふくらませた。ベストのボタンがはじけ飛びそうだ。

「みんなに見せようと思って、いくつか魔法薬を煎じておいた。ちょっとおもしろいと思ったのでね。N・E・W・Tを終えたときには、こういうものを煎じることができるようになっているはずだ。まだ調合したことがなくとも、名前ぐらい聞いたことがあるはずだ。これがなんだか、わかる者はおるかね?」

スラグホーンは、スリザリンのテーブルに一番近い大鍋を指した。ハリーが椅子からちょっと腰を浮かして見ると、単純に湯が沸いているように見えた。

挙げる修練を充分に積んでいるハーマイオニーの手が、真っ先に天を突いた。スラグホーンはハーマイオニーを指した。

「『真実薬《ベリタセラム》』です。無色無臭で、飲んだ者に無理やり真実を話させます」ハーマイオニーが答えた。

「大変よろしい、大変よろしい！」スラグホーンがうれしそうに言った。

「さて」スラグホーンがレイブンクローのテーブルに近い大鍋を指した。「ここにあるこれは、かなりよく知られている……最近、魔法省のパンフレットにも特記されていた……誰か――？」

またしてもハーマイオニーの手が一番早かった。

「はい先生、『ポリジュース薬』です」

ハリーだって、二番目の大鍋でゆっくりとぐつぐつ煮えている、泥のようなものが何かはわかっていた。しかし、ハーマイオニーがその質問に答えるという手柄を立てても恨みには思わなかった。二年生のときにあの薬を煎じるのに成功したのは、結局ハーマイオニーだったのだから。

「よろしい、よろしい！　さて、こっちだが……おやおや？」

ハーマイオニーの手がまた天を突いたので、スラグホーンはちょっと面食らった顔をした。

「アモルテンシア、『魅惑万能薬』！」

「そのとおり。聞くのはむしろやぼだと言えるだろうが」スラグホーンは大いに感心した顔で言った。

「どういう効能があるかを知っているだろうね？」

「世界一強力な愛の妙薬です！」ハーマイオニーが答えた。

「正解だ！　察するに、真珠貝のような独特の光沢でわかったのだろうね？」

「それに、湯気が独特の螺旋《らせん》を描いています」ハーマイオニーが熱っぽく言った。「そして、何にひかれるかによって、一人一人ちがったにおいがします。私には刈ったばかりの芝生や新しい羊皮紙や――」

しかし、ハーマイオニーはちょっとほおを染め、最後までは言わなかった。

「君のお名前を聞いてもいいかね？」

ハーマイオニーがどぎまぎしているのは無視して、スラグホーンが尋ねた。

「ハーマイオニー・グレンジャーです、先生」

「グレンジャー？　グレンジャー？　ひょっとして、ヘクター・ダグワース-グレンジャーと関係はないかな？　超一流魔法薬師協会の設立者だが？」

「いいえ、ないと思います。私はマグル生まれですから」

マルフォイがノットのほうに体を傾けて、何か小声で言うのをハリーは見た。二人ともせせら笑っている。しかしスラグホーンはまったくうろたえる様子もなく、逆にニッコリ笑って、ハーマイオニーと隣にいるハリーとを交互に見た。

「ほっほう！『**僕の友達にもマグル生まれが一人います。しかも学年で一番の女性です！**』。察するところ、この人が、ハリー、まさに君の言っていた友達だね？」

「そうです、先生」ハリーが言った。

「さあ、さあ、ミス・グレンジャー、あなたがしっかり獲得した二〇点を、グリフィンドールに差し上げよう」スラグホーンが愛想よく言った。

マルフォイは、かつてハーマイオニーに顔面パンチを食らったときのような表情をした。ハーマイオニーは顔を輝かせてハリーを振り向き、小声で言った。

「ほんとうにそう言ったの？　私が学年で一番だって？　まあ、ハリー！」

「でもさ、そんなに感激することか？」

ロンはなぜか気分を害した様子で、小声で言った。

「君は**ほんとに**学年で一番だし――先生が僕に聞いてたら、僕だってそう言ったぜ！」

ハーマイオニーはほほえんだが、「シーッ」という動作をした。スラグホーンが何か言おうとしていたからだ。ロンはちょっとふてくされた。

『魅惑万能薬』はもちろん、実際に愛を創り出すわけではない。愛を創ったり模倣したりすることは不可能だ。それはできない。この薬は単に強烈な執着心、または強迫観念を引き起こす。この教室にある魔法薬の中では、おそらく一番危険で強力な薬だろう——ああ、そうだとも」

スラグホーンは、小ばかにしたようにせせら笑っているマルフォイとノットに向かって重々しくうなずいた。

「わたしぐらい長く人生を見てくれれば、妄執的な愛の恐ろしさをあなどらないものだ……」

「さてそれでは」スラグホーンが言った。「実習を始めよう」

「先生、これが何かを、まだ教えてくださっていません」

アーニー・マクミランが、スラグホーンの机に置いてある小さな黒い鍋を指しながら言った。中の魔法薬が、楽しげにピチャピチャ跳ねている。金を溶かしたような色で、表面から金魚が跳び上がるようにしぶきがはねているのに、一滴もこぼれてはいなかった。

「ほっほう」

口ぐせが出た。スラグホーンは、この薬を忘れていたわけではなく、劇的な効果をねらって、誰かが質問するのを待っていた。そうにちがいないとハリーは思った。

「そう。これね。さて、**これこそは**、紳士淑女諸君、最も興味深い、ひとくせある魔法薬で、『フェリックス・フェリシス』という。きっと」

スラグホーンはほほえみながら、あっと声を上げて息をのんだハーマイオニーを見た。

「君は、『フェリックス・フェリシス』が何かを知っているね？　ミス・グレンジャー？」

「幸運の液体です」ハーマイオニーが興奮気味に言った。「人に幸運をもたらします！」

クラス中が背筋を正したようだった。マルフォイもついに、スラグホーンに全神経を集中させたらしく、ハリーの所からはなめらかなブロンドの髪の後頭部しか見えなくなった。

「そのとおり。グリフィンドールにもう一〇点あげよう。そう。この魔法薬はちょっとおもしろい。『フェリックス・フェリシス』はね」スラグホーンが言った。「調合が恐ろしく面倒で、まちがえると惨憺たる結果になる。しかし、正しく煎じれば、ここにあるのがそうだが、すべてのくわだてが成功に傾いていくのがわかるだろう……少なくとも薬効が切れるまでは」

「先生、どうしてみんな、しょっちゅう飲まないんですか？」

テリー・ブートが勢い込んで聞いた。

「それは、飲みすぎると有頂天になったり、無謀になったり、危険な自己過信におちいるからだ」スラグホーンが答えた。

「過ぎたるはなお、ということだな……大量に摂取すれば毒性が高い。しかし、ちびちびと、ほんのときどきなら……」

「先生は飲んだことがあるんですか？」マイケル・コーナーが興味津々で聞いた。

「二度ある」スラグホーンが言った。

「二十四歳のときに一度、五十七歳のときにも一度。朝食と一緒に大さじ二杯だ。完全無欠な二日だった」

スラグホーンは、夢見るように遠くを見つめた。演技しているのだとしても――と、ハリーは思った――効果は抜群だった。

「そしてこれを」スラグホーンは、現実に引き戻されたような雰囲気で言った。「今日の授業のほうびとして提供する」

しんとなった。周りの魔法薬がグツグツ、ブツブツいう音がいっせいに十倍になったようだった。

『フェリックス・フェリシス』の小瓶一本」

スラグホーンはコルク栓をした小さなガラス瓶をポケットから取り出して全員に見せた。

「十二時間分の幸運に充分な量だ。明け方から夕暮れまで、何をやってもラッキーになる」

「さて、警告しておくが、『フェリックス・フェリシス』は組織的な競技や競争事では禁止されている
……たとえばスポーツ競技、試験や選挙などだ。これを獲得した生徒は、通常の日にだけ使用すること
……そして通常の日がどんなに異常にすばらしくなるかをごろうじろ！」

「そこで」

スラグホーンは急にきびきびした口調になった。

「このすばらしい賞をどうやって獲得するか？　さあ、『上級魔法薬』の一〇ページを開くことだ。あと一時間と少し残っているが、その時間内に、『生ける屍《しかばね》の水薬』にきっちりと取り組んでいただこう。これまで君たちが習ってきた薬よりずっと複雑なことはわかっているから、誰にも完璧な仕上がりは期待していない。しかし、一番よくできた者が、この愛すべき『フェリックス』を獲得する。さあ、始め！」

それぞれが大鍋を手元に引き寄せる音がして、はかりにおもりをのせる、コツンコツンという大きな音も聞こえてきた。誰も口をきかなかった。部屋中が固く集中する気配は、手でさわれるかと思うほどだった。マルフォイを見ると、『上級魔法薬』を夢中でめくっていた。マルフォイが、なんとしても幸運な日が欲しいと思っているのは、一目瞭然だった。ハリーも急いで、スラグホーンが貸してくれたぼろぼろの本をのぞき込んだ。

前の持ち主がページいっぱいに書き込みをしていて、余白が本文と同じくらい黒々としているのには

閉口した。いっそう目を近づけて材料をなんとか読み取り（前の持ち主は材料の欄にまでメモを書き込んだり、活字を線で消したりしていた）、必要なものを取りに材料棚に急いだ。大急ぎで自分の大鍋に戻るときに、マルフォイが全速力でカノコソウの根を刻んでいるのが見えた。

全員が、ほかの生徒のやっていることをちらちら盗み見ていた。魔法薬学のよい点でも悪い点でもあるが、自分の作業を隠すことは難しかった。十分後、あたり全体に青みがかった湯気が立ち込めた。言うまでもなく、ハーマイオニーが一番進んでいるようだった。煎じ薬がすでに、教科書に書かれている理想的な中間段階、「なめらかなクロスグリ色の液体」になっていた。

ハリーも根っこを刻み終わり、もう一度本をのぞき込んだ。前の所有者のバカバカしい走り書きが邪魔で、教科書の指示が判読しにくいのにはまったくいらいらさせられた。この所有者は、なぜか「催眠豆」の切り方の指示に難癖をつけ、別の指示を書き込んでいた。

「銀の小刀の平たい面で砕け。切るより多くの汁が出る」

「先生、僕の祖父のアブラクサス・マルフォイをご存じですね？」

ハリーは目を上げた。スラグホーンがスリザリンのテーブルを通り過ぎるところだった。

「ああ」スラグホーンはマルフォイを見ずに答えた。

「お亡くなりになったと聞いて残念だった。もっとも、もちろん、予期せぬことではなかった。あの年での龍痘《りゅうとう》だし……」

そしてスラグホーンはそのまま歩き去った。ハリーはニヤッと笑いながら再び自分の大鍋にかがみ込んだ。マルフォイは、ハリーやザビニと同じような待遇を期待したにちがいない。おそらくスネイプに特別扱いされるくせがついていて、同じような待遇を望んだのかもしれない。しかし、「フェリックス・フェリシス」の瓶を獲得するには、マルフォイ自身の才能に頼るしかないようだ。

「催眠豆」はとても刻みにくかった。ハリーはハーマイオニーを見た。

「君の銀のナイフ、借りてもいいかい？」

ハーマイオニーは自分の薬から目を離さず、いらいらとうなずいた。薬はまだ深い紫色をしている。教科書によれば、もう明るいライラック色になっているはずなのだ。

ハリーは小刀の平たい面で豆を砕いた。驚いたことに、たちまち、こんなしなびた豆のどこにこれだけの汁があったかと思うほどの汁が出てきた。急いで全部すくって大鍋に入れると、なんと、薬はたちまち教科書どおりのライラック色に変わった。

前の所有者を不快に思う気持ちは、たちまち吹っ飛んだ。今度は目を凝らして次の行を読んだ。教科書によると、薬が水のように澄んでくるまで時計と反対回りに撹拌《かくはん》しなければならない。しかし追加された書き込みでは、七回撹拌するごとに、一回時計回りを加えなければならない。書き込みは二度目も正しいのだろうか？

ハリーは時計と反対回りにかき回し、息を止めて、時計回りに一回かき回した。たちまち効果が現れた。薬はごく淡いピンク色に変わった。

「どうやったらそうなるの？」

顔を真っ赤にしたハーマイオニーが詰問した。大鍋からの湯気でハーマイオニーの髪はますますふくれ上がっていた。しかし、ハーマイオニーの薬は頑として紫色だった。

「時計回りの撹拌を加えるんだ——」

「だめ、だめ。本では時計と反対回りよ！」ハーマイオニーがピシャリと言った。

ハリーは肩をすくめ、同じやり方を続けた。七回時計と反対、一回時計回り、休み……七回時計と反対、一回時計回り……。

テーブルのむかい側で、ロンが低い声で絶え間なく悪態をついていた。ロンの薬は液状の甘草飴のようだった。ハリーはあたりを見回した。目の届くかぎり、ハリーの薬のような薄い色になっている薬は一つもない。ハリーは気持ちが高揚した。この地下牢でそんな気分になったことは、これまで一度もない。

「さあ、時間……終了！」スラグホーンが声をかけた。「撹拌、やめ！」

スラグホーンは大鍋をのぞき込みながら、何も言わずに、ときどき薬をかき回したり、においをかいだりして、ゆっくりとテーブルをめぐった。ついに、ハリー、ロン、ハーマイオニーとアーニーのテーブルの番が来た。ロンの大鍋のタール状の物質を見て、スラグホーンは気の毒そうな笑いを浮かべ、アーニーの濃紺の調合物は素通りした。ハーマイオニーの薬には、よしよしとうなずいた。次にハリーのを見たとたん、信じられないという喜びの表情がスラグホーンの顔に広がった。

「紛れもない勝利者だ！」スラグホーンは地下牢中に呼ばわった。

「すばらしい、すばらしい、ハリー！　なんと、君は明らかに母親の才能を受け継いでいる。彼女は魔法薬の名人だった。あのリリーは！　さあ、さあ、これを――約束の『フェリックス・フェリシス』の瓶だ。上手に使いなさい！」

ハリーは金色の液体が入った小さな瓶を、内ポケットにすべり込ませた。妙な気分だった。スリザリン生の怒った顔を見るのはうれしかったが、ハーマイオニーのがっかりした顔を見ると罪悪感を感じた。ロンはただ驚いて口もきけない様子だった。

「どうやったんだ？」

地下牢を出るとき、ロンが小声で聞いた。

「ラッキーだったんだろう」

マルフォイが声の届く所にいたので、ハリーはそう答えた。

しかし、夕食のグリフィンドールの席に落ち着いたときには、ハリーは二人に話しても、もう安全だと思った。ハリーが一言話を進めるたびに、ハーマイオニーの顔はだんだん石のように固くなった。

「僕が、ずるしたと思ってるんだろ？」

ハーマイオニーの表情にいらいらしながら、ハリーは話し終えた。

「まあね、正確にはあなた自身の成果だとは言えないでしょ？」

ハーマイオニーが固い表情のままで言った。

「僕たちとはちがうやり方に従っただけじゃないか」ロンが言った。「大失敗になったかもしれないだろ？　だけどその危険をおかした。そしてその見返りがあった」ロンはため息をついた。「スラグホーンは僕にその本を渡してたかもしれないのに、はずれだったなぁ。僕の本には誰もなんにも書き込みしてなかった。**ゲロしてた**。五二ページの感じでは。だけど――」

「ちょっと待ってちょうだい」

ハリーの左耳の近くで声がすると同時に、突然ハリーは、スラグホーンの地下牢でかいだあの花のような香りが漂ってくるのを感じた。見回すとジニーがそばに来ていた。

「聞きちがいじゃないでしょうね？　ハリー、あなた、誰かが書き込んだ本の命令に従っていたの？」

ジニーは動揺し、怒っていた。何を考えているのか、ハリーにはすぐわかった。

「なんでもないよ」ハリーは低い声で、安心させるように言った。「あれとはちがうんだ、ほら、リドルの日記とは。誰かが書き込みをした古い教科書にすぎないんだから」

「でも、あなたは、書いてあることに従ったんでしょう？」

「余白に書いてあったヒントを、いくつか試してみただけだよ。ほんと、ジニー、なんにも変なことは

――」

「ジニーの言うとおりだわ」ハーマイオニーがたちまち活気づいた。「その本におかしなところがないかどうか、調べてみる必要があるわ。だって、いろいろ変な指示があるし。もしかしたらってこともあるでしょ？」

「おい！」

ハーマイオニーがハリーの鞄から『上級魔法薬』の本を取り出し、杖を上げたので、ハリーは憤慨した。

「**スペシアリス・レベリオ！　化けの皮、はがれよ！**」

ハーマイオニーは表紙をすばやくコツコツたたきながら唱えた。

なんにも、いっさいなんにも起こらなかった。教科書はおとなしく横たわっていた。古くて汚くて、ページの角が折れているだけの本だった。

「終わったかい？」

ハリーがいらいらしながら言った。

「それとも、二、三回とんぼ返りするかどうか、様子を見てみるかい？」

「大丈夫そうだわ」

ハーマイオニーはまだ疑わしげに本を見つめていた。

「つまり、見かけは確かに……ただの教科書」

「よかった。それじゃ返してもらうよ」

ハリーはパッとテーブルから本を取り上げたが、手がすべって床に落ち、本が開いた。

ほかには誰も見ていなかった。ハリーはかがんで本を拾ったが、その拍子に、裏表紙の下のほうに何か書いてあるのが見えた。小さな読みにくい手書き文字だ。いまはハリーの寝室のトランクの中に、ソックスに包んで安全に隠してある、あの「フェリックス・フェリシス」の瓶を獲得させてくれた指示書きと同じ筆跡だった。

「半純血のプリンス蔵書」

第10章　ゴーントの家

　それからの一週間、魔法薬学の授業で、リバチウス・ボラージの教科書とちがう指示があれば、ハリーは必ず「半純血のプリンス」の指示に従い続けた。その結果、四度目の授業では、スラグホーンが、こんなに才能ある生徒はめったに教えたことはないとハリーをほめそやした。

　しかし、ロンもハーマイオニーも喜ばなかった。ハリーは教科書を一緒に使おうと二人に申し出たが、ロンはハリー以上に手書き文字の判読に苦労したし、それに、怪しまれると困るので、そうそうハリーに読み上げてくれとも頼めなかった。一方ハーマイオニーは、頑として「公式」指示なるものに従ってあくせく苦労していたが、プリンスの指示におとる結果になるので、だんだん機嫌が悪くなっていた。

「半純血のプリンス」とは誰なのだろうと、ハリーはなんとなく考えることがあった。宿題の量が量なので、『上級魔法薬』の本を全部読むことはできなかったが、ざっと目を通しただけでも、プリンスが書き込みをしていないページはほとんどない。全部が全部、魔法薬のこととはかぎらず、プリンスが彼自身で創作したらしい呪文の使い方もあちこちに書いてあった。

「彼女自身かもね」ハーマイオニーがいらいらしながら言った。

　土曜日の夜、談話室でハリーが、その種の書き込みをロンに見せていたときのことだ。

「女性だったかもしれない。その筆跡は男子より女子のものみたいだと思うわ」

「『半純血の**プリンス**』って呼ばれてたんだ」ハリーが言った。「女の子のプリンスなんて、何人いた？」

　ハーマイオニーは、この質問には答えられないようだった。ただ顔をしかめ、ロンの手から自分の書いた「再物質化の原理」のレポートをひったくった。ロンはそれを、上下逆さまに読んでいた。

ハリーは腕時計を見て、急いで『上級魔法薬』の古本を鞄《かばん》にしまった。

「八時五分前だ。もう行かないと、ダンブルドアとの約束に遅れる」

「わぁーっ！」

ハーマイオニーは、ハッとしたように顔を上げた。

「がんばって！　私たち、待ってるわ。ダンブルドアが何を教えるのか、聞きたいもの！」

「うまくいくといいな」ロンが言った。

二人は、ハリーが肖像画の穴を抜けていくのを見送った。

ハリーは、誰もいない廊下を歩いた。ところが、曲がり角からトレローニー先生が現れたので、急いで銅像の影に隠れなければならなかった。先生は汚らしいトランプの束を切り、歩きながらそれを読んではブツブツひとり言を言っていた。

「スペードの2、対立」

ハリーがうずくまって隠れているそばを通りながら、先生がつぶやいた。

「スペードの7、凶。スペードの10、暴力。スペードのジャック、黒髪の若者。おそらく悩める若者で、この占い者を嫌っている——」

トレローニー先生は、ハリーの隠れている銅像の前でぴたりと足を止めた。

「まさか、そんなことはありえないですわ」いらいらした口調だった。

また歩きだしながら、乱暴にトランプを切りなおす音が耳に入り、立ち去ったあとには、安物のシェリー酒のにおいだけがかすかに残っていた。ハリーはトレローニーが確かに行ってしまったとはっきりわかってから飛び出し、八階の廊下へと急いだ。そこには怪獣像《ガーゴイル》が一体、壁を背に立っていた。

「**ペロペロ酸飴《あめ》**」

ハリーが唱えると、怪獣像が飛びのき、背後の壁が二つに割れた。ハリーは、そこに現れた動く螺旋《らせん》階段に乗り、なめらかな円を描きながら上に運ばれて、真鍮《しんちゅう》のドア・ノッカーがついたダンブルドアの校長室の扉の前に出た。

ハリーはドアをノックした。

「お入り」ダンブルドアの声がした。

「先生、こんばんは」校長室に入りながら、ハリーが挨拶した。

「ああ、こんばんは、ハリー。お座り」ダンブルドアがほほえんだ。

「新学期の一週目は楽しかったかの？」

「はい、先生、ありがとうございます」ハリーが答えた。

「たいそう忙しかったようじゃのう。もう罰則を引っさげておる！」

「アー……」

ハリーはばつの悪い思いで言いかけたが、ダンブルドアは、あまり厳しい表情をしていなかった。

「スネイプ先生とは、かわりに次の土曜日に君が罰則を受けるように決めてある」

「はい」

ハリーは、スネイプの罰則よりも、差し迫ったいまのほうが気になって、ダンブルドアが今夜計画していることを示すようなものは何かないかと、気づかれないようにあたりを見回した。円形の校長室はいつもと変わりないように見えた。繊細な銀の道具類が、細い脚のテーブルの上で、ポッポと煙を上げたり、くるくる渦巻いたりしている。歴代校長の魔女や魔法使いの肖像画が、額の中で居眠りしている。ダンブルドアの豪華な不死鳥、フォークスはドアの内側の止まり木から、キラキラした目で興味深げにハリーを見ていた。ダンブルドアは、決闘訓練の準備に場所を広く空けることさえしていないようだった。

「では、ハリー」ダンブルドアは事務的な声で言った。「君はきっと、わしがこの――ほかに適切な言葉がないのでそう呼ぶが――授業で、何を計画しておるかと、いろいろ考えたじゃろうの？」

「はい、先生」

「さて、わしは、その時が来たと判断したのじゃ。ヴォルデモート卿《きょう》が十五年前、何故君を殺そうとしたかを、君が知ってしまった以上、なんらかの情報を君に与える時が来たとな」

一瞬、間が空いた。

「先学年の終わりに、僕にすべてを話すって言ったのに」

ハリーは非難めいた口調を隠しきれなかった。

「そうおっしゃいました」ハリーは言いなおした。

「そして、話したとも」ダンブルドアはおだやかに言った。

「わしが知っていることはすべて話した。これから先は、事実という確固とした土地を離れ、我々はともに、記憶というにごった沼地を通り、推測というもつれた茂みへの当てどない旅に出るのじゃ。ここからは、ハリー、わしは、チーズ製の大鍋を作る時期が熟したと判断した、かのハンフリー・ベルチャーと同じぐらい、嘆かわしいまちがいを犯しているかもしれぬ」

「でも、先生は自分がまちがっていないとお考えなのですね？」

「当然じゃ。しかし、すでに君に証《あか》したとおり、わしとてほかの者と同じように過ちを犯すことがある。事実、わしは大多数の者より――不遜な言い方じゃが――かなり賢いので、過ちもまた、より大きなものになりがちじゃ」

「先生」

ハリーは遠慮がちに口を開いた。

「これからお話しくださるのは、予言と何か関係があるのですか？　その話は役に立つのでしょうか。僕が……生き残るのに？」

「大いに予言に関係することじゃ」

ダンブルドアは、ハリーがあしたの天気を質問したかのように、気軽に答えた。

「そして、君が生き残るのに役立つものであることを、わしはもちろん望んでおる」

ダンブルドアは立ち上がって机を離れ、ハリーのそばを通り過ぎた。ハリーは座ったまま、はやる気持ちで、ダンブルドアが扉の脇のキャビネット棚にかがみ込むのを見ていた。身を起こしたとき、ダンブルドアの手には例の平たい石の水盆があった。縁に不思議な彫り物が施してある「憂いの篩《ふるい》」だ。ダンブルドアはそれをハリーの目の前の机に置いた。

「心配そうじゃな」

確かにハリーは、「憂いの篩」を不安そうに見つめていた。この奇妙な道具は、さまざまな「憂い」や「記憶」をたくわえ、現す。この道具には、これまで教えられることも多かったが、同時に当惑させられる経験もした。前回水盆の中身をかき乱したとき、ハリーは見たくないものまでたくさん見てしまった。しかしダンブルドアは微笑していた。

「今度は、わしと一緒にこれに入る……さらに、稀《まれ》なことには、許可を得て入るのじゃ」

「先生、どこに行くのですか？」

「ボブ・オグデンの記憶の小道をたどる旅じゃ」

ダンブルドアは、ポケットからクリスタルの瓶を取り出した。銀白色の物質が中で渦を巻いている。

「ボブ・オグデンって、誰ですか？」

「魔法法執行部に勤めていた者じゃ」ダンブルドアが答えた。

「先ごろ亡くなったが、その前にわしはオグデンを探し出し、記憶をわしに打ち明けるよう説得するだけの間があった。これから、オグデンが仕事上訪問した場所についていく。ハリー、さあ立ちなさい……」

しかしダンブルドアは、クリスタルの瓶のふたを取るのに苦労していた。けがをした手がこわばり、痛みがあるようだった。

「先生、やりましょうか――僕が？」

「ハリー、それにはおよばぬ――」

ダンブルドアが杖《つえ》で瓶を指すと、コルクが飛んだ。

「先生――どうして手をけがなさったんですか？」

黒くなった指を、おぞましくも痛々しくも思いながら、ハリーはまた同じ質問をした。

「ハリーよ、いまはその話をする時ではない。まだじゃ。ボブ・オグデンとの約束の時間があるのでな」

ダンブルドアが銀色の中身をあけると、「憂いの篩」の中で、液体でも気体でもないものがかすかに光りながら渦巻いた。

「先に行くがよい」ダンブルドアは、水盆へとハリーをうながした。

ハリーは前かがみになり、息を深く吸って、銀色の物質の中に顔を突っ込んだ。両足が校長室の床を離れるのを感じた。渦巻く闇の中を、ハリーは下へ、下へと落ちていった。そして、突然のまぶしい陽《ひ》の光に、ハリーは目をしばたたいた。目が慣れないうちに、ダンブルドアがハリーのかたわらに降り立った。

二人は、田舎の小道に立っていた。道の両側はからみ合った高い生け垣に縁取られ、頭上には忘れな草のように鮮やかなブルーの夏空が広がっている。二人の二、三メートル先に、背の低い小太りの男が立っていた。牛乳瓶の底のような分厚いめがねのせいで、その奥の目がモグラの目のように小さな点になって見える。男は、道の左側のキイチゴの茂みから突き出している木の案内板を読んでいた。これがオグデンにちがいない。ほかには人影がないし、それに、不慣れな魔法使いがマグルらしく見せるために選びがちな、ちぐはぐな服装をしている。ワンピース型の縞《しま》の水着の上から燕尾《えんび》服をはおり、下にはスパッツをはいている。しかし、ハリーが奇妙キテレツな服装を充分観察する間もなく、オグデンはきびきびと小道を歩きだした。

ダンブルドアとハリーはそのあとを追った。案内板を通り過ぎるときにハリーが見上げると、木片の一方はいま来た道を指して、「グレート・ハングルトン　八キロ」とあり、もう一方はオグデンの向かった方向を指して、「リトル・ハングルトン　一・六キロ」としるしてある。

短い道のりだったが、その間は、生け垣と頭上に広がる青空、そして燕尾服のすそを左右に振りながら前を歩いていく姿しか見えなかった。やがて小道が左に曲がり、急斜面の下り坂になった。突然目の前に、思いがけなく谷間全体の風景が広がった。リトル・ハングルトンにちがいないと思われる村が見えた。二つの小高い丘の谷間に埋もれているその村の、教会も墓地も、ハリーにははっきり見えた。谷を越えた反対側の丘の斜面に、ビロードのような広い芝生に囲まれた瀟洒《しょうしゃ》な館が建っている。

オグデンは、急な下り坂でやむなく小走りになった。ダンブルドアも歩幅を広げ、ハリーは急いでそれについていった。ハリーは、リトル・ハングルトンが最終目的地だろうと思った。スラグホーンを見つけたあの夜もそうだったが、なぜ、こんな遠くから近づいていかなければならないのかが不思議だっ

だった。

しかし、すぐに、その村に行くと予想したハリーがまちがいだったことに気づいた。小道は右に折れ、二人がそこを曲がると、オグデンの燕尾服の端が生け垣のすきまから消えようとしているところだった。

ダンブルドアとハリーは、オグデンを追って、舗装もされていない細道に入った。その道も下り坂だったが、両側の生け垣はこれまでより高くぼうぼうとして、道は曲がりくねり、岩だらけ、穴だらけだった。細道は、少し下に見える暗い木々の塊まで続いているようだった。思ったとおり、まもなく両側の生け垣が切れ、細道は前方の木の茂みの中へと消えていった。オグデンが立ち止まり、杖を取り出した。ダンブルドアとハリーは、オグデンの背後で立ち止まった。

雲一つない空なのに、前方の古木の茂みが黒々と深くすずしげな影を落としていたので、ハリーの目が、からまりあった木々の間に半分隠れた建物を見分けるまでに数秒かかった。家を建てるにしては、とてもおかしな場所を選んだように思えた。家の周りの木々を伸び放題にして、光という光をさえぎるばかりか、下の谷間の景色までもさえぎっているのは不思議なやり方だ。

人が住んでいるのかどうか、ハリーはいぶかった。壁はこけむし、屋根瓦がごっそりはがれ落ちて、垂木がところどころむき出しになっている。イラクサがそこら中にはびこり、先端が窓まで達している。窓は小さく、汚れがべっとりとこびりついている。こんな所には誰も住めるはずがないとハリーがそう結論を出したとたん、窓の一つがガタガタと音を立てて開き、誰かが料理をしているのか、湯気か煙のようなものが細々と流れ出してきた。

オグデンはそっと、そしてハリーにはそう見えたのだが、かなり慎重に前進した。周りの木々が、オグデンの上をすべるように暗い影を落としたとき、オグデンは再び立ち止まって玄関の戸を見つめた。誰の仕業か、そこには蛇の死骸が釘《くぎ》で打ちつけられていた。

その時、木の葉がこすれ合う音がして、バリッという鋭い音とともに、すぐそばの木からボロをまとった男が降ってきて、オグデンのまん前に立ちはだかった。オグデンはすばやく飛びのいたが、あまり急に跳んだので、燕尾服のしっぽを踏んづけて転びかけた。

「おまえは歓迎されない」

目の前の男は、髪がぼうぼうで、何色なのかわからないほど泥にまみれている。歯は何本か欠けている。小さい目は暗く、それぞれ逆の方向を見ている。おどけて見えそうな姿が、この男の場合には、見るからに恐ろしかった。オグデンがさらに数歩下がってから話しだしたのも、無理はないとハリーは思った。

「あー――おはよう。魔法省から来た者だが――」

「おまえは歓迎されない」

「あー――すみません――よくわかりませんが」オグデンが落ち着かない様子で言った。

ハリーはオグデンが極端に鈍いと思った。ハリーに言わせれば、この得体の知れない人物は、はっきり物を言っている。片手で杖を振り回し、もう一方の手にかなり血にまみれた小刀を持っているとなればなおさらだ。

「君にはきっとわかるのじゃろう、ハリー？」ダンブルドアが静かに言った。

「ええ、もちろんです」ハリーはキョトンとした。「オグデンはどうして――？」

しかし、戸に打ちつけられた蛇の死骸が目に入ったとき、ハッと気がついた。

「あの男が話しているのは蛇語？」

「そうじゃよ」ダンブルドアはほほえみながらうなずいた。

ボロの男は、いまや小刀を片手に、もう一方に杖を持ってオグデンに迫っていた。

「まあ、まあ――」

オグデンが言いはじめたときはすでに遅かった。バーンと大きな音がして、オグデンは鼻を押さえて地面に倒れた。指の間から気持ちの悪いねっとりした黄色いものが噴き出している。

「モーフィン！」大きな声がした。

年老いた男が小屋から飛び出してきた。勢いよく戸を閉めたので、蛇の死骸が情けない姿で揺れた。この男は最初の男より小さく、体の釣り合いが奇妙だった。広い肩幅、長すぎる腕、さらに褐色に光る目やチリチリ短い髪としわくちゃの顔が、年老いた強健な猿のような風貌に見せていた。その男は、小刀を手にしてクワックワッと高笑いしながら地べたのオグデンの姿を眺めている男のかたわらで、立ち止まった。

「魔法省だと？」オグデンを見下ろして、年老いた男が言った。

「そのとおり！」

「それで、あなたは、察するにゴーントさんですね？」

オグデンは顔をぬぐいながら怒ったように言った。

「そうだ」ゴーントが答えた。「こいつに顔をやられたか？」

「ええ、そうです！」オグデンがかみつくように言った。

「前触れなしに来るからだ。そうだろうが？」

ゴーントがけんかを吹っかけるように言った。

「ここは個人の家だ。ズカズカ入ってくれれば、息子が自己防衛するのは当然だ」

「何に対する防衛だと言うんです？　え？」

無様な格好で立ち上がりながら、オグデンが言った。

「お節介、侵入者、マグル、穢《けが》れたやつら」

オグデンは杖を自分の鼻に向けた。大量に流れ出ていた黄色い膿《うみ》のようなものが、即座に止まった。

ゴーントはほとんど唇を動かさずに、口の端でモーフィンに話しかけた。

「家の中に入れ。口答えするな」

今度は注意して聞いていたので、ハリーは蛇語を聞き取った。言葉の意味が理解できただけでなく、オグデンの耳に聞こえたであろうシューシューという気味の悪い音も聞き分けた。モーフィンは口答えしかかったが、父親の脅すような目つきに出会うと、思いなおしたように、奇妙に横揺れする歩き方でドシンドシンと小屋の中に入っていった。玄関の戸をバタンと閉めたので、蛇がまたしても哀れに揺れた。

「ゴーントさん、わたしはあなたの息子さんに会いにきたんです」

燕尾服の前にまだ残っていた膿をふき取りながら、オグデンが言った。

「あれがモーフィンですね？」

「ふん、あれがモーフィンだ」

年老いた男がそっけなく言った。

「おまえは純血か？」突然食ってかかるように、男が聞いた。

「どっちでもいいことです」オグデンが冷たく言った。

ハリーは、オグデンへの尊敬の気持ちが高まるのを感じた。

ゴーントのほうは明らかにちがう気持ちになったらしい。目を細めてオグデンの顔を見ながら、いやみたっぷりの挑発口調でつぶやいた。

「そう言えば、おまえみたいな鼻を村でよく見かけたな」

「そうでしょうとも。息子さんが、連中にしたい放題をしていたのでしたら」

オグデンが言った。

「よろしければ、この話は中で続けませんか？」

「中で？」

「そうです。ゴーントさん。もう申し上げましたが、わたしはモーフィンのことでうかがったのです。ふくろうをお送り――」

「それでは、訪問の前触れなしだったなどと、文句は言えないですな」

「俺にはふくろうなど役に立たん」ゴーントが言った。「手紙は開けない」

オグデンがピシャリと言った。

「わたしがうかがったのは、今早朝、ここで魔法法の重大な違反が起こったためで――」

「わかった、わかった、わかった！」ゴーントがわめいた。

「さあ、家に入りやがれ。どうせクソの役にも立たんぞ！」

家には小さい部屋が三つあるようだった。台所と居間を兼ねた部屋が中心で、そこに出入りするドアが二つある。モーフィンはくすぶっている暖炉のそばの汚らしいひじかけ椅子に座り、生きたクサリヘビを太い指にからませて、それに向かって蛇語で小さく口ずさんでいた。

シュー、シューとかわいい蛇よ
クーネ、クーネと床に這《は》え
モーフィン様の機嫌取れ
戸口に釘づけされぬよう

開いた窓のそばの、部屋の隅のほうから、あたふたと動く音がして、ハリーはこの部屋にもう一人誰かがいることに気づいた。若い女性だ。身にまとったぼろぼろの灰色の服が、背後の汚らしい石壁の色とまったく同じ色だ。すすで真っ黒に汚れたかまどで湯気を上げている深鍋のそばに立ち、上の棚の汚らしい鍋釜をいじり回している。つやのない髪はだらりと垂れ、器量よしとは言えず、青白くかなりぼってりした顔立ちをしている。兄と同じに、両眼が逆の方向を見ている。二人の男よりは小ざっぱりしていたが、ハリーは、こんなに打ちひしがれた顔は見たことがないと思った。

「娘だ。メローピー」

オグデンが物問いたげに女性を見ていたので、ゴーントがしぶしぶ言った。

「おはようございます」オグデンが挨拶した。

女性は答えず、おどおどしたまなざしで父親をちらりと見るなり部屋に背を向け、棚の鍋釜をあちこちに動かし続けた。

「さて、ゴーントさん」

オグデンが話しはじめた。

「単刀直入に申し上げますが、息子さんのモーフィンが、昨夜半過ぎ、マグルの面前で魔法をかけたと信じるに足る根拠があります」

ガシャーンと耳をろうする音がした。メローピーが深鍋を一つ落としたのだ。

「**拾え！**」

ゴーントがどなった。

「そうだとも。穢らわしいマグルのように、そうやって床に這いつくばって拾うがいい。なんのための杖だ？　役立たずのクソッタレ！」

「ゴーントさん、そんな！」

オグデンはショックを受けたように声を上げた。メローピーはもう鍋を拾い上げていたが、顔をまだらに赤らめ、鍋をつかみそこねてまた取り落とし、震えながらポケットから杖を取り出した。杖を鍋に向け、あわただしく何か聞き取れない呪文をブツブツ唱えたが、鍋は床から反対方向に吹き飛んで、むかい側の壁にぶつかって真っ二つに割れた。

モーフィンは狂ったように高笑いし、ゴーントは絶叫した。

「直せ、このウスノロのでくのぼう、直せ！」

メローピーはよろめきながら鍋のほうに歩いていったが、杖を上げる前に、オグデンが杖を上げて、「**レパロ、直れ**」としっかり唱えた。鍋はたちまち元どおりになった。

ゴーントは、一瞬オグデンをどなりつけそうに見えたが、思いなおしたように、かわりに娘をあざけった。

「魔法省からのすてきなお方がいて、幸運だったたな？　もしかするとこのお方が俺の手からおまえを取り上げてくださるかもしれんぞ。もしかするとこのお方は、汚らしいスクイブでも気になさらないかもしれん……」

誰の顔も見ず、オグデンに礼も言わず、メローピーは拾い上げた鍋を、震える手で元の棚に戻した。それから、汚らしい窓とかまどの間の壁に背中をつけて、できることなら石壁の中に沈み込んで消えてしまいたいというように、じっと動かずに立ち尽くしていた。

「ゴーントさん」

オグデンはあらためて話しはじめた。

「すでに申し上げましたように、わたしが参りましたのは――」

「一回聞けばたくさんだ！」ゴーントがピシャリと言った。

「それがどうした？　モーフィンは、マグルにふさわしいものをくれてやっただけだ――それがどうだって言うんだ？」

「モーフィンは、魔法法を破ったのです」

「**モーフィンは、魔法法を破ったのです**」

ゴーントがオグデンの声をまね、大げさに節をつけて言った。モーフィンがまた高笑いした。

「息子は、穢らわしいマグルに焼きを入れてやったまでだ。それが違法だと？」

「そうです」オグデンが言った。「残念ながら、そうです」

オグデンは、内ポケットから小さな羊皮紙の巻紙を取り出し、広げた。

「今度はなんだ？　息子の判決か？」ゴーントは怒ったように声を荒らげた。

「これは魔法省への召喚状で、尋問は――」

「召喚状！　**召喚状？**　何様だと思ってるんだ？　俺の息子をどっかに呼びつけるとは」

「わたしは、魔法警察部隊の部隊長です」オグデンが言った。

「それで、俺たちのことはクズだと思っているんだろう。え？」

ゴーントはいまやオグデンに詰め寄り、黄色い爪でオグデンの胸を指しながらわめき立てた。

「魔法省が来いと言えばすっ飛んでいくクズだとでも？　いったい誰に向かって物を言ってるのか、わかってるのか？　この小汚ねえ、ちんちくりんの穢れた血め」

「ゴーントさんに向かって話しているつもりでおりましたが」

オグデンは、用心しながらもたじろがなかった。

「そのとおりだ！」ゴーントが吠《ほ》えた。

一瞬、ハリーは、ゴーントが指を突き立てて卑猥な手つきをしているのかと思った。しかしそうではなく、中指にはめている黒い石つきの醜悪な指輪を、オグデンの目の前で振って見せただけだった。

「これが見えるか？　見えるか？　なんだか知っているか？　これがどこから来たものか知っているか？　何世紀も俺の家族のものだった。それほど昔にさかのぼる家系だ。しかもずっと純血だ！　どれだけの値段をつけられたことがあるかわかるか？　石にペベレル家の紋章が刻まれた、この指輪に」

「まったくわかりませんな」

オグデンは、鼻先にずいと指輪を突きつけられて目をしばたたかせた。

「それに、ゴーントさん、それはこの話には関係がない。あなたの息子さんは、違法な――」

怒りに吠えたけり、ゴーントは娘に飛びついた。ゴーントの手がメローピーの首にかかったので、ほんの一瞬ハリーは、ゴーントが娘の首をしめるのかと思った。次の瞬間、ゴーントは娘の首にかかっていた金鎖をつかんで、メローピーをオグデンのほうに引きずってきた。

「これが見えるか？」

オグデンに向かって重そうな金のロケットを振り、メローピーが息を詰まらせて咳《せ》き込む中、ゴーントが大声を上げた。

「見えます。見えますとも！」オグデンがあわてて言った。

「**スリザリンのだ！**」ゴーントがわめいた。

「サラザール・スリザリンだ！　我々はスリザリンの最後の末裔《まつえい》だ。なんとか言ってみろ、え？」

「ゴーントさん、娘さんが！」

オグデンが危険を感じて口走ったが、ゴーントはすでにメローピーを放していた。メローピーは、よろよろとゴーントから離れて部屋の隅に戻り、あえぎながら首をさすっている。

「どうだ！」もつれた争点もこれで問答無用とばかり、ゴーントは勝ち誇って言った。

「我々に向かって、きさまの靴の泥に物を言うような口のきき方をするな！　何世紀にもわたって純血だ。全員魔法使いだ――**きさまなんか**よりずっと純血だってことは、まちがいないんだ！」

そしてゴーントはオグデンの足元につばを吐いた。モーフィンがまた高笑いした。メローピーは窓の脇にうずくまって首を垂れ、ダランとした髪で顔を隠して何も言わなかった。

「ゴーントさん」オグデンはねばり強く言った。

「残念ながら、あなたの先祖もわたしの先祖も、この件にはなんの関わりもありません。わたしはモーフィンのことでここにいるのです。それに昨夜、夜半過ぎにモーフィンが声をかけたマグルのことです。我々の情報によれば」

オグデンは羊皮紙に目を走らせた。

「モーフィンは、当該マグルに対し、まじないもしくは呪詛《じゅそ》をかけ、この男に非常な痛みをともなうじんましんを発疹《ほっしん》せしめた」

モーフィンがヒャッヒャッと笑った。

「だまっとれ」ゴーントが蛇語で唸《うな》った。モーフィンはまた静かになった。

「それで、息子がそうしたとしたら、どうだと？」

ゴーントが、オグデンに挑むように言った。

「おまえたちがそのマグルの小汚い顔を、きれいにふき取ってやったのだろうが。ついでに記憶までな――」

「ゴーントさん、要はそういう話ではないでしょう？」オグデンが言った。

「この件は、何もしないのに丸腰の者に攻撃を――」

「ふん、最初におまえを見たときから、マグル好きなやつだとにらんでいたわ」

ゴーントはせせら笑ってまた床につばを吐いた。

「話し合ってもらちが明きませんな」オグデンはきっぱりと言った。

「息子さんの態度からして、自分の行為をなんら後悔していないことは明らかです」

オグデンは、もう一度羊皮紙の巻紙に目を通した。

「モーフィンは九月十四日、口頭尋問に出頭し、マグルの面前で魔法を使ったこと、さらに当該マグルを傷害し、精神的苦痛を与えたことにつき尋問を受――」

オグデンは急に言葉を切った。ひづめの音、鈴の音、そして声高に笑う声が、開け放した窓から流れ込んできた。村に続く曲がりくねった小道が、どうやらこの家の木立のすぐそばを通っているらしい。ゴーントはその場に凍りついたように、目を見開いて音を聞いていた。モーフィンはシュッシュッッと舌を鳴らしながら、意地汚い表情で、音のするほうに顔を向けた。メローピーも顔を上げた。ハリーの目に、真っ青なメローピーの顔が見えた。

「おやまあ、なんて目ざわりなんでしょう！」

若い女性の声が、まるで同じ部屋の中で、すぐそばに立ってしゃべっているかのようにはっきりと、開いた窓から響いてきた。

「ねえ、トム、あなたのお父さま、あんな掘っ建て小屋、片づけてくださらないかしら？」

「僕たちのじゃないんだよ」若い男の声が言った。

「谷の反対側は全部僕たちのものだけど、この小屋は、ゴーントというろくでなしのじいさんと子供たちのものなんだ。息子は相当おかしくてね、村でどんなうわさがあるか聞いてごらんよ――」

若い女性が笑った。パカパカというひづめの音、シャンシャンという鈴の音がだんだん大きくなった。

モーフィンがひじかけ椅子から立ち上がりかけた。

「座ってろ」父親が蛇語で、警告するように言った。

「ねえ、トム」また若い女性の声だ。

これだけ間近に聞こえるのは、二人が家のすぐ脇を通っているにちがいない。

「あたくしの勘ちがいかもしれないけど――あのドアに蛇が釘づけになっていない?」

「なんてことだ。君の言うとおりだ!」男の声が言った。

「息子の仕業だな。頭がおかしいって、言っただろう? セシリア、ねえダーリン、見ちゃダメだよ」

ひづめの音も鈴の音も、今度はだんだん弱くなってきた。

「『ダーリン』」

モーフィンが妹を見ながら蛇語でささやいた。

「『ダーリン』、あいつはそう呼んだ。だからあいつは、どうせ、おまえをもらっちゃくれない」

メローピーがあまりに真っ青なので、ハリーはきっと気絶すると思った。

「なんのことだ?」

ゴーントは息子と娘を交互に見ながら、やはり蛇語で、鋭い口調で聞いた。

「なんて言った、モーフィン?」

「こいつは、あのマグルを見るのが好きだ」

いまやおびえきっている妹を、残酷な表情で見つめながら、モーフィンが言った。

「あいつが通るときは、いつも庭にいて、生け垣の間からのぞいている。そうだろう? それにきのうの夜は――」

メローピーはすがるように、頭を強く横に振った。しかしモーフィンは情け容赦なく続けた。

「窓から身を乗り出して、あいつが馬で家に帰るのを待っていた。そうだろう?」

「マグルを見るのに、窓から身を乗り出していただと?」ゴーントが低い声で言った。

ゴーント家の三人は、オグデンのことを忘れたかのようだった。オグデンは、またしても起こったシューシュー、ガラガラという音のやり取りを前に、わけがわからず当惑していらいらしていた。

「ほんとうか?」

ゴーントは恐ろしい声でそう言うと、おびえている娘に一、二歩詰め寄った。

「俺の娘が――サラザール・スリザリンの純血の末裔が――穢れた泥の血のマグルに焦がれているのか?」

メローピーは壁に体を押しつけ、激しく首を振った。口もきけない様子だ。

「だけど、父さん、俺がやっつけた!」モーフィンが高笑いした。

「あいつがそばを通ったとき、おれがやった。じんましんだらけじゃ、色男も形無しだった。メローピー、そうだろう?」

「このいやらしいスクイブめ。血を裏切る穢らわしいやつめ!」

ゴーントが吠えたけり、抑制がきかなくなって娘の首を両手でしめた。

「やめろ!」

ハリーとオグデンが同時に叫んだ。オグデンは杖を上げ、「**レラシオ! 放せ!**」と叫んだ。ゴーントはのけぞるように吹っ飛ばされて娘から離れ、椅子にぶつかって仰向けに倒れた。怒り狂ったモーフィンが、わめきながら椅子から飛び出し、血なまぐさい小刀を振り回し、杖からめちゃくちゃに呪いを発射しながら、オグデンに襲いかかった。

オグデンは命からがら逃げ出した。ダンブルドアが、あとを追わなければならないと告げ、ハリーはそれに従った。メローピーの悲鳴がハリーの耳にこだましていた。

オグデンは両腕で頭を抱え、矢のように路地を抜けて元の小道に飛び出した。そこでオグデンはつややかな栗毛の馬に衝突した。馬にはとてもハンサムな黒髪の青年が乗っていた。青年も、その隣で葦毛《あしげ》の馬に乗っていたきれいな若い女性も、オグデンの姿を見て大笑いした。オグデンは馬の脇腹にぶつかって跳ね飛ばされたが立ち直り、燕尾服のすそをはためかせ、頭のてっぺんからつま先までほこりだらけになりながら、ほうほうの体で小道を走っていった。

「ハリー、もうよいじゃろう」

ダンブルドアはハリーのひじをつかんで、ぐいと引いた。次の瞬間、二人は無重力の暗闇の中を舞い上がり、やがて、もう薄暗くなったダンブルドアの部屋に、正確に着地した。

「あの小屋の娘はどうなったんですか？」

ダンブルドアが杖をひと振りして、さらにいくつかのランプに灯をともしたとき、ハリーは真っ先に聞いた。

「メローピーとか、そんな名前でしたけど？」

「おう、あの娘は生き延びた」

ダンブルドアは机に戻り、ハリーにも座るようにうながした。

「オグデンは『姿あらわし』で魔法省に戻り、十五分後には援軍を連れて再びやってきた。モーフィンと父親は抵抗したが、二人とも取り押さえられてあの小屋から連れ出され、その後ウィゼンガモット法廷で有罪の判決を受けた。モーフィンはすでにマグル襲撃の前科を持っていたため、三年間のアズカバン送りの判決を受けた。マールヴォロはオグデンのほか数人の魔法省の役人を傷つけたため、六か月の収監になったのじゃ」

「マールヴォロ？」ハリーはけげんそうに聞き返した。

「そうじゃ」ダンブルドアは満足げにほほえんだ。

「君が、ちゃんと話について来てくれるのはうれしい」

「あの年寄りが――？」

「ヴォルデモートの祖父。そうじゃ」ダンブルドアが言った。

「マールヴォロ、息子のモーフィン、そして娘のメローピーは、ゴーント家の最後の三人じゃ。非常に古くから続く魔法界の家柄じゃが、いとこ同士が結婚をする習慣から、何世紀にもわたって情緒不安定と暴力の血筋で知られていた。常識の欠如に加えて壮大なことを好む傾向が受け継がれ、マールヴォロが生まれる数世代前には、先祖の財産をすでに浪費し尽くしていた。君も見たように、マールヴォロはみじめさと貧困の中に暮らし、非常に怒りっぽい上、異常な傲慢さと誇りを持ち、また先祖代々の家宝を二つ、息子と同じぐらい、そして娘よりはずっと大切にして持っていたのじゃ」

「それじゃ、メローピーは」

ハリーは座ったまま身を乗り出し、ダンブルドアを見つめた。

「メローピーは……先生、ということは、あの人は……**ヴォルデモートの母親？**」

「そういうことじゃ」ダンブルドアが言った。「それに、偶然にも我々は、ヴォルデモートの父親の姿も垣間見《かいま》た。はたして気がついたかの？」

「モーフィンが襲ったマグルですか？　あの馬に乗っていた？」

「よくできた」ダンブルドアがニッコリした。

「そうじゃ。ゴーントの小屋を、よく馬で通り過ぎていたハンサムなマグル、あれがトム・リドル・シニアじゃ。メローピー・ゴーントが密《ひそ》かに胸を焦がしていた相手じゃよ」

「それで、二人は結婚したんですか？」

ハリーは信じられない思いで言った。あれほど恋に落ちそうにもない組み合わせは、ほかに想像もつかなかった。

「忘れているようじゃの」ダンブルドアが言った。「メローピーは魔女じゃ。父親におびえているときには、その魔力が充分生かされていたとは思えぬ。マールヴォロとモーフィンがアズカバンに入って安心し、生まれて初めて一人になり自由になったとき、メローピーはきっと自分の能力を完全に解き放ち、十八年間の絶望的な生活から逃れる手はずを整えることができたのじゃ」

「トム・リドルにマグルの女性を忘れさせ、かわりに自分と恋におちいるようにするため、メローピーがどんな手段を講じたか、考えられるかの？」

「『服従の呪文』？」ハリーが意見を述べた。

「それとも『愛の妙薬』？」

「よろしい。わし自身は、『愛の妙薬』を使用したと考えたいところじゃ。そのほうがメローピーにとってはロマンチックに感じられたことじゃろうし、そして、暑い日にリドルが一人で乗馬をしているときに、水を一杯飲むように勧めるのは、さほど難しいことではなかったじゃろう。いずれにせよ、我々がいま目撃した場面から数か月のうちに、リトル・ハングルトンの村はとんでもない醜聞で沸き返ったのじゃ。大地主の息子がろくでなしの娘のメローピーと駆け落ちしたとなれば、どんなゴシップになるかは想像がつくじゃろう」

「しかし、村人の驚きは、マールヴォロの受けた衝撃に比べれば取るに足らんものじゃった。アズカバンから出所したマールヴォロは、娘が温かい食事をテーブルに用意して、父親の帰りを忠実に待っているものと期待しておった。ところが、マールヴォロを待ち受けていたのは、分厚いほこりと、娘が何をしたかを説明した別れの手紙じゃった」

「わしが探りえたことからすると、マールヴォロはそれから一度も、娘の名前はおろか、その存在さえも口にしなかった。娘の出奔の衝撃が、マールヴォロの命を縮めたのかもしれぬ――それとも、自分では食事を準備することさえできなかったのかもしれぬ。アズカバンがあの者を相当衰弱させていた。マールヴォロは、モーフィンが小屋に戻る姿を見ることはなかった」

「それで、メローピーは？　あの人は……死んだのですね？　ヴォルデモートは孤児院で育ったのではなかったですか？」

「そのとおりじゃ」ダンブルドアが言った。

「ここからはずいぶんと推量を余儀なくされるが、何が起こったかを論理的に推理するのは難しいことではあるまい。よいか、駆け落ち結婚から数か月後に、トム・リドルはリトル・ハングルトンの屋敷に、妻をともなわずに戻ってきた。リドルが『たぶらかされた』とか『だまされた』とか話していると、近所でうわさが飛び交った。リドルが言おうとしたのは、魔法をかけられていたがそれが解けたということだったのじゃろうと、わしはそう確信しておる。ただし、あえて言うならば、リドルは頭がおかしいと思われるのを恐れ、とていそういう言葉を使うことができなかったのであろう。しかし、リドルの言うことを聞いた村人たちは、メローピーがトム・リドルに、妊娠しているとうそをついたために、リドルが結婚したのであろうと推量したのじゃ」

「でもあの人は**ほんとう**に赤ちゃんを産みました」

「そうじゃ。しかしそれは、結婚してから一年後のことじゃ。トム・リドルは、まだ妊娠中のメローピーを捨てたのじゃ」

「何がおかしくなったのですか?」ハリーが聞いた。

「どうして『愛の妙薬』が効かなくなったのですか?」

「またしても推量にすぎんが」ダンブルドアが言った。「しかし、わしはこうであったろうと思うのじゃが、メローピーは夫を深く愛しておったので、魔法で夫を隷従させ続けることに耐えられなかったのであろう。思うに、メローピーは薬を飲ませるのをやめるという選択をした。自分が夢中だったものじゃから、夫のほうもそのころまでには、自分の愛に応えてくれるようになっていると、おそらく、そう確信したのじゃろう。赤ん坊のために一緒にいてくれるだろうと、あるいはそう考えたのかもしれぬ。そうだとしたら、メローピーの考えは、そのどちらも誤りであった。リドルは妻を捨て、二度と再び会うことはなかった。そして、自分の息子がどうなっているかを、一度たりとも調べようとはせなんだ」

外は墨を流したように真っ暗な空だった。ダンブルドアの部屋のランプが、前よりいっそう明るくなったような気がした。

「ハリー、今夜はこのくらいでよいじゃろう」ややあって、ダンブルドアが言った。

「はい、先生」ハリーが言った。

ハリーは立ち上がったが、立ち去らなかった。

「先生……こんなふうにヴォルデモートの過去を知ることは、大切なことですか?」

「非常に大切なことじゃと思う」ダンブルドアが言った。

「そして、それは……それは予言と何か関係があるのですか?」

「大いに関係しておる」

「そうですか」ハリーは少し混乱したが、安心したことに変わりなかった。

ハリーは帰りかけたが、もう一つ疑問が起こって、振り返った。

「先生、ロンとハーマイオニーに、先生からお聞きしたことを全部話してもいいでしょうか？」

ダンブルドアは一瞬、ハリーを観察するようにじっと見つめ、それから口を開いた。

「よろしい。ミスター・ウィーズリーとミス・グレンジャーは、信頼できる者たちであることを証明してきた。しかし、ハリー、君に頼んでおこう。この二人には、ほかの者にいっさい口外せぬようにと、伝えておくれ。わしがヴォルデモート卿の秘密をどれほど知っておるか、または推量しておるかという話が広まるのは、よくないことじゃ」

「はい、先生。ロンとハーマイオニーだけにとどめるよう、僕が気をつけます。おやすみなさい」

ハリーは、再びきびすを返した。そしてドアの所まで来たとき、ハリーはあるものを見た。壊れやすそうな銀の器具がたくさんのった細い脚のテーブルの一つに、醜い大きな金の指輪があった。指輪にはまった黒い大きな石が割れている。

「先生」ハリーは目を見張った。「あの指輪は――」

「なんじゃね？」ダンブルドアが言った。

「スラグホーン先生を訪ねたあの夜、先生はこの指輪をはめていらっしゃいました」

「そのとおりじゃ」ダンブルドアが認めた。

「でも、あれは……先生、あれは、マールヴォロ・ゴーントがオグデンに見せたのと、同じ指輪ではありませんか？」

「まったく同一じゃ」ダンブルドアが一礼した。

「でも、どうして……？　ずっと先生がお持ちだったのですか？」

「いや、ごく最近手に入れたのじゃ」ダンブルドアが言った。

「実は、君のおじ上、おば上の所に君を迎えに行く数日前にのう」

「それじゃ、先生が手にけがなさったころですね？」

「そのころじゃ。そうじゃよ、ハリー」

ハリーは躊躇《ちゅうちょ》した。ダンブルドアはほほえんでいた。

「先生、いったいどうやって――？」

「ハリー、もう遅い時間じゃ！　別の機会に話して聞かせよう。おやすみ」

「おやすみなさい。先生」

第11章　ハーマイオニーの配慮

ハーマイオニーが予測したように、六年生の自由時間は、ロンが期待したような至福の休息時間ではなく、山のように出される宿題を必死にこなすための時間だった。

毎日試験を受けるような勉強をしなければならないだけでなく、授業の内容もずっと厳しいものになっていた。このごろハリーは、マクゴナガル先生の言うことが半分もわからないほどだった。ハーマイオニーでさえ、一度か二度、マクゴナガル先生に説明のくり返しを頼むことがあった。ハーマイオニーにとっては憤懣《ふんまん》の種だったが、「半純血のプリンス」のおかげで、信じがたいことに、魔法薬学が突然ハリーの得意科目になった。

いまや無言呪文は、「闇の魔術に対する防衛術」ばかりでなく、呪文学や変身術でも要求されていた。談話室や食事の場で周りを見回すと、クラスメートが顔を紫色にして、まるで「ウンのない人」を飲みすぎたかのように息張っているのを、ハリーはよく見かけた。実は、声を出さずに呪文を唱えようとしてもがいているのだと、ハリーにもわかっていた。

戸外に出て、温室に行くのがせめてもの息抜きだった。薬草学ではこれまでよりずっと危険な植物を扱っていたが、授業中、「有毒食虫蔓《づる》」に背後から突然捕まったときには、少なくとも大きな声を出して悪態をつくことができた。

膨大な量の宿題と、がむしゃらに無言呪文を練習するためとに時間を取られ、結果的にハリー、ロン、ハーマイオニーは、とてもハグリッドを訪ねる時間などなかった。ハグリッドは、食事のときに教職員テーブルに姿を見せなくなった。不吉な兆候だ。それに、廊下や校庭でときどきすれちがっても、ハグリッドは不思議にも三人に気づかず、挨拶しても聞こえないようだった。

「訪ねていって説明すべきよ」

二週目の土曜日の朝食で、教職員テーブルのハグリッド用の巨大な椅子がからっぽなのを見ながら、ハーマイオニーが言った。

「午前中はクィディッチの選抜だ！」ロンが言った。「**なんとその上**、フリットウィックの『**アグアメンティ、水出し**』呪文を練習しなくちゃ！　どっちにしろ、何を説明するって言うんだ？　ハグリッドに、あんなバカくさい学科は大嫌いだったなんて言えるか？」

「大嫌いだったんじゃないわ！」ハーマイオニーが言った。

「君と一緒にするなよ。僕は尻尾《しっぽ》爆発スクリュートを忘れちゃいないからな」ロンが暗い顔で言った。「君は、ハグリッドがあのまぬけな弟のことをくだくだ自慢するのを聞いてないからなぁ。はっきり言うけど、僕たち実は危ういところを逃れたんだぞ――あのままハグリッドの授業を取り続けてたら、僕たちきっと、グロウプに靴ひもの結び方を教えていたぜ」

「ハグリッドと口もきかないなんて、私、いやだわ」

ハーマイオニーは落ち着かないようだった。

「クィディッチのあとで行こう」

ハリーがハーマイオニーを安心させた。ハリーもハグリッドと離れているのはさびしかった。もっともロンの言うとおり、グロウプがいないほうが、自分たちの人生は安らかだろうと思った。

「だけど、選抜は午前中いっぱいかかるかもしれない。応募者が多いから」

キャプテンになってからの最初の試練を迎えるので、ハリーは少し神経質になっていた。

「どうして急に、こんなに人気のあるチームになったのか、わかんないよ」

「まあ、ハリーったら、しょうがないわね」

ハーマイオニーが、今度は突然いらだった。

「**クィディッチが**人気者なんじゃないわ。あなたよ！　あなたがこんなに興味をそそったことはないし、率直に言って、こんなにセクシーだったことはないわ」

ロンは燻製《くんせい》ニシンの大きなひと切れでむせた。ハーマイオニーはロンに軽蔑したような一瞥《いちべつ》を投げ、それからハリーに向きなおった。

「あなたの言っていたことが真実だったって、いまでは誰もが知っているでしょう？　ヴォルデモートが戻ってきたと言ったことも正しかったし、この二年間にあなたが二度もあの人と戦って、二度とも逃れたこともほんとうだと、魔法界全体が認めざるをえなかったわ。そしていまはみんなが、あなたのことを、『選ばれし者』と呼んでいる――さあ、しっかりしてよ。みんながあなたに魅力を感じる理由がわからない？」

大広間の天井は冷たい雨模様だったにもかかわらず、ハリーはその場が急に暑くなったような気がした。

「**その上**、あなたを情緒不安定のうそつきに仕立て上げようと、魔法省がさんざん迫害したのに、それにも耐え抜いた。あの邪悪な女が、あなた自身の血で刻ませた痕がまだ見えるわ。でもあなたは、とにかく節を曲げなかった……」

「魔法省で脳みそが僕を捕まえたときの痕、まだ見えるよ。ほら」

ロンは腕を振ってそでをまくった。

「それに、夏の間にあなたの背が三十センチも伸びたことだって、悪くないわ」

ハーマイオニーはロンを無視したまま、話し終えた。

「僕も背が高い」些細《ささい》なことのようにロンが言った。

郵便ふくろうが到着し、雨粒だらけの窓からスィーッと入ってきて、みんなに水滴をばらまいた。大多数の生徒がいつもよりたくさんの郵便を受け取っていた。親は心配して子供の様子を知りたがっていたし、逆に、家族は無事だと子供に知らせて、安心させようとしていた。

ハリーは学期が始まってから一度も手紙を受け取っていなかった。定期的に手紙をくれたただ一人の人はもう死んでしまった。ルーピンがときどき手紙をくれるのではと期待していたが、いままでずっと失望続きだった。

ところが、茶色や灰色のふくろうにまじって、雪のように白いヘドウィグが円を描いていたので、ハリーは驚いた。大きな四角い包みを運んで、ヘドウィグがハリーの前に着地した。その直後、まったく同じ包みがロンの前に着地したが、疲労困憊《こんぱい》した豆ふくろうのピッグウィジョンが、その下敷きになっていた。

「おっ！」

ハリーが声を上げた。包みを開けると、フローリシュ・アンド・ブロッツ書店からの、真新しい『上級魔法薬』の教科書が現れた。

「よかったわ」

ハーマイオニーがうれしそうに言った。

「これであの落書き入りの教科書を返せるじゃない」

「気は確かか？」ハリーが言った。「僕はあれを放さない！　ほら、もうちゃんと考えてある――」

ハリーは鞄《かばん》から古本の『上級魔法薬』を取り出し、「**ディフィンド！　裂けよ！**」と唱えながら杖《つえ》で表紙を軽くたたいた。表紙がはずれた。新しい教科書にも同じことをした（ハーマイオニーは、なんて破廉恥なという顔をした）。次にハリーは表紙を交換し、それぞれをたたいて「**レパロ！　直れ！**」と唱えた。

プリンスの本は、新しい教科書のような顔をして、一方、フローリシュ・アンド・ブロッツの本は、どこから見ても中古本のような顔ですましていた。

「スラグホーンには新しいのを返すよ。文句はないはずだ。九ガリオンもしたんだから」

ハーマイオニーは怒ったような、承服できないという顔で唇を固く結んだ。しかし、三羽目のふくろうが、目の前にその日の「日刊予言者新聞」を運んできたので気がそれ、急いで新聞を広げ、一面に目を通した。

「誰か知ってる人が死んでるか？」

ロンはわざと気軽な声で聞いた。ハーマイオニーが新聞を広げるたびに、ロンは同じ質問をしていた。

「いいえ。でも吸魂鬼の襲撃が増えてるわ」ハーマイオニーが言った。「それに逮捕が一件」

「よかった。誰？」ハリーはベラトリックス・レストレンジを思い浮かべながら聞いた。

「スタン・シャンパイク」ハーマイオニーが答えた。

「えっ？」ハリーはびっくりした。

「『魔法使いに人気の、夜の騎士《ナイト》バスの車掌、スタンリー・シャンパイクは、死喰《しく》い人の活動をした疑いで逮捕された。シャンパイク容疑者（21）は、昨夜遅く、クラッパムの自宅の強制捜査で身柄を拘束された……』」

「スタン・シャンパイクが死喰い人？」

三年前に初めて会った、にきび面の青年を思い出しながらハリーが言った。

「バカな！」

「『服従の呪文』をかけられてたかもしれないぞ」ロンがもっともなことを言った。「なんでもありだもんな」

「そうじゃないみたい」ハーマイオニーが読みながら言った。

「この記事では、容疑者がパブで死喰い人の秘密の計画を話しているのを、誰かがもれ聞いて、そのあとで逮捕されたって」

ハーマイオニーは困惑した顔で新聞から目を上げた。

「もし『服従の呪文』にかかっていたのなら、死喰い人の計画をそのあたりで吹聴したりしないじゃない？」

「あいつ、知らないことまで知ってるように見せかけようとしたんだろうな」ロンが言った。

「ヴィーラをナンパしようとして、自分は魔法大臣になるって息巻いてたやつじゃなかったか？」

「うん、そうだよ」ハリーが言った。

「あいつら、いったい何を考えてるんだか。スタンの言うことを真に受けるなんて」

「たぶん、何かしら手を打っているように見せたいんじゃないかしら」

ハーマイオニーが顔をしかめた。

「みんな戦々恐々だし——パチル姉妹のご両親が、二人を家に戻したがっているのを知ってる？　それに、エロイーズ・ミジョンはもう引き取られたわ。お父さんが、昨晩連れて帰ったの」

「ええっ！」

ロンが目をグリグリさせてハーマイオニーを見た。

「だけど、ホグワーツはあいつらの家より安全だぜ。そうじゃなくちゃ！　闇祓《やみばら》いはいるし、安全対策の呪文がいろいろ追加されたし、何しろ、ダンブルドアがいる！」

「ダンブルドアがいつもいらっしゃるとは思えないわ」

「日刊予言者新聞」の上から教職員テーブルをちらとのぞいて、ハーマイオニーが小声で言った。

「気がつかない？　ここ一週間、校長席はハグリッドのと同じぐらい、ずっとからだったわ」

ハリーとロンは教職員テーブルを見た。校長席は、なるほどからだった。考えてみれば、ハリーは一週間前の個人教授以来、ダンブルドアを見ていなかった。

「騎士団に関する何かで、学校を離れていらっしゃるのだと思うわ」

ハーマイオニーが低い声で言った。

「つまり……かなり深刻だってことじゃない？」

ハリーもロンも答えなかった。しかしハリーには、三人とも同じことを考えているのがわかっていた。きのうの恐ろしい事件のことだ。ハンナ・アボットが薬草学の時間に呼び出され、母親が死んでいるのが見つかったと知らされたのだ。ハンナの姿はそれ以来見ていない。

五分後、グリフィンドールのテーブルを離れてクィディッチ競技場に向かうときに、ラベンダー・ブラウンとパーバティ・パチルのそばを通った。二人の仲よしは気落ちした様子でヒソヒソ話していたが、パチルの親が、双子姉妹をホグワーツから連れ出したがっているというハーマイオニーの話を思い出したので、ハリーは驚きはしなかった。しかし、ロンが二人のそばを通ったとき、突然パーバティにこづかれたラベンダーが、振り向いてロンにニッコリ笑いかけたのには驚いた。ロンは目をパチクリさせ、あいまいに笑い返した。とたんにロンの歩き方が、肩をそびやかした感じになった。ハリーは笑いだしたいのをこらえた。マルフォイに鼻をへし折られたとき、ロンが笑いをこらえてくれたことを思い出したのだ。しかしハーマイオニーは、肌寒い霧雨の中を競技場に歩いていく間ずっと、冷たくてよそよそしかったし、二人と別れてスタンドに席を探しにいくときも、ロンに激励の言葉一つかけなかった。

ハリーの予想どおり、選抜はほとんど午前中いっぱいかかった。グリフィンドール生の半数が、選抜を受けたのではないかと思うほどだった。恐ろしく古い学校の箒《ほうき》を神経質に握りしめた一年生から、ほかに抜きん出た背の高さで冷静沈着に睥睨《へいげい》する七年生までがそろった。七年生の一人は、毛髪バリバリの大柄な青年で、ハリーは、ホグワーツ特急で出会った青年だとすぐにわかった。

「汽車で会ったな。スラッギーじいさんのコンパートメントで」

青年は自信たっぷりにそう言うと、みんなから一歩進み出てハリーと握手した。

「コーマック・マクラーゲン。キーパー」

「君、去年は選抜を受けなかっただろう？」

ハリーはマクラーゲンの横幅の広さに気づき、このキーパーならまったく動かなくとも、ゴールポスト三本全部をブロックできるだろうと思った。

「選抜のときは医務室にいたんだ」

マクラーゲンは、少しふんぞり返るような雰囲気で言った。

「賭けでドクシーの卵を五百グラム食った」

「そうか」ハリーが言った。「じゃ……あっちで待っててくれ……」

ハリーは、ちょうどハーマイオニーが座っているあたりの、競技場の端を指差した。マクラーゲンの顔にちらりといらだちがよぎったような気がした。「スラッギーじいさん」のお気に入り同士だからと、マクラーゲンが特別扱いを期待したのかもしれない。そうハリーは思った。

ハリーは基本的なテストから始めることに決め、候補者を十人ひと組に分け、競技場を一周して飛ぶように指示した。これはいいやり方だった。最初の十人は一年生で、それまで、ろくに飛んだこともないのが明白だった。たった一人だけ、なんとか二、三秒以上空中に浮いていられた少年がいたが、そのことに自分でも驚いて、たちまちゴールポストに衝突した。

二番目のグループの女子生徒は、これまでハリーが出会った中でも一番愚かしい連中で、ハリーがホイッスルを吹くと、互いにしがみついてキャーキャー笑い転げるばかりだった。ロミルダ・ベインもその一人だった。ハリーが競技場から退出するように言うと、みんな嬉々《きき》としてそれに従い、スタンドに座ってほかの候補者をヤジった。

第三のグループは、半周したところで玉突き事故を起こした。四組目はほとんどが箒さえ持ってこなかった。五組目はハッフルパフ生だった。

「ほかにグリフィンドール以外の生徒がいるんだったら」ハリーが吠《ほ》えた。いいかげんうんざりしていた。「いますぐ出ていってくれ！」

するとまもなく、小さなレイブンクロー生が二、三人、プッと噴き出し、競技場から駆け出していった。

二時間後、苦情たらたら、かんしゃく数件、コメット260の衝突で歯を数本折る事故が一件のあと、ハリーは三人のチェイサーを見つけた。すばらしい結果でチームに返り咲いたケイティ・ベル、ブラッジャーをよけるのが特にうまかった新人のデメルザ・ロビンズ、それにジニー・ウィーズリーだ。ジニーは競争相手全員を飛び負かし、おまけに十七回もゴールを奪った。自分の選択に満足だったが、一方ハリーは、苦情たらたら組に叫び返して声がかれた上、次はビーター選抜に落ちた連中との同じような戦いに耐えなければならなかった。

「これが最終決定だ。さあ、キーパーの選抜をするのにそこをどかないと、呪いをかけるぞ」ハリーが大声を出した。

選抜された二人のビーターは、どちらも昔のフレッドとジョージほどのさえはなかったが、ハリーはまあまあ満足だった。ジミー・ピークスは小柄だが胸のがっしりした三年生で、ブラッジャーに凶暴な一撃を加え、ハリーの後頭部に卵大のこぶをふくらませてくれた。リッチー・クートはひ弱そうに見えるが、ねらいが的確だった。二人は観客スタンドに座り、チームの最後のメンバーの選抜を見物した。

ハリーはキーパーの選抜を意図的に最後に回した。競技場に人が少なくなって、志願者へのプレッシャーが軽くなるようにしたかったのだ。しかし、不幸なことに、落ちた候補者やら、ゆっくり朝食をすませてから見物に加わった大勢の生徒やらで、見物人はかえって増えていた。キーパー候補が順番にゴールポストに飛んでいくたびに、観衆は応援半分、ヤジり半分で叫んだ。ハリーはロンをちらりと見た。ロンはこれまで、上がってしまうのが問題だった。先学期最後の試合に勝ったことで、そのくせが直っていればと願っていたのだが、どうやら望みなしだった。ロンの顔は微妙に青くなっていた。

最初の五人の中で、ゴールを三回守った者は一人としていなかった。コーマック・マクラーゲンは、五回のペナルティ・シュート中四回までゴールを守ったので、ハリーはがっかりした。しかし、最後の一回は、とんでもない方向に飛びついた。観衆に笑ったりヤジったりされ、マクラーゲンは歯ぎしりして地上に戻った。

ロンはクリーンスイープ11号にまたがりながら、いまにも失神しそうだった。

「がんばって！」

スタンドから叫ぶ声が聞こえた。ハリーはハーマイオニーだろうと思って振り向いた。ところがラベンダー・ブラウンだった。ラベンダーが次の瞬間、両手で顔を覆ったが、ハリーも正直そうしたい気分だった。しかし、キャプテンとして、少しは骨のあるところを見せなければならないと、ロンのトライアルを直視した。

ところが、心配無用だった。ロンはペナルティ・シュートに対して、一回、二回、三回、四回、五回と続けてゴールを守った。うれしくて、観衆と一緒に歓声を上げたいのをやっとこらえ、ハリーは、まことに残念だがロンが勝った、とマクラーゲンに告げようと振り向いた。そのとたん、マクラーゲンの真っ赤な顔が、ハリーの目と鼻の先にぬっと出た。ハリーはあわてて一歩下がった。

「ロンの妹のやつが、手かげんしたんだ」

マクラーゲンが脅すように言った。バーノンおじさんの額で、よくハリーが拝ませてもらったと同じような青筋が、マクラーゲンのこめかみでヒクヒクしていた。

「守りやすいシュートだったんだ」

「くだらない」ハリーは冷たく言った。「あの一球は、ロンが危うくミスするところだった」

マクラーゲンはもう一歩ハリーに詰め寄ったが、ハリーは今度こそ動かなかった。

「もう一回やらせてくれ」

「だめだ」ハリーが言った。

「君はもうトライが終わってる。四回守った。ロンは五回守った。ロンがキーパーだ。正々堂々勝ったんだ。そこをどいてくれ」

一瞬、パンチを食らうのではないかと思ったが、マクラーゲンは醜いしかめっ面をしただけで矛を収め、見えない誰かを脅すように唸《うな》りながら、荒々しくその場を去った。

ハリーが振り返ると、新しいチームがハリーに向かってニッコリしていた。

「よくやった」ハリーがかすれ声で言った。「いい飛びっぷりだった――」

「ロン、すばらしかったわ！」

今度は正真正銘ハーマイオニーが、スタンドからこちらに向かって走ってきた。一方、ラベンダーはパーバティと腕を組み、かなりぶすっとした顔で競技場から出ていくところだった。ロンはすっかり気をよくして、チーム全員とハーマイオニーにニッコリしながら、いつもよりさらに背が高くなったように見えた。

第一回の本格的な練習日を次の木曜日と決めてから、ハリー、ロン、ハーマイオニーはチームに別れを告げ、ハグリッドの小屋に向かった。霧雨はようやっと上がり、ぬれた太陽がいましも雲を割って顔を見せようとしていた。ハリーは極端に空腹を感じ、ハグリッドの所に何か食べるものがあればいいと思った。

「僕、四回目のペナルティ・シュートはミスするかもしれないと思ったたなぁ」

ロンはうれしそうに言った。

「デメルザのやっかいなシュートだけど、見たかな、ちょっとスピンがかかってた――」

「ええ、ええ、あなたすごかったわ」

ハーマイオニーはおもしろがっているようだった。

「僕、とにかくあのマクラーゲンよりはよかったな」

ロンはいたく満足げな声で言った。

「あいつ、五回目で変な方向にドサッと動いたのを見たか？　まるで『錯乱呪文』をかけられたみたいに……」

ハーマイオニーの顔が、この一言で深いピンク色に染まった。ハリーは驚いたが、ロンは何も気づいていない。ほかのペナルティ・シュートの一つ一つを味わうように、こと細かに説明するのに夢中だった。

大きな灰色のヒッポグリフ、バックビークがハグリッドの小屋の前につながれていた。三人が近づくと、鋭いくちばしを鳴らして巨大な頭をこちらに向けた。

「どうしましょう」

ハーマイオニーがおどおどしながら言った。

「やっぱりちょっと怖くない？」

「いいかげんにしろよ。あいつに乗っただろう？」ロンが言った。

ハリーが進み出て、ヒッポグリフから目を離さず、瞬《まばた》きもせずにおじぎをした。二、三秒後、バックビークも身体を低くしておじぎを返した。

「元気かい？」

ハリーはそっと挨拶しながら近づいて、頭の羽根をなでた。

「あの人がいなくてさびしいか？　でも、ここではハグリッドと一緒だから大丈夫だろう？　ン？」

「おい！」大きな声がした。

花柄の巨大なエプロンをかけたハグリッドが、ジャガイモの袋をさげて小屋の後ろからノッシノッシと現れた。すぐ後ろに従っていた飼い犬の、超大型ボアハウンド犬のファングが、吠え声をとどろかせて飛び出した。

「離れろ！　指を食われるぞ――おっ、おめぇたちか」

ファングはハーマイオニーとロンにじゃれかかり、耳をなめようとした。ハグリッドは立ったまま一瞬三人を見たが、すぐきびすを返して大股で小屋に入り、戸をバタンと閉めた。

「ああ、どうしましょう！」

ハーマイオニーが打ちのめされたように言った。

「心配しないで」

ハリーは意を決したようにそう言うなり、戸口まで行って強くたたいた。

「ハグリッド！　開けてくれ。話がしたいんだ！」

中からはなんの物音もしない。

「開けないなら戸を吹っ飛ばすぞ！」

ハリーは杖を取り出した。

「ハリー！」

ハーマイオニーはショックを受けたように言った。

「そんなことは絶対――」

「ああ、やってやる！」ハリーが言った。「下がって――」

しかし、あとの言葉を言わないうちに、ハリーが思ったとおり、またパッと戸が開いた。そこに、ハグリッドが仁王立ちで、ハリーをにらみつけていた。花模様のエプロン姿なのに、実に恐ろしげだった。

「俺は先生だ！」

ハグリッドがハリーをどなりつけた。

「先生だぞ、ポッター！　俺の家の戸を壊すなんて脅すたぁ、よくも！」

「ごめんなさい、**先生**」

杖をローブにしまいながら、ハリーは最後の言葉をことさら強く言った。

ハグリッドは雷に撃たれたような顔をした。

「**おまえが**俺を、『先生』って呼ぶようになったのはいつからだ？」

「僕が、『ポッター』って呼ばれるようになったのはいつからだい？」

「ほー、利口なこった」ハグリッドがいがんだ。

「おもしれえ。俺が一本取られたっちゅうわけか？　よーし、入れ。この恩知らずの小童《こわっぱ》の……」

険悪な声でボソボソ言いながら、ハグリッドは脇によけて三人を通した。ハーマイオニーはびくびくしながら、ハリーの後ろについて急いで入った。

「そんで？」

ハリー、ロン、ハーマイオニーが巨大な木のテーブルに着くと、ハグリッドがむすっとして言った。ファングはたちまちハリーのひざに頭をのせ、ローブをよだれでべとべとにした。

「なんのつもりだ？　俺をかわいそうだと思ったのか？　俺がさびしいだろうとか思ったのか？」

「ちがう」ハリーが即座に言った。「僕たち、会いたかったんだ」

「ハグリッドがいなくてさびしかったわ！」ハーマイオニーがおどおどと言った。

「さびしかったって？」ハグリッドがフンと鼻を鳴らした。「ああ、そうだろうよ」

ハグリッドはドスドスと歩き回り、ひっきりなしにブツブツ言いながら、巨大な銅のやかんで紅茶を沸かした。やがてハグリッドは、マホガニー色に煮つまった紅茶が入ったバケツ大のマグカップと、手製のロックケーキをひと皿、三人の前にたたきつけた。ハグリッドの手製だろうがなんだろうが、すきっ腹のハリーは、すぐに一つつまんだ。

「ハグリッド」ハーマイオニーがおずおずと言った。

ハグリッドもテーブルに着き、ジャガイモの皮をむきはじめたが、一つ一つに個人的な恨みでもあるかのような、乱暴なむき方だった。

「私たち、ほんとに『魔法生物飼育学』を続けたかったのよ」

ハグリッドは、またしても大きくフンと言った。ハリーは鼻クソが確かにジャガイモに着地したような気がして、夕食をごちそうになる予定がないことを、内心喜んだ。

「ほんとよ！」ハーマイオニーが言った。

「でも、三人とも、どうしても時間割にはまらなかったの！」

「ああ、そうだろうよ」ハグリッドが同じことを言った。

ガボガボと変な音がして、三人はあたりを見回した。ハーマイオニーが小さく悲鳴を上げた。部屋の隅に大きな樽《たる》が置いてあるのに、三人はたったいま気づいた。ロンは椅子から飛び上がり、急いで席を移動して樽から離れた。樽の中には、三十センチはあろうかというウジ虫がいっぱい、ぬめぬめと白い体をくねらせていた。

「ハグリッド、あれは何？」

ハリーはむかつきを隠して、興味があるような聞き方をしようと努力したが、ロックケーキはやはり皿に戻した。

「幼虫のおっきいやつだ」ハグリッドが言った。

「それで、育つと何になるの……？」ロンは心配そうに聞いた。

「こいつらは育たねえ」ハグリッドが言った。

「アラゴグに食わせるために捕ったんだ」

そしてハグリッドは、出し抜けに泣きだした。

「ハグリッド！」

ハーマイオニーが驚いて飛び上がり、ウジ虫の樽をよけるのにテーブルを大回りしながらも急いで、ハグリッドの震える肩に腕を回した。

「どうしたの?」

「あいつの……ことだ……」

コガネムシのように黒い目から涙をあふれさせ、エプロンで顔をゴシゴシふきながら、ハグリッドはぐっと涙をこらえた。

「アラゴグ……あいつよ……死にかけちょる……この夏、具合が悪くなって、よくならねえ……あいつに、もしものことが……俺はどうしたらいいんだか……俺たちはなげえこと一緒だった……」

ハーマイオニーはハグリッドの肩をたたきながら、どう声をかけていいやらとほうに暮れた顔だった。ハリーにはその気持ちがよくわかった。確かにいろいろあった……ハグリッドが凶暴な赤ちゃんドラゴンにテディベアをプレゼントしたり、針やら吸い口を持った大サソリに小声で歌を歌ってやったり、異父弟の野蛮な巨人をしつけようとしたり。しかし、そうしたハグリッドの怪物幻想の中でも、たぶん今度のが一番不可解だ。あの口をきく大蜘蛛《ぐも》、アラゴグ——禁じられた森の奥深くに棲《す》み、四年前ハリーとロンがからくもその手を逃れた、あの大蜘蛛。

「何か——何か私たちにできることがあるかしら?」

ロンがとんでもないとばかり、しかめっ面で首をめちゃめちゃ横に振るのを無視して、ハーマイオニーが尋ねた。

「なんもねえだろうよ、ハーマイオニー」

滝のように流れる涙を止めようとして、ハグリッドが声を詰まらせた。

「あのな、眷属《けんぞく》のやつらがな……アラゴグの家族だ……あいつが病気だもんで、ちいとおかしくなっちょる……落ち着きがねえ……」

「ああ、僕たち、あいつらのそういうところを、ちょっと見たよな」ロンが小声で言った。

「……いまんとこ、俺以外のもんが、あのコロニーに近づくのは安全とは言えねえ」

ハグリッドは、エプロンでチーンと鼻をかみ、顔を上げた。

「そんでも、ありがとよ、ハーマイオニー……そう言ってくれるだけで……」

そのあとはだいぶ雰囲気が軽くなった。ハリーもロンも、あのガルガンチュアのような危険極まりない肉食大蜘蛛に、大幼虫を持っていって食べさせてあげたいなどというそぶりは見せなかったのだが、ハグリッドは、当然二人にそういう気持ちがあるものと思い込んだらしく、いつものハグリッドに戻ったからだ。

「ウン、おまえさんたちの時間割に俺の授業を突っ込むのは難しかろうと、はじめっからわかっちょった」

三人に紅茶をつぎ足しながら、ハグリッドがぶっきらぼうに言った。

「たとえ『逆転時計《タイムターナー》』を申し込んでもだ――」

「それはできなかったはずだわ」ハーマイオニーが言った。

「この夏、私たちが魔法省に行ったとき、『逆転時計』の在庫を全部壊してしまったの。『日刊予言者新聞』に書いてあったわ」

「ンム、そんなら」ハグリッドが言った。「どうやったって、できるはずはなかった……悪かったな。俺は……ほれ――俺はただ、アラゴグのことが心配で……そんで、もしグラブリー‐プランク先生が教えとったらどうだったか、なんて考えっちまって――」

三人は、ハグリッドのかわりに数回教えたことのあるグラブリー‐プランク先生がどんなにひどい先生だったか、口をそろえてきっぱりうそをついた。結果的に、夕暮れ時、三人に手を振って送り出したハグリッドは、少し機嫌がよさそうだった。

「腹がへって死にそうだよ」

戸が閉まったとたん、ハリーが言った。三人は誰もいない暗い校庭を急いだ。奥歯の一本がバリッと不吉な音を立てたときに、ハリーはロックケーキを放棄していた。

「しかも、今夜はスネイプの罰則がある。ゆっくり夕食を食べていられないな……」

城に入るとコーマック・マクラーゲンが大広間に入るところが見えた。入口の扉を入るのに二回やり直していた。一回目は扉の枠にぶつかって跳ね返った。ロンはご満悦でゲラゲラ笑い、そのあとから肩をそびやかして入っていったが、ハリーはハーマイオニーの腕をつかんで引き戻した。

「どうしたっていうの？」ハーマイオニーは予防線を張った。

「なら、言うけど」

ハリーが小声で言った。

「マクラーゲンは、**ほんとに**『錯乱呪文』をかけられたみたいに見える。それに、あいつは君が座っていた場所のすぐ前に立っていた」

ハーマイオニーが赤くなった。

「ええ、しかたがないわ。私がやりました」

ハーマイオニーがささやいた。

「でも、あなたは聞いていないけど、あの人がロンやジニーのことをなんてけなしてたか！　とにかく、あの人は性格が悪いわ。キーパーになれなかったときのあの人の反応、見たわよね――あんな人はチームにいてほしくないはずよ」

「ああ、そうだと思う。でも、ハーマイオニー、それってずるくないか？　だって、君は監督生、だろ？」

ハリーはニヤリと笑った。

「まあ、やめてよ」ハーマイオニーがピシャリと言った。

「二人とも、何やってんだ？」

ロンがけげんな顔をして、大広間への扉からまた顔を出した。

「なんでもない」

ハリーとハーマイオニーは同時にそう答え、急いでロンのあとに続いた。ローストビーフのにおいが、ハリーのすきっ腹をしめつけた。しかし、グリフィンドールのテーブルに向かって三歩と歩かないうちに、スラグホーン先生が現れて行く手をふさいだ。

「ハリー、ハリー、まさに会いたい人のお出ましだ！」

セイウチひげの先端をひねりながら、巨大な腹を突き出して、スラグホーンは機嫌よく大声で言った。

「夕食前に君を捕まえたかったんだ！　今夜はここでなく、わたしの部屋で軽くひと口どうかね？　ちょっとしたパーティをやる。希望の星が数人だ。マクラーゲンも来るし、ザビニも、チャーミングなメリンダ・ボビンも来る――メリンダはもうお知り合いかね？　家族が大きな薬問屋チェーン店を所有しているんだが――それに、もちろん、ぜひミス・グレンジャーにもお越しいただければ、大変うれしい」

スラグホーンは、ハーマイオニーに軽く会釈して言葉を切った。ロンには、まるで存在しないかのように、目もくれなかった。

「先生、うかがえません」

ハリーが即座に答えた。

「スネイプ先生の罰則を受けるんです」

「おやおや！」

スラグホーンのがっくりした顔が滑稽だった。

「それはそれは。君が来るのを当てにしていたんだよ、ハリー！　あ、それではセブルスに会って、事情を説明するほかないようだ。きっと罰則を延期するよう説得できると思うね。よし、二人とも、それでは、あとで！」

スラグホーンはあたふたと大広間を出ていった。

「スネイプを説得するチャンスはゼロだ」

スラグホーンが声の届かないほど離れたとたん、ハリーが言った。

「一度、延期されてるんだ。相手がダンブルドアだから、スネイプは延期したけど、ほかの人ならしないよ」

「ああ、あなたが来てくれたらいいのに。一人じゃ行きたくないわ！」

ハーマイオニーが心配そうに言った。マクラーゲンのことを考えているなと、ハリーには察しがついた。

「一人じゃないと思うな。ジニーがたぶん呼ばれる」

スラグホーンに無視されたのがお気に召さない様子のロンが、バシリと言った。

夕食のあと、三人はグリフィンドール塔に戻った。大半の生徒が夕食を終えていたので、談話室は混んでいたが、三人は空いているテーブルを見つけて腰を下ろした。スラグホーンと出会ってからずっと機嫌が悪かったロンは、腕組みをして天井をにらんでいた。ハーマイオニーは、誰かが椅子に置いていった「夕刊予言者新聞」に手を伸ばした。

「何か変わったこと、ある？」ハリーが聞いた。

「特には……」

ハーマイオニーは新聞を開き、中のページを流し読みしていた。

「あ、ねえ、ロン、あなたのお父さんがここに――ご無事だから大丈夫！」

ロンがギョッとして振り向いたので、ハーマイオニーがあわててつけ加えた。

「お父さんがマルフォイの家に行ったって、そう書いてあるだけ。『死喰《しく》い人の家での、この二度目の家宅捜索は、なんらの成果も上げなかった模様である。「偽の防衛呪文ならびに保護器具の発見ならびに没収局」のアーサー・ウィーズリー氏は、自分のチームの行動は、ある秘密の通報にもとづいて行ったものであると語った』」

「そうだ。僕の通報だ！」ハリーが言った。

「キングズ・クロスで、マルフォイのことを話したんだ。ボージンに何かを修理させたがっていたこと！　う〜ん、もしあいつの家にないなら、そのなんだかわからないものを、ホグワーツに持ってきたにちがいない――」

「だけど、ハリー、どうやったらそんなことができる？」

ハーマイオニーが驚いたような顔で新聞を下に置いた。

「ここに着いたとき、私たち全員検査されたでしょ？」

「そうなの？」ハリーはびっくりした。「僕はされなかった！」

「ああ、そうね、確かにあなたはちがうわ。遅れたことを忘れてた……あのね、フィルチが、私たちが玄関ホールに入るときに、全員を『詮索センサー』でさわったの。闇の品物なら見つかっていたはずよ。事実、クラッブがミイラ首を没収されたのを知ってるわ。だからね、マルフォイは危険なものを持ち込めるはずがないの！」

一瞬詰まったハリーは、ジニー・ウィーズリーがピグミーパフのアーノルドとたわむれているのを眺めながら、この反論をどうかわすかを考えた。

「じゃあ、誰かがふくろうであいつに送ってきたんだ」ハリーが言った。「母親か誰か」

「ふくろうも全部チェックされてます」ハーマイオニーが言った。「フィルチが、手当たりしだいあちこち『詮索センサー』を突っ込みながら、そう言ってたわ」

今度こそほんとうに手詰まりで、ハリーは何も言えなかった。マルフォイが危険物や闇の物品を学校に持ち込む手段はまったくないように見えた。ハリーは望みをたくしてロンを見たが、ロンは腕組みをしてラベンダー・ブラウンをじっと見ていた。

「マルフォイが使った方法を、何か思いつか――？」

「ハリー、もうよせ」ロンが言った。

「いいか、スラグホーンがばからしいパーティに僕とハーマイオニーを招待したのは、何も僕のせいじゃない。僕たちが行きたかったわけじゃないんだ！」ハリーはカッとなった。

「さーて、僕はどこのパーティにも呼ばれてないし」ロンが立ち上がった。「寝室に行くよ」

ロンは男子寮に向かって、床を踏み鳴らしながら去っていった。ハリーとハーマイオニーは、まじまじとその後ろ姿を見送った。

「ハリー？」

新しいチェイサーのデメルザ・ロビンズが突然ハリーのすぐ後ろに現れた。

「あなたに伝言があるわ」

「スラグホーン先生から？」ハリーは期待して座りなおした。

「いいえ……スネイプ先生から」

デメルザの答えでハリーは落胆した。

「今晩八時半に先生の部屋に罰則を受けにきなさいって――あの――パーティへの招待がいくつかあっても、ですって。それから、くさったレタス食い虫《フロバーワーム》と、そうでない虫をより分ける仕事だとあなたに知らせるように言われたわ。魔法薬に使うためですって。それから――それから、先生がおっしゃるには、保護用手袋は持ってくる必要がないって」

「そう」

ハリーは腹を決めたように言った。

「ありがとう、デメルザ」

第12章　シルバーとオパール

ダンブルドアはどこにいて、何をしていたのだろう？　それから二、三週間、ハリーは校長先生の姿を二度しか見かけなかった。食事に顔を見せることとさえほとんどなくなった。ダンブルドアが何日も続けて学校を留守にしている、というハーマイオニーの考えは当たっているると、ハリーは思った。ダンブルドアは、ハリーの個人教授を忘れてしまったのだろうか？　予言に関する何かと結びつく授業だというダンブルドアの言葉に、ハリーは力づけられ、なぐさめられたのだが、いまはちょっと見捨てられたような気がしていた。

十月の半ばに、学期最初のホグズミード行きがやってきた。ますます厳しくなる学校周辺の警戒措置を考えると、そういう外出がまだ許可されるだろうかと、ハリーは危ぶんでいたのだが、実施されると知ってうれしかった。数時間でも学校を離れられるのは、いつもいい気分だった。

外出日の朝は荒れ模様だったが、早く目が覚めたハリーは、朝食までの時間を『上級魔法薬』の教科書を読んで、ゆっくり過ごした。普段はベッドに横になって教科書を読んだりはしない。ロンがいみじくも言うように、ハーマイオニー以外の者がそういう行動を取るのは不道徳であり、ハーマイオニーだけはもともとそういう変人なのだ。しかしハリーは、プリンスの『上級魔法薬』はとうてい教科書と呼べるものではないと感じていた。じっくりと読めば読むほど、どんなに多くのことが書き込まれているかを、ハリーは思い知らされるのだった。スラグホーンからの輝かしい評価を勝ち取らせてくれた便利なヒントや、魔法薬を作る近道だけではないものが、そこにはあった。余白に走り書きしてあるちょっとした呪いや呪詛《じゅそ》は独創的で、×印で消してあったり、書きなおしたりしているところを見ると、プリンス自身が考案したものにちがいない。

ハリーはすでに、プリンスが発明した呪文をいくつか試していた。足の爪が驚くほど速く伸びる呪詛とか（廊下でクラッブに試したときは、とてもおもしろい見ものだった）、舌を口蓋に貼りつけてしまう呪いとか（油断しているアーガス・フィルチに二度仕掛けて、やんやの喝采を受けた）、それに一番役に立つと思われるのが「**マフリアート、耳ふさぎ**」の呪文で、近くにいる者の耳に正体不明の雑音を聞かせ、授業中に盗み聞きされることなく長時間私語できるというすぐれものだ。

こういう呪文をおもしろく思わないただ一人の人物は、ハーマイオニーだった。ハリーが近くにいる誰かにこの「**耳ふさぎ呪文**」を使うと、ハーマイオニーはその間中、かたくなに非難の表情を崩さず、口をきくことさえ拒絶した。

ベッドに背中をもたせかけながら、プリンスが苦労したらしい呪文の走り書きをもっとよく確かめようと、ハリーは本を斜めにして見た。何回も×印で消したり書きなおしたりして、最後にそのページの隅に詰め込むように書かれている呪文だ。

「**レビコーパス、身体浮上（無）**」

風とみぞれが容赦なく窓をたたき、ネビルは大きないびきをかいている。ハリーはかっこ書きを見つめた。――「**無**」……無言呪文の意味にちがいない。ハリーは、まだ無言呪文そのものにてこずっていたので、この無言呪文だけがうまく使えるわけはないと思った。「闇の魔術に対する防衛術」の授業のたびに、スネイプはハリーの無言呪文がなっていないと、容赦なく指摘していた。とは言え、これまでのところ、プリンスのほうがスネイプよりずっと効果的な先生だったのは明らかだ。

特にどこを指す気もなく、ハリーは杖《つえ》を取り上げてちょっと上に振り、頭の中で「**レビコーパス！**」

と唱えた。

「あぁぁぁぁぁぁぁっ！」

閃光《せんこう》が走り、部屋中が、声でいっぱいになった。ロンの叫び声で、全員が目を覚ましたのだ。ハリーはびっくり仰天して『上級魔法薬』の本を放り投げた。ロンはまるで見えない釣り針でくるぶしを引っかけられたように、逆さまに宙吊《づ》りになっていた。

「ごめん！」ハリーが叫んだ。ディーンもシェーマスも大笑いし、ネビルはベッドから落ちて立ち上がるところだった。「待ってて——下ろしてやるから——」

魔法薬の本をあたふた拾い上げ、ハリーは大あわてでページをめくって、さっきのページを探した。やっとそのページを見つけると、呪文の下に読みにくい文字が詰め込んであった。これが反対呪文でありますようにと祈りながら判読し、ハリーはその言葉に全神経を集中した。

「**リベラコーパス！　身体自由！**」

また閃光が走り、ロンは、ベッドの上に転落してぐしゃぐしゃになった。

「ごめん」

ハリーは弱々しくくり返した。ディーンとシェーマスは、まだ大笑いしていた。

「あしたは」ロンが布団に顔を押しつけたまま言った。「目覚まし時計をかけてくれたほうがありがたいけどな」

二人が、ウィーズリーおばさんの手編みのセーターを何枚も重ね着し、マントやマフラーと手袋を手に持って身支度をすませたころには、ロンのショックも収まっていて、ハリーの新しい呪文は最高におもしろいという意見になっていた。事実、あまりおもしろいので、朝食の席でハーマイオニーを楽しませようと、すぐさまその話をした。

「……それでさ、また閃光が走って、僕は再びベッドに着地したのである！」

ソーセージを取りながら、ロンはニヤリと笑った。

ハーマイオニーはニコリともせずにこの逸話を聞いていたが、そのあと冷ややかな非難のまなざしをハリーに向けた。

「その呪文は、もしかして、またあの『魔法薬』の本から出たのかしら？」

ハリーはハーマイオニーをにらんだ。

「君って、いつも最悪の結論に飛びつくね？」

「そうなの？」

「さあ……うん、そうだよ。それがどうした？」

「するとあなたは、手書きの未知の呪文をちょっと試してみよう、何が起こるか見てみようと思ったわけ？」

「手書きのどこが悪いって言うんだ？」ハリーは、質問の一部にしか答えたくなかった。

「理由は、魔法省が許可していないかもしれないからです」ハーマイオニーが言った。

「それに」

ハリーとロンが「またかよ」とばかり目をグリグリさせたので、ハーマイオニーがつけ加えた。

「私、プリンスがちょっと怪しげな人物だって思いはじめたからよ」

とたんにハリーとロンが、大声でハーマイオニーをだまらせた。

「笑える冗談さ！」

ソーセージの上にケチャップの容器を逆さまにかざしながら、ロンが言った。

「単なるお笑いだよ、ハーマイオニー、それだけさ！」

「足首をつかんで人を逆さ吊りすることが？」

ハーマイオニーが言った。

「そんな呪文を考えるために時間とエネルギーを費やすなんて、いったいどんな人？」

「フレッドとジョージ」ロンが肩をすくめた。

「あいつらのやりそうなことさ。それに、えーと——」

「僕の父さん」ハリーが言った。ふと思い出したのだ。

「えっ？」ロンとハーマイオニーが、同時に反応した。

「僕の父さんがこの呪文を使った」ハリーが言った。

「僕——ルーピンがそう教えてくれた」

最後の部分はうそだった。ほんとうは、父親がスネイプにこの呪文を使うところを見たのだが、「憂いの篩《ふるい》」へのあの旅のことは、ロンとハーマイオニーに話していなかった。しかしハリーはいま、あるすばらしい可能性に思い当たった。「半純血のプリンス」はもしかしたら——？

「あなたのお父さまも使ったかもしれないわ、ハリー」ハーマイオニーが言った。

「でも、お父さまだけじゃない。何人もの人がこれを使っているところを、私たち見たわ。忘れたのかしら。人間を宙吊りにして。眠ったまま、何もできない人たちを浮かべて移動させていた」

ハリーは、目を見張ってハーマイオニーを見た。そしてそれを思い出して、気が重くなった。クィディッチ・ワールドカップでの死喰《しく》い人の行動だった。ロンが助け舟を出した。

「あれはちがう」ロンは確信を持って言った。

「あいつらは悪用していた。ハリーとかハリーの父さんは、ただ冗談でやったんだ。君は王子さまが嫌いなんだよ、ハーマイオニー」

ロンはソーセージを厳めしくハーマイオニーに突きつけながら、つけ加えた。

「王子が君より『魔法薬』がうまいから――」

「それとはまったく関係ないわ！」ハーマイオニーのほおが紅潮した。

「私はただ、なんのための呪文かも知らないのに使ってみるなんて、とっても無責任だと思っただけ。それから、まるで称号みたいに『王子』って言うのはやめて。きっとバカバカしいニックネームにすぎないんだから。それに、私にはあまりいい人だとは思えないわ！」

「どうしてそういう結論になるのか、わからないな」ハリーが熱くなった。

「もしプリンスが、死喰い人の走りだとしたら、得意になって『半純血』を名乗ったりしないだろう？」

そう言いながら、ハリーは父親が純血だったことを思い出したが、その考えを頭から押しのけた。それはあとで考えよう……。

「死喰い人の全部が純血だとはかぎらない。純血の魔法使いなんて、あまり残っていないわ」

ハーマイオニーが頑固に言い張った。

「純血のふりをした、半純血が大多数だと思う。あの人たちは、マグル生まれだけを憎んでいるのよ。あなたとかロンなら、喜んで仲間に入れるでしょう」

「僕を死喰い人仲間に入れるなんてありえない！」

カッとしたロンが、今度はハーマイオニーに向かってフォークを振り回し、フォークから食べかけのソーセージが吹っ飛んで、アーニー・マクミランの頭に当たった。

「僕の家族は全員、血を裏切った！　死喰い人にとっては、マグル生まれと同じぐらい憎いんだ！」

「だけど、僕のことは喜んで迎えてくれるさ」

ハリーは皮肉な言い方をした。

「連中が躍起になって僕のことを殺そうとしなけりゃ、大の仲良しになれるだろう」

これにはロンが笑った。ハーマイオニーでさえ、しぶしぶ笑みをもらした。ちょうどそこへ、ジニーが現れて、気分転換になった。

「こんちわっ、ハリー、これをあなたに渡すようにって」

羊皮紙の巻紙に、見覚えのある細長い字でハリーの名前が書いてある。

「ありがと、ジニー……ダンブルドアの次の授業だ！」

巻紙を勢いよく開き、中身を急いで読みながら、ハリーはロンとハーマイオニーに知らせた。

「月曜の夜！」

ハリーは急に気分が軽くなり、うれしくなった。

「ジニー、ホグズミードに一緒に行かないか？」ハリーが誘った。

「ディーンと行くわ――むこうで会うかもね」ジニーは手を振って離れながら答えた。

いつものように、フィルチが正面の樫《かし》の木の扉の所に立って、ホグズミード行きの許可を得ている生徒の名前を照らし合わせて印をつけていた。フィルチが「詮索センサー」で全員を一人三回も検査するので、いつもよりずっと時間がかかった。

「闇の品物を**外**に持ち出したら、何か問題あるのか？」

長細い詮索センサーを心配そうにじろじろ見ながら、ロンが問いただした。

「帰りに**中**に持ち込むものをチェックすべきなんじゃないか？」

生意気の報いに、ロンはセンサーで二、三回よけいにつっつかれ、三人で風とみぞれの中に歩み出したときも、まだ痛そうに顔をしかめていた。

ホグズミードまでの道のりは、楽しいとは言えなかった。ハリーは顔の下半分にマフラーを巻きつけたが、さらされている肌がヒリヒリ痛み、すぐにかじかんだ。村までの道は、刺すような向かい風に体を折り曲げて進む生徒でいっぱいだった。暖かい談話室で過ごしたほうがよかったのではないかと、ハリーは一度ならず思った。

やっとホグズミードに着いてみると、「ゾンコのいたずら専門店」に板が打ちつけてあるのが見えた。ハリーは、この遠足は楽しくないと、これで決まったように思った。ロンは手袋に分厚く包まれた手で、「ハニーデュークス」の店を指した。ありがたいことに開いている。ハリーとハーマイオニーは、ロンの進むあとをよろめきながらついて歩き、混んだ店に入った。

「助かったぁ」

ヌガーの香りがする暖かい空気に包まれ、ロンが身を震わせた。

「午後はずっとここにいようよ」

「やあ、ハリー！」三人の後ろで声がとどろいた。

「しまった」

ハリーがつぶやいた。三人が振り返ると、スラグホーン先生がいた。巨大な毛皮の帽子に、おそろいの毛皮のえりのついたオーバーを着て、砂糖漬けパイナップルの大きな袋を抱え、少なくとも店の四分の一を占領していた。

「ハリー、わたしのディナーをもう三回も逃したですぞ！」

ハリーの胸を機嫌よくこづいて、スラグホーンが言った。

「それじゃあいけないよ、君。絶対に君を呼ぶつもりだ！　ミス・グレンジャーは気に入ってくれている。そうだね？」

「はい」ハーマイオニーはしかたなく答えた。「ほんとうに──」

「だから、ハリー、来ないかね？」スラグホーンが詰め寄った。

「ええ、先生、僕、クィディッチの練習があったものですから」

ハリーが言った。スラグホーンから紫のリボンで飾った小さな招待状が送られてきたときは、確かに、いつも練習の予定とかち合っていた。この戦略のおかげで、ロンは取り残されることがなく、ジニーと三人で、ハーマイオニーがマクラーゲンやザビニと一緒に閉じ込められている様子を想像しては、笑っていた。

「そりゃあ、そんなに熱心に練習したのだから、むろん最初の試合に勝つことを期待してるよ！」スラグホーンが言った。

「しかし、ちょっと息抜きをしても悪くはない。さあ、月曜日の夜はどうかね。こんな天気じゃあ、とても練習したいとは思わないだろう……」

「だめなんです、先生。僕──あの──その晩、ダンブルドア先生との約束があって」

「今度もついてない！」

スラグホーンが大げさに嘆いた。

「ああ、まあ……永久にわたしをさけ続けることはできないよ、ハリー！」

スラグホーンは堂々と手を振り、短い足でよちよちと店から出ていった。ロンのことはまるで「ゴキブリ・ゴソゴソ豆板」の展示品であるかのように、ほとんど見向きもしなかった。

「今度も逃げおおせたなんて、信じられない」

ハーマイオニーが頭《かぶり》を振りながら言った。

「**そんなに**ひどいというわけでもないのよ……まあまあ楽しいときだってあるわ……」

しかしその時、ハーマイオニーはちらりとロンの表情をとらえた。

「あ、見て――『デラックス砂糖羽根ペン』がある――これって何時間も持つわよ！」

ハーマイオニーが話題を変えてくれたことでホッとして、ハリーは新商品の特大砂糖羽根ペンに、普段見せないような強い関心を示して見せた。しかしロンはふさぎ込んだままで、ハーマイオニーが次はどこに行こうかと聞いても肩をすくめるだけだった。

「『三本の箒《ほうき》』に行こうよ」ハリーが言った。「きっと暖かいよ」

三人は、マフラーを顔に巻きなおし、菓子店を出た。「ハニーデュークス」の甘い温もりのあとはなおさら冷たい風が、顔をナイフのように刺した。通りは人影もまばらで、立ち話をする人もなく、誰もが目的地に急いでいた。例外は少し先にいる二人の男で、ハリーたちの行く手の、「三本の箒」の前に立っていた。一人はとても背が高くやせている。雨にぬれためがねを通して、ハリーが目を細めて見ると、ホグズミードにあるもう一軒のパブ、「ホッグズ・ヘッド」の店主だとわかった。ハリー、ロン、ハーマイオニーが近づくと、その男はマントの襟をきつく閉めなおして立ち去った。残された背の低い男は、腕に抱えた何かをぎこちなく扱っている。すぐそばまで近づいて初めて、ハリーはその男が誰かに気づいた。

「マンダンガス！」

赤茶色のざんばら髪にガニマタのずんぐりした男は、飛び上がって、くたびれたトランクを落とした。トランクがパックリと開き、がらくた店のショーウィンドウをそっくり全部ぶちまけたようなありさまになった。

「ああ、よう、アリー」

マンダンガス・フレッチャーはなんでもない様子を見事にやりそこねた。

「いーや、かまわず行っちくれ」

そして這《は》いつくばってトランクの中身をかき集めはじめたが、「早くずらかりたい」という雰囲気丸出しだった。

「こういうのを売ってるの？」

マンダンガスが地面を引っかくようにして、汚らしい雑多な品物を拾い集めるのを見ながら、ハリーが聞いた。

「ああ、ほれ、ちっとはかせがねえとな」マンダンガスが答えた。「そいつをよこせ！」

ロンがかがんで何か銀色のものを拾い上げていた。

「待てよ」

ロンが何か思い当たるように言った。

「どっかで見たような――」

「あんがとよ！」

マンダンガスは、ロンの手からゴブレットをひったくり、トランクに詰め込んだ。

「さて、そんじゃみんな、またな――**イテッ！**」

ハリーがマンダンガスののどくびを押さえ、パブの壁に押しつけた。片手でしっかり押さえながら、ハリーは杖を取り出した。

「ハリー！」ハーマイオニーが悲鳴を上げた。

「シリウスの屋敷からあれを盗んだな」

ハリーはマンダンガスに鼻がくっつくほど顔を近づけた。湿気たたばこや酒のいやなにおいがした。

「あれにはブラック家の家紋がついている」

「俺は――うんにゃ――なんだって――？」

マンダンガスは泡を食ってブツブツ言いながら、だんだん顔が紫色になってきた。

「何をしたんだ？　シリウスが死んだ夜、あそこに戻って根こそぎ盗んだのか？」

ハリーが歯をむいて唸《うな》った。

「俺は――うんにゃ――」

「それを渡せ！」

「ハリー、そんなことダメよ！」

ハーマイオニーがけたたましい声を上げた。マンダンガスが青くなりはじめていた。

バーンと音がして、ハリーは自分の手がマンダンガスののどからはじかれるのを感じた。あえぎながら早口でブツブツ言い、落ちたトランクをつかんで――**バチン**――マンダンガスは「姿くらまし」した。

ハリーは、マンダンガスの行方を探してその場をぐるぐる回りながら、声をかぎりに悪態をついた。

「戻ってこい！　この盗っ人――！」

「むだだよ、ハリー」

トンクスがどこからともなく現れた。くすんだ茶色の髪がみぞれでぬれている。

「マンダンガスは、いまごろたぶんロンドンにいる。わめいてもむだだよ」

「あいつはシリウスのものを盗んだ！　盗んだんだ！」

「そうだね。だけど」

トンクスは、この情報にまったく動じないように見えた。

「寒い所にいちゃだめだ」

トンクスは三人が「三本の箒」の入口を入るまで見張っていた。中に入るなり、ハリーはわめきだした。

「あいつはシリウスのものを盗んでいたんだ！」

「わかってるわよ、ハリー。だけどお願いだから大声出さないで。みんなが見てるわ」

ハーマイオニーが小声で言った。

「あそこに座って。飲み物を持ってきてあげる」

数分後、ハーマイオニーがバタービールを三本持ってテーブルに戻ってきたときも、ハリーはまだいきり立っていた。

「騎士団はマンダンガスを抑えきれないのか？」

ハリーはカッカしながら小声で言った。

「せめて、あいつが本部にいるときだけでも、盗むのをやめさせられないのか？　固定されてないものならなんでも、片っ端から盗んでるのに」

「シーッ！」

ハーマイオニーが周りを見回して、誰も聞いていないことを確かめながら、必死で制止した。魔法戦士が二人近くに腰かけて、興味深そうにハリーを見つめていたし、ザビニはそう遠くない所で柱にもたれかかっていた。

「ハリー、私だって怒ると思うわ。あの人が盗んでいるのは、あなたのものだってことを知ってるし――」

ハリーはバタービールにむせた。自分がグリモールド・プレイス十二番地の所有者であることを、一時的に忘れていた。

「そうだ、あれは僕のものだ！」ハリーが言った。

「どうりであいつ、僕を見てまずいと思ったわけだ！　うん、こういうことが起こっているって、ダンブルドアに言おう。マンダンガスが怖いのはダンブルドアだけだし」

「いい考えだわ」

ハーマイオニーが小声で言った。ハリーが静まってきたので、安堵《あんど》したようだ。

「ロン、何を見つめてるの？」

「なんでもない」

ロンはあわててバーから目をそらしたが、ハリーにはわかっていた。曲線美の魅力的な女主人、マダム・ロスメルタに、ロンは長いこと密《ひそ》かに思いを寄せていて、いまもその視線をとらえようとしていたのだ。

「『なんでもない』さんは、裏のほうで、ファイア・ウィスキーを補充していらっしゃると思いますわ」

ハーマイオニーがいやみったらしく言った。

ロンはこの突っ込みを無視して、バタービールをチビチビやりながら、威厳ある沈黙、と自分ではそう思い込んでいるらしい態度を取っていた。ハリーはシリウスのことを考えていた――いずれにせよシリウスは、あの銀のゴブレットをとても憎んでいた。ハーマイオニーは、ロンとバーとに交互に目を走らせながら、いらいらと机を指でたたいていた。

ハリーが瓶の最後の一滴を飲み干したとたん、ハーマイオニーが言った。

「今日はもうこれでおしまいにして、学校に帰らない？」

二人はうなずいた。楽しい遠足とは言えなかったし、天気もここにいる間にどんどん悪くなっていた。マントをきっちり体に巻きつけなおし、マフラーをととのえて手袋をはめた三人は、友達と一緒にパブを出ていくケイティ・ベルのあとに続いて、ハイストリート通りを戻りはじめた。

凍ったみぞれの道をホグワーツに向かって一歩一歩踏みしめながら、ハリーはふとジニーのことを考えた。ジニーには出会わなかった。当然だ、とハリーは思った。ディーンと二人でマダム・パディフットの喫茶店にとっぷり閉じこもっているんだ。あの幸せなカップルのたまり場に。ハリーは顔をしかめ、前かがみになって渦巻くみぞれに突っ込むように歩き続けた。

ケイティ・ベルと友達の声が風に運ばれて、後ろを歩いていたハリーの耳に届いていたが、しばらくしてハリーは、その声が叫ぶような大声になったのに気づいた。ハリーは目を細めて、二人のぼんやりした姿を見ようとした。ケイティが手に持っている何かをめぐって、二人が口論していた。

「リーアン、あなたには関係ないわ！」ケイティの声が聞こえた。

小道の角を曲がると、みぞれはますます激しく吹きつけ、ハリーのめがねを曇らせた。手袋をした手でめがねをふこうとしたとたん、リーアンがケイティの持っている包みをぐいとつかんだ。ケイティが引っ張り返し、包みが地面に落ちた。

その瞬間、ケイティが宙に浮いた。ロンのようにくるぶしから吊り下がった滑稽な姿ではなく、飛び立つ瞬間のように優雅に両手を伸ばしている。しかし、何かおかしい、何か不気味だ……激しい風にあおられた髪が顔を打っているが、両目を閉じ、うつろな表情だ。ハリー、ロン、ハーマイオニーもリーアンも、その場に釘《くぎ》づけになって見つめた。

やがて、地上二メートルの空中で、ケイティが恐ろしい悲鳴を上げた。両目をカッと見開き、何を見たのか、何を感じたのか、ケイティはその何かのせいで、恐ろしい苦悶《くもん》にさいなまれている。ケイティは叫び続けた。リーアンも悲鳴を上げ、ケイティのくるぶしをつかんで地上に引き戻そうとした。ハリー、ロン、ハーマイオニーも駆け寄って助けようとした。しかし、みんなで脚をつかんだ瞬間、ケイティが四人の上に落下してきた。ハリーとロンがなんとかそれを受け止めはしたが、ケイティがあまりに激しく身をよじるので、とても抱きとめていられなかった。地面に下ろすと、ケイティはそこでのたうち回り、絶叫し続けた。誰の顔もわからないようだ。

ハリーは周りを見回した。まったく人気《ひとけ》がない。

「ここにいてくれ！」

吠《ほ》えたける風の中、ハリーは大声を張り上げた。

「助けを呼んでくる！」

ハリーは学校に向かって疾走した。いまのケイティのようなありさまは見たことがないし、何が原因かも思いつかなかった。小道のカーブを飛ぶように回り込んだとき、後脚で立ち上がった巨大な熊のようなものに衝突して跳ね返された。

「ハグリッド！」

生け垣にはまり込んだ体を解き放ちながら、ハリーは息をはずませて言った。

「ハリー！」

眉毛にもひげにもみぞれをためたハグリッドは、いつものぼさぼさしたビーバー皮のでかいオーバーを着ていた。

「グロウプに会いにいってきたとこだ。あいつはほんとに進歩してな、おまえさん、きっと――」

「ハグリッド、あっちにけが人がいる。呪いか何かにやられた――」

「あー？」

風の唸りでハリーの言ったことが聞き取れず、ハグリッドは身をかがめた。

「呪いをかけられたんだ！」ハリーが大声を上げた。

「呪い？　誰がやられた――ロンやハーマイオニーじゃねえだろうな？」

「ちがう、二人じゃない。ケイティ・ベルだ――こっち……」

二人は小道を駆け戻った。ケイティを囲む小さな集団を見つけるのに、そう時間はかからなかった。ケイティはまだ地べたで身もだえし、叫び続けていた。ロン、ハーマイオニー、リーアンが、ケイティを落ち着かせようとしていた。

「下がっとれ！」ハグリッドが叫んだ。「見せてみろ！」

「ケイティがどうにかなっちゃったの！」リーアンがすすり泣いた。

「何が起こったのかわからない――」

ハグリッドは一瞬ケイティを見つめ、それから一言も言わずに身をかがめてケイティを抱き取り、城のほうに走り去った。数秒後には、耳をつんざくようなケイティの悲鳴が聞こえなくなり、ただ風の唸りだけが残った。

ハーマイオニーは、泣きじゃくっているケイティの友達の所へ駆け寄り、肩を抱いた。

「リーアン、だったわね？」

友達がうなずいた。

「突然起こったことなの？　それとも――？」

「包みが破れたときだったわ」

リーアンは、地面に落ちていまやぐしょぬれになっている茶色の紙包みを指差しながら、すすり上げた。破れた包みの中に、緑色がかった光るものが見える。ロンは手を伸ばしてかがんだが、ハリーがその腕をつかんで引き戻した。

「**さわるな！**」

ハリーがしゃがんだ。装飾的なオパールのネックレスが、紙包みからはみ出してのぞいていた。

「見たことがある」ハリーはじっと見つめながら言った。

「ずいぶん前になるけど、『ボージン・アンド・バークス』に飾ってあった。説明書きに、呪われているって書いてあった。ケイティはこれにさわったにちがいない」

ハリーは、激しく震えだしたリーアンを見上げた。

「ケイティはどうやってこれを手に入れたの？」

「ええ、そのことで口論になったの。ケイティは『三本の箒』のトイレから出てきたとき、それを持っていて、ホグワーツの誰かを驚かすものだって、それを自分が届けなきゃならないって言ったわ。その時の顔がとても変だった……あっ、あっ、きっと『服従の呪文』にかかっていたんだわ。私、それに気がつかなかった！」

リーアンは体を震わせて、またすすり泣きはじめた。ハーマイオニーはやさしくその肩をたたいた。

「リーアン、ケイティは誰からもらったかを言ってなかった？」

「ううん……教えてくれなかったわ……それで私、あなたはバカなことをやっている、学校には持っていくなって言ったの。でも全然聞き入れなくて、そして……それで私がひったくろうとして……それで――それで――」

リーアンが絶望的な泣き声を上げた。

「みんな学校に戻ったほうがいいわ」

ハーマイオニーが、リーアンの肩を抱いたまま言った。

「ケイティの様子がわかるでしょう。さあ……」

ハリーは一瞬迷ったが、マフラーを顔からはずし、ロンが息をのむのもかまわず、慎重にマフラーでネックレスを覆って拾い上げた。

「これをマダム・ポンフリーに見せる必要がある」ハリーが言った。

ハーマイオニーとリーアンを先に立てて歩きながら、ハリーは必死に考えをめぐらしていた。校庭に入ったとき、もはや自分の胸だけにとどめておけずに、ハリーは口に出した。

「マルフォイがこのネックレスのことを知っている。四年前、『ボージン・アンド・バークス』のショーケースにあったものだ。僕がマルフォイや父親から隠れているとき、マルフォイはこれをしっかり見ていた。僕たちがあいつのあとをつけて行った日に、あいつが買ったのは**これ**なんだ！　これを覚えていて、買いに戻ったんだ！」

「さあ――どうかな、ハリー」ロンが遠慮がちに言った。

「『ボージン・アンド・バークス』に行くやつはたくさんいるし……それに、あのケイティの友達、ケイティが女子トイレであれを手に入れたって言わなかったか？」

「女子トイレから出てきたときにあれを持っていたって言った。トイレの中で手に入れたとはかぎらない――」

「マクゴナガルが来る！」ロンが警告するように言った。

ハリーは顔を上げた。確かにマクゴナガル先生が、みぞれの渦巻く中を、みんなを迎えに石段を駆け下りてくるところだった。

「ハグリッドの話では、ケイティ・ベルがあのようになったのを、あなたたち四人が目撃したと――さあ、いますぐ上の私《わたくし》の部屋に！　ポッター、何を持っているのですか？」

「ケイティが触れたものです」ハリーが言った。

「なんとまあ」

マクゴナガル先生は警戒するような表情で、ハリーからネックレスを受け取った。

「いえいえ、フィルチ、この生徒たちは私と一緒です！」

マクゴナガル先生が急いで言った。フィルチが待ってましたとばかり「詮索センサー」を高々と掲げ、玄関ホールのむこうからドタドタやってくるところだった。

「このネックレスを、すぐにスネイプ先生の所へ持っていきなさい。ただし、けっしてさわらないよう。マフラーに包んだままですよ！」

ハリーもほかの三人と一緒に、マクゴナガル先生に従って上階の先生の部屋に行った。窓ガラスにみぞれが打ちつけ、窓枠の中でガタガタ揺れていた。火格子の上で火がはぜているにもかかわらず、部屋は薄寒かった。マクゴナガル先生はドアを閉め、サッと机のむこう側に回って、ハリー、ロン、ハーマイオニー、そしてまだすすり泣いているリーアンと向き合った。

「それで？」先生は鋭い口調で言った。「何があったのですか？」

おえつを抑えるのに何度も言葉を切りながら、リーアンはたどたどしくマクゴナガル先生に話した。ケイティが「三本の箒」のトイレに入り、どこの店のものともわからない包みを手にして戻ってきたこと、ケイティの表情が少し変だったこと、得体の知れないものを届けると約束することが適切かどうかで口論になったこと、口論のはてに包みの奪い合いになり、包みが破れて開いたこと。そこまで話すと、リーアンは感情がたかぶり、それ以上一言も聞き出せない状態だった。

「けっこうです」

マクゴナガル先生の口調は、冷たくはなかった。

「リーアン、医務室においでなさい。そして、マダム・ポンフリーから何かショックに効くものをもらいなさい」

リーアンが部屋を出ていったあと、マクゴナガル先生はハリー、ロン、ハーマイオニーに顔を向けた。

「ケイティがネックレスに触れたとき、何が起こったのですか？」

「宙に浮きました」

ロンやハーマイオニーが口を開かないうちに、ハリーが言った。

「それから悲鳴を上げはじめて、そのあとに落下しました。先生、ダンブルドア校長にお目にかかれますか？」

「ポッター、校長先生は月曜日までお留守です」マクゴナガル先生が驚いた表情で言った。

「留守？」ハリーは憤慨したようにくり返した。

「そうです、ポッター、お留守です！」マクゴナガル先生はピシッと言った。

「しかし、今回の恐ろしい事件に関してのあなたの言い分でしたら、私に言ってもかまわないはずです！」

ハリーは一瞬迷った。マクゴナガル先生は、秘密を打ち明けやすい人ではない。ダンブルドアには、いろいろな意味でもっと畏縮させられるが、それでも、どんなに突拍子もない説でも嘲笑される可能性が少ないように思われた。しかし、今度のことは生死に関わる。笑い者になることなど心配している場合ではない。

「先生、僕は、ドラコ・マルフォイがケイティにネックレスを渡したのだと思います」

ハリーの脇で、明らかに当惑したロンが、鼻をこすり、一方ハーマイオニーは、ハリーとの間に少し距離を置きたくてしかたがないかのように、足をもじもじさせた。

「ポッター、それは由々しき告発です」

衝撃を受けたように間を置いたあと、マクゴナガル先生が言った。

「証拠がありますか？」

「いいえ」ハリーが言った。

「でも……」そしてハリーは、マルフォイを追跡して「ボージン・アンド・バークス」に行ったこと、三人が盗み聞きしたマルフォイとボージンの会話のことを話した。

ハリーが話し終わったとき、マクゴナガル先生はやや混乱した表情だった。

「マルフォイは、『ボージン・アンド・バークス』に何か修理するものを持っていったのですか？」

「ちがいます、先生。ボージンから何かを修理する方法を聞き出したかっただけです。物は持っていませんでした。でもそれが問題ではなくて、マルフォイは同時に何かを買ったんです。僕はそれがあのネックレスだと——」

「マルフォイが、似たような包みを持って店から出てくるのを見たのですか？」

「いいえ、先生。マルフォイはボージンに、それを店で保管しておくようにと言いました——」

「でも、ハリー」ハーマイオニーが口をはさんだ。

「ボージンがマルフォイに、品物を持っていってはどうかと言ったとき、マルフォイは『いいや』って——」

「それは、自分がさわりたくなかったからだ。はっきりしてる！」ハリーがいきり立った。

「マルフォイは実はこう言ったわ。『そんなものを持って通りを歩いたら、どういう目で見られると思うんだ？』」ハーマイオニーが言った。

「そりゃ、ネックレスを手に持ってたら、ちょっと間が抜けて見えるだろうな」ロンが口をはさんだ。

「ロンったら」ハーマイオニーがお手上げだという口調で言った。

「ちゃんと包んであるはずだから、さわらなくてすむでしょうし、マントの中に簡単に隠せるから、誰にも見えないはずだわ！　マルフォイが『ボージン・アンド・バークス』に何を保管しておいたにせよ、騒がしいものか、かさ張るものよ。それを運んで道を歩いたら人目を引くことになるような、そういう何かだわ――それに、いずれにせよ」

ハーマイオニーは、ハリーに反論される前に、声を張り上げてぐいぐい話を進めた。

「私がボージンにネックレスのことを聞いたのを、覚えている？　マルフォイが何を取り置くように頼んだのか調べようとして店に入ったとき、ネックレスがあるのを見たわ。ところが、ボージンは簡単に値段を教えてくれた。もう売約済みだなんて言わなかった――」

「そりゃ、君がとてもわざとらしかったから、あいつは五秒もたたないうちに君のねらいを見破ったんだ。もちろん君には教えなかっただろうさ――どっちにしろ、マルフォイは、あとで誰かに引き取りに行かせることだって――」

「もうけっこう！」

ハーマイオニーが憤然と反論しようとして口を開きかけると、マクゴナガル先生が言った。

「ポッター、話してくれたことはありがたく思います。しかし、あのネックレスが売られたと思われる店に行ったという、ただそれだけで、ミスター・マルフォイに嫌疑をかけることはできません。同じことが、ほかの何百人という人に対しても言えるでしょう――」

「――僕もそう言ったんだ――」ロンがブツブツつぶやいた。

「――いずれにせよ、今年は厳重な警護対策を施してあります。あのネックレスが私たちの知らないうちに校内に入るということは、とても考えられません――」

「――でも――」

「――さらにです」マクゴナガル先生は、威厳ある最後通告の雰囲気で言った。

「ミスター・マルフォイは今日、ホグズミードに行きませんでした」

ハリーは空気が抜けたように、ポカンと先生を見つめた。

「どうしてご存じなんですか、先生？」

「なぜなら、私が罰則を与えたからです。変身術の宿題を、二度も続けてやってこなかったのです。そういうことですから、ポッター、あなたが私に疑念を話してくれたことには礼を言います」

マクゴナガル先生は、三人の前を決然と歩きながら言った。

「しかし私はもう、ケイティ・ベルの様子を見に医務室に行かなければなりません。三人とも、お帰りなさい」

マクゴナガル先生は、部屋のドアを開けた。三人とも、それ以上何も言わずに並んで出ていくしかなかった。

ハリーは、二人がマクゴナガルの肩を持ったことに腹を立てていた。にもかかわらず、事件の話が始まると、どうしても話に加わりたくなった。

「それで、ケイティは誰にネックレスをやるはずだったと思う？」

階段を上って談話室に向かいながらロンが言った。

「いったい誰かしら」ハーマイオニーが言った。

「誰にせよ、九死に一生だわ。誰だってあの包みを開けたら、必ずネックレスに触れてしまったでしょうから」

「対象になる人は大勢いたはずだ」ハリーが言った。「ダンブルドア――死喰い人はきっと始末したいだろうな。ねらう相手としては順位の高い一人にちがいない。それともスラグホーン――ダンブルドアは、ヴォルデモートが本気であの人を手に入れたがっていたと考えている。だから、あの人がダンブルドアに与《くみ》したとなれば、連中はうれしくないよ。それとも――」

「あなたかも」ハーマイオニーは心配そうだった。

「ありえない」ハリーが言った。

「それなら、ケイティは道でちょっと振り返って僕に渡せばよかったじゃないか。僕は、『三本の箒』から出ずっとケイティの後ろにいた。ホグワーツの外で渡すほうが合理的だろ？　何しろフィルチが、出入りする者全員を検査してる。城の中に持ち込めなんて、どうしてマルフォイはケイティにそう言いつけたんだろう？」

「ハリー、マルフォイはホグズミードにいなかったのよ！」

ハーマイオニーはいらいらのあまり地団駄を踏んでいた。

「なら、共犯者を使ったんだ」ハリーが言った。

「クラッブかゴイル――それとも、考えてみれば、死喰い人だったかもしれない。マルフォイにはクラッブやゴイルよりもっとましな仲間がたくさんいるはずだ。マルフォイはもうその一員なんだし――」

ロンとハーマイオニーは顔を見合わせた。明らかに「この人とは議論してもむだ」という目つきだった。

「**ディリグロウト**」

「太った婦人《レディ》」の所まで来て、ハーマイオニーがはっきり唱えた。

肖像画がパッと開き、三人を談話室に入れた。中はかなり混んでいて、湿った服のにおいがした。悪天候のせいで、ホグズミードから早めに帰ってきた生徒が多いようだった。しかし、恐怖や憶測でざわついてはいない。ケイティの悲運のニュースは、明らかにまだ広まっていなかった。

「よく考えてみりゃ、あれはうまい襲い方じゃなかったよ、ほんと」

暖炉のそばのいいひじかけ椅子の一つに座っていた一年生を、気楽に追い立てて自分が座りながら、ロンが言った。

「呪いは城までたどり着くことさえできなかった。成功まちがいなしってやつじゃないな」

「そのとおりよ」

ハーマイオニーが足でロンをつついて立たせ、椅子を一年生に返してやった。

「熟慮の策とはとても言えないわね」

「だけど、マルフォイはいつから世界一の策士になったって言うんだい？」

ハリーが反論した。

ロンもハーマイオニーも答えなかった。

第13章　リドルの謎

　次の日、ケイティは「聖マンゴ魔法疾患傷害病院」に移され、ケイティが呪いをかけられたというニュースは、すでに学校中に広まっていた。しかし、ニュースの詳細は混乱していて、ハリー、ロン、ハーマイオニー、そしてリーアン以外は、ねらわれた標的がケイティ自身ではなかったことを、誰も知らないようだった。

「ああ、それにもちろん、マルフォイも知ってるよ」とハリーが言ったが、ロンとハーマイオニーは、ハリーが「マルフォイ死喰《しく》い人説」を持ち出すたびに、聞こえないふりをするという新方針に従い続けていた。

　ダンブルドアがどこにいるにせよ、月曜の個人教授に間に合うように戻るのだろうかと、ハリーは気になった。しかし、別段の知らせがなかったので、八時にダンブルドアの校長室の前に立ってドアをたたくと、入るように言われた。ダンブルドアはいつになくつかれた様子で座っていた。手は相変わらず黒く焼け焦げていたが、ハリーに腰かけるようにうながしながら、ダンブルドアはほほえんだ。「憂いの篩《ふるい》」が再び机に置いてあり、天井に点々と銀色の光を投げかけていた。

「わしの留守中、忙しかったようじゃのう」ダンブルドアが言った。「ケイティの事件を目撃したのじゃな」

「はい、先生。ケイティの様子は？」

「まだ思わしくない。しかし、比較的幸運じゃった。ネックレスは皮膚のごくわずかな部分をかすっただけらしく、手袋に小さな穴が開いておった。首にでもかけておったら、もしくは手袋なしでつかんでいたら、ケイティは死んでおったじゃろう。たぶん即死じゃ。幸いスネイプ先生の処置のおかげで、呪いが急速に広がるのは食い止められた――」

「どうして？」

ハリーが即座に聞いた。

「どうしてマダム・ポンフリーじゃないんですか？」

「生意気な」

壁の肖像画の一枚が低い声で言った。両腕に顔を伏せて眠っているように見えたフィニアス・ナイジェラス・ブラック、シリウスの高祖父が、顔を上げている。

「わしの時代だったら、生徒にホグワーツのやり方に口をはさませたりしないものを」

「そうじゃな、フィニアス、ありがとう」

ダンブルドアがしずめるように言った。

「スネイプ先生は、マダム・ポンフリーよりずっとよく闇の魔術を心得ておられるのじゃよ、ハリー。いずれにせよ、聖マンゴのスタッフが、一時間ごとにわしに報告をよこしておる。ケイティはやがて完全に回復するじゃろうと、わしは希望を持っておる」

「この週末はどこにいらしたのですか、先生？」

図に乗りすぎかもしれないと思う気持ちは強かったが、ハリーはあえて質問した。フィニアス・ナイジェラスも明らかにそう思ったらしく、低く舌打ちして非難した。

「いまはむしろ言わずにおこうぞ」ダンブルドアが言った。

「しかしながら、時が来れば君に話すことになるじゃろう」

「話してくださるんですか？」ハリーが驚いた。

「いかにも、そうなるじゃろう」

そう言うと、ダンブルドアはローブの中から新たな銀色の思い出の瓶を取り出し、杖《つえ》で軽くたたいてコルク栓を開けた。

「先生」ハリーが遠慮がちに言った。

「ホグズミードでマンダンガスに出会いました」

「おう、そうじゃ。マンダンガスが君の遺産に、手くせの悪い侮辱を加えておるということは、すでに気づいておる」

ダンブルドアがわずかに顔をしかめた。

「あの者は、君が『三本の箒《ほうき》』の外で声をかけて以来、地下にもぐってしもうた。おそらく、わしと顔を合わせるのを恐れてのことじゃろう。しかし、これ以上、シリウスの昔の持ち物を持ち逃げすることはできぬゆえ、安心するがよい」

「あの卑劣な汚れた老いぼれめが、ブラック家伝来の家宝を盗んでいるのか？」

フィニアス・ナイジェラスが激怒して、荒々しく額から出ていった。グリモールド・プレイス十二番地の自分の肖像画を訪ねていったにちがいない。

「先生」しばらくして、ハリーが聞いた。

「ケイティの事件のあとに、僕がドラコ・マルフォイについて言ったことを、マクゴナガル先生からお聞きになりましたか？」

「君が疑っているということを、先生が話してくださった。いかにも」

ダンブルドアが言った。

「それで、校長先生は——？」

「ケイティの事件に関わったと思われる者は誰であれ、取り調べるようわしが適切な措置を取る」ダンブルドアが言った。

「しかし、わしのいまの関心事は、ハリー、我々の授業じゃ」

ハリーは少し恨めしく思った。この授業がそんなに重要なら、一回目と二回目の間がどうしてこんなに空いたのだろう？　しかしハリーは、ドラコ・マルフォイのことはもう何も言わず、ダンブルドアを見つめた。ダンブルドアは新しい思い出を「憂いの篩」に注ぎ込み、今回もまた、すらりとした指の両手に石の水盆をはさんで、渦を巻かせはじめた。

「覚えておるじゃろうが、ヴォルデモート卿《きょう》の生い立ちの物語は、ハンサムなマグルのトム・リドルが、妻である魔女のメローピーを捨てて、リトル・ハングルトンの屋敷に戻ったところまでで終わっていた。メローピーは一人ロンドンに取り残され、後にヴォルデモート卿となる赤ん坊が生まれるのを待っておった」

「ロンドンにいたことを、どうしてご存じなのですか、先生？」

「カラクタカス・バークという者の証言があるからじゃ」ダンブルドアが答えた。

「奇妙な偶然じゃが、この者が、我々がたったいま話しておった、ネックレスの出所である店の設立に関与しておる」

ダンブルドアが以前にもそうするのを、ハリーは見たことがあったが、ダンブルドアは、砂金取りが篩をすすいで金を見つけるように、「憂いの篩」の中身を揺すった。渦の中から、銀色の物体が小さな老人の姿になって立ち上がり、石盆の中をゆっくりと回転した。ゴーストのように銀色だが、よりしっかりした実体があり、ぼさぼさの髪で両目が完全に覆われていた。

「ええ、おもしろい状況でそれを手に入れましてね。クリスマスの少し前、若い魔女から買ったのですが、ああ、もうずいぶん前のことです。非常に金に困っていると言ってましたですが、まあ、それは一目瞭然で。ボロを着て、おなかが相当大きくて……赤ん坊が産まれる様子でね、ええ。スリザリンのロケットだと言っておりましたよ。まあ、その手の話は、わたしども、しょっちゅう聞かされていますからね。『ああ、これはマーリンのだ。これは、そのお気に入りのティーポットだ』とか。しかし、この品を見ると、スリザリンの印がちゃんとある。簡単な呪文を一つ二つかけただけで、真実を知るには充分でしたな。もちろん、そうなると、これは値がつけられないほどです。その女はどのくらい価値のあるものかまったく知らないようでした。十ガリオンで喜びましてね。こんなうまい商売は、またとなかったですな！」

ダンブルドアは、「憂いの篩」をことさら強く一回振った。するとカラクタカス・バークは、出てきたときと同じように、渦巻く記憶の物質の中に沈み込んだ。

「たった十ガリオンしかやらなかった？」ハリーは憤慨した。

「カラクタカス・バークは、気前のよさで有名なわけではない」ダンブルドアが言った。

「そこで、出産を間近にしたメローピーが、たった一人でロンドンにおり、金に窮する状態だったことがわかるわけじゃ。困窮のあまり、唯一の価値ある持ち物であった、マールヴォロ家の家宝の一つのロケットを、手放さねばならぬほどじゃった」

「でも、魔法を使えたはずだ！」ハリーは急《せ》き込んで言った。

「魔法で、自分の食べ物やいろいろなものを、手に入れることができたはずでしょう？」

「ああ」ダンブルドアが言った。

「できたかもしれぬ。しかし、わしの考えでは——これはまた推量じゃが、おそらく当たっているじゃろう——夫に捨てられたとき、メローピーは魔法を使うのをやめてしもうたのじゃ。もう魔女でいることを望まなかったのじゃろう。もちろん、報われない恋と、それにともなう絶望とで、魔力が枯れてしまったことも考えられる。ありうることじゃ。いずれにせよ、これから君が見ることじゃが、メローピーは、自分の命を救うためにさえ杖を上げることを拒んだのじゃ」

「子供のために生きようとさえしなかったのですか？」

ダンブルドアは眉を上げた。

「もしや、ヴォルデモート卿を哀れに思うのかね？」

「いいえ」ハリーは急いで答えた。

「でも、メローピーは選ぶことができたのではないですか？　僕の母とちがって——」

「君の母上も、選ぶことができたのじゃ」ダンブルドアはやさしく言った。

「いかにも、メローピー・リドルは、自分を必要とする息子がいるのに、死を選んだ。しかし、ハリー、メローピーをあまり厳しく裁くではない。長い苦しみのはてに、弱りきっていた。そして、元来、君の母上ほどの勇気を、持ち合わせてはいなかった。さあ、それでは、ここに立って……」

「どこへ行くのですか？」

ダンブルドアが机の前に並んで立つのに合わせて、ハリーが聞いた。

「今回は」ダンブルドアが言った。「**わしの**記憶に入るのじゃ。細部にわたって緻密であり、しかも、正確さにおいて満足できるものであることがわかるはずじゃ。ハリー、先に行くがよい……」

ハリーは「憂いの篩」にかがみ込んだ。「記憶」のヒヤリとする表面に顔を突っ込み、再び暗闇の中を落ちていった……何秒かたち、足が固い地面を打った。目を開けると、ダンブルドアと二人、にぎやかな古めかしいロンドンの街角に立っていた。

「わしじゃ」

ダンブルドアはほがらかに先方を指差した。背の高い姿が、牛乳を運ぶ馬車の前を横切ってやって来る。

若いアルバス・ダンブルドアの長い髪とあごひげは鳶色《とび》だった。道を横切ってハリーたちのそばに来ると、ダンブルドアは悠々と歩道を歩きだした。濃紫のビロードの、派手なカットの三つぞろいを着た姿が、大勢の物めずらしげな人の目を集めていた。

「先生、すてきな服だ」

ハリーが思わず口走った。しかしダンブルドアは、若き日の自分のあとについて歩きながら、クスクス笑っただけだった。三人は短い距離を歩いた後、鉄の門を通り、殺風景な中庭に入った。その奥に、高い鉄柵に囲まれたかなり陰気な四角い建物がある。若きダンブルドアは石段を数段上がり、正面のドアを一回ノックした。しばらくして、エプロン姿のだらしない身なりの若い女性がドアを開けた。

「こんにちは。ミセス・コールとお約束があります。こちらの院長でいらっしゃいますな？」

「ああ」ダンブルドアの異常な格好をじろじろ観察しながら、当惑顔の女性が言った。

「あ……ちょっくら……**ミセス・コール！**」女性が後ろを振り向いて大声で呼んだ。

遠くのほうで、何か大声で応える声が聞こえた。女性はダンブルドアに向きなおった。

「入んな。すぐ来るで」

ダンブルドアは白黒タイルが貼ってある玄関ホールに入った。全体にみすぼらしい所だったが、しみ一つなく清潔だった。ハリーと老ダンブルドアは、そのあとからついていった。背後の玄関ドアがまだ閉まりきらないうちに、やせた女性が、わずらわしいことが多すぎるという表情でせかせかと近づいてきた。とげとげしい顔つきは、不親切というより心配事の多い顔だった。ダンブルドアのほうに近づきながら、振り返って、エプロンをかけた別のヘルパーに何か話している。

「……それから上にいるマーサにヨードチンキを持っていっておあげ。ビリー・スタッブズはかさぶたをいじってるし、エリック・ホエイリーはシーツが膿《うみ》だらけで——もう手いっぱいなのに、今度は水ぼうそうだわ」

女性は誰に言うともなくしゃべりながら、ダンブルドアに目をとめた。とたんに、たったいまキリンが玄関から入ってきたのを見たかのように、あぜんとして、女性はその場に釘《くぎ》づけになった。

「こんにちは」

ダンブルドアが手を差し出した。ミセス・コールはポカンと口を開けただけだった。

「アルバス・ダンブルドアと申します。お手紙で面会をお願いしましたところ、今日ここにお招きをいただきました」

ミセス・コールは目をしばたたいた。どうやらダンブルドアが幻覚ではないと結論を出したらしく、弱々しい声で言った。

「ああ、そうでした。ええ——ええ、では——私の事務室にお越しいただきましょう。そうしましょう」

ミセス・コールはダンブルドアを小さな部屋に案内した。事務所兼居間のような所だ。玄関ホールと同じくみすぼらしく、古ぼけた家具はてんでんバラバラだった。客にぐらぐらした椅子に座るよううながし、自分は雑然とした机のむこう側に座って、落ち着かない様子でダンブルドアをじろじろ見た。

「ここにおうかがいしましたのは、お手紙にも書きましたように、トム・リドルについて、将来のことをご相談するためです」ダンブルドアが言った。

「ご家族の方で？」ミセス・コールが聞いた。

「いいえ、私は教師です」ダンブルドアが言った。

「私の学校にトムを入学させるお話で参りました」

「では、どんな学校ですの？」

「ホグワーツという名です」ダンブルドアが言った。

「それで、なぜトムにご関心を？」

「トムは、我々が求める能力を備えていると思います」

「奨学金を獲得した、ということですか？　どうしてそんなことが？　あの子は一度も試験を受けたことがありません」

「いや、トムの名前は、生まれたときから我々の学校に入るように記されていましてね――」

「誰が登録を？　ご両親が？」

ミセス・コールは、都合の悪いことに、まちがいなく鋭い女性だった。ダンブルドアも明らかにそう思ったらしい。というのも、ダンブルドアがビロードの背広のポケットから杖をするりと取り出し、同時にミセス・コールの机から、まっさらな紙を一枚取り上げたのが、ハリーに見えたからだ。

「どうぞ」

ダンブルドアはその紙をミセス・コールに渡しながら杖を一回振った。

「これですべてが明らかになると思いますよ」

ミセス・コールの目が一瞬ぼんやりして、それから元に戻り、白紙をしばらくじっと見つめた。

「すべて完璧に整っているようです」

紙を返しながら、ミセス・コールが落ち着いて言った。そしてふと、ついさっきまではなかったはずのジンの瓶が一本と、グラスが二個置いてあるのに目をとめた。

「あー――ジンを一杯いかがですか？」ことさらに上品な声だった。

「いただきます」ダンブルドアがニッコリした。

ジンにかけては、ミセス・コールがうぶではないことが、たちまち明らかになった。二つのグラスにたっぷりとジンを注ぎ、自分の分を一気に飲み干した。あけすけに唇をなめながら、ミセス・コールは初めてダンブルドアに笑顔を見せた。その機会を逃すダンブルドアではなかった。

「トム・リドルの生い立ちについて、何かお話しいただけませんでしょうか？　この孤児院で生まれたのだと思いますが？」

「そうですよ」

ミセス・コールは自分のグラスにまたジンを注いだ。

「あのことは、何よりはっきり覚えていますとも。何しろ私が、ここで仕事を始めたばかりでしたからね。大晦日《おおみそか》の夜、そりゃ、あなた、身を切るような冷たい雪でしたよ。ひどい夜で。その女性は、当時の私とあまり変わらない年ごろで、玄関の石段をよろめきながら上がってきました。まあ、何もめずらしいことじゃありませんけどね。中に入れてやり、一時間後に赤ん坊が産まれました。それで、それから一時間後に、その人は亡くなりました」

ミセス・コールは大仰にうなずくと、再びたっぷりのジンをぐい飲みした。

「亡くなる前に、その方は何か言いましたか？」ダンブルドアが聞いた。「たとえば、父親のことを何か？」

「まさにそれなんですよ。言いましたとも」

ジンを片手に、熱心な聞き手を得て、ミセス・コールは、いまやかなり興に乗った様子だった。

「私にこう言いましたよ。『この子がパパに似ますように』。正直な話、その願いは正解でしたね。何せ、その女性は美人とは言えませんでしてね――それから、その子の名前は、父親のトムと、**自分の**父親のマールヴォロを取ってつけてくれと言いました――ええ、わかってますとも、おかしな名前ですよね？ 私たちは、その女性がサーカス出身ではないかと思ったくらいでしたよ――それから、その男の子の姓はリドルだと言いました。そして、それ以上は一言も言わずに、まもなく亡くなりました」

「さて、私たちは言われたとおりの名前をつけました。あのかわいそうな女性にとっては、それがとても大切なことのようでしたからね。しかし、トムだろうが、マールヴォロだろうが、リドルの一族だろうが、誰もあの子を探しにきませんでしたし、親戚も来やしませんでした。それで、あの子はこの孤児院に残り、それからずっと、ここにいるんですよ」

ミセス・コールはほとんど無意識に、もう一杯たっぷりとジンを注いだ。ほお骨の高い位置に、ピンクの丸い点が二つ現れた。それから言葉が続いた。

「おかしな男の子ですよ」

「ええ」ダンブルドアが言った。「そうではないかと思いました」

「赤ん坊のときもおかしかったんですよ。そりゃ、あなた、ほとんど泣かないんですから。そして、少し大きくなると、あの子は……変でねえ」

「変というと、どんなふうに？」ダンブルドアがおだやかに聞いた。

「そう、あの子は――」

しかし、ミセス・コールは言葉を切った。ジンのグラスの上から、ダンブルドアを詮索するようにちらりと見たまなざしには、あいまいにぼやけたところがまるでなかった。

「あの子はまちがいなく、あなたの学校に入学できると、そうおっしゃいました？」

「まちがいありません」ダンブルドアが言った。

「私が何を言おうと、それは変わりませんね？」

「何をおっしゃろうとも」ダンブルドアが言った。

「あの子を連れていきますね？　どんなことがあっても？」

「どんなことがあろうと」ダンブルドアが重々しく言った。

　信用すべきかどうか考えているように、ミセス・コールは目を細めてダンブルドアを見た。どうやら信用すべきだと判断したらしく、一気にこう言った。

「あの子はほかの子供たちをおびえさせます」

「いじめっ子だと？」ダンブルドアが聞いた。

「そうにちがいないでしょうね」

　ミセス・コールはちょっと顔をしかめた。

「しかし、現場をとらえるのが非常に難しい。事件がいろいろあって……気味の悪いことがいろいろ……」

　ダンブルドアは深追いしなかった。しかしハリーには、ダンブルドアが興味を持っていることがわかった。ミセス・コールはまたしてもぐいとジンを飲み、バラ色のほおがますます赤くなった。

「ビリー・スタッブズのウサギ……まあ、トムはやっていないと、口ではそう言いましたし、私も、あの子がどうやってあんなことができたのかがわかりません。でも、ウサギが自分で天井の垂木から首を吊《つ》りますか？」

「そうは思いませんね。ええ」ダンブルドアが静かに言った。

「でも、あの子がどうやってあそこに上ってそれをやったのかが、判じ物でしてね。私が知っているのは、その前の日に、あの子とビリーが口論したことだけですよ。それから――」

ミセス・コールはまたジンをぐいとやった。今度はあごにちょっぴり垂れこぼした。

「夏の遠足のとき――ええ、一年に一回、子供たちを連れていくんですよ。田舎とか海辺に――それで、エイミー・ベンソンとデニス・ビショップは、それからずっと、どこかおかしくなりましてね。ところがこの子たちから聞き出せたことといえば、トム・リドルと一緒に洞窟に入ったということだけでした。トムは探検に行っただけだと言い張りましたが、**何かが**そこで起こったんですよ。まちがいありません。それに、まあ、いろいろありました。おかしなことが……」

ミセス・コールはもう一度ダンブルドアを見た。ほおは紅潮していても、その視線はしっかりしていた。

「あの子がいなくなっても、残念がる人は多くないでしょう」

「当然おわかりいただけると思いますが、トムを永久に学校に置いておくというわけではありませんが？」

ダンブルドアが言った。

「ここに帰ってくることになります。少なくとも毎年夏休みに」

「ああ、ええ、それだけでも、さびた火かき棒で鼻をぶんなぐられるよりはまし、というやつですよ」

ミセス・コールは小さくしゃっくりしながら言った。ジンの瓶は三分の二がからになっていたのに、立ち上がったときかなりシャンとしているので、ハリーは感心した。

「あの子にお会いになりたいのでしょうね？」

「ぜひ」ダンブルドアも立ち上がった。

ミセス・コールは事務所を出て石の階段へとダンブルドアを案内し、通りすがりにヘルパーや子供たちに指示を出したり、叱ったりした。孤児たちは、みんな同じ灰色のチュニックを着ている。まあまあ世話が行き届いているように見えたが、子供たちが育つ場所としては、ここが暗い所であるのは否定できなかった。

「ここです」

ミセス・コールは、二番目の踊り場を曲がり、長い廊下の最初のドアの前で止まった。ドアを二度ノックして、彼女は部屋に入った。

「トム？　お客さまですよ。こちらはダンバートンさん――失礼、ダンダーボアさん。この方はあなたに――まあ、ご本人からお話ししていただきましょう」

ハリーと二人のダンブルドアが部屋に入ると、ミセス・コールがその背後でドアを閉めた。殺風景な小さな部屋で、古い洋だんす、木製の椅子一脚、鉄製の簡易ベッドしかない。灰色の毛布の上に、少年が本を手に、両脚を伸ばして座っていた。

トム・リドルの顔には、ゴーント一家の片鱗《へんりん》さえない。メローピーの末期の願いは叶った。ハンサムな父親のミニチュア版だった。十一歳にしては背が高く、黒髪で青白い。少年はわずかに目を細めて、ダンブルドアの異常な格好をじっと見つめた。一瞬の沈黙が流れた。

「はじめまして、トム」

ダンブルドアが近づいて、手を差し出した。

少年は躊躇《ちゅうちょ》したが、その手を取って握手した。ダンブルドアは、固い木の椅子をリドルのかたわらに引き寄せて座り、二人は病院の患者と見舞い客のような格好になった。

「私はダンブルドア教授だ」

「『教授』？」

リドルがくり返した。警戒の色が走った。

「『ドクター』と同じようなものですか？　何しに来たんですか？　**あの女が**僕を看るように言ったんですか？」

リドルは、いましがたミセス・コールがいなくなったドアを指差していた。

「いやいや」ダンブルドアがほほえんだ。

「信じないぞ」リドルが言った。

「あいつは僕を診察させたいんだろう？　真実を言え！」

最後の言葉に込められた力の強さは、衝撃的でさえあった。命令だった。これまで何度もそう言って命令してきたような響きがあった。リドルは目を見開き、ダンブルドアをねめつけていた。ダンブルドアは、ただ心地よくほほえみ続けるだけで、何も答えなかった。数秒後、リドルはにらむのをやめたが、その表情はむしろ、前よりもっと警戒しているように見えた。

「あなたは誰ですか？」

「君に言ったとおりだよ。私はダンブルドア教授で、ホグワーツという学校に勤めている。私の学校への入学をすすめにきたのだが――君が来たいのなら、そこが君の新しい学校になる」

この言葉に対するリドルの反応は、まったく驚くべきものだった。ベッドから飛び下り、憤激した顔でダンブルドアから遠ざかった。

「だまされないぞ！　精神病院だろう。そこから来たんだろう？　『教授』、ああ、そうだろうさ――フン、僕は行かないぞ、わかったか？　あの老いぼれ猫のほうが精神病院に入るべきなんだ。僕はエイミー・ベンソンとかデニス・ビショップなんかのチビたちになんにもしてない。聞いてみろよ。あいつらもそう言うから！」

「私は精神病院から来たのではない」ダンブルドアは辛抱強く言った。「私は先生だよ。おとなしく座ってくれれば、ホグワーツのことを話して聞かせよう。もちろん、君が学校に来たくないというなら、誰も無理強いはしない――」

「やれるもんならやってみろ」リドルが鼻先で笑った。

「ホグワーツは」

ダンブルドアは、リドルの最後の言葉を聞かなかったかのように話を続けた。

「特別な能力を持った者のための学校で――」

「僕は狂っちゃいない！」

「君が狂っていないことは知っておる。ホグワーツは狂った者の学校ではない。魔法学校なのだ」

沈黙が訪れた。リドルは凍りついていた。無表情だったが、その目はすばやくダンブルドアの両目を交互にちらちらと見て、どちらかの目がうそをついていないかを見極めようとしているかのようだった。

「魔法？」リドルがささやくようにくり返した。

「そのとおり」ダンブルドアが言った。

「じゃ……じゃ、僕ができるのは魔法？」

「君は、どういうことができるのかね？」

「いろんなことさ」

リドルがささやくように言った。首からやせこけたほおへと、たちまち興奮の色が上ってくる。熱があるかのように見えた。

「物をさわらずに動かせる。訓練しなくとも、動物に僕の思いどおりのことをさせられる。僕を困らせるやつにはいやなことが起こるようにできる。そうしたければ、傷つけることだってできるんだ」

脚が震えてリドルは前のめりに倒れ、またベッドの上に座った。頭を垂れ、祈りのときのような姿勢で、リドルは両手を見つめた。

「僕はほかの人とはちがうんだって、知っていた」

震える自分の指に向かって、リドルはささやいた。

「僕は特別だって、わかっていた。何かあるって、ずっと知っていたんだ」

「ああ、君の言うとおり」

ダンブルドアはもはやほほえんではいなかった。リドルをじっと観察していた。

「君は魔法使いだ」

リドルは顔を上げた。表情がまるで変わっていた。激しい喜びが現れている。しかし、なぜかその顔は、よりハンサムに見えるどころか、むしろ端正な顔立ちが粗野に見え、ほとんど獣性をむき出した表情だった。

「あなたも魔法使いなのか？」

「いかにも」

「証明しろ」

即座にリドルが言った。「真実を言え」と言ったときと同じ命令口調だった。

ダンブルドアは眉を上げた。

「君に異存はないだろうと思うが、もし、ホグワーツへの入学を受け入れるつもりなら――」

「もちろんだ！」

「それなら、私を『教授』または『先生』と呼びなさい」

ほんの一瞬、リドルの表情が硬くなった。それから、がらりと人が変わったようにていねいな声で言った。

「すみません、先生。あの――教授、どうぞ、僕に見せていただけませんか――？」

ハリーは、ダンブルドアが絶対断るだろうと思った。ホグワーツで実例を見せる時間が充分ある、いま二人がいる建物はマグルでいっぱいだから、慎重でなければならないと、リドルにそう言いきかせるだろうと思った。ところが、驚いたことに、ダンブルドアは背広の内ポケットから杖を取り出し、隅にあるみすぼらしい洋だんすに向けて、気軽にヒョイとひと振りした。

洋だんすが炎上した。

リドルは飛び上がった。ハリーは、リドルがショックと怒りで吠《ほ》えたけるのも無理はないと思った。リドルの全財産がそこに入っていたにちがいない。しかし、リドルがダンブルドアに食ってかかったときにはもう、炎は消え、洋だんすはまったく無傷だった。

リドルは、洋だんすとダンブルドアを交互に見つめ、それから貪欲な表情で杖を指差した。

「そういうものはどこで手に入れられますか？」

「すべて時が来れば」ダンブルドアが言った。

「何か、君の洋だんすから出たがっているようだが」

なるほど、中からかすかにカタカタという音が聞こえた。リドルは初めておびえた顔をした。

「扉を開けなさい」ダンブルドアが言った。

リドルは躊躇したが、部屋の隅まで歩いていって洋だんすの扉をパッと開けた。すり切れた洋服のかかったレールの上にある、一番上の棚に、小さなダンボールの箱があり、まるでネズミが数匹捕らわれて中で暴れているかのように、ガタガタ音を立てて揺れていた。

「それを出しなさい」ダンブルドアが言った。

リドルは震えている箱を下ろした。気がくじけた様子だった。

「その中に、君が持っていてはいけないものが何か入っているかね？」

リドルは、抜け目のない目で、ダンブルドアを長い間じっと見つめた。

「はい、そうだと思います、先生」リドルはやっと、感情のない声で答えた。

「開けなさい」ダンブルドアが言った。

リドルはふたを取り、中身を見もせずにベッドの上にあけた。ハリーはもっとすごいものを期待していたが、あたりまえの小さながらくたがごちゃごちゃ入っているだけだった。ヨーヨー、銀の指ぬき、色のあせたハーモニカなどだ。箱から出されると、がらくたは震えるのをやめ、薄い毛布の上でじっとしていた。

「それぞれの持ち主に謝って、返しなさい」

ダンブルドアは、杖を上着に戻しながら静かに言った。

「きちんとそうしたかどうか、私にはわかるのだよ。注意しておくが、ホグワーツでは盗みは許されない」

リドルは恥じ入る様子をさらさら見せなかった。冷たい目で値踏みするようにダンブルドアを見つめ続けていたが、やがて感情のない声で言った。

「はい、先生」

「ホグワーツでは」

ダンブルドアは言葉を続けた。

「魔法を使うことを教えるだけでなく、それを制御することも教える。君は――きっと意図せずしてだと思うが――我々の学校では教えることも許すこともないやり方で、自分の力を使ってきた。魔法力におぼれてしまう者は、君が初めてでもないし最後でもない。しかし、覚えておきなさい。ホグワーツでは生徒を退学させることができるし、魔法省は――そう、魔法省というものがあるのだ――法を破る者を最も厳しく罰する。新たに魔法使いとなる者は、魔法界に入るにあたって、我らの法律に従うことを受け入れねばならない」

「はい、先生」リドルがまた言った。

リドルが何を考えているかを知るのは不可能だった。盗品の宝物をダンボール箱に戻すリドルの顔は、まったく無表情だった。しまい終わると、リドルはダンブルドアを見て、そっけなく言った。

「僕はお金を持っていません」

「それはたやすく解決できる」

ダンブルドアはポケットから革の巾着を取り出した。

「ホグワーツには、教科書や制服を買うのに援助の必要な者のための資金がある。君は呪文の本などいくつかを、古本で買わなければならないかもしれん。それでも――」

「呪文の本はどこで買いますか？」

ダンブルドアに礼も言わずにずっしりとした巾着を受け取り、分厚いガリオン金貨を調べながら、リドルが口をはさんだ。

「ダイアゴン横丁で」ダンブルドアが言った。「ここに君の教科書や教材のリストがある。どこに何があるか探すのを、私が手伝おう――」

「一緒に来るんですか？」リドルが顔を上げて聞いた。

「いかにも、君がもし――」

「あなたは必要ない」リドルが言った。

「自分一人でやるのに慣れている。いつでも一人でロンドンを歩いてるんだ。そのダイアゴン横丁とかいう所にはどうやって行くんだ？――先生？」

ダンブルドアの目を見たとたん、リドルは最後の言葉をつけ加えた。

ハリーは、ダンブルドアがリドルに付き添うと主張するだろうと思った。しかし、ハリーはまた驚かされた。ダンブルドアは教材リストの入った封筒をリドルに渡し、孤児院から「漏れ鍋」への行き方をはっきり教えたあと、こう言った。

「周りのマグル――魔法族ではない者のことだが――その者たちには見えなくとも、君には見えるはずだ。バーの亭主のトムを訪ねなさい――君と同じ名前だから覚えやすいだろう――」

リドルはうるさいハエを追い払うかのように、いらいらと顔を引きつらせた。

「『トム』という名前が嫌いなのかね？」

「トムっていう人はたくさんいる」

リドルがつぶやいた。それから、抑えきれない疑問が思わず口をついて出たように、リドルが聞いた。

「僕の父さんは魔法使いだったの？　その人もトム・リドルだったって、みんなが教えてくれた」

「残念ながら、私は知らない」ダンブルドアはおだやかな声で言った。

「母さんは魔法が使えたはずがない。使えたら、死ななかったはずだ」

ダンブルドアにというよりむしろ自分に向かって、リドルが言った。

「父さんのほうにちがいない。それで――僕のものを全部そろえたら――そのホグワーツとかに、いつ行くんですか？」

「細かいことは、封筒の中の羊皮紙の二枚目にある」ダンブルドアが言った。「君は、九月一日にキングズ・クロス駅から出発する。その中に汽車の切符も入っている」

リドルがうなずいた。ダンブルドアは立ち上がって、また手を差し出した。その手を握りながらリドルが言った。

「僕は蛇と話ができる。遠足で田舎に行ったときにわかったんだ――むこうから僕を見つけて、僕にささやきかけたんだ。魔法使いにとってあたりまえなの？」

一番不思議なこの力をこの時まで伏せておき、圧倒してやろうと考えていたことが、ハリーには読めた。

「稀《まれ》ではある」一瞬迷った後、ダンブルドアが答えた。「しかし、例がないわけではない」

気軽な口調ではあったが、ダンブルドアの目が興味深そうにリドルの顔を眺め回した。大人と子供、その二人が、一瞬見つめ合って立っていた。やがて握手が解かれ、ダンブルドアはドアのそばに立った。

「さようなら、トム。ホグワーツで会おう」

「もうよいじゃろう」

ハリーの脇にいる白髪のダンブルドアが言った。たちまち二人は、再び無重力の暗闇を昇り、現在の校長室に正確に着地した。


「お座り」ハリーのかたわらに着地したダンブルドアが言った。

ハリーは言われるとおりにした。いま見たばかりのことで、頭がいっぱいだった。

「あいつは、僕の場合よりずっと早く受け入れた――あの、先生があいつに、君は魔法使いだって知らせたときのことですけれど」ハリーが言った。「ハグリッドにそう言われたとき、僕は最初信じなかった」

「そうじゃ。リドルは完全に受け入れる準備ができておった。つまり自分が――あの者の言葉を借りるならば――『特別』だということを」

「先生はもうおわかりだったのですか――あの時に？」ハリーが聞いた。

「わしがあの時、開闢《かいびゃく》以来の危険な闇の魔法使いに出会ったということを、わかっていたかとな？」

ダンブルドアが言った。

「いや、いま現在あるような者に成長しようとは、思わなんだ。しかし、リドルに非常に興味を持ったことは確かじゃ。わしは、あの者から目を離すまいと意を固めて、ホグワーツに戻った。リドルには身寄りもなく友人もなかったのじゃから、いずれにせよ、そうすべきではあったのじゃが。しかし、本人のためだけではなく、ほかの者のためにそうすべきであるということは、すでにその時に感じておった」

「あの者の力は、君も聞いたように、あの年端もゆかぬ魔法使いにしては、驚くほど高度に発達しておった。そして――最も興味深いことに、さらに不吉なことに――リドルはすでに、その力をなんらかの方法で操ることができるとわかっており、意識的にその力を行使しはじめておった。君も見たように、若い魔法使いにありがちな、行き当たりばったりの試みではなく、あの者はすでに、魔法を使ってほかの者を怖がらせ、罰し、制御していた。首をくくったウサギや、洞窟に誘い込まれた少年、少女のちょっとした逸話が、それを如実に示しておる……**『そうしたければ、傷つけることだってできるんだ』**……」

「それに、あいつは蛇語使いだった」ハリーが口をはさんだ。

「いかにも。稀有《けう》な能力であり、闇の魔術につながるものと考えられている能力じゃ。しかし、知ってのとおり、偉大にして善良な魔法使いの中にも蛇語使いはおる。事実、蛇と話せるというあの者の能力を、わしはそれほど懸念してはおらなかった。むしろ、残酷さ、秘密主義、支配欲という、あの者の明白な本能のほうがずっと心配じゃった」

「またしても知らぬうちに時間が過ぎてしもうた」

窓から見える真っ暗な空を示しながら、ダンブルドアが言った。

「しかしながら、別れる前に、我々が見た場面のいくつかの特徴について、注意をうながしておきたい。将来の授業で話し合う事柄に、大いに関係するからじゃ」

「第一に、ほかにも『トム』という名を持つ者がおるとわしが言ったときの、リドルの反応に気づいたことじゃろうな？」

ハリーはうなずいた。

「自分とほかの者を結びつけるものに対して、リドルは軽蔑を示した。自分を凡庸にするものに対してじゃ。あの時でさえあの者は、ちがうもの、別なもの、悪名高きものになりたがっていた。あの会話からほんの数年のうちに、知ってのとおり、あの者は自分の名前を捨て『ヴォルデモート卿』の仮面を創り出し、いまにいたるまでの長い年月、その陰に隠れてきた」

「君はまちがいなく気づいたと思うが、トム・リドルはすでに、非常に自己充足的で、秘密主義で、また友人を持っていないことが明らかじゃったの？　ダイアゴン横丁に行くのに、あの者は手助けも付き添いも欲しなかった。自分一人でやることを好んだ。成人したヴォルデモートも同じじゃ。死喰い人の多くが、自分はヴォルデモート卿の信用を得ているとか、自分だけが近しいとか、理解しているとまで主張する。その者たちはあざむかれておる。ヴォルデモート卿は友人を持ったことがないし、また持ちたいと思ったこともないと、わしはそう思う」

「最後に――ハリー、眠いじゃろうが、このことにはしっかり注意してほしい――若き日のトム・リドルは、戦利品を集めるのが好きじゃった。部屋に隠していた盗品の箱を見たじゃろう。いじめの犠牲者から取り上げたものじゃ。ことさらに不快な魔法を行使した、いわば記念品と言える。このカササギのごとき蒐集《しゅうしゅう》傾向を覚えておくがよい。これが、特にあとになって重要になるからじゃ」

「さて、今度こそ就寝の時間じゃ」

ハリーは立ち上がった。歩きながら、前回、マールヴォロ・ゴーントの指輪が置いてあった小さなテーブルが目にとまったが、指輪はもうなかった。

「ハリー、なんじゃ？」

ハリーが立ち止まったので、ダンブルドアが聞いた。

「指輪がなくなっています」ハリーは振り向いて言った。

「でも、ハーモニカとか、そういうものをお持ちなのではないかと思ったのですが」

ダンブルドアは半月めがねの上からハリーをのぞいて、ニッコリした。

「なかなか鋭いのう、ハリー。しかし、あのハーモニカはあくまでもただのハーモニカじゃった」

この謎のような言葉とともに、ダンブルドアはハリーに手を振った。ハリーは、もう帰りなさいと言われたのだと理解した。

第14章　フェリックス・フェリシス

次の日、ハリーの最初の授業は薬草学だった。朝食の席では盗み聞きされる恐れがあるので、ロンとハーマイオニーにダンブルドアの授業のことを話せなかった。温室に向かって野菜畑を歩いているときに、ハリーは二人にくわしく話して聞かせた。週末の過酷な風はやっと治まっていたが、また不気味な霧が立ち込めていたので、いくつかある温室の中から目的の温室を探すのに、普段より少しよけいに時間がかかった。

「ウワー、ぞっとするな。少年の『例のあの人』か」

ロンが小声で言った。三人は今学期の課題である「スナーガラフ」の節くれだった株の周りに陣取り、保護手袋をつけるところだった。

「だけど、ダンブルドアがどうしてそんなものを見せるのか、僕にはまだわかんないな。そりゃ、おもしろいけどさ、でも、なんのためだい？」

「さあね」ハリーはマウスピースをはめながら言った。「だけど、ダンブルドアは、それが全部重要で、僕が生き残るのに役に立つって言うんだ」

「すばらしいと思うわ」ハーマイオニーが熱っぽく言った。「できるだけヴォルデモートのことを知るのは、とても意味のあることよ。そうでなければ、あの人の弱点を見つけられないでしょう？」

「それで、この前のスラグホーン・パーティはどうだったの？」

マウスピースをはめたまま、ハリーがもごもごと聞いた。

「ええ、まああおもしろかったわよ」

ハーマイオニーが今度は保護用のゴーグルをかけながら言った。

「そりゃ、先生は昔の生徒だった有名人のことをだらだら話すけど。それに、マクラーゲンをそれこそ**ちーやほーや**するけど。だってあの人はいろいろなコネがあるから。でも、ほんとうにおいしい食べ物があったし、それにグウェノグ・ジョーンズに紹介してくれたわ」

「グウェノグ・ジョーンズ？」

ロンの目が、ゴーグルの下で丸くなった。

「**あの**グウェノグ・ジョーンズ？　ホリヘッド・ハーピーズの？」

「そうよ」ハーマイオニーが答えた。

「個人的には、あの人ちょっと自意識過剰だと思ったけど、でも――」

「そこ、おしゃべりが**多すぎる！**」

ピリッとした声がして、スプラウト先生が怖い顔をしてせわしげに三人のそばにやってきた。

「あなたたち、遅れてますよ。ほかの生徒は全員取りかかってますし、ネビルはもう最初の種を取り出しました！」

三人が振り向くと、確かに、ネビルは唇から血を流し、顔の横に何か所かひどい引っかき傷を作ってはいたが、グレープフルーツ大の緑の種をつかんで座っていた。種はピクピクと気持ちの悪い脈を打っている。

「オーケー、先生、僕たちいまから始めます！」

ロンが言ったが、先生が行ってしまうと、こっそりつけ加えた。

「『耳ふさぎ呪文《マフリアート》』を使うべきだったな、ハリー」

「いいえ、使うべきじゃないわ！」

ハーマイオニーが即座に言った。プリンスやその呪文のことが出るといつもそうなのだが、今度もたいそうご機嫌斜めだった。

「さあ、それじゃ……始めましょう……」

ハーマイオニーは不安そうに二人を見た。三人とも深く息を吸って、節くれだった株に飛びかかった。

植物はたちまち息を吹き返した。先端から長いとげだらけのイバラのような蔓《つる》が飛び出し、鞭《むち》のように空を切った。その一本がハーマイオニーの髪にからみつき、ロンが剪定《せんてい》ばさみでそれをたたき返した。

ハリーは、蔓を二本首尾よくつかまえて結び合わせた。触手のような枝と枝のまん中に穴が開いた。

ハーマイオニーが勇敢にも片腕を穴に突っ込んだ。すると穴が罠《わな》のように閉じて、ハーマイオニーのひじをとらえた。ハリーとロンが蔓を引っ張ったりねじったりして、その穴をまた開かせ、ハーマイオニーは腕を引っ張り出した。その指に、ネビルのと同じような種が握りしめられていた。とたんにトゲトゲした蔓は株の中に引っ込み、節くれだった株は、何食わぬ顔で、木材の塊のようにおとなしくなった。

「あのさ、自分の家を持ったら、僕の庭にはこんなの植える気がしないな」

ゴーグルを額に押し上げ、顔の汗をぬぐいながら、ロンが言った。

「ボウルを渡してちょうだい」

ピクピク脈を打っている種を、腕をいっぱいに伸ばしてできるだけ離して持ちながら、ハーマイオニーが言った。ハリーが渡すと、ハーマイオニーは気持ち悪そうに種をその中に入れた。

「びくびくしていないで、種をしぼりなさい。新鮮なうちが一番なんですから！」

スプラウト先生が遠くから声をかけた。

「とにかく」

ハーマイオニーは、たったいま、木の株が三人を襲撃したことなど忘れたかのように、中断した会話を続けた。

「スラグホーンはクリスマス・パーティをやるつもりよ、ハリー。これはどうあがいても逃げられないわね。だって、あなたが来られる夜にパーティを開こうとして、あなたがいつなら空いているかを調べるように、私に頼んだんですもの」

ハリーはうめいた。一方ロンは、種を押しつぶそうと、立ち上がって両手でボウルの中の種を押さえ込み、力任せに押していたが、怒ったように言った。

「それで、そのパーティは、またスラグホーンのお気に入りだけのためなのか？」

「スラグ・クラブだけ。そうね」ハーマイオニーが言った。

種がロンの手の下から飛び出して温室のガラスにぶつかり、跳ね返ってスプラウト先生の後頭部に当たり、先生の古い継ぎだらけの帽子を吹っ飛ばした。ハリーが種を取って戻ってくると、ハーマイオニーが言い返していた。

「いいこと、**私が**名前をつけたわけじゃないわ。『スラグ・クラブ』なんて――」

「『**スラグ・ナメクジ・クラブ**』」

ロンが、マルフォイ級の意地の悪い笑いを浮かべてくり返した。

「ナメクジ集団じゃなあ。まあ、パーティを楽しんでくれ。いっそマクラーゲンとくっついたらどうだい。そしたらスラグホーンが、君たちをナメクジの王様と女王様にできるし――」

「お客さまを招待できるの」

ハーマイオニーは、なぜかゆで上がったように真っ赤になった。

「それで、私、あなたもどうかって誘う**つもり**だった。でも、そこまでバカバカしいって思うんだったら、どうでもいいわ！」

ハリーは突然、種がもっと遠くまで飛んでくれればよかったのに、と思った。そうすればこの二人のそばにいなくてすむ。二人ともハリーに気づいていなかったが、ハリーは種の入ったボウルを取り、考えられるかぎりやかましく激しい方法で、種を割りはじめた。残念なことに、それでも会話は細大もらさず聞こえてきた。

「僕を誘うつもりだった？」ロンの声ががらりと変わった。

「そうよ」ハーマイオニーが怒ったように言った。

「でも、どうやらあなたは、私が**マクラーゲンとくっついたほうが……**」

一瞬、間が空いた。ハリーは、しぶとく跳ね返す種を移植ごてでたたき続けていた。

「いや、そんなことはない」ロンがとても小さな声で言った。

ハリーは種をたたきそこねてボウルをたたいてしまい、ボウルが割れた。

「**レパロ、直れ**」

ハリーが杖《つえ》で破片をつついてあわてて唱えると、破片は飛び上がって元どおりになった。しかし、割れた音でロンとハーマイオニーは、ハリーの存在に目覚めたようだった。ハーマイオニーは取り乱した様子で、スナーガラフの種から汁をしぼる正しいやり方を見つけるのに、あわてて『世界の肉食植物』の本を探しはじめた。ロンのほうは、ばつが悪そうな顔だったが、同時にかなり満足げだった。

「それ、よこして、ハリー」ハーマイオニーが急《せ》き立てた。

「何か鋭いもので穴を開けるようにって書いてあるわ……」

ハリーはボウルに入った種を渡し、ロンと二人でゴーグルをつけなおしてもう一度株に飛びかかった。

それほど驚いたわけではなかった……首をしめにかかってくるとげだらけの蔓と格闘しながら、ハリーはそう思った。遅かれ早かれこうなるという気がしていた。ただ、自分がそれをどう感じるかが、はっきりわからなかった……。

自分とチョウは、気まずくて互いに目を合わすことさえできなくなっているし、話をすることなどありえない。もしロンとハーマイオニーがつき合うようになって、それから別れたら？　二人の友情はそれでも続くだろうか？　三年生のとき、二人が数週間、互いに口をきかなくなったときのことを、ハリーは思い出した。なんとか二人の距離を埋めようとするのにひと苦労だった。

逆に、もし二人が別れなかったらどうだろう？　ビルとフラーのようになったら、そして二人のそばにいるのが気まずくていたたまれないほどになったら、自分は永久に閉め出されてしまうのだろうか？

「やったあ！」

木の株から二つ目の種を引っ張り出して、ロンが叫んだ。ちょうどハーマイオニーが一個目をやっと割ったときで、ボウルは、イモムシのようにうごめく薄緑色の塊茎でいっぱいになっていた。

それからあとは、スラグホーンのパーティに触れることなく授業が終わった。その後の数日間、ハリーは二人の友人をより綿密に観察していたが、ロンもハーマイオニーも特にこれまでとちがうようには見えなかった。ただし、互いに対して、少し礼儀正しくなったようだった。パーティの夜、スラグホーンの薄明かりの部屋で、バタービールに酔うとどうなるか、様子を見るほかないだろう、とハリーは思った。むしろいまは、もっと差し迫った問題がある。

ケイティ・ベルはまだ聖マンゴ病院で、退院の見込みが立っていなかった。つまり、ハリーが九月以来、入念に訓練を重ねてきた有望なグリフィンドール・チームから、チェイサーが一人欠けてしまったことになる。ケイティが戻ることを望んで、ハリーは代理の選手を選ぶのを先延ばしにしてきた。しかし、対スリザリンの初戦が迫っていた。ケイティは試合に間に合わないと、ハリーもついに観念せざるをえなかった。

あらためて全寮生から選抜するのは耐えられなかった。クィディッチそのものとは関係のない問題で気が重かったが、ある日の変身術の授業のあとで、ハリーはディーン・トーマスをつかまえた。大多数の生徒が出てしまったあとも、教室には黄色い小鳥が数羽、さえずりながら飛び回っていた。全部ハーマイオニーが創り出したものだ。ほかには誰も、空中から羽根一枚創り出せはしなかった。

「君、まだチェイサーでプレーする気があるかい？」

「えっ――？　ああ、もちろんさ！」

ディーンが興奮した。ディーンの肩越しに、シェーマス・フィネガンがふてくされて、教科書を鞄《かばん》に突っ込んでいるのが見えた。できればディーンにプレーを頼みたくなかった理由の一つは、シェーマスが気を悪くすることがわかっていたからだ。しかしハリーは、チームのために最善のことをしなければならず、選抜のとき、ディーンはシェーマスより飛び方がうまかった。

「それじゃ、君が入ってくれ」ハリーが言った。「今晩練習だ。七時から」

「よし」ディーンが言った。「ばんざい、ハリー！　びっくりだ。ジニーに早く教えよう！」

ディーンは教室から駆け出していった。ハリーとシェーマスだけが残った。ただでさえ気まずいのに、ハーマイオニーのカナリアが二人の頭上を飛びながら、シェーマスの頭に落とし物をしていった。

ケイティの代理を選んだことでふてくされたのは、シェーマスだけではなかった。ハリーが自分の同級生を二人も選んだということで、談話室はブツクサだらけだった。ハリーはこれまでの学生生活で、もっとひどい陰口に耐えてきたので、特別気にはならなかったが、それでも、来るべきスリザリン戦に勝たなければならないという、プレッシャーが増したことは確かだった。グリフィンドールが勝てば、寮生全員が、ハリーを批判したことは忘れ、はじめからすばらしいチームだと思っていたと言うだろう。ハリーにはよくわかっていた。もし負ければ……まあね、とハリーは心の中で苦笑いした……。それでも、もっとひどいブツクサに耐えたこともあるんだ……。

その晩、ディーンが飛ぶのを見たハリーは、自分の選択を後悔する理由がなくなった。ディーンはジニーやデメルザともうまくいった。ビーターのピークスとクートは尻上がりにうまくなっていた。問題はロンだった。

ハリーにははじめからわかっていたことだが、ロンは神経質になったり自信喪失したりで、プレーにむらがあった。そういう昔からのロンの不安定さが、シーズン開幕戦が近づくにしたがって、残念ながらぶり返していた。六回もゴールを抜かれて――その大部分がジニーの得点だったが――ロンのプレーはだんだん荒れ、とうとう攻めてくるデメルザ・ロビンズの口にパンチを食らわせるところまで来てしまった。

「ごめん、デメルザ、事故だ、事故、ごめんよ！」

デメルザがそこいら中に血をボタボタ垂らしながらジグザグと地上に戻る後ろから、ロンが叫んだ。

「僕、ちょっと――」

「パニックした？」ジニーが怒った。「このヘボ。ロン、デメルザの顔見てよ！」

デメルザの隣に着地して腫れ上がった唇を調べながら、ジニーがどなり続けた。

「僕が治すよ」

ハリーは二人のそばに着地し、デメルザの口に杖を向けて唱えた。

「**エピスキー、唇癒えよ**。それから、ジニー、ロンのことをヘボなんて呼ぶな。君はチームのキャプテンじゃないんだし――」

「あら、あなたが忙しすぎて、ロンのことをヘボ呼ばわりできないみたいだったから、誰かがそうしなくちゃって思って――」

ハリーは噴き出したいのをこらえた。

「みんな、空へ。さあ、行こう……」

全体的に、練習は今学期最悪の一つだった。しかしハリーは、これだけ試合が迫ったこの時期に、ばか正直は最善の策ではないと思った。

「みんな、いいプレーだった。スリザリンをペシャンコにできるぞ」

ハリーは激励した。チェイサーとビーターは、自分のプレーにまあまあ満足した顔で更衣室を出た。

「僕のプレー、ドラゴンのクソ山盛りみたいだった」

ジニーが出ていって、ドアが閉まったとたん、ロンがうつろな声で言った。

「そうじゃないさ」ハリーがきっぱりと言った。「ロン、選抜した中で、君が一番いいキーパーなんだ。唯一の問題は君の精神面さ」

城に帰るまでずっと、ハリーは怒涛《どとう》のごとく激励し続け、城の三階まで戻ったときには、ロンはほんの少し元気が出たようだった。ところが、グリフィンドール塔に戻るいつもの近道を通ろうと、ハリーがタペストリーを押し開けたとき、二人は、ディーンとジニーが固く抱き合って、のりづけされたように激しくキスしている姿を目撃してしまった。

大きくてうろこだらけの何かが、ハリーの胃の中で目を覚まし、胃壁に爪を立てているような気がした。頭にカッと血が上り、思慮分別が吹っ飛んで、ディーンに呪いをかけてぐにゃぐにゃのゼリーの塊にしてやりたいという野蛮な衝動でいっぱいになった。突然の狂気と戦いながら、ハリーはロンの声を遠くに聞いた。

「おい！」

ディーンとジニーが離れて振り返った。

「なんなの？」ジニーが言った。

「自分の妹が、公衆の面前でいちゃいちゃしているのを見たくないね！」

「あなたたちが邪魔するまでは、ここには誰もいなかったわ！」ジニーが言った。

ディーンは気まずそうな顔だった。ばつが悪そうにニヤッとハリーに笑いかけたが、ハリーは笑い返さなかった。新しく生まれた体内の怪物が、ディーンを即刻チームから退団させろとわめいていた。

「あ……ジニー、来いよ」ディーンが言った。「談話室に帰ろう……」

「先に帰って！」ジニーが言った。「私は大好きなお兄さまとお話があるの！」

ディーンは、その場に未練はない、という顔でいなくなった。

「さあ」

ジニーが長い赤毛を顔から振り払い、ロンをにらみつけた。

「はっきり白黒をつけましょう。私が誰とつき合おうと、その人と何をしようと、ロン、あなたには関係ないわ——」

「あるさ！」

ロンも同じぐらい腹を立てていた。

「いやだね、みんなが僕の妹のことをなんて呼ぶか——」

「なんて呼ぶの？」ジニーが杖を取り出した。「**なんて呼ぶ**って言うの？」

「ジニー、ロンは別に他意はないんだ――」

ハリーは反射的にそう言ったが、怪物はロンの言葉を支持して吠《ほ》えたけっていた。

「いいえ、他意があるわ！」

ジニーはメラメラ燃え上がり、ハリーに向かってどなった。

「**自分が**まだ、一度もいちゃついたことがないから、**自分が**もらった最高のキスが、ミュリエルおばさんのキスだから――」

「だまれ！」ロンは赤をすっ飛ばして焦げ茶色の顔で大声を出した。

「だまらないわ！」ジニーも我を忘れて叫んだ。

「あなたがヌラーと一緒にいるところを、私、いつも見てたわ。彼女を見るたびに、ほっぺたにキスしてくれないかって、あなたはそう思ってた。情けないわ！　世の中に出て、少しは自分でもいちゃついてみなさいよ！　そしたら、ほかの人がやってもそんなに気にならないでしょうよ！」

ロンも杖を引っ張り出した。ハリーは二人の間に割って入った。

「自分が何を言ってるか、わかってないな！」

ロンは、両手を広げて立ちふさがっているハリーをさけて、まっすぐにジニーをねらおうとしながら吠えた。

「僕が公衆の面前でやらないからといって――！」

ジニーはあざけるようにヒステリックに笑い、ハリーを押しのけようとした。

「ピッグウィジョンにでもキスしてたの？　それともミュリエルおばさんの写真を枕の下にでも入れてるの？」

「こいつめ――」

オレンジ色の閃光《せんこう》が、ハリーの左腕の下を通り、わずかにジニーをそれた。ハリーはロンを壁に押しつけた。

「バカなことはやめろ――」

「ハリーはチョウ・チャンとキスしたわ！」

ジニーはいまにも泣きだしそうな声で叫んだ。

「それに、ハーマイオニーはビクトール・クラムとキスした。ロン、あなただけが、それがなんだかいやらしいもののように振る舞うのよ。あなたが十二歳の子供並みの経験しかないからだわ！」

その捨てゼリフとともに、ジニーは嵐のように荒れ狂って去っていった。ハリーはすぐにロンを放した。ロンは殺気立っていた。二人は荒い息をしながら、そこに立っていた。そこへフィルチの飼い猫のミセス・ノリスが、物陰から現れ、張りつめた空気を破った。

「行こう」

フィルチが不格好にドタドタ歩く足音が耳に入ったので、ハリーが言った。

二人は階段を上り、八階の廊下を急いだ。

「おい、どけよ！」

ロンが小さな女の子をどなりつけると、女の子はびっくり仰天して飛び上がり、ヒキガエルの卵の瓶を落とした。

ハリーはガラスの割れる音もほとんど気づかなかった。右も左もわからなくなり、めまいがした。雷に撃たれるというのは、きっとこんな感じなのだろう。**ロンの妹だからなんだ、**とハリーは自分に言い聞かせた。**ディーンにキスしているところを見たくなかったのは、単に、ジニーがロンの妹だからなんだ……。**

しかし、頼みもしないのに、ある幻想がハリーの心に忍び込んだ。あの同じ人気《ひとけ》のない廊下で、自分がジニーにキスしている……胸の怪物が満足げにのどを鳴らした……その時、ロンがタペストリーのカーテンを荒々しく開け、杖を取り出してハリーに向かって叫ぶ。「信頼を裏切った」……「友達だと思ってたのに」……。

「ハーマイオニーはクラムにキスしたと思うか？」

「太った婦人《レディ》」に近づいたとき、唐突にロンが問いかけた。ハリーは後ろめたい気持ちでドキリとし、ロンが踏み込む前の廊下の幻想を追い払った。ジニーと二人きりの廊下の幻想を――。

「えっ？」ハリーはぼうっとしたまま言った。「ああ……んー……」

正直に答えれば「そう思う」だった。しかし、そうは言いたくなかった。しかし、ロンは、ハリーの表情から、最悪の事態を察したようだった。

「**ディリグロウト**」

ロンは暗い声で「太った婦人」に言った。そして二人は、肖像画の穴を通り、談話室に入った。

二人とも、ジニーのこともハーマイオニーのことも、二度と口にしなかった。事実その夜は、二人とも互いにほとんど口をきかず、それぞれの思いにふけりながら、だまってベッドに入った。

ハリーは、長いこと目がさえて、四本柱のベッドの天蓋を見つめながら、ジニーへの感情はまったく兄のようなものだと、自分を納得させようとした。この夏中、兄と妹のように暮らしたではないか？クィディッチをしたり、ロンをからかったり、ビルとヌラーのことで笑ったり。ハリーは何年も前からジニーのことを知っていた……保護者のような気持ちになるのは、自然なことだ……ジニーのために目を光らせたくなるのは当然だ……ジニーにキスしたことで、ディーンの手足をバラバラに引き裂いてやりたいのも……いや、だめだ……兄としてのそういう特別の感情を、抑制しなければ……。

ロンがブーッと大きくいびきをかいた。

ジニーはロンの妹だ。ハリーはしっかり自分に言い聞かせた。**ロンの妹なんだ。近づいてはいけない人だ。**どんなことがあっても、自分はロンとの友情を危険にさらしはしないだろう。ハリーは枕をたたいてもっと心地よい形に整え、自分の想《おも》いがジニーの近くに迷い込まないように必死に努力しながら、眠気が襲うのを待った。

次の朝目が覚めたとき、ハリーは少しぼうっとしていた。ロンがビーターの棍棒《こんぼう》を持ってハリーを追いかけてくる一連の夢を見て、頭が混乱していたが、昼ごろには、夢のロンと現実のロンを取り替えられたらいいのに、と思うようになっていた。

ロンはジニーとディーンを冷たく無視したばかりでなく、ハーマイオニーをも氷のように冷たい意地悪さで無視し、ハーマイオニーはわけがわからず傷ついた。その上、ロンは一夜にして平均的な尻尾《しっぽ》爆発スクリュートのようになり、爆発寸前で、いまにもしっぽで打ちかかってきそうだった。

ハリーは、ロンとハーマイオニーを仲なおりさせようと、一日中努力したがむだだった。とうとうハーマイオニーはいたく憤慨して寝室へと去り、ロンは、自分に目をつけたと言って、おびえる一年生の何人かをどなりつけて悪態をついた末、肩を怒らせて男子寮に歩いていった。

ロンの攻撃性が数日たっても治まらなかったのには、ハリーも愕然《がくぜん》とした。さらに悪いことに、時を同じくしてキーパーとしての技術が一段と落ち込み、ロンはますます攻撃的になった。

土曜日の試合を控えた最後のクィディッチの練習では、チェイサーがロンめがけて放つゴールシュートを、一つとして防げなかった。それなのに誰かれかまわず大声でどなりつけ、とうとうデメルザ・ロビンズを泣かせてしまった。

「だまれよ。デメルザをかまうな！」

ピークスが叫んだ。ロンの背丈の三分の二しかなくとも、ピークスにはもちろん重い棍棒があった。

「**いいかげんにしろ！**」

ハリーが声を張り上げた。ジニーがロンの方向をにらみつけているのを見たハリーは、ジニーが「コウモリ鼻糞《はなくそ》の呪い」の達人だという評判を思い出し、手に負えない結果になる前にと、飛び上がって間に入った。

「ピークス、戻ってブラッジャーをしまってくれ。デメルザ、しっかりしろ、今日のプレーはとてもよかったぞ。ロン……」

ハリーは、ほかの選手が声の届かない所まで行くのを待ってから、言葉を続けた。

「君は僕の親友だ。だけどほかのメンバーにあんなふうな態度を取り続けるなら、僕は君をチームから追い出す」

一瞬ハリーは、ロンが自分をなぐるのではないかと本気でそう思った。しかし、もっと悪いことが起こった。ロンは箒《ほうき》の上にぺちゃっとつぶれたように見えた。闘志がすっかり消え失せていた。

「僕、やめる。僕って最低だ」

「君は最低なんかじゃないし、やめない！」

ハリーはロンの胸ぐらをつかんで激しい口調で言った。

「好調なときは、君はなんだって止められる。精神的な問題だ！」

「僕のこと、気が変だって言うのか？」

「ああ、そうかもしれない！」

一瞬、二人はにらみ合った。そして、ロンがつかれたように頭を振った。

「別なキーパーを見つける時間がないことはわかってる。だからあしたはプレーするよ。だけど、もし負けたら、それに負けるに決まってるけど、僕はチームから身を引く」

ハリーがなんと言っても事態は変わらなかった。夕食の間中、ハリーはロンの自信を高めようと努力したが、ロンはハーマイオニーに意地の悪い不機嫌な態度を取ることに忙しくて、気づいてくれなかった。

ハリーはその晩、談話室でもがんばったが、ロンがチームを抜けたらチーム全体が落胆するだろうというハリーの説もどうやら怪しくなってきた。ほかの選手たちが部屋の隅に集合して、まちがいなくロンについてブツブツ文句を言い、険悪な目つきでロンを見たりしていたのだ。

とうとうハリーは、今度は怒ってみて、ロンを挑発しようとした。闘争心に火をつけ、うまくいけばゴールを守れる態度にまで持っていこうとしたのだが、この戦略も、激励より効果が上がったようには見えなかった。ロンは相変わらず絶望し、しょげきって寝室に戻った。

ハリーは、長いこと暗い中で目を開けていた。来るべき試合に負けたくなかった。キャプテンとして最初の試合だからということだけではない。ドラコ・マルフォイへの疑惑をまだ証明することはできなかったが、せめてクィディッチでは、マルフォイを絶対打ち破ると決心していたからだ。しかし、ロンのプレーがここ数回の練習と同じ調子なら、勝利の可能性は非常に低い……。

何かロンの気持ちを引き立たせるものがありさえすれば……絶好調でプレーさせることができれば……ロンにとってほんとうにいい日なのだと保証する何かがあれば……。

すると、その答えが、一発で、急に輝かしい啓示となってひらめいた。

次の日の朝食は、例によって前哨《ぜんしょう》戦だった。スリザリン生はグリフィンドール・チームの選手が大広間に入ってくるたびに、一人一人にヤジとブーイングを浴びせた。ハリーが天井をちらりと見ると、晴れた薄青の空だ。幸先がいい。

グリフィンドールのテーブルは赤と金色の塊となって、ハリーとロンが近づくのを歓声で迎えた。ハリーはニヤッと笑って手を振ったが、ロンは弱々しく顔をしかめ、頭《かぶり》を振った。

「元気を出して、ロン！」ラベンダーが遠くから声をかけた。「あなた、きっとすばらしいわ！」

ロンはラベンダーを無視した。

「紅茶か？」ハリーがロンに聞いた。「コーヒーか？　かぼちゃジュースか？」

「なんでもいい」

ロンはむっつりとトーストをひと口かみ、ふさぎ込んで言った。

数分後にハーマイオニーがやってきた。ロンの最近の不ゆかいな行動に、すっかりいや気が差したハーマイオニーは、二人とは別に朝食に下りてきたのだが、テーブルに着く途中で足を止めた。

「二人とも、調子はどう？」ロンの後頭部を見ながら、ハーマイオニーが遠慮がちに聞いた。

「いいよ」

ハリーは、ロンにかぼちゃジュースのグラスを渡すほうに気を取られながら、そう答えた。

「ほら、ロン、飲めよ」

ロンはグラスを口元に持っていった。その時ハーマイオニーが鋭い声を上げた。

「ロン、それ飲んじゃダメ！」

ハリーもロンも、ハーマイオニーを見上げた。

「どうして？」ロンが聞いた。

ハーマイオニーは、自分の目が信じられないという顔で、ハリーをまじまじと見ていた。

「あなた、いま、その飲み物に何か入れたわ」

「なんだって？」ハリーが問い返した。

「聞こえたはずよ。私見たわよ。ロンの飲み物に、いま、何か注いだわ。いま、手にその瓶を持っているはずよ！」

「何を言ってるのかわからないな」

ハリーは、急いで小さな瓶をポケットにしまいながら言った。

「ロン、危ないわ。それを飲んじゃダメ！」

ハーマイオニーが、警戒するようにまた言った。しかしロンは、グラスを取り上げて一気に飲み干した。

「ハーマイオニー、僕に命令するのはやめてくれ」

ハーマイオニーはなんて破廉恥なという顔をしてかがみ込み、ハリーにだけ聞こえるようにささやき声で非難した。

「あなた、退校処分になるべきだわ。ハリー、あなたがそんなことする人だとは思わなかったわ！」

「自分のことは棚に上げて」ハリーがささやき返した。「最近誰かさんを『錯乱』させやしませんでしたか？」

ハーマイオニーは、荒々しく二人から離れて、席に着いた。ハリーはハーマイオニーが去っていくのを見ても後悔しなかった。クィディッチがいかに真剣勝負であるかを、ハーマイオニーは心から理解したことがないんだ。それからハリーは、舌なめずりしているロンに顔を向けた。

「そろそろ時間だ」ハリーは快活に言った。

競技場に向かう二人の足元で、凍りついた草が音を立てた。

「こんなにいい天気なのは、ラッキーだな、え？」ハリーがロンに声をかけた。

「ああ」ロンは半病人のような青い顔で答えた。

ジニーとデメルザは、もうクィディッチのユニフォームに着替え、更衣室で待機していた。

「最高のコンディションだわ」ジニーがロンを無視して言った。

「それに、何があったと思う？　あのスリザリンのチェイサーのベイジー——きのう練習中に、頭にブラッジャーを食らって、痛くてプレーできないんですって！　それに、もっといいことがあるの——マルフォイも病気で休場！」

「**なんだって？**」

ハリーはいきなり振り向いてジニーを見つめた。

「あいつが、病気？　どこが悪いんだ？」

「さあね。でも私たちにとってはいいことだわ」ジニーが明るく言った。

「むこうは、かわりにハーパーがプレーする。私と同学年で、あいつ、バカよ」

ハリーはあいまいに笑いを返したが、真紅のユニフォームに着替えながら、心はクィディッチからまるで離れていた。マルフォイは前にけがを理由にプレーできないと主張したことがあった。あの時は、全試合のスケジュールがスリザリンに有利になるように変更されるのをねらったものだった。今度は、なぜ代理を立てても満足なのだろう？　ほんとうに病気なのか、それとも仮病なのか？

「怪しい、だろ？」ハリーは声をひそめてロンに言った。

「マルフォイがプレーしないなんて」

「僕ならラッキー、と言うね」ロンは少し元気になったようだった。

「それにベイジーも休場だ。あっちのチームの得点王だぜ。僕はあいつと対抗したいとは——おい！」

キーパーのグローブを着ける途中で、ロンは急に動きを止め、ハリーをじっと見た。

「なんだ？」

「僕……君……」

ロンは声を落とし、怖さと興奮とが入りまじった顔をした。

「僕の飲み物……かぼちゃジュース……君、もしや……？」

ハリーは眉を吊《つ》り上げただけで、それには答えず、こう言った。

「あと五分ほどで試合開始だ。ブーツをはいたほうがいいぜ」

選手は、歓声とブーイングの湧き上がる競技場に進み出た。スタンドの片側は赤と金色一色、反対側は一面の緑と銀色だった。ハッフルパフ生とレイブンクロー生の多くも、どちらかに味方した。叫び声と拍手の最中、ルーナ・ラブグッドの有名な獅子《しし》頭帽子の咆哮が、ハリーにははっきりと聞き取れた。

ハリーは、ボールを木箱から放す用意をして待っているレフェリーのマダム・フーチの所へ進んだ。

「キャプテン、握手」

マダム・フーチが言った。ハリーは新しいスリザリンのキャプテン、ウルクハートに片手を握りつぶされた。

「箒に乗って。ホイッスルの合図で……三……二……一……」

ホイッスルが鳴り、ハリーも選手たちも凍った地面を強く蹴った。試合開始だ。

ハリーは競技場の円周を回るように飛び、スニッチを探しながら、ずっと下をジグザグに飛んでいるハーパーを監視した。すると、いつもの解説者とは水と油ほどに不調和な声が聞こえてきた。

「さあ、始まりました。今年ポッターが組織したチームには、我々全員が驚いたと思います。ロナルド・ウィーズリーは去年、キーパーとしてむらがあったので、多くの人がロンはチームからはずされると思ったわけですが、もちろん、キャプテンとの個人的な友情が役に立ちました……」

解説の言葉は、スリザリン側からのヤジと拍手で迎えられた。ハリーは箒から首を伸ばし、解説者の演台を見た。やせて背の高い、鼻がつんと上を向いたブロンドの青年がそこに立ち、かつてはリー・ジョーダンのものだった魔法のメガホンに向かってしゃべっていた。ハッフルパフの選手で、ハリーが心底嫌いなザカリアス・スミスだとわかった。

「あ、スリザリンが最初のゴールをねらいます。ウルクハートが競技場を矢のように飛んでいきます。そして──」

ハリーの胃がひっくり返った。

「──ウィーズリーがセーブしました。まあ、時にはラッキーなこともあるでしょう。たぶん……」

「そのとおりだ、スミス。ラッキーさ」

ハリーは一人でニヤニヤしながらつぶやき、チェイサーたちの間に飛び込んで、逃げ足の速いスニッチの手がかりを探してあたりに目を配った。

ゲーム開始後三十分がたち、グリフィンドールは六〇対〇でリードしていた。ロンはほんとうに目を見張るような守りを何度も見せ、何回かはグローブのほんの先端で守ったこともあった。そしてジニーはグリフィンドールの六回のゴールシュート中、四回を得点していた。これでザカリアスは、ウィーズリー兄妹がハリーのえこひいきのおかげでチームに入ったのではないかと、声高に言うことが事実上できなくなり、かわりにピークスとクートを槍玉《やりだま》に挙げだした。

「もちろん、クートはビーターとしての普通の体型とは言えません」

ザカリアスは高慢ちきに言った。

「ビーターたるものは普通もっと筋肉が──」

「あいつにブラッジャーを打ってやれ！」

クートがそばを飛び抜けたとき、ハリーが声をかけたが、クートはニヤリと笑って、次のブラッジャーで、ちょうどハリーとすれちがったハーパーをねらった。ブラッジャーが標的に当たったことを意味する**ゴツン**という鈍い音を聞いて、ハリーは喜んだ。

グリフィンドールは破竹の勢いだった。続けざまに得点し、競技場の反対側ではロンが続けざまに、いとも簡単にゴールをセーブした。いまやロンは笑顔になっていた。特に見事なセーブは、観衆があのお気に入りの応援歌「ウィーズリーはわが王者」のコーラスで迎え、ロンは高い所から指揮するまねをした。

「あいつは今日、自分が特別だと思っているようだな？」

意地の悪い声がして、ハリーは危うく箒からたたき落とされそうになった。ハーパーが故意にハリーに体当たりしたのだ。

「おまえのダチ、血を裏切る者め……」

マダム・フーチは背中を向けていた。下でグリフィンドール生が怒って叫んだが、マダム・フーチが振り返ってハーパーを見たときには、とっくに飛び去ってしまっていた。ハリーは肩の痛みをこらえて、ハーパーのあとを追いかけた。ぶつかり返してやる……。

「さあ、スリザリンのハーパー、スニッチを見つけたようです！」

ザカリアス・スミスがメガホンを通してしゃべった。

「そうです。まちがいなく、ポッターが見ていない何かを見ました！」

スミスはまったくアホだ、とハリーは思った。二人が衝突したのに気づかなかったのか？　しかし次の瞬間、ハリーは自分の胃袋が空から落下したような気がした――スミスが正しくてハリーがまちがっていた。ハーパーは、やみくもに飛ばしていたわけではなかった。ハリーが見つけられなかったものを見つけたのだ。スニッチは、二人の頭上の真っ青に澄んだ空に、まぶしく輝きながら高々と飛んでいた。

ハリーは加速した。風が耳元でヒューヒューと鳴り、スミスの解説も観衆の声もかき消してしまった。ハーパーはまだハリーの先を飛び、グリフィンドールはまだ一〇〇点しか先行していない。ハーパーが先に目標に着けば、グリフィンドールは負ける……そしていま、ハーパーは目標まであと数十センチと迫り、手を伸ばした……。

「おい、ハーパー！」ハリーは夢中で叫んだ。「マルフォイは君が代理で出るのに、いくら払った？」

なぜそんなことを口走ったのか、ハリーは自分でもわからなかったが、ギクリとしたハーパーは、スニッチをつかみそこね、指の間をすり抜けたスニッチを飛び越してしまった。そしてハリーは、パタパタ羽ばたく小さな球めがけて腕を大きく振り、キャッチした。

「やった！」

ハリーが叫んだ。スニッチを高々と掲げ、ハリーは矢のように地上へと飛んだ。状況がわかったとたん、観衆から大歓声が湧き起こり、試合終了を告げるホイッスルがほとんど聞こえないほどだった。

「ジニー、どこに行くんだ？」ハリーが叫んだ。

選手たちが空中で塊になって抱きつき合い、ハリーが身動きできないでいると、ジニーだけがそこを通り越して飛んでいった。そして大音響とともに、ジニーは解説者の演台に突っ込んだ。観衆が悲鳴を上げ、大笑いする中、グリフィンドール・チームが壊れた演台の脇に着地してみると、木っ端微塵《みじん》の下敷きになって、ザカリアスが弱々しく動いていた。カンカンに怒ったマクゴナガル先生に、ジニーがけろりと答える声がハリーの耳に聞こえてきた。

「ブレーキをかけ忘れちゃって。すみません、先生」

ハリーは笑いながら選手たちから離れ、ジニーを抱きしめた。しかしすぐに放し、ジニーのまなざしをさけながら、かわりに、歓声を上げているロンの背中をバンとたたいた。仲間割れをすべて水に流したグリフィンドール・チームは、腕を組み拳を突き上げて、サポーターに手を振りながら競技場から退出した。

更衣室はお祭り気分だった。

「談話室でパーティだ！　シェーマスがそう言ってた！」ディーンが嬉々《きき》として叫んだ。

「行こう、ジニー！　デメルザ！」

ロンとハリーの二人が、最後に更衣室に残った。外に出ようとしたちょうどその時、ハーマイオニーが入ってきた。両手でグリフィンドールのスカーフをねじりながら、困惑した、しかしきっぱり決心した顔だった。

「ハリー、お話があるの」ハーマイオニーが大きく息を吸った。

「あなた、やってはいけなかったわ。スラグホーンの言ったことを聞いたはずよ。違法だわ」

「どうするつもりなんだ？　僕たちを突き出すのか？」ロンが詰め寄った。

「二人ともいったいなんの話だ？」

ニヤリ笑いを二人に見られないように、背中を向けたままユニフォームをかけながら、ハリーが言った。

「なんの話か、あなたにははっきりわかっているはずよ！」

ハーマイオニーがかん高い声を上げた。

「朝食のとき、ロンのジュースに幸運の薬を入れたでしょう！『フェリックス・フェリシス』よ！」

「入れてない」ハリーは二人に向きなおった。

「入れたわ、ハリー。それだから何もかもラッキーだったのよ。スリザリンの選手は欠場するし、ロンは全部セーブするし！」

「僕は入れてない！」

ハリーは、今度は大きくニヤリと笑った。上着のポケットに手を入れ、ハリーは、今朝ハーマイオニーが自分の手中にあるのを目撃したはずの、小さな瓶を取り出した。金色の水薬がたっぷりと入っていて、コルク栓はしっかりろうづけされたままだった。

「僕が入れたと、ロンに思わせたかったんだ。だから、君が見ている時を見計らって、入れるふりをした」

ハリーはロンを見た。

「ラッキーだと思い込んで、君は全部セーブした。すべて君自身がやったことなんだ」

ハリーは薬をポケットに戻した。

「僕のかぼちゃジュースには、ほんとうに何も入ってなかったのか？」ロンがあぜんとして言った。「だけど天気はよかったし……それにベイジーはプレーできなかったし……僕、ほんとのほんとに、幸運薬を盛られなかったの？」

ハリーは入れていないと首を振った。ロンは一瞬ポカンと口を開け、それからハーマイオニーを振り返って声色をまねた。

「**ロンのジュースに、今朝『フェリックス・フェリシス』を入れたでしょう。それだから、ロンは全部セーブしたのよ！** どうだ！ ハーマイオニー、助けなんかなくたって、僕はゴールを守れるんだ！」

「あなたができないなんて、一度も言ってないわ――ロン、**あなただって、**薬を入れられたと思ったじゃない！」

しかしロンはもう、ハーマイオニーの前を大股で通り過ぎ、箒を担いで出ていってしまった。

「えーっと」

突然訪れた沈黙の中で、ハリーが言った。こんなふうに裏目に出るとは思いもよらなかった。

「じゃ……それじゃ、パーティに行こうか？」

「行けばいいわ！」

ハーマイオニーは瞬《まばた》きして涙をこらえながら言った。

「ロンなんて、私、もう**うんざり**。私がいったい何をしたって言うの……」

そしてハーマイオニーも、嵐のように更衣室から出ていった。

ハリーは人混みの中を重い足取りで城に向かった。校庭を行く大勢の人が、ハリーに祝福の言葉をかけた。しかし、ハリーは虚脱感に襲われていた。ロンが試合に勝てば、ハーマイオニーとの仲はたちまち戻るだろうと信じきっていた。ハーマイオニーは、いったい何をしたかと聞いたが、ビクトール・クラムとキスしたからロンが怒っているのだと、どうやって説明すればいいのか見当もつかなかった。何しろその罪を犯したのは、ずっと昔のことなのだ。

ハリーが到着したとき、グリフィンドールの祝賀パーティは宴もたけなわだったが、ハリーはハーマイオニーの姿を見つけることができなかった。ハリーの登場で、新たに歓声と拍手が湧き、ハリーはたちまち、祝いの言葉を述べる群集に囲まれてしまった。試合の様子を逐一聞きたがるクリービー兄弟を振りきったり、ハリーのどんなつまらない話にも笑ったりまつげをパチパチさせたりする大勢の女の子たちに囲まれてしまったりで、ロンを見つけるまでに時間がかかった。

スラグホーンのクリスマス・パーティに一緒に行きたいと、しつこくほのめかすロミルダ・ベインをやっと振り払い、人混みをかき分けて飲み物のテーブルのほうに行こうとしていたハリーは、ジニーにばったり出会った。ピグミーパフのアーノルドを肩にのせ、足元ではクルックシャンクスが、期待顔で鳴いている。

「ロンを探してるの？」

ジニーはわが意を得たりとばかりニヤニヤしている。

「あそこよ、あのいやらしい偽善者」

ハリーはジニーが指した部屋の隅を見た。そこに、部屋中から丸見えになって、ロンがラベンダー・ブラウンと、どの手がどちらの手かわからないほど密接にからみ合って立っていた。

「ラベンダーの顔を食べてるみたいに見えない？」ジニーは冷静そのものだった。

「でもロンは、テクニックを磨く必要があるわね。いい試合だったわ、ハリー」

ジニーはハリーの腕を軽くたたいた。ハリーは胃の中が急にザワーッと騒ぐのを感じた。しかし、ジニーはバタービールのおかわりをしにいってしまった。クルックシャンクスが黄色い目をアーノルドから離さずに、後ろからトコトコついていった。

ハリーは、すぐには顔を現しそうにないロンから目を離した。ちょうどその時、肖像画の穴が閉まった。そこから豊かな栗色の髪がすっと消えるのを見たような気がして、ハリーは気持ちが沈んだ。

ロミルダ・ベインをまたまたかわし、ハリーはすばやく前進して「太った婦人」の肖像画を押し開けた。外の廊下は誰もいないように見えた。

「ハーマイオニー？」

鍵のかかっていない最初の教室で、ハリーはハーマイオニーを見つけた。さえずりながらハーマイオニーの頭の周りに小さな輪を作っている黄色い小鳥たちのほかは、誰もいない教室で、ぽつんと先生の机に腰かけていた。いましがた創り出した小鳥にちがいない。こんな時にこれだけの呪文を使うハーマイオニーに、ハリーはほとほと感心した。

「ああ、ハリー、こんばんは」

ハーマイオニーの声は、いまにも壊れそうだった。

「ちょっと練習していたの」

「うん……小鳥たち……あの……とってもいいよ……」ハリーが言った。

ハリーは、なんと言葉をかけていいやらわからなかった。ハーマイオニーがロンに気づかずに、パーティがあまり騒々しいから出てきただけという可能性はあるだろうか、とハリーが考えていたその時、ハーマイオニーが不自然に高い声で言った。

「ロンは、お祝いを楽しんでるみたいね」

「あー……そうかい？」ハリーが言った。

「ロンを見なかったようなふりはしないで」ハーマイオニーが言った。「あの人、特に隠していた様子は――」

背後のドアが突然開いた。ハリーは凍りつく思いがした。ロンがラベンダーの手を引いて、笑いながら入ってきたのだ。

「あっ」ハリーとハーマイオニーに気づいて、ロンがギクリと急停止した。

「あらっ！」ラベンダーはクスクス笑いながらあとずさりして部屋から出ていった。その後ろでドアが閉まった。

恐ろしい沈黙がふくれ上がり、うねった。ハーマイオニーはロンをじっと見たが、ロンはハーマイオニーを見ようとせず、からいばりと照れくささが奇妙にまじり合った態度でハリーに声をかけた。

「よう、ハリー！　どこに行ったのかと思ったよ！」

ハーマイオニーは、机からするりと下りた。金色の小鳥の小さな群れが、さえずりながらハーマイオニーの頭の周囲を回り続けていたので、ハーマイオニーはまるで羽の生えた不思議な太陽系の模型のように見えた。

「ラベンダーを外に待たせておいちゃいけないわ」ハーマイオニーが静かに言った。

「あなたがどこに行ったのかと思うでしょう」

ハーマイオニーは背筋を伸ばして、ゆっくりとドアのほうへ歩いていった。ハリーがロンをちらりと見ると、この程度ですんでホッとした、という顔をしていた。

「**オパグノ！　襲え！**」

出口から鋭い声が飛んできた。

ハリーがすばやく振り返ると、ハーマイオニーが荒々しい形相で、杖をロンに向けていた。小鳥の小さな群れが、金色の丸い弾丸のように、次々とロンめがけて飛んできた。ロンは悲鳴を上げて両手で顔を隠したが、小鳥の群れは襲いかかり、肌という肌をところかまわずつっつき、引っかいた。

「やめさせろ！」

ロンが早口に叫んだ。しかしハーマイオニーは、復讐《ふくしゅう》の怒りに燃える最後の一瞥《いちべつ》を投げ、力任せにドアを開けて姿を消した。ハリーは、ドアがバタンと閉まる前に、すすり泣く声を聞いたような気がした。

第15章　破れぬ誓い

凍りついた窓に、今日も雪が乱舞していた。クリスマスが駆け足で近づいてくる。ハグリッドはすでに、例年の大広間用の十二本のクリスマスツリーを一人で運び込んでいた。柊《ひいらぎ》とティンセルの花飾りが階段の手すりに巻きつけられ、鎧《よろい》の兜《かぶと》の中からは永久に燃えるろうそくが輝き、廊下には大きな宿木《やどりぎ》の塊が一定間隔を置いて吊《つ》り下げられた。宿木の下には、ハリーが通りかかるたびに大勢の女の子が群れをなして集まってきて、廊下が渋滞した。しかし、これまでひんぱんに夜間に出歩いていたおかげで、幸い城の抜け道に関しては並々ならぬ知識を持っていたハリーは、授業と授業の間にも、あまり苦労せずに宿木のない通路を移動できた。

かつてのロンなら、ハリーが遠回りしなければならないことで嫉妬心をあおられたかもしれないが、いまはむしろ大はしゃぎで、何もかも笑い飛ばすだけだった。こんなふうに笑ったり冗談を飛ばしたりする新しいロンのほうが、それまで数週間にわたってハリーが耐えてきた、ふさぎ込み攻撃型のロンより、ハリーにとってはずっと好ましかった。しかし、改善型ロンには大きな代償がついていた。第一に、ハリーは、ラベンダー・ブラウンが始終現れるのをがまんしなければならなかった。ラベンダーはどうやら、ロンにキスしていない間はむだな瞬間だと考えているらしい。第二に、ハリーは、二人の親友が二度と互いに口をききそうもない状況を、またしても経験するはめになった。

ハーマイオニーの小鳥に襲われ、手や腕にまだ引っかき傷や切り傷がついているロンは、言い訳がましく恨みがましい態度を取っていた。

「文句は言えないはずだ」ロンがハリーに言った。

「あいつはクラムといちゃいちゃした。それで、僕にだっていちゃついてくれる相手がいるのが、あいつにもわかったってことさ。そりゃ、ここは自由の国だからね。僕はなんにも悪いことはしてない」

ハリーは何も答えず、翌日の午前中にある呪文学の授業までに読まなければならない本（『精の探求』）に没頭しているふりをした。ロンともハーマイオニーとも友達でいようと決意していたハリーは、口を固く閉じていることが多くなった。

「僕はハーマイオニーになんの約束もしちゃいない」ロンがもごもご言った。「そりゃあ、まあ、スラグホーンのクリスマス・パーティにあいつと行くつもりだったさ。でもあいつは一度だって口に出して……単なる友達さ……僕はフリー・エージェントだ……」

ハリーはロンに見られていると感じながら、『精の探求』のページをめくった。ロンの声はだんだん小さくなってつぶやきになり、暖炉の火がはぜる大きな音でほとんど聞こえなかったが、「クラム」とか「文句は言えない」という言葉だけは聞こえたような気がした。

ハーマイオニーは時間割がぎっしり詰まっていたので、いずれにせよハリーは、夜にならないとハーマイオニーとまともに話ができる状態ではなかった。ロンは、夜になるとラベンダーに固く巻きついていたので、ハリーが何をしているかにも気づいていなかった。ハーマイオニーは、ロンが談話室にいるかぎりそこにいることを拒否していたので、ハリーはだいたい図書館でハーマイオニーに会った。ということは、二人がヒソヒソ話をするということでもあった。

「誰とキスしようが、まったく自由よ」

司書のマダム・ピンスが背後の本棚をうろついているときに、ハーマイオニーが声をひそめて言った。

「まったく気にしないわ」

ハーマイオニーが羽根ペンを取り上げて、強烈に句点を打ったので、羊皮紙に穴が開いた。ハリーは何も言わなかった。あまりにも声を使わないので、そのうち声が出なくなるのではないかと思った。『上級魔法薬』の本にいっそう顔を近づけ、ハリーは「万年万能薬」についてのノートを取り続け、ときどきペンを止めては、リバチウス・ボラージの文章に書き加えられている、プリンスの有用な追加情報を判読した。

「ところで」しばらくして、ハーマイオニーがまた言った。「気をつけないといけないわよ」

「最後にもう一回だけ言うけど」四十五分もの沈黙のあとで、ハリーの声は少しかすれていた。「この本を返すつもりはない。プリンスから学んだことのほうが、スネイプやスラグホーンからこれまで教わってきたことより――」

「私、そのバカらしいプリンスとかいう人のことを、言ってるんじゃないわ」

ハーマイオニーは、その本に無礼なことを言われたかのように、険悪な目つきで教科書を見た。

「ちょっと前に起こったことを話そうとしてたのよ。ここに来る前に女子トイレに行ったら、そこに十人ぐらい女子が集まっていたの。あのロミルダ・ベインもいたわ。あなたに気づかれずにほれ薬を盛る方法を話していたの。全員が、あなたにスラグホーン・パーティに連れていってほしいと思っていて、みんながフレッドとジョージの店から『愛の妙薬』を買ったみたい。それ、たぶん効くと思うわ――」

「なら、どうして取り上げなかったんだ？」ハリーが詰め寄った。

ここ一番という肝心なときに、規則遵守熱がハーマイオニーを見捨てたのは尋常ではないと思われた。

「あの人たち、トイレでは薬を持っていなかったの」ハーマイオニーがさげすむように言った。

「戦術を話し合っていただけ。さすがの『**プリンス**』も」ハーマイオニーはまたしても険悪な目つきで本を見た。「十種類以上のほれ薬が一度に使われたら、その解毒剤をでっち上げることなど夢にも思いつかないでしょうから、私なら一緒に行く人を誰か誘うわね――そうすればほかの人たちは、まだチャンスがあるなんて考えなくなるでしょう――あしたの夜よ。みんな必死になっているわ」

「誰も招きたい人がいない」ハリーがつぶやいた。

ハリーはいまでも、さけうるかぎりジニーのことは考えまいとしていた。その実、ジニーはしょっちゅうハリーの夢に現れていた。夢の内容からして、ロンが「開心術」を使うことができないのは、心底ありがたかった。

「まあ、とにかく飲み物には気をつけなさい。ロミルダ・ベインは本気みたいだったから」

ハーマイオニーが厳しく言った。

ハーマイオニーは、数占いのレポートを書いていた長い羊皮紙の巻紙をたくし上げ、羽根ペンの音を響かせ続けた。ハリーはそれを見ながら、心は遠くへと飛んでいた。

「待てよ」ハリーはふと思い当たった。

「フィルチが、『ウィーズリー・ウィザード・ウィーズ』で買ったものはなんでも禁止にしたはずだけど?」

「それで? フィルチが禁止したものを、気にした人なんているかしら?」

ハーマイオニーは、レポートに集中したままで言った。

「だけど、ふくろうは全部検査されてるんじゃないのか? だから、その女の子たちが、ほれ薬を学校に持ち込めたっていうのは、どういうわけだ?」

「フレッドとジョージが、香水と咳《せき》止め薬に偽装して送ってきたの。あの店の『ふくろう通信販売サービス』の一環よ」

「ずいぶんくわしいじゃないか」

ハーマイオニーは、いましがたハリーの『上級魔法薬』の本を見たと同じ目つきで、ハリーを見た。

「夏休みに、あの二人が、私とジニーに見せてくれた瓶の裏に、全部書いてありました」

ハーマイオニーが冷たく言った。

「私、誰かの飲み物に薬を入れて回るようなまねはしません……入れるふりもね。それも同罪だわ……」

「ああ、まあ、それは置いといて」ハリーは急いで言った。「要するに、フィルチはだまされてるってことだな？　女の子たちが何かに偽装したものを学校に持ち込んでいるわけだ！　それなら、マルフォイだってネックレスを学校に持ち込めないわけは――？」

「まあ、ハリー……また始まった……」

「ねえ、持ち込めないわけはないだろう？」ハリーが問い詰めた。

「あのね」ハーマイオニーはため息をついた。

「『詮索センサー』は呪いとか呪詛《じゅそ》、隠蔽の呪文を見破るわけでしょう？　闇の魔術や闇の物品を見つけるために使われるの。ネックレスにかかっていた強力な呪いなら、たちまち見つけ出したはずだわ。でも、単に瓶と中身がちがっているだけのものは、認識しないでしょうね――それに、いずれにせよ『愛の妙薬』は闇のものでもないし、危険でも――」

「君は簡単に危険じゃないって言うけど――」

ハリーは、ロミルダ・ベインのことを考えながら言った。

「――それじゃ、咳止め薬じゃないと見破るかどうかは、フィルチしだいっていうわけだ。だけどあいつはあんまり優秀な魔法使いじゃないし、薬の見分けがつくかどうか、怪しい――」

ハーマイオニーはハッと身を固くした。ハリーにも聞こえた。誰かが、二人のすぐ後ろの暗い本棚の間で動いたのだ。二人がじっとしていると、まもなく物陰から、ハゲタカのような容貌のマダム・ピンスが現れた。落ちくぼんだほおに羊皮紙のような肌、そして高い鉤鼻《かぎ》が、手にしたランプで情け容赦なく照らし出されている。

「図書館の閉館時間です」マダム・ピンスが言った。「借りた本はすべて返すように。元の棚に――**この不心得者！　その本に何をしでかしたんです？**」

「図書館の本じゃありません。僕のです！」

あわててそう言いながら、ハリーは机に置いてあった『上級魔法薬』の本をひっこめようとしたが、マダム・ピンスが鉤爪のような手で本につかみかかってきた。

「荒らした！」マダム・ピンスが唸《うな》るように言った。「穢《けが》した！　汚した！」

「教科書に書き込みしてあるだけです！」ハリーは本を引っ張り返して取り戻した。

マダム・ピンスは発作を起こしそうだった。ハーマイオニーは急いで荷物をまとめ、ハリーの腕をがっちりつかんで無理やり連れ出した。

「気をつけないと、あの人、あなたを図書館出入り禁止にするわよ。どうしてそんなおろかしい本を持ち込む必要があったの？」

「ハーマイオニー、あいつが狂ってるのは僕のせいじゃない。それともあいつ、君がフィルチの悪口を言ったのを盗み聞きしたのかな？　あいつらの間に何かあるんじゃないかって、僕、前々から疑ってたんだけど――」

「まあ、ハ、ハ、ハだわ……」

あたりまえに話せるようになったのが楽しくて、二人はランプに照らされた人気《ひとけ》のない廊下を談話室に向かって歩きながら、フィルチとマダム・ピンスがはたして密《ひそ》かに愛し合っているかどうかを議論した。

「**ボーブル、玉飾り**」

ハリーは「太った婦人《レディ》」に向かって、クリスマス用の新しい合言葉を言った。

「クリスマスおめでとう」

「太った婦人」はいたずらっぽく笑い、パッと開いて二人を入れた。

「あら、ハリー！」肖像画の穴から出てきたとたん、ロミルダ・ベインが言った。「ギリーウォーターはいかが？」

ハーマイオニーがハリーを振り返って、「ほぅらね！」という目つきをした。

「いらない」ハリーが急いで言った。「あんまり好きじゃないんだ」

「じゃ、とにかくこっちを受け取って」

ロミルダがハリーの手に箱を押しつけた。

「『大鍋チョコレート』、ファイア・ウィスキー入りなの。おばあさんが送ってくれたんだけど、私、好きじゃないから」

「ああ——そう——ありがとう」

ほかになんとも言いようがなくて、ハリーはそう言った。

「あー——僕、ちょっとあっちへ、あの人と……」

ハリーの声が先細りになり、あわててハーマイオニーの後ろにくっついてその場を離れた。

「言ったとおりでしょ」ハーマイオニーがずばりと言った。

「早く誰かに申し込めば、それだけ早くみんながあなたを解放して、あなたは——」

突然、ハーマイオニーの顔が無表情になった。ロンとラベンダーが、一つのひじかけ椅子でからまり合っているのを目にしたのだ。

「じゃ、おやすみなさい、ハリー」

まだ七時なのに、ハーマイオニーはそう言うなり、あとは一言も発せず女子寮に戻っていった。

ベッドに入りながら、ハリーは、あと一日分の授業とスラグホーンのパーティがあるだけだと自分をなぐさめた。その後は、ロンと一緒に「隠れ穴」に出発だ。休暇の前にロンとハーマイオニーが仲なおりするのは、いまや不可能に思われた。でも、たぶん、どうにかして、休暇の間に二人とも冷静になって、自分たちの態度を反省することも……。

ハリーははじめから高望みしてはいなかった。そして翌日、二人と一緒に受ける変身術の授業を耐え抜いたあとは、期待はますます低くなるばかりだった。

授業では、人の変身という非常に難しい課題を始めたばかりで、自分の眉の色を変える術を、鏡の前で練習していた。ロンの一回目は惨憺《さんたん》たる結果で、どうやったものやら、見事なカイザルひげが生えてしまった。ハーマイオニーは薄情にもそれを笑った。ロンはその復讐《ふくしゅう》に、マクゴナガル先生が質問するたび、ハーマイオニーが椅子に座ったまま上下にピョコピョコする様子を、残酷にも正確にまねして見せた。ラベンダーとパーバティはさかんにおもしろがり、ハーマイオニーはまた涙がこぼれそうになった。

ベルが鳴ったとたん、ハーマイオニーは学用品を半分も残したまま、教室から飛び出していった。いまはロンよりハーマイオニーのほうが助けを必要としていると判断したハリーは、ハーマイオニーが置き去りにした荷物をかき集め、あとを追った。

やっと追いついたときは、ハーマイオニーが下の階の女子トイレから出てくるところだった。ルーナ・ラブグッドが、その背中をたたくともなくたたきながら付き添っていた。

「ああ、ハリー、こんにちは」ルーナが言った。「あんたの片方の眉、真っ黄色になってるって知ってた？」

「やあ、ルーナ。ハーマイオニー、これ、忘れていったよ……」

ハリーは、ハーマイオニーの本を数冊差し出した。

「ああ、そうね」

ハーマイオニーは声を詰まらせながら受け取り、急いで横を向いて、羽根ペン入れで目をぬぐっていたことを隠そうとした。

「ありがとう、ハリー。私、もう行かなくちゃ……」

ハリーがなぐさめの言葉をかける間も与えず、ハーマイオニーは急いで去っていった。もっとも、ハリーはかける言葉も思いつかなかった。

「ちょっと落ち込んでるみたいだよ」ルーナが言った。「最初は『嘆きのマートル』がいるのかと思ったんだけど、ハーマイオニーだったもン。ロン・ウィーズリーのことをなんだか言ってた……」

「ああ、けんかしたんだよ」ハリーが言った。

「ロンて、ときどきとってもおもしろいことを言うよね？」

二人で廊下を歩きながら、ルーナが言った。

「だけど、あの人、ちょっとむごいとこがあるな。あたし、去年気がついたもン」

「そうだね」ハリーが言った。

ルーナは言いにくい真実をずばりと言う、いつもの才能を発揮した。ハリーは、ほかにルーナのような人に会ったことがなかった。

「ところで、今学期は楽しかった？」

「うん、まあまあだよ」ルーナが言った。

「DAがなくて、ちょっとさびしかった。でも、ジニーがよくしてくれたもん。この間、変身術のクラスで、男子が二人、あたしのことを『おかしなルーニー』って呼んだとき、ジニーがやめさせてくれた――」

「今晩、僕と一緒にスラグホーンのパーティに来ないか？」

止める間もなく、言葉が口をついて出た。他人がしゃべっているのを聞くように、ハリーは自分の言葉を聞いた。

ルーナは驚いて、飛び出した目をハリーに向けた。

「スラグホーンのパーティ？　あんたと？」

「うん」ハリーが言った。「客を連れていくことになってるんだ。それで君さえよければ……つまり……」

ハリーは、自分がどういうつもりなのかをはっきりさせておきたかった。

「つまり、単なる友達として、だけど。でも、もし気が進まないなら……」

ハリーはすでに、ルーナが行きたくないと言ってくれることを半分期待していた。

「ううん、一緒に行きたい。友達として！」

ルーナは、これまでに見せたことのない笑顔でニッコリした。

「いままでだぁれも、パーティに誘ってくれた人なんかいないもん。友達として！　あんた、だから眉を染めたの？　パーティ用に？　あたしもそうするべきかな？」

「いや」ハリーがきっぱりと言った。「これは失敗したんだ。ハーマイオニーに頼んで直してもらうよ。じゃ、玄関ホールで八時に落ち合おう」

「**ハッハーン！**」

頭上でかん高い声がして、二人は飛び上がった。二人とも気づかなかったが、ピーブズがシャンデリアから逆さまにぶら下がって、二人に向かって意地悪くニヤニヤしていた。たったいま、二人がその下を通り過ぎたのだった。

「ポッティがルーニーをパーティに誘った！　ポッティはルーニーが好～き！　ポッティはル～～～ニーが好～～～き！」

そしてピーブズは、「ポッティはルーニーが好き！」とかん高くはやしたてながら、高笑いとともにズームして消えた。

「内緒にしてくれてうれしいよ」ハリーが言った。

案の定、あっという間に学校中に、ハリー・ポッターがルーナ・ラブグッドをスラグホーンのパーティに連れていく、ということが知れ渡ったようだった。

「君は**誰だって**誘えたんだ！」

夕食の席で、ロンが信じられないという顔で言った。

「**誰だって！**　なのに、ルーニー・ラブグッドを選んだのか？」

「ロン、そういう呼び方をしないで」

友達の所に行く途中だったジニーが、ハリーの後ろで立ち止まり、ピシャリと言った。

「ハリー、あなたがルーナを誘ってくれて、ほんとにうれしいわ。あの子、とっても興奮してる」

そしてジニーは、ディーンが座っているテーブルの奥のほうに歩いていった。ルーナを誘ったことをジニーが喜んでくれたのはうれしいと、ハリーは自分を納得させようとしたが、そう単純には割り切れなかった。テーブルのずっと離れた所で、ハーマイオニーがシチューをもてあそびながら、一人で座っていた。ハリーは、ロンがハーマイオニーを盗み見ているのに気づいた。

「謝ったらどうだ」ハリーはぶっきらぼうに意見した。

「なんだよ。それでまたカナリアの群れに襲われろって言うのか？」ロンがブツブツ言った。

「なんのためにハーマイオニーのものまねをする必要があった？」

「僕の口ひげを笑った！」

「僕も笑ったさ。あんなにバカバカしいもの見たことがない」

しかし、ロンは聞いてはいないようだった。ちょうどその時、ラベンダーがパーバティと一緒にやってきたのだ。ハリーとロンの間に割り込んで、ラベンダーはロンの首に両腕を回した。

「こんばんは、ハリー」パーバティもハリーと同じように、この二人の友人の態度には当惑気味で、うんざりした顔をしていた。

「やあ」ハリーが答えた。「元気かい？　それじゃ、君はホグワーツにとどまることになったんだね？ご両親が連れ戻したがっているって聞いたけど」

「しばらくはそうしないようにって、なんとか説得したわ」パーバティが言った。「あのケイティのことで、親がとってもパニックしちゃったんだけど、でも、あれからは何も起こらないし……あら、こんばんは、ハーマイオニー！」

パーバティはことさらニッコリした。変身術の授業でハーマイオニーを笑ったことを後ろめたく思っているのだろうと、ハリーは察した。振り返ると、ハーマイオニーもニッコリを返している。あろうことか、もっと明るくニッコリだ。女ってやつは、時に非常に不可思議だ。

「こんばんは、パーバティ！」

ハーマイオニーは、ロンとラベンダーを完璧に無視しながら言った。

「夜はスラグホーンのパーティに行くの？」

「招待なしよ」パーバティは憂鬱そうに言った。「でも、行きたいわ。とってもすばらしいみたいだし……あなたは行くんでしょう?」

「ええ、八時にコーマックと待ち合わせて、二人で――」

詰まった流しから吸引カップを引き抜くような音がして、ロンの顔が現れた。ハーマイオニーはと言えば、見ざる聞かざるを決め込んだ様子だった。

「――一緒にパーティに行くの」

「コーマックと?」パーバティが聞き返した。「コーマック・マクラーゲン、なの?」

「そうよ」ハーマイオニーがやさしい声で言った。

「**もう少しで**」

ハーマイオニーが、やけに言葉に力を入れた。

「グリフィンドールのキーパーになるところだった人よ」

「それじゃ、あの人とつき合ってるの?」パーバティが目を丸くした。

「あら――そうよ――知らなかった?」

ハーマイオニーがおよそ彼女らしくないクスクス笑いをした。

「まさか!」パーバティは、このゴシップ種をもっと知りたくてうずうずしていた。

「ウワー、あなたって、クィディッチ選手が好きなのね? 最初はクラム、今度はマクラーゲン……」

「私が好きなのは、**ほんとうにいい**クィディッチ選手よ」

ハーマイオニーがほほえんだまま訂正した。

「じゃ、またね……もうパーティに行く支度をしなくちゃ……」

ハーマイオニーは行ってしまった。ラベンダーとパーバティは、すぐさま額を突き合わせ、マクラーゲンについて聞いていたもろもろの話から、ハーマイオニーについて想像していたあらゆることにいたるまで、この新しい展開を検討しはじめた。ロンは奇妙に無表情で、何も言わなかった。ハリーは一人だまって、女性とは、復讐のためならどこまで深く身を落とすことができるものなのかと、しみじみ考えていた。

その晩、八時にハリーが玄関ホールに行くと、尋常でない数の女子生徒がうろうろしていて、ハリーがルーナに近づくのを恨みがましく見つめていた。ルーナはスパンコールのついた銀色のローブを着ていて、見物人の何人かがそれをクスクス笑っていた。しかし、そのほかは、ルーナはなかなかすてきだった。とにかくハリーは、ルーナがオレンジ色のカブのイヤリングを着けてもいないし、バタービールのコルク栓をつないだネックレスも「メラメラめがね」もかけていないことがうれしかった。

「やあ」ハリーが声をかけた。「それじゃ、行こうか？」

「うん」ルーナがうれしそうに言った。「パーティはどこなの？」

「スラグホーンの部屋だよ」

ハリーは、見つめたり陰口をきいたりする群れから離れ、大理石の階段を先に立って上りながら答えた。

「吸血鬼《バンパイア》が来る予定だって、君、聞いてる？」

「ルーファス・スクリムジョール？」ルーナが聞き返した。

「僕――えっ？」ハリーは面食らった。「魔法大臣のこと？」

「そう。あの人、吸血鬼なんだ」ルーナはあたりまえという顔で言った。

「スクリムジョールがコーネリウス・ファッジにかわったときに、パパがとっても長い記事を書いたんだけど、魔法省の誰かが手を回して、パパに発行させないようにしたんだもン。もちろん、ほんとうのことがもれるのがいやだったんだよ！」

ルーファス・スクリムジョールが吸血鬼というのは、まったくありえないと思ったが、ハリーは何も反論しなかった。父親の奇妙な見解を、ルーナが事実と信じて受け売りするのに慣れっこになっていたからだ。

二人はすでに、スラグホーンの部屋のそばまで来ていた。笑い声や音楽、にぎやかな話し声が、ひと足ごとにだんだん大きくなってきた。

はじめからそうなっていたのか、それともスラグホーンが魔法でそう見せかけているのか、その部屋はほかの先生の部屋よりずっと広かった。天井と壁はエメラルド、紅、そして金色の垂れ幕のひだ飾りで優美に覆われ、全員が大きなテントの中にいるような感じがした。中は混み合ってムンムンしていた。天井の中央から凝った装飾をほどこした金色のランプが下がり、中には本物の妖精が、それぞれにきらびやかな光を放ちながらパタパタ飛び回っていて、ランプの赤い光が部屋中を満たしていた。マンドリンのような音に合わせて歌う大きな歌声が、部屋の隅のほうから流れ、年長の魔法戦士が数人話し込んでいる所には、パイプの煙が漂っていた。

何人かの屋敷しもべ妖精が、キーキー言いながら客のひざ下あたりをすり抜けるように動き回っていたが、食べ物をのせた重そうな銀の盆の下に隠されてしまい、まるで小さなテーブルが勝手に動いているように見えた。

「これはこれは、ハリー！」

ハリーとルーナが、混み合った部屋に入るや否や、スラグホーンの太い声が響いた。

「さあ、さあ、入ってくれ。君に引き合わせたい人物が大勢いる！」

スラグホーンはゆったりしたビロードの上着を着て、おそろいのビロードの房つき帽子をかぶっていた。一緒に「姿くらまし」したいのかと思うほどがっちりとハリーの腕をつかみ、スラグホーンは、何か目論見がありそうな様子でハリーをパーティのまっただ中へと導いた。ハリーはルーナの手をつかみ、一緒に引っ張っていった。

「ハリー、こちらはわたしの昔の生徒でね、エルドレド・ウォープルだ。『血兄弟――吸血鬼たちとの日々』の著者だ――そして、もちろん、その友人のサングィニだ」

小柄でめがねをかけたウォープルは、ハリーの手をぐいとつかみ、熱烈に握手した。吸血鬼のサングィニは、背が高くやつれていて、目の下に黒いくまがあったが、首を傾けただけの挨拶だった。かなりたいくつしている様子だ。興味津々の女子生徒がその周りにガヤガヤ群がって、興奮していた。

「ハリー・ポッター、喜ばしいかぎりです！」

ウォープルは近視の目を近づけて、ハリーの顔をのぞきこんだ。

「つい先日、スラグホーン先生にお聞きしたばかりですよ。**我々すべてが待ち望んでいる、ハリー・ポッターの伝記はどこにあるのですか？**とね」

「あー」ハリーが言った。「そうですか？」

「ホラスの言ったとおり、謙虚な人だ！」ウォープルが言った。

「しかし、まじめな話――」態度ががらりと変わって、急に事務的になった。

「私自身が喜んで書きますがね――みんなが君のことを知りたいと、渇望していますよ。君、渇望ですよ！ なに、二、三回インタビューさせてくれれば、そう、一回につき四、五時間ってところですね、そうしたらもう、数か月で本が完成しますよ。君のほうはほとんど何もしなくていい。お約束しますよ――ご心配なら、ここにいるサングィニに聞いてみて――**サングィニ！ ここにいなさい！**」

ウォープルが急に厳しい口調になった。吸血鬼は、かなり飢えた目つきで、周囲の女の子たちの群れにじりじり近づいていた。

「さあ、肉入りパイを食べなさい」

そばを通った屋敷しもべ妖精から一つ取って、サングィニの手に押しつけると、ウォープルはまたハリーに向きなおった。

「いやあ、君、どんなにいい金になるか、考えても――」

「まったく興味ありません」ハリーはきっぱり断った。

「それに、友達を見かけたので、失礼します」

ハリーはルーナを引っ張って人混みの中に入っていった。たったいま、長く豊かな栗色の髪が、「妖女シスターズ」のメンバーと思《おぼ》しき二人の間に消えるのを、ほんとうに見かけたのだ。

「ハーマイオニー、**ハーマイオニー！**」

「ハリー！　ここにいたの。よかった！　こんばんは、ルーナ！」

「何があったんだ？」ハリーが聞いた。

ハーマイオニーは、「悪魔の罠《わな》」の茂みと格闘して逃れてきたばかりのように、見るからにぐしゃぐしゃだった。

「ああ、逃げてきたところなの――つまり、コーマックを置いてきたばかりなの」

ハリーがけげんな顔で見つめ続けていたので、ハーマイオニーが「宿木の下に」と説明を加えた。

「あいつと来た罰だ」ハリーは厳しい口調で言った。

「ロンが一番いやがると思ったの」ハーマイオニーが冷静に言った。「ザカリアス・スミスではどうかと思ったこともちょっとあったけど、全体として考えると――」

「スミスなんかまで考えたのか？」ハリーはむかついた。

「ええ、そうよ。そっちを選んでおけばよかったと思いはじめたわ。マクラーゲンって、グロウプでさえ紳士に見えてくるような人。あっちに行きましょう。あいつがこっちに来るのが見えるわ。何しろ大きいから……」

三人は、途中で蜂蜜酒のゴブレットをすくい取って、部屋の反対側へと移動した。そこに、トレローニー先生がぽつんと立っているのに気づいたときには、もう遅かった。

「こんばんは」ルーナが、礼儀正しくトレローニー先生に挨拶した。

「おや、こんばんは」

トレローニー先生は、やっとのことでルーナに焦点を合わせた。ハリーは今度もまた、安物の料理用シェリー酒のにおいをかぎ取った。

「あたくしの授業で、最近お見かけしないわね……」

「はい、今年はフィレンツェです」ルーナが言った。

「ああ、そうそう」

トレローニー先生は腹立たしげに、酔っ払いらしい忍び笑いをした。

「あたくしは、むしろ『駄馬さん』とお呼びしますけれどね。あたくしが学校に戻ったからには、ダンブルドア校長があんな馬を追い出してしまうだろうと、そう思いませんでしたこと？　でも、ちがう……クラスを分けるなんて……侮辱ですわ、そうですとも、侮辱。ご存じかしら……」

酩酊《めいてい》気味のトレローニー先生には、ハリーの顔も見分けられないようだった。フィレンツェへの激烈な批判を煙幕にして、ハリーはハーマイオニーに顔を近づけて話した。

「はっきりさせておきたいことがある。キーパーの選抜に君が干渉したこと、ロンに話すつもりか？」

ハーマイオニーは眉を吊り上げた。

「私がそこまでいやしくなると思うの？」

ハリーは見透かすようにハーマイオニーを見た。

「ハーマイオニー、マクラーゲンを誘うことができるくらいなら――」

「それとこれとは別です」ハーマイオニーは重々しく言った。

「キーパーの選抜に何が起こりえたか、起こりえなかったか、ロンにはいっさい言うつもりはないわ」

「そんならいい」ハリーが力強く言った。「何しろ、もしロンがまたぼろぼろになったら、次の試合は負ける――」

「クィディッチ！」ハーマイオニーの声が怒っていた。「男の子って、それしか頭にないの？　コーマックは私のことを一度も聞かなかったわ。ただの一度も。私がお聞かせいただいたのは、『コーマック・マクラーゲンのすばらしいセーブ百選』、連続ノンストップ。ずーっとよ――あ、いや、こっちに来るわ！」

ハーマイオニーの動きの速さと来たら、「姿くらまし」したかのようだった。ここと思えばまたあちら、次の瞬間、バカ笑いしている二人の魔女の間に割り込んで、サッと消えてしまった。

「ハーマイオニーを見なかったか？」

一分後に、人混みをかき分けてやってきたマクラーゲンが聞いた。

「いいや」そう言うなり、ハリーはルーナが誰と話していたかを一瞬忘れて、あわててルーナの会話に加わった。

「ハリー・ポッター！」

初めてハリーの存在に気づいたトレローニー先生が、深いビブラートのかかった声で言った。

「あ、こんばんは」ハリーは気のない挨拶をした。

「まあ、あなた！」

よく聞こえるささやき声で、先生が言った。

「あのうわさ！　あの話！　『選ばれし者』！　もちろん、あたくしには前々からわかっていたことですわ……ハリー、予兆がよかったためしがありませんでした……でも、どうして占い学を取らなかったのかしら？　あなたこそ、ほかの誰よりも、この科目が最も重要ですわ！」

「ああ、シビル、我々はみんな、自分の科目こそ最重要と思うものだ！」

大きな声がして、トレローニー先生の横にスラグホーン先生が現れた。真っ赤な顔にビロードの帽子をななめにかぶり、片手に蜂蜜酒、もう一方の手に大きなミンスパイを持っている。

「しかし、魔法薬学でこんなに天分のある生徒は、ほかに思い当たらないね！」

スラグホーンは、酔って血走ってはいたが、愛しげなまなざしでハリーを見た。

「何しろ、直感的で――母親と同じだ！　これほどの才能の持ち主は、数えるほどしか教えたことがない。いや、まったくだよ、シビル――このセブルスでさえ――」

ハリーはぞっとした。スラグホーンが片腕を伸ばしたかと思うと、どこからともなく呼び出したかのように、スネイプをそばに引き寄せた。

「こそこそ隠れずに、セブルス、一緒にやろうじゃないか！」

スラグホーンが楽しげにしゃっくりした。

「たったいま、ハリーが魔法薬の調合に関してずば抜けていると、話していたところだ。もちろん、ある程度君のおかげでもあるな。五年間も教えたのだから！」

両肩をスラグホーンの腕にからめ取られ、スネイプは暗い目を細くして、鉤鼻の上からハリーを見下ろした。

「おかしいですな。我輩の印象では、ポッターにはまったく何も教えることができなかったが」

「ほう、それでは天性の能力ということだ！」スラグホーンが大声で言った。「最初の授業で、ハリーがわたしに渡してくれたものを見せたかったたね。『生ける屍《しかばね》の水薬』――一回目であれほどのものを仕上げた生徒は一人もいない――セブルス、君でさえ――」

「なるほど？」

ハリーをえぐるように見たまま、スネイプが静かに言った。ハリーはある種の動揺を感じた。新しく見出された魔法薬の才能の源を、スネイプに調査されることだけは絶対にさけたい。

「ハリー、ほかにはどういう科目を取っておるのだったかね？」スラグホーンが聞いた。

「闇の魔術に対する防衛術、呪文学、変身術、薬草学……」

「つまり、闇祓《やみばら》いに必要な科目のすべてか」スネイプがせせら笑いを浮かべて言った。

「ええ、まあ、それが僕のなりたいものです」ハリーは挑戦的に言った。

「それこそ偉大な闇祓いになることだろう！」スラグホーンが太い声を響かせた。

「あんた、闇祓いになるべきじゃないと思うな、ハリー」

ルーナが唐突に言った。みんながルーナを見た。

「闇祓いって、ロットファングの陰謀の一部だよ。みんな知っていると思ったけどな。魔法省を内側から倒すために、闇の魔術と歯槽膿漏《しそうのうろう》とか組み合わせて、いろいろやっているんだもン」

ハリーは噴き出して、蜂蜜酒を半分鼻から飲んでしまった。まったく、このためだけにでも、ルーナを連れてきた価値があった。むせて酒をこぼし、それでもニヤニヤしながらゴブレットから顔を上げたその時、ハリーは、さらに気分を盛り上げるために仕組まれたかのようなものを目にした。ドラコ・マルフォイが、アーガス・フィルチに耳をつかまれ、こっちに引っ張ってこられる姿だ。

「スラグホーン先生」

あごを震わせ、飛び出した目にいたずら発見の異常な情熱の光を宿したフィルチが、ゼイゼイ声で言った。

「こいつが上の階の廊下をうろついているところを見つけました。先生のパーティに招かれたのに、出かけるのが遅れたと主張しています。こいつに招待状をお出しになりましたですか？」

マルフォイは、憤慨した顔でフィルチの手を振りほどいた。

「ああ、僕は招かれていないとも！」マルフォイが怒ったように言った。「勝手に押しかけようとしていたんだ。これで満足したか？」

「何が満足なものか！」

言葉とはちぐはぐに、フィルチの顔には歓喜の色が浮かんでいた。

「おまえは大変なことになるぞ。そうだとも！　校長先生がおっしゃらなかったかな？　許可なく夜間にうろつくなと。え、どうだ？」

「かまわんよ、フィルチ、かまわん」スラグホーンが手を振りながら言った。

「クリスマスだ。パーティに来たいというのは罪ではない。今回だけ、罰することは忘れよう。ドラコ、ここにいてよろしい」

フィルチの憤慨と失望の表情は、完全に予想できたことだ。しかし、マルフォイを見て、なぜ、とハリーはいぶかった。なぜマルフォイもほとんど同じくらい失望したように見えるのだろう？　それに、マルフォイを見るスネイプの顔が、怒っていると同時に、それに……そんなことがありうるのだろうか？　……少し恐れているのはなぜだろう？

しかし、ハリーが目で見たことを心に充分刻む間もなく、フィルチは小声で何かつぶやきながら、きびすを返してベタベタと歩き去り、マルフォイは笑顔を作ってスラグホーンの寛大さに感謝していたし、スネイプの顔は再び不可解な無表情に戻っていた。

「なんでもない、なんでもない」スラグホーンは、マルフォイの感謝を手を振っていなした。

「どの道、君のおじいさんを知っていたのだし……」

「祖父はいつも先生のことを高く評価していました」マルフォイがすばやく言った。

「魔法薬にかけては、自分が知っている中で一番だと……」

ハリーはマルフォイをまじまじと見た。何もおべんちゃらに関心を持ったからではない。マルフォイが、スネイプに対しても同じことをするのをずっと見てきたハリーだ。ただ、よく見ると、マルフォイはほんとうに病気ではないかと思えたのだ。マルフォイをこんなに間近で見たのはしばらくぶりだった。目の下に黒いくまができているし、明らかに顔色がすぐれない。

「話がある、ドラコ」突然スネイプが言った。

「まあ、まあ、セブルス」スラグホーンがまたしゃっくりした。

「クリスマスだ。あまり厳しくせず……」

「我輩は寮監でしてね。どの程度厳しくするかは、我輩が決めることだ」

スネイプがそっけなく言った。

「ついて来い、ドラコ」

スネイプが先に立ち、二人が去った。マルフォイは恨みがましい顔だった。ハリーは一瞬、心を決めかねて動けなかったが、それからルーナに言った。

「すぐ戻るから、ルーナ――えーと――トイレ」

「いいよ」ルーナがほがらかに言った。

急いで人混みをかき分けながら、ハリーは、ルーナがトレローニー先生に、ロットファングの陰謀話を続けるのを聞いたような気がした。先生はこの話題に真剣に興味を持ったようだった。

パーティからいったん離れてしまえば、廊下はまったく人気《ひとけ》がなかったので、ポケットから透明マントを出して身につけるのはたやすいことだった。むしろスネイプとマルフォイを見つけるほうが難しかった。

ハリーは廊下を走った。足音は、背後のスラグホーンの部屋から流れてくる音楽や、声高な話し声にかき消された。スネイプは、地下にある自分の部屋にマルフォイを連れていったのかもしれない……それともスリザリンの談話室まで付き添っていったのか……いずれにせよ、ハリーは、ドアというドアに耳を押しつけながら廊下を疾走した。

廊下の一番端の教室に着いて鍵穴にかがみ込んだとき、中から話し声が聞こえたのには心が躍った。

「……ミスは許されないぞ、ドラコ。なぜなら、君が退学になれば――」

「僕はあれにはいっさい関係ない、わかったか？」

「君が我輩にほんとうのことを話しているのならいいのだが。何しろあれは、お粗末で愚かしいものだった。すでに君が関わっているという嫌疑がかかっている」

「誰が疑っているんだ？」マルフォイが怒ったように言った。

「もう一度だけ言う。僕はやってない。いいか？　あのベルのやつ、誰も知らない敵がいるにちがいない――そんな目で僕を見るな！　おまえがいま何をしているのか、僕にはわかっている。バカじゃないんだから。だけどその手は効かない――僕はおまえを阻止できるんだ！」

一瞬だまったのち、スネイプが静かに言った。

「ああ……ベラトリックスおばさんが君に『閉心術』を教えているのか、なるほど。ドラコ、君は自分の主君に対して、どんな考えを隠そうとしているのかね？」

「僕は**あの人に**対してなんにも隠そうとしちゃいない。ただ**おまえが**しゃしゃり出るのがいやなんだ！」

ハリーは一段と強く鍵穴に耳を押しつけた……これまで常に尊敬を示し、好意まで示していたスネイプに対して、マルフォイがこんな口のきき方をするなんて、いったい何があったんだろう？

「なれば、そういう理由で今学期は我輩をさけてきたというわけか？　我輩が干渉するのを恐れてか？　わかっているだろうが、我輩の部屋に来るようにと何度言われても来なかった者は、ドラコ――」

「罰則にすればいいだろう！　ダンブルドアに言いつければいい！」マルフォイがあざけった。

また沈黙が流れた。そしてスネイプが言った。

「君にはよくわかっていることと思うが、我輩はそのどちらもするつもりはない」

「それなら、自分の部屋に呼びつけるのはやめたほうがいい！」

「よく聞け」

スネイプの声が非常に低くなり、耳をますます強く鍵穴に押しつけないと聞こえなかった。

「我輩は君を助けようとしているのだ。君を護《まも》ると、君の母親に誓った。ドラコ、我輩は『破れぬ誓い』をした――」

「それじゃ、それを破らないといけないみたいだな。何しろ僕は、おまえの保護なんかいらない！　僕の仕事だ。あの人が僕に与えたんだ。僕がやる。計略があるし、うまくいくんだ。ただ、考えていたより時間がかかっているだけだ！」

「どういう計略だ？」

「おまえの知ったことじゃない！」

「何をしようとしているのか話してくれれば、我輩が手助けすることも――」

「必要な手助けは全部ある。余計なお世話だ。僕は一人じゃない！」

「今夜は明らかに一人だったな。見張りも援軍もなしに廊下をうろつくとは、愚の骨頂だ。そういうのは初歩的なミスだ――」

「おまえがクラッブとゴイルに罰則を課さなければ、僕と一緒にいるはずだった！」

「声を落とせ！」

スネイプが吐きすてるように言った。マルフォイは興奮して声が高くなっていた。

「君の友達のクラッブとゴイルが『闇の魔術に対する防衛術』のO・W・L《ふくろう》に今度こそパスするつもりなら、現在より多少まじめに勉強する必要が――」

「それがどうした？」マルフォイが言った。「『闇の魔術に対する防衛術』――そんなもの全部茶番じゃないか。見せかけの芝居だろう？　まるで我々が闇の魔術から身を護る必要があるみたいに――」

「成功のためには不可欠な芝居だぞ、ドラコ！」スネイプが言った。

「我輩が演じ方を心得ていなかったら、この長の歳月、我輩がどんなに大変なことになっていたと思うのだ？　よく聞け！　君は慎重さを欠き、夜間にうろついて捕まった。クラッブやゴイルごときの援助を頼りにしているなら――」

「あいつらだけじゃない。僕にはほかの者もついている。もっと上等なのが！」

「なれば、我輩を信用するのだ。さすれば我輩が――」

「おまえが何をねらっているか、知っているぞ！　僕の栄光を横取りしたいんだ！」

三度目の沈黙のあと、スネイプが冷ややかに言った。

「君は子供のようなことを言う。父親が逮捕され収監されたことが、君を動揺させたことはわかる。しかし――」

ハリーは不意をつかれた。マルフォイの足音がドアのむこう側に聞こえ、ハリーは飛びのいた。そのとたんにドアがパッと開いた。マルフォイが荒々しく廊下に出て、大股にスラグホーンの部屋の前を通り過ぎ、廊下のむこう端を曲がって見えなくなった。

スネイプがゆっくりと中から現れた。ハリーはうずくまったまま、息をつくことさえためらっていた。底のうかがい知れない表情で、スネイプはパーティに戻っていった。ハリーはマントに隠れてその場に座り込み、激しく考えをめぐらしていた。

第16章　冷え冷えとしたクリスマス

「それじゃ、スネイプは援助を申し出ていたのか？　スネイプが、ほんとうに、**あいつに援助を申し出ていたのか？**」

「もう一回おんなじことを聞いたら」ハリーが言った。「この芽キャベツを突っ込むぞ。君の――」

「確かめてるだけだよ！」ロンが言った。

二人はウィーズリーおばさんの手伝いで「隠れ穴」の台所の流しの前に立ち、山積みになった芽キャベツの外葉をむいていた。目の前の窓の外には雪が舞っている。

「**ああ、スネイプはあいつに援助を申し出ていた！**」ハリーが言った。

「マルフォイの母親に、あいつを護《まも》ると約束したって、『破れぬ約束』とかなんとかだって、そう言ってた」

「『破れぬ誓い』？」ロンがドキッとした顔をした。

「まさか、ありえないよ……確かか？」

「ああ、確かだ」ハリーが答えた。

「なんで？　その誓いってなんだ？」

「えー、『破れぬ誓い』は、破れない……」

「あいにくと、それくらいのことは僕にだってわかるさ。それじゃ、破ったらどうなるんだ？」

「死ぬ」ロンの答えは単純だった。

「僕が五つぐらいのとき、フレッドとジョージが、僕にその誓いをさせようとしたんだ。僕、ほとんど誓いかけてさ、フレッドと手を握り合ったりとかしてたんだよ。そしたらパパがそれを見つけて、めっちゃ怒った」

ロンは、昔を思い出すような遠い目つきをした。

「パパがママみたいに怒るのを見たのは、そのとき一回こっきりだ。フレッドなんか、ケツの左半分がそれ以来なんとなく調子が出ないって言ってる」

「そうか、まあ、フレッドの左っケツは置いといて──」

「何かおっしゃいましたかね？」

フレッドの声がして、双子が台所に入ってきた。

「あぁぁー、ジョージ、見ろよ。こいつらナイフなんぞ使ってるぜ。哀れじゃないか」

「あと二か月ちょっとで、僕は十七歳だ」ロンが不機嫌に言った。

「そしたら、こんなの、魔法でできるんだ！」

「しかしながら、それまでは」ジョージが台所の椅子に座り、テーブルに足をのせながら言った。「俺たちはこうして高みの見物。君たちが正しいナイフの──うぉっとっと」

「おまえたちのせいだぞ！」

ロンは血の出た親指をなめながら怒った。

「いまに見てろ。十七歳になったら──」

「きっと、これまでその影すらなかった魔法の技で、俺たちをくらくらさせてくださるだろうよ」フレッドがあくびした。

「ところで、ロナルドよ。これまで影すらなかった技といえば」ジョージが言った。

「ジニーから聞いたが、何事だい？　君と若いレディで、名前は――情報にまちがいがなければ――ラベンダー・ブラウンとか？」

ロンはかすかにピンクに染まったが、芽キャベツに視線を戻したときの顔はまんざらでもなさそうだった。

「関係ないだろ」

「これはスマートな反撃で」フレッドが言った。

「そのスマートさをどう解釈すべきか、とほうに暮れるよ。いや、なに、我々が知りたかったのは……どうしてそんなことが起こったんだ？」

「どういう意味だ？」

「その女性は、事故か何かにあったのか？」

「えっ？」

「あー、いかにしてそれほどの脳障害を受けたのか？　あ、気をつけろ！」

ウィーズリーおばさんがちょうど台所に入ってきて、ロンが芽キャベツ用のナイフをフレッドに投げつけるところを目撃した。フレッドは面倒くさそうに杖《つえ》を振って、それを紙飛行機に変えた。

「**ロン！**」おばさんがカンカンになった。

「ナイフを投げつけるところなんか、二度と見せないでちょうだい！」

「わかったよ」ロンが言った。

「見つからないようにするさ」

芽キャベツの山のほうに向きなおりながら、ロンがちょろりとつけ足した。

「フレッド、ジョージ。リーマスが今晩やってくるの。それで、二人には悪いんだけどね、ビルをあなたたちの部屋に押し込まないと」

「かまわないよ」ジョージが言った。

「それで、チャーリーは帰ってこないから、ハリーとロンが屋根裏部屋。それから、フラーとジニーが一緒の部屋になれば――」

「――そいつぁ、ジニーにとっちゃ、いいクリスマスだぞ――」フレッドがつぶやいた。

「――それでみんなくつろげるでしょう。まあ、とにかく全員寝る所だけはあるわ」

ウィーズリーおばさんが少しわずらわしげに言った。

「じゃあ、パーシーが仏頂面をぶら下げてこないことだけは、確実なんだね？」フレッドが聞いた。

ウィーズリーおばさんは、答える前に背を向けた。

「ええ、あの子は、きっと忙しいのよ。魔法省で」

「さもなきゃ、世界一のまぬけだ」

ウィーズリーおばさんが台所を出ていくときに、フレッドが言った。

「そのどっちかさ。さあ、それじゃ、ジョージ、出かけるとするか」

「二人とも、何するつもりなんだ？」ロンが聞いた。「芽キャベツ、手伝ってくれないのか？　ちょっと杖を使ってくれたら、僕たちも自由になれるぞ！」

「いや、そのようなことは、できませんね」フレッドがまじめな口調で言った。

「魔法を使わずに芽キャベツのむき方を学習することは、人格形成に役に立つ。マグルやスクイブの苦労を理解できるようになる――」

「――それに、ロン、助けてほしいときには」ジョージが紙飛行機をロンに投げ返しながら言い足した。

「ナイフを投げつけたりはしないものだ。後学のために言っておきますがね。俺たちは村に行く。雑貨屋にかわいい娘《こ》が働いていて、俺のトランプ手品がすんばらしいと思っているわけだ……まるで魔法みたいだとね……」

「クソ、あいつら」

フレッドとジョージが雪深い中庭を横切って出ていくのを見ながら、ロンが険悪な声で言った。

「あの二人なら十秒もかからないんだぜ。そしたら僕たちも出かけられるのに」

「僕は行けない」ハリーが言った。

「ここにいる間は出歩かないって、ダンブルドアに約束したんだ」

「ああ、そう」ロンが言った。

芽キャベツを二、三個むいてから、またロンが言った。

「君が聞いたスネイプとマルフォイの言い争いのこと、ダンブルドアに言うつもりか？」

「うん」ハリーが答えた。

「やめさせることができる人なら、誰にだって言うし、ダンブルドアはその筆頭だからね。君のパパにも、もう一度話をするかもしれない」

「だけど、マルフォイが実際何をやっているのかってことを、聞かなかったのは残念だ」

「聞けたはずがないんだ。そうだろ？　そこが肝心なんだ。マルフォイはスネイプに話すのを拒んでいたんだから」

二人はしばらくだまり込んだが、やがてロンが言った。

「みんながなんて言うか、もち、君にはわかってるよな？　パパもダンブルドアもみんなも？　スネイプは、実はマルフォイを助けるつもりがない。ただ、マルフォイのたくらみを聞き出そうとしただけだって」

「スネイプの言い方を聞いてないからだ」ハリーがピシャリと言った。

「どんな役者だって、たとえスネイプでも、演技でああはできない」

「ああ……一応言ってみただけさ」ロンが言った。

ハリーは顔をしかめてロンを見た。

「だけど、君は、僕が正しいと思ってるだろ？」

「ああ、そうだとも！」ロンがあわてて言った。「そう思う、ほんと！　だけど、みんなは、スネイプが騎士団の団員だって、そう信じてるだろ？」

ハリーは答えなかった。ハリーの新しい証拠に対して、真っ先にそういう反論が出てきそうだと、ハリーもとうに考えていた。今度はハーマイオニーの声が聞こえてきた。

「**ハリー、当然、スネイプは、援助を申し出るふりをしたんだわ。何をたくらんでいるのかマルフォイにしゃべらせようという計略よ……**」

しかし、この声はハリーの想像にすぎなかった。ハーマイオニーには、立ち聞きの内容を教える機会がなかったのだから。ハリーがスラグホーンのパーティに戻ったときには、ハーマイオニーはとっくにそこから消えていたということを、怒ったマクラーゲンから聞かされた。談話室にハリーが帰ったときには、ハーマイオニーはもう寮の寝室に戻ってしまっていた。翌日の朝早くロンと二人で「隠れ穴」に出発するときも、ハーマイオニーに「メリークリスマス」と声をかけ、休暇から戻ったら、重要なニュースがあると告げるのがやっとだった。それでさえ、ハーマイオニーに聞こえていたかどうか、定かではなかった。ちょうどその時ハリーの後ろで、ロンとラベンダーが、完全に無言のさよならを交わしていたからだ。

それでも、ハーマイオニーでさえ否定できないことが一つある。マルフォイは絶対に何かたくらんでいる。そしてスネイプはそれを知っている。だから、ロンにはもう何度も言ったセリフだが、ハリーは、「僕の言ったとおりだろ」と当然言えると思った。

ハリーが、魔法省で長時間仕事をしていたウィーズリーおじさんと話をする機会もないまま、クリスマスがやってきた。ジニーが豪勢に飾り立てて、紙鎖が爆発したようなにぎやかな居間に、ウィーズリー一家と来客たちが座っていた。フレッド、ジョージ、ハリー、ロンの四人だけが、クリスマスツリーのてっぺんに飾られた天使の正体を知っていた。実は、クリスマス・ディナー用のにんじんを引き抜いていたフレッドのかかとにかみついた、庭小人なのだ。失神呪文をかけられて金色に塗られた上、ミニチュアのチュチュに押し込まれ、背中に小さな羽を接着されて上から全員をにらみつけていたが、ジャガイモのようなでかいはげ頭にかなり毛深い足の姿は、ハリーがこれまで見た中で最も醜い天使だった。

大きな木製のラジオから、クリスマス番組で歌う、ウィーズリーおばさんごひいきの歌手、セレスティナ・ワーベックのわななくような歌声が流れていた。全員がそれを聞いているはずだったが、フラーはセレスティナの歌がたいくつだと思ったらしく、隅のほうで大声で話していた。ウィーズリーおばさんは、苦々しい顔で何度も杖をボリュームのつまみに向け、セレスティナの歌声はそのたびに大きくなった。「大鍋は灼熱《しゃくねつ》の恋にあふれ」のかなりにぎやかなジャズの音に隠れて、フレッドとジョージは、ジニーと爆発スナップ・ゲームを始めた。ロンは何かヒントになるようなものはないかと、ビルとフラーにちらちら目を走らせていた。一方、以前よりりやせてみすぼらしいなりのリーマス・ルーピンは、暖炉のそばに座って、セレスティナの声など聞こえないかのように、じっと炎を見つめていた。

ああ、わたしの大鍋を混ぜてちょうだい

ちゃんと混ぜてちょうだいね
煮えたぎる愛は強烈よ
今夜はあなたを熱くするわ

「十八歳のときに、私たちこの曲で踊ったの！」

編み物で目をぬぐいながら、ウィーズリーおばさんが言った。

「あなた、覚えてらっしゃる？」

「ムフニャ？」みかんの皮をむきながら、こっくりこっくりしていたおじさんが言った。

「ああ、そうだね……すばらしい曲だ……」

おじさんは気を取り直して背筋を伸ばし、隣に座っていたハリーに顔を向けた。

「すまんね」おじさんは、ラジオのほうをぐいと首で指しながら言った。セレスティナの歌が大コーラスになっていた。「もうすぐ終わるから」

「大丈夫ですよ」ハリーはニヤッとした。「魔法省では忙しかったんですか？」

「実に」おじさんが言った。

「実績が上がっているなら忙しくてもかまわんのだがね。この二、三か月の間に逮捕が三件だが、本物の死喰《しく》い人が一件でもあったかどうか疑わしい――ハリー、これは他言無用だよ」

おじさんは急に目が覚めたように、急いでつけ加えた。

「まだ、スタン・シャンパイクを拘束してるんじゃないでしょうね？」ハリーが尋ねた。

「残念ながら」おじさんが言った。「ダンブルドアがスタンのことで、スクリムジョールに直接抗議しようとしたのは知っているんだが……まあ、実際にスタンの面接をした者は全員、スタンが死喰い人なら、このみかんだってそうだという意見で一致する……しかし、トップの連中は、何か進展があると見せかけたい。『三件逮捕』と言えば『三件誤認逮捕して釈放』より聞こえがいい……くどいようだが、これもまた極秘でね……」

「なんにも言いません」ハリーが言った。しばらくの間、ハリーは考えを整理しながら、どうやって切り出したものかと迷っていた。セレスティナ・ワーベックが「あなたの魔力がわたしのハートを盗んだ」というバラードを歌いだした。

「ウィーズリーおじさん、学校に出発するとき駅で僕がお話ししたこと、覚えていらっしゃいますね？」

「ハリー、調べてみたよ」おじさんが即座に答えた。「私が出向いて、マルフォイ宅を捜索した。何も出てこなかった。壊れたものもまともなものもふくめて、場ちがいなものは何もなかった」

「ええ、知っています。『日刊予言者』で、おじさんが捜索したことを読みました……でも、今度はちょっとちがうんです……そう、別のことです……」

そしてハリーは、立ち聞きしたマルフォイとスネイプの会話の内容を、おじさんにすべて話した。話しながら、ルーピンが少しこちらを向いて、一言ももらさずに聞いているのに気づいた。話し終わったとき、沈黙が訪れた。セレスティナのささやくような歌声だけが聞こえた。

ああ、かわいそうなわたしのハート　どこへ行ったの？

魔法にかかって　わたしを離れたの……

「こうは思わないかね、ハリー」おじさんが言った。「スネイプはただ、そういうふりを――」

「援助を申し出るふりをして、マルフォイのたくらみを聞き出そうとした？」ハリーは早口に先取りした。「ええ、そうおっしゃるだろうと思いました。でも、僕たちにはどっちだか判断できないでしょう?」

「私たちは判断する必要がないんだ」

ルーピンが意外なことを言った。ルーピンは、今度は暖炉に背を向けて、おじさんをはさんでハリーと向かい合っていた。

「それはダンブルドアの役目だ。ダンブルドアがセブルスを信用している。それだけで我々にとっては充分なのだ」

「でも」ハリーが言った。「たとえば——たとえばだけど、スネイプのことでダンブルドアがまちがっていたら——」

「みんなそう言った。何度もね。結局、ダンブルドアの判断を信じるかどうかだ。私は信じる。だから私はセブルスを信じる」

「でも、ダンブルドアだって、まちがいはある」

ハリーが言い張った。

「ダンブルドア自身がそう言った。それに、ルーピンは——」

ハリーはまっすぐにルーピンの目を見つめた。

「——ほんとのこと言って、スネイプが好きなの?」

「セブルスが好きなわけでも嫌いなわけでもない」ルーピンが言った。

「いや、ハリー、これはほんとうのことだよ」

ハリーが疑わしげな顔をしたので、ルーピンが言葉をつけ加えた。

「ジェームズ、シリウス、セブルスの間に、あれだけいろいろなことがあった以上、おそらくけっして親友にはなれないだろう。あまりに苦々しさが残る。しかし、ホグワーツで教えた一年間のことを、私は忘れていない。セブルスは毎月、トリカブト系の脱狼薬《だつろうやく》を煎じてくれた。完璧に。おかげで私は、満月のときのいつもの苦しみを味わわずにすんだ」

「だけどあいつ、ルーピンは狼人間《おおかみにんげん》だって『偶然』もらして、あなたが学校を去らなければならないようにしたんだ！」ハリーは憤慨して言った。

ルーピンは肩をすくめた。

「どうせもれることだった。セブルスが私の職を欲していたことは確かだが、薬に細工すれば、私にもっとひどいダメージを与えることもできた。スネイプは私を健全に保ってくれた。それには感謝すべきだ」

「きっと、ダンブルドアの目が光っている所で薬に細工するなんて、できやしなかったんだ！」ハリーが言った。

「君はあくまでもセブルスを憎みたいんだね、ハリー」ルーピンはかすかに笑みをもらした。

「私には理解できる。父親がジェームズで、名付け親がシリウスなのだから、君は古い偏見を受け継いでいるわけだ。もちろん君は、アーサーや私に話したことを、ダンブルドアに話せばいい。ただ、ダンブルドアが君と同じ意見を持つと期待はしないことだね。それに、君の話を聞いてダンブルドアが驚くだろうという期待も持たないことだ。セブルスはダンブルドアの命を受けて、ドラコに質問したのかもしれない」

……あなたが裂いた　わたしのハートを
返して、返して、わたしのハートを！

セレスティナはかん高い音を長々と引き伸ばして歌い終え、ラジオから割れるような拍手が聞こえてきた。ウィーズリーおばさんも夢中で拍手した。

「終わりましたか？」フラーが大きな声で言った。「ああ、よかった。なんてひどい――」

「それじゃ、寝酒に一杯飲もうか？」ウィーズリーおじさんが声を張り上げてそう言いながら、勢いよく立ち上がった。「エッグノッグが欲しい人？」

「最近は何をしてるの？」

おじさんが急いでエッグノッグを取りにいき、みんなが伸びをしておしゃべりを始めたので、ハリーはルーピンに聞いた。

「ああ、地下にもぐっている」ルーピンが言った。

「ほとんど文字どおりね。だから、ハリー、手紙が書けなかったんだ。君に手紙を出すこと自体、正体をばらすことになる」

「どういうこと？」

「仲間と一緒に棲《す》んでいる。同類とね」ルーピンが言った。

ハリーがわからないような顔をしたので、ルーピンが「狼人間とだ」とつけ加えた。

「ほとんど全員がヴォルデモート側でね。ダンブルドアがスパイを必要としていたし、私は……おあつらえ向きだった」

声に少し皮肉な響きがあった。自分でもそれに気づいたのか、ルーピンはやや温かくほほえみながら言葉を続けた。

「不平を言っているわけではないんだよ。必要な仕事だし、私ほどその仕事にふさわしい者はいないだろう？　ただ、連中の信用を得るのは難しい。私が魔法使いのただ中で生きようとしてきたことは、まあ、隠しようもない。ところが連中は通常の社会をさけ、周辺で生きてきた。盗んだり――時には殺したり――食っていくためにね」

「どうして連中はヴォルデモートが好きなの？」

「あの人の支配なら、自分たちは、もっとましな生活ができると考えている」

ルーピンが言った。

「グレイバックがいるかぎり、論駁《ろんばく》するのは難しい」

「グレイバックって、誰？」

「聞いたことがないのか？」

ルーピンは、発作的にひざの上で拳を握りしめた。

「フェンリール・グレイバックは、現在生きている狼人間の中で、おそらく最も残忍なやつだ。できるだけ多くの人間をかみ、汚染することを自分の使命だと考えている。魔法使いを打ち負かすのに充分な数の狼人間を作り出したいというわけだ。ヴォルデモートは、自分に仕えればかわりに獲物を与えると約束した。グレイバックは子供専門でね……若いうちにかめ、とやつは言う。そして親から引き離して育て、普通の魔法使いを憎むように育て上げる。ヴォルデモートは、息子や娘たちをグレイバックに襲わせるぞ、と言って魔法使いたちを脅した。そういう脅しは通常効き目があるものだ」

ルーピンは、一瞬、間を置いて言葉を続けた。

「私をかんだのはグレイバックだ」

「えっ？」ハリーは驚いた。「それ――それじゃ、ルーピンが子供だったときなの？」

「そうだ。父がグレイバックを怒らせてね。私を襲った狼人間が誰なのか、私は長いこと知らなかった。変身するのがどんな気持ちなのかがわかってからは、きっと自分を制しきれなかったのだろうと、その狼人間を哀れにさえ思ったものだ。しかし、グレイバックはちがう。満月の夜、やつは確実に襲えるようにと、獲物の近くに身を置く。すべて計画的なのだ。そして、ヴォルデモートが狼人間を操るのに使っているのが、この男なのだ。虚勢を張ってもしかたがないから言うが、グレイバックが、狼人間は人の血を流す権利があり、普通のやつらに復讐《ふくしゅう》しなければならないと力説する前で、私流の理性的な議論など大して力がないんだ」

「でも、ルーピンは普通の魔法使いだ！」ハリーは激しい口調で言った。「ただ、ちょっと——問題を抱えているだけだ——」

ルーピンが突然笑いだした。

「君のおかげで、ずいぶんとジェームズのことを思い出すよ。周りに誰かがいると、ジェームズは、私が『ふわふわした小さな問題』を抱えていると言ったものだ。私が行儀の悪いウサギでも飼っているのだろうと思った人が大勢いたよ」

ルーピンは、ありがとうと言って、ウィーズリーおじさんからエッグノッグのグラスを受け取り、少し元気が出たように見えた。一方ハリーは、急に興奮を感じた。父親のことが話題に出たとたん、以前からルーピンに聞きたいことがあったのを思い出したのだ。

「『半純血のプリンス』って呼ばれていた人のこと、聞いたことがある？」

「『半純血の』なんだって？」

「『プリンス』だよ」

思い当たったような様子はないかと、ルーピンをじっと見つめながら、ハリーが言った。

「魔法界に王子はいない」ルーピンがほほえみながら言った。「そういう肩書きをつけようと思っているのかい？『選ばれし者』で充分だと思ったが？」

「僕とはなんの関係もないよ！」ハリーは憤慨した。

『半純血のプリンス』というのは、ホグワーツにいたことのある誰かで、その人の古い魔法薬の教科書を、僕が持っているんだ。それにびっしり呪文が書き込んであって、その人が自分で発明した呪文なんだ。呪文の一つが『**レビコーパス、身体浮上**』――」

「ああ、その呪文は私の学生時代に大流行だった」ルーピンが思い出にふけるように言った。

「五年生のとき、二、三か月の間、ちょっと動くとたちまちくるぶしから吊《つ》り下げられてしまうような時期があった」

「父さんがそれを使った」ハリーが言った。

「『憂いの篩《ふるい》』で、父さんが、スネイプにその呪文を使うのを見たよ」

ハリーは、たいして意味のない、さりげない言葉に聞こえるよう気楽に言おうとしたが、そういう効果が出たかどうか自信がなかった。ルーピンは、すべてお見透《みとお》しのようなほほえみ方をした。

「そうだね」ルーピンが言った。「しかし、君の父さんだけじゃない。いま言ったように、大流行していた……呪文にも流行りすたりがあるものだ……」

「でも、その呪文は、ルーピンの学生時代に発明されたものみたいなんだけど」

ハリーが食い下がった。

「そうとはかぎらない」ルーピンが言った。「呪文もほかのものと同じで、流行がある」

ルーピンはハリーの顔をじっと見てから、静かに言った。

「ハリー、ジェームズは純血だったよ。それに、君に請け合うが、私たちに『プリンス』と呼ばせたことはない」

ハリーは遠回しな言い方をやめた。

「それじゃ、シリウスはどう？　もしかしてルーピンじゃない？」

「絶対にちがう」

「そう」ハリーは暖炉の火を見つめた。「もしかしたらって思ったんだ――あのね、魔法薬のクラスで、僕、ずいぶん助けられたんだ。そのプリンスに」

「ハリー、どのくらい古い本なんだね？」

「さあ、調べたことがない」

「うむ、そのプリンスがいつごろホグワーツにいたのか、それでヒントがつかめるかもしれないよ」

ルーピンが言った。

　それからしばらくして、フラーがセレスティナの「大鍋は灼熱の恋にあふれ」の歌い方をまねしはじめた。それが合図になり、全員がウィーズリーおばさんの表情をちらりと見たとたん、もう寝る時間が来たと悟った。ハリーとロンは、一番上にある屋根裏部屋のロンの寝室まで上っていった。そこには、ハリーのために簡易ベッドが準備されていた。

　ロンはほとんどすぐ眠り込んだが、ハリーは、ベッドに入る前にトランクの中を探って『上級魔法薬』の本を引っ張り出した。あっちこっちページをめくって、ハリーは結局、最初のページにある発行日を見つけた。五十年ほど前だ。ハリーの父親もその友達も、五十年前にはホグワーツにいなかった。ハリーはがっかりして、本をトランクに投げ返し、ランプを消して横になった。狼人間、スネイプ、スタン・シャンパイク、「半純血のプリンス」などのことを考えながら、やっと眠りに落ちたものの、夢にうなされた。這《は》いずり回る黒い影たち、かまれた子供の泣き声……。

「あいつ、何を考えてるんだか……」

ハリーはビクッと目を覚ました。ベッドの端にふくれた靴下が置いてあるのが見えた。めがねをかけて振り向くと、小さな窓はほとんど一面、雪で覆われ、窓の前のベッドには上半身を直角に起こしたロンがいた。太い金鎖のようなものを、まじまじと眺めている。

「それ、なんだい?」ハリーが聞いた。

「ラベンダーから」ロンはむかついたように言った。

「こんなもの、僕が使うと、あいつ本気でそう……」

目を凝らしてよく見たとたん、ハリーは大声で笑いだした。鎖から大きな金文字がぶら下がっている。

私の――愛しい――ひと

「いいねえ」ハリーが言った。

「粋だよ。絶対首にかけるべきだ。フレッドとジョージの前で」

「あいつらに言ったら――」ロンはペンダントを枕の下に突っ込み、見えないようにした。「僕――僕――僕は――」

「言葉がつっかえる?」ハリーはニヤニヤした。「バカなこと言うなよ。僕が言いつけると思うか?」

「だけどさ、僕がこんなものが欲しいなんて、なんでそんなこと考えつくんだ?」

ロンはショック顔で、ひとり言のように疑問をぶつけた。

「よく思い出してみろよ」ハリーが言った。

「うっかりそんなことを言わなかったか?『私の愛しいひと』っていう文字を首からぶら下げて人前に出たい、なんてさ」

「んー……僕たちあんまり話をしないんだ」ロンが言った。「だいたいが……」

「イチャイチャしてる」ハリーが引き取って言った。

「ああ、まあね」そう答えてから、ロンはちょっと迷いながら言った。

「ハーマイオニーは、ほんとにマクラーゲンとつき合ってるのか？」

「さあね」ハリーが言った。「スラグホーンのパーティで二人一緒だったけど、そんなに上手くいかなかったと思うな」

ロンは少し元気になって、靴下の奥のほうを探った。

ハリーのもらったものは、大きな金のスニッチが前に編み込んである、ウィーズリーおばさんの手編みセーター、双子から「ウィーズリー・ウィザード・ウィーズ」の商品が入った大きな箱、それに、ちょっと湿っぽくてかび臭い包みのラベルには、「ご主人様へ　クリーチャーより」と書いてある。

ハリーは目を見張った。

「これ、開けても大丈夫かな？」ハリーが聞いた。

「危険なものじゃないだろ。郵便はまだ全部、魔法省が調べてるから」

そう答えながら、ロンは怪しいぞという目で包みを見ていた。

「僕、クリーチャーに何かやるなんて、考えつかなかった！　普通、屋敷しもべ妖精にクリスマスプレゼントするものなのか？」ハリーは包みを慎重につつきながら聞いた。

「ハーマイオニーならね」ロンが言った。「だけど、まず見てみろよ。反省はそれからだ」

次の瞬間、ハリーは叫び声を上げて簡易ベッドから飛び下りた。包みの中には、ウジ虫がごっそり入っていた。

「いいねえ」ロンは大声で笑った。「思いやりがあるよ」

「ペンダントよりはましだろ」ハリーの一言で、ロンはたちまち興ざめした。

クリスマス・ランチの席に着いた全員が――フラーとおばさん以外は――新しいセーターを着ていた（ウィーズリーおばさんは、どうやら、フラーのために一着むだにする気はなかったらしい）。おばさんは、小さな星のように輝くダイヤがちりばめられた、濃紺の真新しい三角帽子をかぶり、見事な金のネックレスを着けていた。

「フレッドとジョージがくれたの！　きれいでしょう？」

「ああ、ママ、俺たちますますママに感謝してるんだ。何せ、今は自分たちでソックスを洗わなくちゃなんねえもんな」

ジョージが、気楽に手を振りながら言った。

「リーマス、パースニップはどうだい？」

「ハリー、髪の毛にウジ虫がついてるわよ」

ジニーがゆかいそうにそう言いながら、テーブルのむこうから身を乗り出してウジ虫を取った。ハリーは首に鳥肌が立つのを感じたが、それはウジ虫とはなんの関係もなかった。

「ああ、いどいわ」フラーは気取って小さく震えながら言った。

「ほんとにひどいよね？」ロンが言った。「フラー、ソースはいかが？」

フラーの皿にソースをかけてやろうと意気込みすぎて、ロンはソース入れをたたき飛ばしてしまった。ビルが杖を振ると、ソースは宙に浮き上がり、おとなしくソース入れに戻った。

「あなたはあのトンクスと同じでーす」

ビルにお礼のキスをしたあと、フラーがロンに言った。

「あのいと、いつもぶつかって――」

「あの**かわいい**トンクスを、今日招待したのだけど――」

ウィーズリーおばさんは、やけに力を入れてにんじんをテーブルに置きながら、フラーをにらみつけた。

「でも来ないのよ。リーマス、最近あの娘《こ》と話をした？」

「いや、私は誰ともあまり接触していない」ルーピンが答えた。

「しかし、トンクスは一緒に過ごす家族がいるのじゃないか？」

「フムム」おばさんが言った。「そうかもしれないわ。でも、私は、あの娘が一人でクリスマスを過ごすつもりだという気がしてましたけどね」

おばさんは、トンクスでなく、フラーが嫁に来るのはルーピンのせいだとでも言うように、ちょっと怒った目つきでルーピンを見た。しかし、テーブルのむこうで、フラーが自分のフォークでビルに七面鳥を食べさせているのをちらりと見たハリーは、おばさんがとっくに勝ち目のなくなった戦いを挑んでいると思った。同時に、トンクスに関して聞きたいことがあったのを、ハリーは思い出した。守護霊のことはなんでも知っているルーピンこそ、聞くには持ってこいじゃないか？

「トンクスの守護霊の形が変化したんだ」ハリーがルーピンに話しかけた。

「少なくとも、スネイプがそう言ってたよ。そんなことが起こるとは知らなかったな。守護霊は、どうして変わるの？」

ルーピンは七面鳥をゆっくりとかんで飲み込んでから、考え込むように話した。

「時にはだがね……強い衝撃とか……精神的な動揺とか……」

「大きかった。脚が四本あった」

ハリーは急にあることを思いついて愕然《がくぜん》とし、声を落として言った。

「あれっ……もしかしてあれは――？」

「アーサー！」

ウィーズリーおばさんが突然声を上げた。椅子から立ち上がり、胸に手を当てて、台所の窓から外を見つめている。

「あなた――パーシーだわ！」

「**なんだって？**」

ウィーズリーおじさんが振り返った。全員が急いで窓に目を向け、ジニーはよく見ようと立ち上がった。確かに、そこにパーシー・ウィーズリーの姿があった。雪の積もった中庭を、角縁めがねを陽《ひ》の光でキラキラさせながら、大股でやってくる。しかし、一人ではなかった。

「アーサー、大臣と一緒だわ！」

そのとおりだった。ハリーが「日刊予言者新聞」で見た顔が、少し足を引きずりながら、パーシーのあとを歩いてくる。白髪まじりのたてがみのような髪にも、黒いマントにも雪があちこちについている。誰も口をきかず、おじさんとおばさんが雷に撃たれたように顔を見合わせたとたん、裏口の戸が開き、パーシーがそこに立っていた。

沈黙に痛みが走った。そして、パーシーが硬い声で挨拶した。

「お母さん、メリークリスマス」

「ああ、**パーシー！**」ウィーズリーおばさんはパーシーの腕の中に飛び込んだ。

ルーファス・スクリムジョールは、ステッキにすがって戸口にたたずみ、ほほえみながらこの心温まる情景を眺めていた。

「突然お邪魔しまして、申し訳ありません」

ウィーズリーおばさんが目をこすりながらニッコリと振り返ったとき、大臣が言った。

「パーシーと二人で近くまで参りましてね――ええ、仕事ですよ――すると、パーシーが、どうしても立ち寄って、みんなに会いたいと言いだしましてね」

しかし、パーシーは、家族のほかの者に挨拶したい様子など微塵《みじん》も見せなかった。背中に定規を当てたように突っ立ったまま、気詰まりな様子で、みんなの頭の上のほうを見つめていた。ウィーズリーおじさん、フレッド、ジョージの三人は、硬い表情でパーシーを眺めていた。

「どうぞ、大臣、中へお入りになって、お座りください！」

ウィーズリーおばさんは帽子を直しながら、そわそわした。

「どうぞ、召し上がってくださいな。八面鳥とか、プディンゴとか……えーと――」

「いや、いや、モリーさん」スクリムジョールが言った。

ここに来る前に、パーシーからおばさんの名前を聞き出していたのだろうと、ハリーは推測した。

「お邪魔したくありませんのでね。パーシーが、みなさんにどうしても会いたいと騒がなければ、来ることはなかったのですが……」

「ああ、パース！」ウィーズリーおばさんは涙声になり、背伸びしてパーシーにキスした。

「……ほんの五分ほどお寄りしただけです。みなさんがパーシーと積もる話をなさっている間に、私は庭を散歩していますよ。いや、いや、ほんとうにお邪魔したくありません！　さて、どなたかこのきれいな庭を案内してくださいませんかね……ああ、そちらのお若い方は食事を終えられたようで、ご一緒に散歩はいかがですか？」

食卓の周りの雰囲気が、見る見る変わった。全員の目が、スクリムジョールからハリーへと移った。スクリムジョールがハリーの名前を知らないふりをしても、誰も信じなかったし、ハリーが大臣の散歩のお供に選ばれたのも、ジニーやフラー、ジョージの皿もからっぽだったことを考えると不自然だった。

「ええ、いいですよ」沈黙のまっただ中で、ハリーが言った。

ハリーはだまされてはいなかった。スクリムジョールが、たまたま近くまで来たとか、パーシーが家族に会いたがったとか、いろいろ言っても、二人がやってきたほんとうの理由はこれにちがいない。スクリムジョールは、ハリーと差しで話したかったのだ。

「大丈夫」椅子から腰を半分浮かしていたルーピンのそばを通りながら、ハリーが言った。

「大丈夫」ウィーズリーおじさんが何か言いかけたので、ハリーはまた言った。

「けっこう！」

スクリムジョールは身を引いてハリーを先に通し、裏口の戸から外に出した。

「庭をひと回りして、それからパーシーと私はおいとまします。どうぞみなさん、続けてください！」

ハリーは中庭を横切り、雪に覆われた草ぼうぼうのウィーズリー家の庭に向かった。スクリムジョールは足を少し引きずりながら並んで歩いた。この人が、闇祓《やみばら》い局の局長だったことを、ハリーは知っていた。頑健で歴戦の傷痕があるように見え、山高帽をかぶった肥満体のファッジとはまるでちがっていた。

「きれいだ」庭の垣根の所で立ち止まり、雪に覆われた芝生や、なんだかわからない草木を見渡しながら、スクリムジョールが言った。「実にきれいだ」

ハリーは何も言わなかった。スクリムジョールが自分を見ているのはわかっていた。

「ずいぶん前から君に会いたかった」しばらくしてスクリムジョールが言った。

「そのことを知っていたかね？」

「いいえ」ハリーはほんとうのことを言った。

「実はそうなのだよ。ずいぶん前から。しかし、ダンブルドアが君をしっかり保護していてね」スクリムジョールが言った。

「当然だ。もちろん、当然だ。君はこれまでいろいろな目にあってきたし……特に魔法省での出来事のあとだ……」

スクリムジョールはハリーが何か言うのを待っていたが、ハリーがその期待に応えなかったので、話を続けた。

「大臣職に就いて以来ずっと、君と話をする機会を望んでいたのだが、ダンブルドアが――いま言ったように、事情はよくわかるのだが――それをさまたげていた」

ハリーはそれでも何も言わず、待っていた。

「うわさが飛び交っている！」スクリムジョールが言った。

「まあ、当然、こういう話には尾ひれがつくものだということは君も私も知っている……予言のささやきだとか……君が『選ばれし者』だとか……」

話が核心に近づいてきた、とハリーは思った。スクリムジョールがここに来た理由だ。

「……ダンブルドアはこういうことについて、君と話し合ったのだろうね？」

うそをつくべきかどうか、ハリーは慎重に考えた。花壇のあちこちに残っている庭小人の小さな足跡や、踏みつけられた庭の一角に目をやった。クリスマスツリーのてっぺんでチュチュを着ている庭小人を、フレッドが捕まえた場所だ。しばらくして、ハリーはほんとうのことを言おうと決めた……またはその一部を。

「ええ、話し合いました」

「そうか、そうか……」

そう言いながら、スクリムジョールが探るように目を細めてハリーを見ているのを、ハリーは目の端でとらえた。そこでハリーは、凍った石楠花《しゃくなげ》の下から頭を突き出した庭小人に興味を持ったふりをした。

「それで、ハリー、ダンブルドアは君に何を話したのかね？」

「すみませんが、それは二人だけの話です」ハリーが言った。

ハリーはできるだけ心地よい声で話そうとしたし、スクリムジョールも軽い、親しげな調子でこう言った。

「ああ、もちろんだ。秘密なら、君に明かしてほしいとは思わない……いやいや……それに、いずれにしても、君が『選ばれし者』であろうとなかろうと、たいした問題ではないだろう？」

ハリーは答える前に、一瞬考え込まなければならなかった。

「大臣、おっしゃっていることがよくわかりません」

「まあ、もちろん、**君にとっては**、たいした問題だろうがね」

スクリムジョールが笑いながら言った。

「しかし魔法界全体にとっては……すべて認識の問題だろう？　重要なのは、人々が何を信じるかだ」

ハリーは無言だった。話がどこに向かっているか、ハリーはうっすらと先が見えたような気がした。しかし、スクリムジョールがそこにたどり着くのを助けるつもりはなかった。石楠花の下の庭小人が、ミミズを探して根元を掘りはじめた。ハリーはそこから目を離さなかった。

「人々は、まあ、君が**ほんとうに**『選ばれし者』だと信じている」スクリムジョールが言った。

「君がまさに英雄だと思っている――それは、もちろん、ハリー、そのとおりだ。選ばれていようがいなかろうが！『名前を言ってはいけないあの人』と、いったい君は何度対決しただろう？　まあ、とにかく――」

スクリムジョールは返事を待たずに先に進めた。

「要するに、ハリー、君は多くの人にとって、希望の象徴なのだ。『名前を言ってはいけないあの人』を破滅させることができるかもしれない誰かが、そう**運命づけられている**かもしれない誰かがいるということが――まあ、当然だが、人々を元気づける。そして、君がいったんそのことに気づけば、魔法省と協力して、人々の気持ちを高揚させることが、君の、そう、ほとんど義務だと考えるようになるだろうと、私はそう思わざるをえない」

庭小人がミミズを一匹、なんとか捕まえたところだった。凍った土からミミズを抜き出そうと、今度は力いっぱい引っ張っていた。ハリーがあんまり長い時間だまっているので、スクリムジョールはハリーから庭小人に視線を移しながら言った。

「奇妙な生き物だね？　ところで、ハリー、どうかね？」

「何がお望みなのか、僕にはよくわかりません」

ハリーが考えながら言った。

「『魔法省と協力』……どういう意味ですか？」

「ああ、いや、たいしたことではない。約束する」スクリムジョールが言った。

「たとえば、ときどき魔法省に出入りする姿を見せてくれれば、それがちゃんとした印象を与えてくれる。それにもちろん、魔法省にいる間は、私の後任として闇祓い局の局長になったガウェイン・ロバーズと充分話をする機会があるだろう。ドローレス・アンブリッジが、君が闇祓いになりたいという志を抱いていると話してくれた。そう、それは簡単になんとかできるだろう……」

ハリーは、腸《はらわた》の奥からふつふつと怒りが込み上げてくるのを感じた。すると、ドローレス・アンブリッジは、まだ魔法省にいるってことなのか？

「それじゃ、要するに」

ハリーは、いくつかはっきりさせたい点があるだけだという言い方をした。

「僕が魔法省のために仕事をしている、という印象を与えたいわけですね？」

「ハリー、君がより深く関与していると思うことで、みんなの気持ちが高揚する」

スクリムジョールは、ハリーののみ込みのよさにホッとしたような口調だった。

「『選ばれし者』、というわけだ……人々に希望を与え、何か興奮するようなことが起こっていると感じさせる、それだけなんだよ」

「でも、もし僕が魔法省にしょっちゅう出入りしていたら――」

ハリーは親しげな声を保とうと努力しながら言った。

「魔法省のやろうとしていることを、僕が認めているかのように見えませんか？」

「まあ」スクリムジョールがちょっと顔をしかめた。「まあ、そうだ。それも一つには我々の望むことで――」

「うまくいくとは思えませんね」

ハリーは愛想よく言った。

「というのも、魔法省がやっていることで、僕の気に入らないことがいくつかあります。たとえばスタン・シャンパイクを監獄に入れるとか」

スクリムジョールは一瞬、何も言わなかったが、表情がサッと硬くなった。

「君に理解してもらおうとは思わない」

スクリムジョールの声は、ハリーほどうまく怒りを隠しきれていなかった。

「いまは危険なときだ。なんらかの措置を取る必要がある。君はまだ十六歳で――」

「ダンブルドアは十六歳よりずっと年を取っていますが、スタンをアズカバンに送るべきではないと考えています」ハリーが言った。「あなたはスタンを犠牲者に仕立て上げ、僕をマスコットに祭り上げようとしている」

二人は長いこと火花を散らして見つめ合った。やがてスクリムジョールが、温かさの仮面をかなぐり捨てて言った。

「そうか。君はむしろ――君の英雄ダンブルドアと同じに――魔法省から分離するほうを選ぶわけだな？」

「僕は利用されたくない」ハリーが言った。

「魔法省に利用されるのは、君の義務だという者もいるだろう！」

「ああ、監獄にぶち込む前に、ほんとうに死喰い人なのかどうかを調べるのが、あなたの義務だという人もいるかもしれない」

ハリーはしだいに怒りがつのってきた。

「あなたは、バーティ・クラウチと同じことをやっている。あなたたちは、いつもやり方をまちがえる。そういう人種なんだ。ちがいますか？　目と鼻の先で人が殺されていても、ファッジみたいにすべてがうまくいっているふりをするかと思えば、今度はあなたみたいに、お門ちがいの人間を牢《ろう》に放り込んで、『選ばれし者』が自分のために働いているように見せかけようとする！」

「それでは、君は『選ばれし者』ではないのか？」

「どっちにしろたいした問題ではないと、あなた自身が言ったでしょう？」

ハリーは皮肉に笑った。

「どっちにしろ、あなたにとっては問題じゃないんだ」

僕は忘れちゃいない……」

「失言だった」スクリムジョールが急いで言った。「まずい言い方だった――」

「いいえ、正直な言い方でした」ハリーが言った。「あなたが僕に言ったことで、それだけが正直な言葉だった。僕が死のうが生きようが、あなたは気にしない。ただ、あなたは、ヴォルデモートとの戦いに勝っている、という印象をみんなに与えるために、僕が手伝うかどうかだけを気にしている。大臣、僕は忘れちゃいない……」

ハリーは右手の拳を上げた。そこに、冷たい手の甲に白々と光る傷痕は、ドローレス・アンブリッジが無理やりハリーに、ハリー自身の肉に刻ませた文字だった――僕はうそをついてはいけない――。

「ヴォルデモートの復活を、僕がみんなに教えようとしていたときに、あなたたちが僕を護りに駆けつけてくれたという記憶はありません。魔法省は去年、こんなに熱心に僕にすり寄ってこなかった」

二人はだまって立ち尽くしていた。足元の地面と同じくらい冷たい沈黙だった。庭小人はようやっとミミズを引っ張り出し、石楠花の茂みの一番下の枝に寄りかかり、うれしそうにしゃぶりだした。

「ダンブルドアは何をたくらんでいる？」

スクリムジョールがぶっきらぼうに言った。

「ホグワーツを留守にして、どこに出かけているのだ？」

「知りません」ハリーが言った。

「知っていても私には言わないだろうな」スクリムジョールが言った。「ちがうかね？」

「ええ、言わないでしょうね」ハリーが言った。

「さて、それなら、ほかの手立てで探ってみるしかないということだ」

「やってみたらいいでしょう」ハリーは冷淡に言った。

「ただ、あなたはファッジより賢そうだから、ファッジの過ちから学んだはずでしょう。ファッジはホグワーツに干渉しようとした。お気づきでしょうが、ファッジはもう大臣じゃない。でもダンブルドアはまだ校長のままです。ダンブルドアには手出しをしないほうがいいですよ」

長い沈黙が流れた。

「なるほど、ダンブルドアが君をうまく仕込んだということが、はっきりわかった」

細縁めがねの奥で、スクリムジョールの目は冷たく険悪だった。

「骨の髄までダンブルドアに忠実だな、ポッター、え?」

「ええ、そのとおりです」ハリーが言った。「はっきりしてよかった」

そしてハリーは魔法大臣に背を向け、家に向かって大股に歩きだした。

第17章　ナメクジのろのろの記憶

　年が明けて数日がたったある日の午後、ハリー、ロン、ジニーは、ホグワーツに帰るために台所の暖炉の前に並んでいた。魔法省が今回だけ、生徒を安全、迅速に学校に帰すための煙突飛行ネットワークを開通させていた。ウィーズリーおじさん、フレッド、ジョージ、ビル、フラーはそれぞれ仕事があったので、ウィーズリーおばさんだけがさよならを言うために立ち合った。

　別れの時間が来ると、おばさんが泣きだした。もっとも近ごろは涙もろくなっていて、クリスマスの日にパーシーが、すりつぶしたパースニップをめがねに投げつけられて（フレッド、ジョージ、ジニーがそれぞれに自分たちの手柄だと主張していたが）、鼻息も荒く家から出ていって以来、おばさんはたびたび泣いていた。

「泣かないで、ママ」

　肩にもたれてすすり泣く母親の背中を、ジニーはやさしくたたいた。「大丈夫だから……」

「そうだよ。僕たちのことは心配しないで」

　ほおに母親の涙ながらのキスを受け入れながら、ロンが言った。

「それに、パーシーのことも。あいつはほんとにバカヤロだ。いなくたっていいだろ？」

　ウィーズリーおばさんは、ハリーを両腕にかき抱きながら、ますます激しくすすり泣いた。

「気をつけるって、約束してちょうだい……危ないことをしないって……」

「おばさん、僕、いつだってそうしてるよ」ハリーが言った。

「静かな生活が好きだもの。おばさん、僕のことわかってるでしょう？」

おばさんは涙にぬれた顔でクスクス笑い、ハリーから離れた。

「それじゃ、みんな、いい子にするのよ……」

ハリーはエメラルド色の炎に入り、「**ホグワーツ！**」と叫んだ。

ウィーズリー家の台所と、おばさんの涙顔が最後にちらりと見え、やがて炎がハリーを包んだ。急回転しながら、ほかの魔法使いの家の部屋がぼやけて垣間《かいま》見えたが、しっかり見る間もなくたちまち視界から消えていった。

やがて回転の速度が落ちて、最後はマクゴナガル先生の部屋の暖炉でピッタリ停止した。ハリーが火格子から這《は》い出したとき、先生はちょっと仕事から目を上げただけだった。

「こんばんは、ポッター。カーペットにあまり灰を落とさないようにしなさい」

「はい、先生」

ハリーがめがねをかけなおし、髪をなでつけていると、ロンのくるくる回る姿が見えた。ジニーも到着し、三人並んでぞろぞろとマクゴナガル先生の事務所を出て、グリフィンドール塔に向かった。廊下を歩きながら、ハリーが窓から外をのぞくと、「隠れ穴」の庭より深い雪に覆われた校庭のむこうに、太陽がすでに沈みかけていた。ハグリッドが小屋の前でバックビークに餌をやっている姿が、遠くに見えた。

「**ボーブル、玉飾り**」

「太った婦人《レディ》」にたどり着き、ロンが自信たっぷりに合言葉を唱えた。婦人はいつもより顔色がすぐれず、ロンの大声でビクッとした。

「いいえ」婦人が言った。

「『いいえ』って、どういうこと？」

「新しい合言葉があります。それに、お願いだから、叫ばないで」

「だって、ずっといなかったのに、知るわけが――？」

「ハリー！　ジニー！」

ハーマイオニーが急いでやってくるところだった。ほおをピンク色にして、オーバー、帽子、手袋に身を固めていた。

「二時間ぐらい前に帰ってきたの。いま訪ねてきたところよ。ハグリッドとバック――じゃない――ウィザウィングズを」ハーマイオニーは息をはずませながら言った。

「楽しいクリスマスだった？」

「ああ」ロンが即座に答えた。「いろいろあったぜ。ルーファス・スクリム――」

「ハリー、あなたに渡すものがあるわ」

ハーマイオニーはロンには目もくれず、聞こえたそぶりも見せなかった。

「あ、ちょっと待って――合言葉ね。**節制**」

「そのとおり」

「太った婦人」は弱々しい声でそう言うと、抜け穴の扉をパッと開けた。

「何かあったのかな？」ハリーが聞いた。

「どうやらクリスマスに不節制をしたみたいね」

ハーマイオニーは、先に立って混み合った談話室に入りながら、あきれ顔で目をグリグリさせた。

「お友達のバイオレットと二人で、呪文学の教室のそばの『酔っ払い修道士たち』の絵にあるワインを、クリスマスの間に全部飲んじゃったの。それはそうと……」

ハーマイオニーはちょっとポケットを探って、羊皮紙の巻紙を取り出した。ダンブルドアの字が書いてある。

「よかった」ハリーはすぐに巻紙を開いた。ダンブルドアの次の授業の予定が、翌日の夜だと書いてあった。

「ダンブルドアに話すことが山ほどあるんだ——それに、君にも。座ろうか——」

しかし、ちょうどその時、「ウォン-ウォン！」とかん高く叫ぶ声がして、ラベンダー・ブラウンがどこからともなく矢のように飛んできたかと思うと、ロンの腕に飛び込んだ。見ていた何人かの生徒が冷やかし笑いをした。ハーマイオニーはコロコロ笑い、「あそこにテーブルがあるわ……ジニー、来る？」と言った。

「ううん。ディーンと会う約束をしたから」ジニーが言った。

しかしハリーはふと、ジニーの声があまり乗り気ではないのに気づいた。ロンとラベンダーが、レスリング試合よろしく立ったままロックをかけ合っているのをあとに残し、ハリーは空いているテーブルにハーマイオニーを連れていった。

「それで、君のクリスマスはどうだったの？」

「まあまあよ」ハーマイオニーは肩をすくめた。

「何も特別なことはなかったわ。ウォン-ウォンのところはどうだったの？」

「いますぐ話すけど」ハリーが言った。「あのさ、ハーマイオニー、だめかな——？」

「だめ」ハーマイオニーがにべもなく言った。「言うだけむだよ」

「もしかしてと思ったんだ。だって、クリスマスの間に——」

「五百年物のワインをひと樽《たる》飲み干したのは『太った婦人』よ、ハリー。私じゃないわ。それで、私に話したい重要なニュースがあるって、なんだったの？」

ハーマイオニーのこの剣幕では、いまは議論できそうもないと、ハリーはロンの話題をあきらめて、立ち聞きしたマルフォイとスネイプの会話を話して聞かせた。

話し終わったとき、ハーマイオニーはちょっと考えていたが、やがて口を開いた。

「こうは考えられない――？」

「――スネイプがマルフォイに援助を申し出るふりをして、マルフォイのやろうとしていることをしゃべらせようという計略？」

「まあ、そうね」ハーマイオニーが言った。

「ロンのパパも、ルーピンもそう考えている」ハリーがしぶしぶ認めた。「でも、マルフォイが何かたくらんでることが、これではっきり証明された。これは否定できない」

「できないわね」ハーマイオニーがゆっくり答えた。

「それに、やつはヴォルデモートの命令で動いてる。僕が言ったとおりだ！」

「んー……二人のうちどちらかが、ヴォルデモートの名前を口にした？」

ハリーは思い出そうとして顔をしかめた。

「わからない……スネイプは『君の主君』とはっきり言ったし、ほかに誰がいる？」

「わからないわ」ハーマイオニーが唇をかんだ。

「マルフォイの父親はどうかしら？」

ハーマイオニーは、何か考え込むように、部屋のむこうをじっと見つめた。ラベンダーがロンをくすぐっているのにも気づかない様子だ。

「ルーピンは元気？」

「あんまり」

ハリーは、ルーピンが狼人間《おおかみにんげん》の中での任務に就いていることや、どんな難しい問題に直面しているかを話して聞かせた。

「フェンリール・グレイバックって、聞いたことある？」

「ええ、あるわ！」ハーマイオニーはぎくりとしたように言った。

「それに、あなたも聞いたはずよ、ハリー！」

「いつ？　魔法史で？　君、知ってるじゃないか、僕がちゃんと聞いてないって……」

「ううん、魔法史じゃないの――マルフォイがその名前でボージンを脅してたわ！

「夜の闇横丁《ノクターン》で。覚えてない？　グレイバックは昔から自分の家族と親しいし、ボージンがちゃんと取り組んでいるかどうかを、グレイバックが確かめるだろうって！」

ハーマイオニーが言った。

ハリーはあぜんとしてハーマイオニーを見た。

「忘れてたよ！　だけど、これで、マルフォイが死喰《しく》い人だってことが**証明された**。そうじゃなかったら、グレイバックと接触したり、命令したりできないだろ？」

「その疑いは濃いわね」ハーマイオニーは息をひそめて言った。「ただし……」

「いいかげんにしろよ」ハリーはいらいらしながら言った。「今度は言い逃れできないぞ！」

「うーん……うその脅しだった可能性があるわ」

「君って、すごいよ、まったく」ハリーは頭《かぶり》を振った。

「誰が正しいかは、そのうちわかるさ……ハーマイオニー、君も前言撤回ってことになるよ。魔法省みたいに。あっ、そうだ。僕、ルーファス・スクリムジョールとも言い争いした……」

それからあとは、魔法大臣をけなし合うことで、二人は仲よく過ごした。ハーマイオニーもロンと同じで、昨年ハリーにあれだけの仕打ちをしておきながら、魔法省が今度はハリーに助けを求めるとは、まったくいい神経してる、という意見だった。

次の朝、六年生にとっては、ちょっと驚くうれしいニュースで新学期が始まった。談話室の掲示板に、夜の間に大きな告知が貼り出されていた。

「姿あらわし」練習コース

十七歳になった者、または八月三十一日までに十七歳になる者は、魔法省の「姿あらわし」の講師による十二週間の「姿あらわし」コースを受講する資格がある。

参加希望者は、以下に氏名を書き込むこと。

コース費用：十二ガリオン

ハリーとロンは、掲示板の前で押し合いへし合いしながら名前を書き込んでいる群れに加わった。ロンが羽根ペンを取り出して、ハーマイオニーのすぐあとに名前を書き入れようとしていたとき、ラベンダーが背後に忍び寄り、両手でロンに目隠しして、歌うように言った。

「だ～れだ？　ウォン - ウォン？」

ハリーが振り返ると、ハーマイオニーがつんけんと立ち去っていくところだった。ハリーは、ロンやラベンダーと一緒にいる気はさらさらなかったので、ハーマイオニーのあとを追った。ところが驚いたことに、ロンは肖像画の穴のすぐ外で、二人に追いついた。耳が真っ赤で、不機嫌な顔をしていた。ハーマイオニーは一言も言わず、足を速めてネビルと並んで歩いた。

「それじゃ――『姿あらわし』だな」

ロンの口調は、たったいま起こったことを口にするなと、ハリーにはっきり釘《くぎ》を刺していた。

「きっとおもしろいぜ、な？」

「どうかな」ハリーが言った。

「自分でやれば少しましなのかも知れないけど、ダンブルドアが付き添って連れていってくれたときは、あんまり楽しいとは思わなかった」

「君がもう経験者だってこと、忘れてた……僕、一回目のテストでパスしなきゃ」

ロンが心配そうに言った。

「フレッドとジョージは一回でパスだった」

「でも、チャーリーは失敗したろう？」

「ああ、だけど、チャーリーは僕よりでかい」ロンは両腕を広げて、ゴリラのような格好をした。「だから、フレッドもジョージもあんまりしつこくからかわなかった……少なくとも面と向かっては……」

「本番のテストはいつ？」

「十七歳になった直後。僕はもうすぐ。三月！」

「そうか。だけど、ここではどうせ『姿あらわし』できないはずだ。城の中では……」

「それは関係ないだろ？　やろうと思えば『姿あらわし』**できるんだ**って、みんなに知れることが大事さ」

「姿あらわし」への期待で興奮していたのは、ロンだけではなかった。その日は一日中、「姿あらわし」の練習の話でもちきりだった。意のままに消えたり現れたりできる能力は、とても重要視されていた。

「僕たちもできるようになったら、かっこいいなあ。こんなふうに――」

シェーマスが指をパチンと鳴らして「姿くらまし」の格好をした。

「いとこのファーガスのやつ、僕をいらいらさせるためにこれをやるんだ。いまに見てろ。やり返してやるから……あいつには、もう一瞬たりとも平和なときはない……」

幸福な想像で我を忘れ、シェーマスは杖《つえ》の振り方に少し熱を入れすぎた。その日の呪文学は、清らかな水の噴水を創り出すのが課題だったが、シェーマスは散水ホースのように水を噴き出させ、天井に跳ね返った水がフリットウィック先生をはじき飛ばしてしまい、先生はうつ伏せにべたっと倒れた。

フリットウィック先生はぬれた服を杖でかわかし、シェーマスに「僕は魔法使いです。棒を振り回す猿ではありません」と何度も書く、書き取り罰則を与えた。ややばつが悪そうなシェーマスに向かって、ロンが言った。

「ハリーはもう『姿あらわし』したことがあるんだ。ダン――え――っと――誰かと一緒だったけどね。『付き添い姿あらわし』ってやつさ」

「ヒョー！」シェーマスは驚いたように声をもらした。シェーマス、ディーン、ネビルの三人がハリーに顔を近づけ、「姿あらわし」はどんな感じだったかを聞こうとした。それからあとのハリーは、「姿あらわし」の感覚を話してくれとせがむ六年生たちに、一日中取り囲まれてしまった。どんなに気持ちが悪かったかを話してやっても、みんなひるむどころか、かえってすごいと感激したらしく、八時十分前になっても、ハリーはまだ細かい質問に答えている状態だった。ハリーはしかたなく、図書館に本を返さなければならないとうそをつき、ダンブルドアの授業に間に合うようにその場を逃れた。

ダンブルドアの校長室にはランプが灯り、歴代校長の肖像画は額の中で軽いいびきをかいていた。今回も「憂いの篩《ふるい》」が机の上で待っていた。ダンブルドアはその両端に手をかけていたが、右手は相変わらず焼け焦げたように黒かった。まったく癒えた様子がない。いったいどうしてそんなに異常な傷を負ったのだろうと、ハリーはこれで百回ぐらい同じことを考えたが、質問はしなかった。ダンブルドアがそのうちハリーに話すと約束したのだし、いずれにせよ別に話したい問題があった。しかし、ハリーがスネイプとマルフォイのことを一言も言わないうちに、ダンブルドアが口を開いた。

「クリスマスに、魔法大臣と会ったそうじゃの？」

「はい」ハリーが答えた。「大臣は僕のことが不満でした」

「そうじゃろう」ダンブルドアがため息をついた。

「わしのことも不満なのじゃ。しかし、ハリー、我々は苦悩の底に沈むことなく、抗《あらが》い続けねばならぬのう」

ハリーはニヤッと笑った。

「大臣は、僕が魔法界に対して、魔法省はとてもよくやっていると言ってほしかったんです」

ダンブルドアはほほえんだ。

「もともと、それはファッジの考えじゃったのう。大臣職にあった最後のころじゃが、大臣の地位にしがみつこうと必死だったファッジは、君との会合を求めた。君がファッジを支援することを望んでのことじゃ――」

「去年あんな仕打ちをしたファッジが？」ハリーが憤慨した。「**アンブリッジ**のことがあったのに？」

「わしはコーネリウスに、その可能性はないと言ったのじゃ。しかし、ファッジが大臣職を離れても、その考えは生きていたわけじゃ。スクリムジョールは、大臣に任命されてから数時間もたたないうちにわしに会い、君と会う手はずを整えるよう強く要求した――」

「それで、先生は大臣と議論したんだ！」ハリーは思わず口走った。

「『日刊予言者新聞』にそう書いてありました」

「『日刊予言者』も、確かに、時には真実を報道することがある」ダンブルドアが言った。「まぐれだとしてもじゃ。いかにも、議論したのはそのことじゃ。なるほど、どうやらルーファスは、ついに君を追い詰める手段を見つけたらしいのう」

「大臣は僕のことを非難しました。『骨の髄までダンブルドアに忠実だ』って」

「無礼千万じゃ」

「僕はそのとおりだって言ってやりました」

ダンブルドアは何か言いかけて、口をつぐんだ。ハリーの背後で、不死鳥のフォークスが低く鳴き、やさしい調べを奏でた。ダンブルドアのキラキラしたブルーの瞳が、ふと涙に曇るのを見たような気がして、ハリーはどうしていいのかわからなくなり、あわててひざに目を落とした。しかし、ダンブルドアが再び口を開いたとき、その声はしっかりしていた。

「よう言うてくれた、ハリー」

「スクリムジョールは、先生がホグワーツにいらっしゃらないとき、どこに出かけているのかを知りたがっていました」

ハリーは自分のひざをじっと見つめたまま言った。

「そうじゃ、ルーファスはそのことになるとお節介でのう」

ダンブルドアの声が今度はゆかいそうだったので、ハリーはもう顔を上げても大丈夫だと思った。

「わしを尾行しようとまでした。まったく笑止なことじゃ。ドーリッシュに尾行させてのう。心ないことよ。わしはすでに一度ドーリッシュに呪いをかけておるのに、まことに遺憾ながら、二度もかけることになってしもうた」

「それじゃ、先生がどこに出かけられるのか、あの人たちはまだ知らないんですね？」

自分にとっても興味あることだったので、もっと知りたくて、ハリーが質問した。しかし、ダンブルドアは半月めがねの上からほほえんだだけだった。

「あの者たちは知らぬ。それに、君が知るにもまだ時が熟しておらぬ。さて、先に進めようかの。ほかに何もなければ――？」

「先生、実は」ハリーが切り出した。「マルフォイとスネイプのことで」

「スネイプ**先生**じゃ、ハリー」

「はい、先生。スラグホーン先生のパーティで、僕、二人の会話を聞いてしまって……あの、実は僕、二人のあとをつけたんです……」

ダンブルドアは、ハリーの話を無表情で聞いていた。話し終わったときもしばらく無言だったが、やがてダンブルドアが言った。

「ハリー、話してくれたことは感謝する。しかし、そのことは放念するがよい。たいしたことではない」

「たいしたことではない？」ハリーは信じられなくて、聞き返した。

「先生、おわかりになったのでしょうか――？」

「いかにも、ハリー、わしは幸いにして優秀なる頭脳に恵まれておるので、君が言ったことはすべて理解した」ダンブルドアは少しきつい口調で言った。

「君以上によく理解した可能性があると考えてみてもよかろう。もう一度言うが、君がわしに打ち明けてくれたことはうれしい。ただ、重ねて言うが、その中にわしの心を乱すようなことは、何一つない」

ハリーはじりじりしながらだまりこくって、ダンブルドアをにらんでいた。いったいどうなっているんだ？　マルフォイのたくらみを聞き出せと、ダンブルドアがスネイプに命じた、ということなのだろうか？　それなら、ハリーが話したことは全部、すでにスネイプから聞いているのだろうか？　それとも、いま聞いたことを内心では心配しているのに、そうでないふりをしているのだろうか？

「それでは、先生」

ハリーは、礼儀正しく、冷静な声を出そうとした。

「先生はいまでも絶対に信用して――？」

「その問いには、寛容にもすでに答えておる」

ダンブルドアが言った。しかしその声には、もはやあまり寛容さがなかった。

「わしの答えは変わらぬ」

「変えるべきではなかろう」皮肉な声がした。

フィニアス・ナイジェラスがどうやら狸《たぬき》寝入りをしていたらしい。ダンブルドアは無視した。

「それではハリー、いよいよ先に進めなければなるまい。今夜はもっと重要な話がある」

ハリーは反抗的になって座り続けた。話題を変えるのを拒否したらどうなるだろう？　マルフォイを責める議論をあくまでも続けようとしたらどうだろう？　ハリーの心を読んだかのように、ダンブルドアが頭《かぶり》を振った。

「ああ、ハリー、こういうことはよくあるものじゃ。仲のよい友人の間でさえ！　両者ともに、相手の言い分より自分の言うべきことのほうが、ずっと重要だという思い込みじゃ！」

「先生の言い分が重要じゃないなんて、僕、考えていません」ハリーはかたくなに言った。

「さよう、君の言うとおり、わしのは重要なことなのじゃから」

ダンブルドアはきびきびと言った。

「今夜はさらに二つの記憶を見せることにしよう。どちらも非常に苦労して手に入れたものじゃが、二つ目のは、わしが集めた中でも一番重要なものじゃ」

ハリーは何も言わなかった。自分の打ち明け話が受けた仕打ちに、まだ腹が立っていた。しかし、それ以上議論しても、どうにかなるとは思えなかった。

「されば」ダンブルドアが凛《りん》とした声で言った。

「今夜の授業では、トム・リドルの物語を続ける。前回は、トム・リドルがホグワーツで過ごす日々の入口のところでとぎれておった。覚えておろうが、自分が魔法使いだと聞かされたトムは興奮した。ダイアゴン横丁にわしが付き添うことをトムは拒否し、そしてわしは、入学後は盗みを続けてはならぬと警告した」

「さて、新学期が始まり、トム・リドルがやってきた。古着を着た、おとなしい少年は、ほかの新入生とともに組分けの列に並んだ。組分け帽子は、リドルの頭に触れるや否や、スリザリンに入れた」

話し続けながら、ダンブルドアは黒くなった手で頭上の棚を指差した。そこには、古色蒼然《そうぜん》とした組分け帽子が、じっと動かずに収まっていた。

「その寮の、かの有名な創始者が蛇と会話ができたということを、リドルがどの時点で知ったのかはわからぬ――おそらくは最初の晩じゃろう。それを知ることで、リドルは興奮し、いやが上にもうぬぼれが強くなった」

「しかしながら、談話室では蛇語を振りかざし、スリザリン生を脅したり感心させたりしていたにせよ、教職員はそのようなことにはまったく気づかなんだ。傍目《はため》には、リドルはなんらの傲慢さも攻撃性も見せなんだ。稀有《けう》な才能とすぐれた容貌の孤児として、リドルはほとんど入学のその時点から、自然に教職員の注目と同情を集めた。リドルは、礼儀正しく物静かで、知識に飢えた生徒のように見えた。ほとんど誰もが、リドルには非常によい印象を持っておった」

「孤児院で先生がリドルに会ったときの様子を、ほかの先生方に話して聞かせなかったのですか？」ハリーが聞いた。

「話しておらぬ。リドルは後悔するそぶりをまったく見せはせなんだが、以前の態度を反省し、新しくやり直す決心をしている可能性はあったわけじゃ。わしは、リドルに機会を与えるほうを選んだのじゃ」

ハリーが口を開きかけると、ダンブルドアは言葉を切り、問いかけるようにハリーを見た。ここでもまた、ダンブルドアは、不利な証拠がどれほどあろうと、信頼に値しない者を信頼している。ダンブルドアはそういう人だ！　しかしハリーは、ふとあることを思い出した……。

「でも先生は、**完全に**リドルを信用してはいなかったのですね？　あいつが僕にそう言いました……あの日記帳から出てきたリドルが、『ダンブルドアだけは、ほかの先生方とちがって、僕に気を許してはいないようだった』って」

「リドルが信用できると、手放しでそう考えたわけではない、とだけ言うておこう」

ダンブルドアが言った。

「すでに言うたように、わしはあの者をしっかり見張ろうと決めておった。そしてその決意どおりにしたのじゃ。最初のころは、観察してもそれほど多くのことがわかったわけではない。リドルはわしを非常に警戒しておった。自分が何者なのかを知って興奮し、わしに少し多くを語りすぎたと思ったにちがいない。リドルは慎重になり、あれほど多くを暴露することは二度となかったが、興奮のあまりいったん口をすべらせたことや、ミセス・コールがわしに打ち明けてくれたことを、リドルが撤回するわけにはいかなんだ。しかし、リドルは、わしの同僚の多くをひきつけはしたものの、けっしてわしまで魅了しようとはしないという、思慮分別を持ち合わせておった」

「高学年になると、リドルは献身的な友人を取り巻きにしはじめた。ほかに言いようがないので、友人と呼ぶが、すでにわしが言うたように、リドルがその者たちの誰に対しても、なんらの友情も感じていなかったことは疑いもない。この集団は、ホグワーツ内で、一種の暗い魅力を持っておった。雑多な寄せ集めで、保護を求める弱い者、栄光のおこぼれにあずかりたい野心家、自分たちより洗練された残酷さを見せてくれるリーダーにひかれた乱暴者等々。つまり、死喰い人の走りのような者たちじゃった。事実、その何人かは、ホグワーツを卒業したあと、最初の死喰い人となった」

「リドルに厳重に管理され、その者たちの悪行は、おおっぴらに明るみに出ることはなかった。しかし、その七年の間に、ホグワーツで多くの不快な事件が起こったことはわかっておる。事件とその者たちとの関係が、満足に立証されたことは一度もない。最も深刻な事件は、言うまでもなく『秘密の部屋』が開かれたことで、その結果女子学生が一人死んだ。君も知ってのとおり、ハグリッドがぬれぎぬを着せられた」

「ホグワーツでのリドルに関する記憶じゃが、多くを集めることはできなんだ」

ダンブルドアは「憂いの篩」になえた手を置きながら言った。

「その当時のリドルを知る者で、リドルの話をしようとする者はほとんどおらぬ。怖気《おじけ》づいておるのじゃ。わしが知りえた事柄は、リドルがホグワーツを去ってから集めたものじゃ。なんとか口を割らせることができそうな、数少ない何人かを見つけ出したり、古い記録を探し求めたり、マグルや魔法使いの証人に質問したりして、だいぶ骨を折って知りえたことじゃ」

「わしが説得して話させた者たちは、リドルが両親のことにこだわっていたと語った。もちろん、これは理解できることじゃ。孤児院で育った者が、そこに来ることになった経緯を知りたがったのは当然じゃ。トム・リドル・シニアの痕跡はないかと、トロフィー室に置かれた盾や、学校の古い監督生の記録、魔法史の本まで探したらしいが、徒労に終わった。父親がホグワーツに一度も足を踏み入れてはいない事実を、リドルはついに受け入れざるをえなくなった。わしの考えでは、リドルはその時点で自分の名前を永久に捨て、ヴォルデモート卿《きょう》と名乗り、それまで軽蔑していた母親の家族を調べはじめたのであろう――覚えておろうが、人間の恥ずべき弱みである『死』に屈した女が魔女であるはずがないと、リドルがそう考えていた女性のことじゃ」

「リドルには、『マールヴォロ』という名前しかヒントはなかった。孤児院の関係者から、母方の父親の名前だと聞かされていた名じゃ。魔法族の家系に関する古い本をつぶさに調べ、ついにリドルは、スリザリンの末裔《まつえい》が生き残っていることを突き止めた。十六歳の夏のことじゃ。リドルは毎年夏に戻っていた孤児院を抜け出し、ゴーント家の親戚を探しに出かけた。そして、さあ、ハリー、立つのじゃ……」

ダンブルドアも立ち上がった。その手に再び、渦巻く乳白色の記憶が詰まった小さなクリスタルの瓶があるのが見えた。

「この記憶を採集できたのは、まさに幸運じゃった」

そう言いながら、ダンブルドアはきらめく物質を「憂いの篩」に注ぎ込んだ。

「この記憶を体験すれば、そのことがわかるはずじゃ。参ろうかの？」

ハリーは石の水盆の前に進み出て、従順に身をかがめ、記憶の表面に顔をうずめた。いつものように、無の中を落ちていくような感覚を覚え、それからほとんど真っ暗闇の中で、汚れた石の床に着地した。

しばらくして、自分がどこにいるのかやっとわかったときには、ダンブルドアもすでにハリーの脇に着地していた。ゴーントの家は、いまや形容しがたいほどに汚れ、いままでに見たどんな家より汚らしかった。天井にはクモの巣がはびこり、床はべっとりと汚れ、テーブルには、かびだらけのくさった食べ物が、汚れのこびりついた深鍋の山の間に転がっている。灯《あか》りといえば溶けたろうそくがただ一本、男の足元に置かれていた。男は髪もひげも伸び放題で、ハリーには男の目も口も見えなかった。暖炉のそばのひじかけ椅子でぐったりしているその男は、死んでいるのではないかと、ハリーは一瞬そう思った。しかし、その時、ドアをたたく大きな音がして、男はびくりと目を覚まし、右手に杖を掲げ、左手には小刀を握った。

ドアがギーッと開いた。戸口に古くさいランプを手に立っている青年が誰か、ハリーは一目でわかった。背が高く、青白い顔に黒い髪の、ハンサムな青年——十代のヴォルデモートだ。

ヴォルデモートの目がゆっくりとあばら家を見回し、ひじかけ椅子の男を見つけた。ほんの一、二秒、二人は見つめ合った。それから、男がよろめきながら立ち上がった。その足元からからっぽの瓶が何本も、カタカタと音を立てて床を転がった。

「貴様！」男がわめいた。「貴様！」

男は杖と小刀を大上段に振りかぶり、酔った足をもつれさせながらリドルに突進した。

「やめろ」

リドルは蛇語で話した。男は横すべりしてテーブルにぶつかり、かびだらけの深鍋がいくつか床に落ちた。男はリドルを見つめた。互いに探り合いながら、長い沈黙が流れた。やがて男が沈黙を破った。

「話せるのか？」

「ああ、話せる」リドルが言った。リドルは部屋に入り、背後でドアがバタンと閉まった。ヴォルデモートが微塵《みじん》も恐怖を見せないことに、ハリーは、敵ながらあっぱれと内心舌を巻いた。ヴォルデモートの顔に浮かんでいたのは、嫌悪と、そしておそらく失望だけだった。

「マールヴォロはどこだ？」リドルが聞いた。

「死んだ」男が答えた。「何年も前に死んだんだろうが？」

リドルが顔をしかめた。

「それじゃ、おまえは誰だ？」

「俺はモーフィンだ、そうじゃねえのか？」

「マールヴォロの息子か？」

「そーだともよ。それで……」

モーフィンは汚れた顔から髪を押しのけ、リドルをよく見ようとした。その右手に、マールヴォロの黒い石の指輪をはめているのを、ハリーは見た。

「おめえがあのマグルかと思った」

モーフィンがつぶやくように言った。

「おめえはあのマグルにそーっくりだ」

「どのマグルだ？」リドルが鋭く聞いた。

「俺の妹がほれたマグルよ。むこうのでっかい屋敷に住んでるマグルよ」

モーフィンはそう言うなり、突然リドルの前につばを吐いた。

「おめえはあいつにそっくりだ。リドルに。しかし、あいつはもう、もっと年を取ったはずだろーが？おめえよりもっと年取ってらあな。考えてみりゃ……」

モーフィンは意識が薄れかけ、テーブルの縁をつかんでもたれかかったままよろめいた。

「あいつは戻ってきた、ウン」モーフィンはほうけたように言った。

ヴォルデモートは、取るべき手段を見極めるかのように、モーフィンをじっと見ていた。そしてモーフィンにわずかに近寄り、聞き返した。

「リドルが戻ってきた？」

「ふん、あいつは妹を捨てた。いい気味だ。くされ野郎と結婚しやがったからよ！」

モーフィンはまたつばを吐いた。

「盗みやがったんだ。いいか、逃げやがる前に！　ロケットはどこにやった？　え？　スリザリンのロケットはどこだ？」

ヴォルデモートは答えなかった。モーフィンは自分で自分の怒りをあおり立てていた。小刀を振り回し、モーフィンが叫んだ。

「泥を塗りやがった。そーだとも、あのアマ！　そんで、おめえは誰だ？　ここに来てそんなことを聞きやがるのは誰だ？　おしめえだ、そーだ……おしめえだ……」

モーフィンは少しよろめきながら顔をそらした。ヴォルデモートが一歩近づいた。そのとたん、あたりが不自然に暗くなった。ヴォルデモートのランプが消え、モーフィンのろうそくも、何もかもが消えた……。


ダンブルドアの指がハリーの腕をしっかりつかみ、二人は上昇して現在に戻った。ダンブルドアの部屋のやわらかな金色の灯りが、真っ暗闇を見たあとのハリーの目にまぶしかった。

「これだけですか？」ハリーはすぐさま聞いた。

「どうして暗くなったんですか？　何が起こったんですか？」

「モーフィンが、そのあとのことは何も覚えていないからじゃ」

ダンブルドアが、ハリーに椅子を示しながら言った。

「次の朝、モーフィンが目を覚ましたときには、たった一人で床に横たわっていた。マールヴォロの指輪が消えておった」

「一方、リトル・ハングルトンの村では、メイドが悲鳴を上げて通りを駆け回り、館の客間に三人の死体が横たわっていると叫んでいた。トム・リドル・シニア、その母親と父親の三人だった」

「マグルの警察は当惑した。わしが知るかぎりでは、今日にいたるまで、リドル一家の死因は判明しておらぬ。『アバダ　ケダブラ』の呪いは、通常、なんの損傷も残さぬからじゃ……例外はわしの目の前に座っておる」

ダンブルドアは、ハリーの傷痕を見てうなずきながら言った。

「しかし、魔法省は、これが魔法使いによる殺人だとすぐに見破った。さらに、リドルの館と反対側の谷むこうに、マグル嫌いの前科者が住んでおり、その男は、殺された三人のうちの一人を襲った廉《かど》で、すでに一度投獄されたことがあるとわかっていた」

「そこで、魔法省はモーフィンを訪ねた。取り調べの必要も、『真実薬』や『開心術』を使う必要もなかった。即座に自白したのじゃ。殺人者自身しか知りえぬ細部の供述をしてのう。モーフィンは、マグルを殺したことを自慢し、長年にわたってその機会を待っておったと言ったそうじゃ。モーフィンが差し出した杖が、リドル一家の殺害に使われたことは、すぐに証明された。そしてモーフィンは、抗いもせずにアズカバンに引かれていった。父親の指輪がなくなっていたことだけを気にしておった。逮捕した者たちに向かって、『指輪をなくしたから、親父《おやじ》に殺される』と、何度もくり返して言ったそうじゃ。『指輪をなくしたから、親父に殺される』と。そして、どうやら死ぬまで、それ以外の言葉は口にせなんだようじゃ。モーフィンはマールヴォロの最後の世襲財産をなくしたことを嘆きながら、アズカバンで人生を終え、牢獄《ろうごく》で息絶えたほかの哀れな魂とともに、監獄の脇に葬られておるのじゃ」

「それじゃ、ヴォルデモートが、モーフィンの杖を盗んで使ったのですね？」

ハリーは姿勢を正して言った。

「そのとおりじゃ」ダンブルドアが言った。「それを示す記憶はない。しかし、何が起こったかについては、かなり確信を持って言えるじゃろう。ヴォルデモートはおじに失神の呪文をかけて杖を奪い、谷を越えて『むこうのでっかい屋敷』に行ったのであろう。そこで魔女の母親を捨てたマグルの男を殺し、ついでにマグルである自分の祖父母をも殺した。自分にふさわしくないリドルの家系の最後の人々を、このようにして抹殺すると同時に、自分を望むことがなかった父親に復讐《ふくしゅう》した。それからゴーントのあばら家に戻り、複雑な魔法でおじに偽の記憶を植えつけた後、気を失っているモーフィンのそばに杖を返し、おじがはめていた古い指輪をポケットに入れてその場を去った」

「モーフィンは自分がやったのではないと、一度も気づかなかったのですか？」

「一度も」ダンブルドアが言った。

「いまわしが言うたように、自慢げにくわしい自白をしたのじゃ」

「でも、いま見たほんとうの記憶は、ずっと持ち続けていた！」

「そうじゃ。しかし、その記憶をうまく取り出すには、相当な『開心術』の技を使用せねばならなかったのじゃ」

ダンブルドアが言った。

「それに、すでに犯行を自供しているのに、モーフィンの心をそれ以上探りたいなどと思う者がおるじゃろうか？　しかし、わしは、モーフィンが死ぬ何週間か前に、あの者に面会することができた。わしはそのころ、ヴォルデモートに関して、できるだけ多くの過去を見つけ出そうとしておった。この記憶を引き出すのは容易ではなかった。記憶を見たとき、わしはそれを理由にモーフィンをアズカバンから釈放するように働きかけた。しかし、魔法省が決定を下す前に、モーフィンは死んでしもうたのじゃ」

「でも、すべてはヴォルデモートがモーフィンに仕掛けたことだと、魔法省はどうして気づかなかったんですか？」

ハリーは憤慨して聞いた。

「ヴォルデモートはその時、未成年だった。魔法省は、未成年が魔法を使うと探知できるはずだ！」

「そのとおりじゃよ――魔法は探知できる。しかし、実行犯が誰かはわからぬ。浮遊術のことで、君が魔法省に責められたのを覚えておろうが、あれは実は――」

「ドビーだ」ハリーが唸《うな》った。あの不当さには、いまだに腹が立った。

「それじゃ、未成年でも、大人の魔法使いがいる家で魔法を使ったら、魔法省にはわからないのですか？」

「確かに魔法省は、誰が魔法を行使したかを知ることができぬ」

ハリーの大憤慨した顔を見てほほえみながら、ダンブルドアが言った。

「魔法省としては、魔法使いの家庭内では、親が子供を従わせるのに任せるわけじゃ」

「そんなの、いいかげんだ」ハリーがかみついた。

「こんなことが起こったのに！　モーフィンにこんなことが起こったのに！」

「わしもそう思う」ダンブルドアが言った。

「モーフィンがどのような者であれ、あのような死に方をしたのは酷じゃった。犯しもせぬ殺人の責めを負うとは。しかし、もう時間も遅い。別れる前に、もう一つの記憶を見てほしい……」

ダンブルドアはポケットからもう一本クリスタルの薬瓶を取り出した。ハリーは、これこそダンブルドアが収集した中で一番重要な記憶だと言ったことを思い出し、すぐに口をつぐんだ。今度の中身は、まるで少し凝結しているかのように、なかなか「憂いの篩」に入っていかなかった。記憶もくさることがあるのだろうか？

「この記憶は長くはかからない」

薬瓶がやっとからになったとき、ダンブルドアが言った。

「あっという間に戻ってくることになろう。もう一度、『憂いの篩』へ、いざ……」

そして再びハリーは、銀色の表面から下へと落ちていき、一人の男の真ん前に着地した。誰なのかはすぐにわかった。


ずっと若いホラス・スラグホーンだった。はげたスラグホーンに慣れきっていたハリーは、つやのある豊かな麦わら色の髪に面食らった。頭に藁葺《かやぶき》屋根をかけたようだった。ただ、てっぺんにはすでに、ガリオン金貨大のはげが光っていた。口ひげはいまほど巨大ではなく、赤毛まじりのブロンドだった。ハリーの知っているスラグホーンほどまるまるしていなかったが、豪華な刺繍《ししゅう》入りのチョッキについている金ボタンは、相当の膨張力に耐えていた。短い足を分厚いビロードのクッションにのせ、スラグホーンは心地よさそうなひじかけ椅子に、とっぷりとくつろいで腰かけていた。片手に小さなワイングラスをつかみ、もう一方の手で、砂糖漬けパイナップルの箱を探っている。

ダンブルドアがハリーの横に姿を現したとき、ハリーはあたりを見回し、そこが学校のスラグホーンの部屋だとわかった。男の子が六人ほど、スラグホーンの周りに座っている。スラグホーンの椅子より固い椅子か低い椅子に腰かけ、全員が十五、六歳だった。ハリーはすぐにリドルを見つけた。一番ハンサムで、一番くつろいだ様子だった。右手をなにげなく椅子のひじかけに置いていたが、ハリーは、その手にマールヴォロの金と黒の指輪がはめられているのを見て、ぎくりとした。もう父親を殺したあとだ。

「先生、メリィソート先生が退職なさるというのはほんとうですか？」リドルが聞いた。

「トム、トム、たとえ知っていても、君には教えられないね」

スラグホーンは砂糖だらけの指をリドルに向けて、叱るように振ったが、ウィンクしたことでその効果は多少薄れていた。

「まったく、君って子は、どこで情報を仕入れてくるのか、知りたいものだ。教師の半数より情報通だね、君は」

リドルは微笑した。ほかの少年たちは笑って、リドルを称賛のまなざしで見た。

「知るべきではないことを知るという、君の謎のような能力、大事な人間をうれしがらせる心づかい――ところで、パイナップルをありがとう。君の考えどおり、これはわたしの好物で――」

何人かの男の子がクスクス笑ったその時、とても奇妙なことが起こった。部屋全体が突然濃い白い霧で覆われたのだ。ハリーは、そばに立っているダンブルドアの顔しか見えなくなった。そして、スラグホーンの声が、霧の中から不自然な大きさで響いてきた。「**――君は悪の道にはまるだろう、いいかね、わたしの言葉を覚えておきなさい**」

霧は出てきたときと同じように急に晴れた。しかし、誰もそのことに触れなかったし、何か不自然なことが起きたような顔さえしていなかった。ハリーは狐《きつね》につままれたように、周りを見回した。スラグホーンの机の上で小さな金色の置き時計が、十一時を打った。

「なんとまあ、もうそんな時間か？」スラグホーンが言った。

「みんな、もう、戻ったほうがいい。そうしないと、みんな困ったことになるからね。レストレンジ、明日までにレポートを書いてこないと、罰則だぞ。エイブリー、君もだ」

男の子たちがぞろぞろ出ていく間、スラグホーンはひじかけ椅子から重い腰を上げ、からになったグラスを机のほうに持っていった。しかし、リドルはあとに残っていた。リドルが最後までスラグホーンの部屋にいられるように、わざとぐずぐずしているのが、ハリーにはわかった。

「トム、早くせんか」

振り返って、リドルがまだそこに立っているのを見たスラグホーンが言った。

「時間外にベッドを抜け出しているところを捕まりたくはないだろう。君は監督生なのだし……」

「先生、おうかがいしたいことがあるんです」

「それじゃ、遠慮なく聞きなさい、トム、遠慮なく……」

「先生、ご存じでしょうか……ホークラックスのことですが?」

するとまた、同じ現象が起きた。濃い霧が部屋を包み、ハリーにはスラグホーンもリドルもまったく見えなくなった。ダンブルドアだけがゆったりと、そばでほほえんでいた。そして、前と同じように、スラグホーンの声がまた響き渡った。

「**ホークラックスのことは何も知らんし、知っていても君に教えたりはせん! さあ、すぐにここを出ていくんだ。そんな話は二度と聞きたくない!**」

「さあ、これでおしまいじゃ」ハリーの横でダンブルドアがおだやかに言った。

「帰る時間じゃ」

そしてハリーの足は床を離れ、数秒後にダンブルドアの机の前の敷物に着地した。

「あれだけしかないんですか?」ハリーはキョトンとして聞いた。

ダンブルドアは、これこそ一番重要な記憶だと言った。しかし、何がそんなに意味深長なのかわからなかった。確かに、霧のことや、誰もそれに気づいていないようだったのは奇妙だ。しかしそれ以外はなんら特別な出来事はないように見えた。リドルが質問したが、それに答えてもらえなかったというだけだ。

「気がついたかもしれぬが」ダンブルドアは机に戻って腰を下ろした。「あの記憶には手が加えられておる」

「手が加えられた？」ハリーも腰かけながら、聞き返した。

「そのとおりじゃ」ダンブルドアが言った。

「スラグホーン先生は、自分自身の記憶に干渉した」

「でも、どうしてそんなことを？」

「自分の記憶を恥じたからじゃろう」ダンブルドアが言った。「自分をよりよく見せようとして、わしに見られたくない部分を消し去り、記憶を修正しようとしたのじゃ。それが、君も気づいたように、非常に粗雑なやり方でなされておる。そのほうがよい。なぜなら、ほんとうの記憶が、改ざんされたものの下にまだ存在していることを示しているからじゃ」

「そこで、ハリー、わしは初めて君に宿題を出す。スラグホーン先生を説得して、ほんとうの記憶を明かさせるのが君の役目じゃ。その記憶こそ、我々にとって、最も重要な記憶であることは疑いもない」

ハリーは目を見張ってダンブルドアを見た。

「でも、先生」

できるかぎり尊敬を込めた声で、ハリーは言った。

「僕なんか必要ないと思います――先生が『開心術』をお使いになれるでしょうし……『真実薬』だって……」

「スラグホーン先生は、非常に優秀な魔法使いであり、そのどちらも予想しておられるじゃろう。哀れなモーフィン・ゴーントなどより、ずっと『閉心術』に長《た》けておられる。わしがこの記憶まがいのものを無理やり提供させて以来、スラグホーン先生が常に『真実薬』の解毒剤を持ち歩いておられたとしても無理からぬことと」

「いや、スラグホーン先生から力ずくで真実を引き出そうとするのは、愚かしいことであり、百害あって一利なしじゃ。スラグホーン先生にはホグワーツを去ってほしくないでのう。しかし、スラグホーン先生といえども、我々と同様に弱みがある。先生の鎧《よろい》を突き破ることのできる者は君じゃと、わしは信じておる。ハリー、真実の記憶を我々が手に入れるということが、実に重要なのじゃ……どのくらい大切かは、その記憶を見たときにのみわかろうというものじゃ。がんばることじゃな……では、おやすみ」

突然帰れと言われて、ハリーはちょっと驚いたが、すぐに立ち上がった。

「先生、おやすみなさい」

校長室の戸を閉めながら、ハリーは、フィニアス・ナイジェラスだとわかる声を、はっきり聞いた。

「ダンブルドア、あの子が、君よりうまくやれるという理由がわからんね」

「フィニアス、わしも、君にわかるとは思わぬ」

ダンブルドアが答え、フォークスがまた、低く歌うように鳴いた。

第18章　たまげた誕生日

次の日、ハリーはロンとハーマイオニーに、ただし二人別々に、ダンブルドアの宿題を打ち明けた。ハーマイオニーが相変わらず、軽蔑のまなざしを投げる瞬間以外は、ロンと一緒にいることを拒んでいたからだ。

ロンは、ハリーならスラグホーンのことは楽勝だと考えていた。

「あいつは君にほれ込んでる」

朝食の席で、フォークに刺した玉子焼きの大きな塊を気楽に振りながら、ロンが言った。

「君が頼めばどんなことだって断りゃしないだろ？　お気に入りの魔法薬の王子様だもの。今日の午後の授業のあとにちょっと残って、聞いてみろよ」

しかし、ハーマイオニーの意見はもっと悲観的だった。

「ダンブルドアが聞き出せなかったのなら、スラグホーンはあくまで真相を隠すつもりにちがいないわ」

休み時間中、人気のない雪の中庭での立ち話で、ハーマイオニーが低い声で言った。

「ホークラックス……**ホークラックス**……聞いたこともないわ……」

「君が？」

ハリーは落胆した。ホークラックスがどういうものか、ハーマイオニーなら手がかりを教えてくれるかもしれないと期待していたのだ。

「相当高度な、闇の魔術にちがいないわ。そうじゃなきゃ、ヴォルデモートが知りたがるはずないでしょう？　ハリー、その情報は、一筋縄じゃ聞き出せないと思うわよ。スラグホーンには充分慎重に持ちかけないといけないわ。ちゃんと戦術を考えて……」

「ロンは、今日の午後の授業のあと、ちょっと残ればいいっていう考えだけど……」

「あら、まあ、もし**ウォン-ウォン**がそう考えるんだったら、そうしたほうがいいでしょ」

ハーマイオニーはたちまちメラメラと燃え上がった。

「何しろ、**ウォン-ウォン**の判断は一度だってまちがったことがありませんからね！」

「ハーマイオニー、いいかげんに――」

「**お断りよ！**」

いきり立ったハーマイオニーは、くるぶしまで雪に埋まったハリーを一人残し、荒々しく立ち去った。

近ごろの魔法薬のクラスは、ハリー、ロン、ハーマイオニーが同じ作業テーブルを使うというだけで居心地悪かった。今日のハーマイオニーは、自分の大鍋をテーブルのむこう端のアーニーの近くまで移動し、ハリーとロンの両方を無視していた。

「**君は**何をやらかしたんだ？」

ハーマイオニーのツンとした横顔を見ながら、ロンがボソボソとハリーに聞いた。

ハリーが答える前に、スラグホーンが教室の前方から静粛にと呼びかけた。

「静かに、みんな静かにして！　さあ、急がないと、今日はやることがたくさんある！　『ゴルパロットの第三の法則』……誰か言える者は――？　ああ、ミス・グレンジャーだね、もちろん！」

ハーマイオニーは猛烈なスピードで暗誦した。

「『ゴルパロットの第三の法則』とは混合毒薬の解毒剤の成分は毒薬の各成分に対する解毒剤の成分の総和より大きい」

「そのとおり！」スラグホーンがニッコリした。「グリフィンドールに一〇点！　さて、『ゴルパロットの第三の法則』が真であるなら……」

ハリーは、「ゴルパロットの第三の法則」が真であるというスラグホーンの言葉をうのみにすることにした。何しろチンプンカンプンだったからだ。スラグホーンの次の説明も、ハーマイオニー以外は誰もついていけないようだった。

「……ということは、もちろん、『スカーピンの暴露呪文』により魔法毒薬の成分を正確に同定できたと仮定すると、我々の主要な目的は、これらの成分それ自体の解毒剤をそれぞれ選び出すという比較的単純なものではなく、追加の成分を見つけ出すことであり、その成分は、ほとんど錬金術ともいえる工程により、これらのバラバラな成分を変容せしめ――」

ハリーの横で、ロンは口を半分開け、真新しい自分の『上級魔法薬』の教科書にぼんやり落書きをしていた。授業がさっぱりわからない場合に、ハーマイオニーの助けを求めるということが、いまはもうできないのに、ロンはしょっちゅうそれを忘れていた。

「……であるからして」スラグホーンの説明が終わった。

「前に出てきて、私の机からそれぞれ薬瓶を一本ずつ取っていきなさい。授業が終わるまでに、その瓶に入っている毒薬に対する解毒剤を調合すること。がんばりなさい。保護手袋を忘れないように！」

ハーマイオニーが、席を立ってスラグホーンの机までの距離の半分を歩いたころ、ほかの生徒はやっと、行動を開始しなければならないことに気がついた。ハリー、ロン、アーニーがテーブルに戻ったときには、ハーマイオニーはすでに薬瓶の中身を自分の大鍋に注ぎ入れ、鍋の下に火をつけていた。

「今回はプリンスがあんまりお役に立たなくて、残念ね、ハリー」

体を起こしながら、ハーマイオニーがほがらかに言った。

「今度は、この原理を理解しないといけないもの。近道もカンニングもなし！」

ハリーはいらいらしながら、スラグホーンの机から持ってきた瓶のコルク栓を抜き、けばけばしいピンク色の毒薬を大鍋にあけて、下で火をたいた。次は何をするやら、ハリーにはさっぱりわからなかった。ロンをちらりと見ると、ハリーがやったことを逐一まねしたあげく、ボケーッと突っ立っているだけだった。

「ほんとにプリンスのヒントはないのか？」ロンが、ハリーにブツブツ言った。

ハリーは頼みの綱の『上級魔法薬』を引っ張り出し、解毒剤の章を開いた。そこには、ハーマイオニーが暗誦《あんしょう》した言葉と一言一句たがわない、「ゴルパロットの第三の法則」がのっていた。しかし、それがどういう意味なのか、プリンスの手書きによる明快な書き込みは一つもない。プリンスは、ハーマイオニーと同じように、苦もなくこの法則が理解できたらしい。

「ゼロ」ハリーが暗い声で言った。

ハーマイオニーが今度は、大鍋の上で熱心に杖《つえ》を振っていた。残念なことに、ハーマイオニーの使っている呪文をまねすることはできなかった。ハーマイオニーはもう無言呪文に熟達し、ひと声も発する必要がなかったからだ。しかし、アーニー・マクミランは、自分の大鍋に向かって「**スペシアリス　レベリオ！　化けの皮、はがれよ！**」と小声で唱えていた。それがいかにも迫力があったので、ハリーもロンもアーニーのまねをすることにした。

五分もたたないうちに、クラス一番の魔法薬作りの評判がガラガラと崩れる音が、ハリーの耳元で聞こえた。スラグホーンは地下牢《ろう》教室をひと回りしながら、期待を込めてハリーの大鍋をのぞき込み、いつものように歓声を上げようとした。ところが、くさった卵のにおいに閉口して、咳《せ》き込みながらあわてて首を引っ込めた。ハーマイオニーの得意げな顔といったらなかった。魔法薬の授業で毎回負けていたのが、いやでたまらなかったのだ。いまやハーマイオニーは、まか不思議にも分離した毒薬の成分をクリスタルの薬瓶十本に小分けして、静かに注ぎ込んでいた。しゃくな光景から目をそらしたい一心でハリーはプリンスの本をのぞき込み、躍起になって数ページめくった。

すると、あるではないか。解毒剤を列挙した長いリストを横切って、走り書きがあった。

「ベゾアール石をのどから押し込むだけ」

ハリーはしばらくその文字を見つめていた。ずいぶん前に、ベゾアール石のことを聞いたことがあるのでは？　スネイプが、最初の魔法薬の授業で口にしたのでは？

――ベゾアール石は山羊《やぎ》の胃から取り出す石で、たいていの毒薬に対する解毒剤となる――。

ゴルパロットの問題に対する答えではなかったし、スネイプがまだ魔法薬の先生だったら、ハリーは絶対そんなことはしなかっただろうが、ここ一番の瀬戸際だ。ハリーは急いで材料棚に近づき、一角獣《ユニコーン》の角やからみ合った干し薬草を押しのけて棚の中を引っかき回し、一番奥にある小さな紙の箱を見つけた。箱の上に「ベゾアール」と書きなぐってあった。

ハリーが箱を開けるとほとんど同時に、スラグホーンが、「みんな、あと二分だ！」と声をかけた。箱の中には半ダースほどのしなびた茶色いものが入っていて、石というより干からびた腎臓のようだった。ハリーはその一つをつかみ、箱を棚に戻して鍋の所まで急いで戻った。

「時間だ……**やめ！**」

スラグホーンが楽しげに呼ばわった。

「さーて、成果を見せてもらおうか！　ブレーズ……何を見せてくれるかな？」

スラグホーンはゆっくりと教室を回り、さまざまな解毒剤を調べて歩いた。課題を完成させた生徒は誰もいなかった。ただ、ハーマイオニーは、スラグホーンがやってくるまでに、あと数種類の成分を瓶に押し込もうとしていた。ロンは完全にあきらめて、自分の大鍋から立ち昇るくさったにおいを吸い込まないようにしているだけだった。ハリーは少し汗ばんだ手に、ベゾアール石を握りしめてじっと待った。

スラグホーンは、最後にハリーたちのテーブルに来た。アーニーの解毒剤をフンフンとかぎ、顔をしかめてロンのほうに移動した。ロンの大鍋にも長居はせず、吐き気をもよおしたようにすばやくあとずさった。

「さあ君の番だ、ハリー」スラグホーンが言った。「何を見せてくれるね？」

ハリーは手を差し出した。手のひらにベゾアール石がのっていた。

スラグホーンは、まるまる十秒もそれを見つめていた。どなりつけられるかもしれないと、ハリーは一瞬そう思った。ところがスラグホーンは、のけぞって大笑いした。

「まったく、いい度胸だ！」

スラグホーンは、ベゾアール石を高く掲げてクラス中に見えるようにしながら太い声を響かせた。

「ああ、母親と同じだ……いや、君に落第点をつけることはできない……ベゾアール石は確かに、ここにある魔法薬すべての解毒剤として効く！」

ハーマイオニーは、汗まみれで鼻にすすをくっつけて、憤懣《ふんまん》やる方ない顔をしていた。五十二種類もの成分に、ハーマイオニーの髪の毛ひと塊まで入って半分出来上がった解毒剤が、スラグホーンの背後でゆっくり泡立っていたが、スラグホーンはハリーしか眼中になかった。

「それで、あなたは自分ひとりでベゾアール石を考えついたのね、ハリー、そうなのね？」

ハーマイオニーが歯ぎしりしながら聞いた。

「それこそ、真の魔法薬作りに必要な個性的創造力というものだ！」

ハリーが何も答えないうちに、スラグホーンがうれしそうに言った。

「母親もそうだった。魔法薬作りを直感的に把握する生徒だった。まちがいなくこれは、リリーから受け継いだものだ……そう、ハリー、そのとおり、ベゾアール石があれば、もちろんそれで事がすむ……ただし、すべてに効くわけではないし、かなり手に入りにくいものだから、解毒剤の調合の仕方は、知っておく価値がある……」

教室中でただ一人、ハーマイオニーより怒っているように見えたのはマルフォイだった。ローブに猫の反吐《へど》のようなものが垂れこぼれているマルフォイを見て、ハリーは溜飲《りゅういん》が下がった。ハリーがまったく作業せずにクラスで一番になったことに、二人のどちらも、怒りをぶちまける間もなく、終業ベルが鳴った。

「荷物をまとめて！」スラグホーンが言った。

「それと、生意気千万に対して、グリフィンドールにもう一〇点！」

スラグホーンはクスクス笑いながら、地下牢教室の前にある自分の机によたよたと戻った。

ハリーは、鞄《かばん》を片づけるのにしては長すぎる時間をかけ、ぐずぐずとあとに残っていた。ロンもハーマイオニーも、がんばれと声をかけもせずに教室を出ていった。二人ともかなりいらいらしているようだった。最後に、ハリーとスラグホーンだけが教室に残った。

「ほらほら、ハリー、次の授業に遅れるよ」

スラグホーンが、ドラゴン革のブリーフケースの金の留め金をバチンと閉めながら、愛想よく言った。

「先生」

否応なしに記憶の場面でのヴォルデモートのことを思い出しながら、ハリーが切り出した。

「おうかがいしたいことがあるんです」

「それじゃ、遠慮なく聞きなさい、ハリー、遠慮なく……」

「先生、ご存じでしょうか……ホークラックスのことですが？」

スラグホーンが凍りついた。丸顔が見る見る陥没していくようだった。スラグホーンは唇をなめ、かすれ声で言った。

「なんと言ったのかね？」

「先生、ホークラックスのことを、何かご存じでしょうかとうかがいました。あの――」

「ダンブルドアの差し金だな」スラグホーンがつぶやいた。

スラグホーンの声ががらりと変わった。もはや愛想のよさは吹っ飛び、衝撃でおびえた声だった。震える指で胸ポケットから、ようやくハンカチを引っ張り出し、額の汗をぬぐった。

「ダンブルドアが君にあれを見せたのだろう――あの記憶を」スラグホーンが言った。「え？　そうなんだろう？」

「はい」ハリーは、うそをつかないほうがいいと即座に判断した。

「そうだろう。もちろん」

スラグホーンは蒼白《そうはく》な顔をまだハンカチでぬぐいながら、低い声で言った。

「もちろん……まあ、あの記憶を見たのなら、ハリー、私がいっさい何も知らないことはわかっているだろう――**いっさい何も**――」

スラグホーンは同じ言葉をくり返し強調した。

「ホークラックスのことなど」

スラグホーンは、ドラゴン革のブリーフケースを引っつかみ、ハンカチをポケットに押し込みなおし、地下牢教室のドアに向かってとっとと歩きだした。

「先生」ハリーは必死になった。「僕はただ、あの記憶に少し足りないところがあるのではと――」

「そうかね？」スラグホーンが言った。

「それなら、君がまちがっとるんだろう？　**まちがっとる！**」

最後の言葉はどなり声だった。ハリーにそれ以上一言も言わせず、スラグホーンは地下牢教室のドアをバタンと閉めて出ていった。

ロンもハーマイオニーも、ハリーの話す惨憺《さんたん》たる結果に、さっぱり同情してくれなかった。ハーマイオニーは、きちんと作業もしないで勝利を得たハリーのやり方に、まだ煮えくり返っていたし、ロンは、ハリーが自分にもこっそりベゾアール石を渡してくれなかったことを恨んでいた。

「二人そろって同じことをしたら、まぬけじゃないか！」

ハリーはいらだった。

「いいか。僕は、ヴォルデモートのことを聞き出せるように、あいつを懐柔する必要があったんだ。おい、**しゃんとしろよ！**」

ロンがその名を聞いたとたんビクリとしたので、ハリーはますますいらいらした。

失敗はするし、ロンとハーマイオニーの態度も態度だし、ハリーは向かっ腹を立てながら、それから数日、スラグホーンに次はどういう手を打つべきかを考え込んだ。そして、当分の間、スラグホーンに、ハリーがホークラックスのことなど忘れはてたと思い込ませることにした。再攻撃を仕掛ける前に、スラグホーンがもう安泰だと思い込むようになだめるのが、最上の策にちがいない。

ハリーが二度とスラグホーンに質問しなかったので、魔法薬の先生は、いつものようにハリーをかわいがる態度に戻り、その問題は忘れたかのようだった。スラグホーンが次に小パーティを開くときには、たとえクィディッチの練習予定を変えてでも逃すまいと決心し、ハリーは招待されるのを待った。残念ながら、招待状は来なかった。ハリーは、ハーマイオニーやジニーにも確かめたが、どちらも招待状を受け取っていなかったし、二人の知るかぎり、ほかに誰も受け取った者はいなかった。スラグホーンは見かけより忘れっぽくないのかもしれないし、再び質問する機会を絶対に与えまいとしているのではないか、とハリーは考えざるをえなかった。

一方、ホグワーツ図書館は、ハーマイオニーの記憶にあるかぎり初めて、答えを出してくれなかった。それがあまりにもショックで、ハーマイオニーは、ハリーがベゾアール石でズルをしたといらだっていたことさえ忘れてしまった。

「ホークラックスが何をするものか、ひとつつも説明が見当たらないの！」

ハーマイオニーがハリーに言った。

「ただの一つもよ！　禁書の棚も全部見たし、**身の毛もよだつ**魔法薬の煎じ方が書いてある、**ぞっとする**本も見たわ──なんにもないのよ！　見つけたのはこれだけ。『最も邪悪なる魔術』の序文よ──読むわね──『ホークラックス、魔法の中で最も邪悪なる発明なり。我らはそを語りもせず、説きもせぬ』……それなら、どうしてわざわざ書くの？」

ハーマイオニーはもどかしそうに言いながら、古色蒼然とした本を乱暴に閉じた。本が幽霊の出てきそうな泣き声を上げた。

「おだまり」

ハーマイオニーはピシャリと言って、本を元の鞄に詰め込んだ。

二月になり、学校の周りの雪が溶けだして、冷たく陰気でじめじめした季節になった。どんよりとした灰紫の雲が城の上に低く垂れ込め、間断なく降る冷たい雨で、芝生はすべりやすく泥んこだった。その結果、六年生の「姿あらわし」第一回練習は、校庭でなく大広間で行われることになった。通常の授業とかち合わないように、練習時間は土曜日の朝に予定された。

ハリーとハーマイオニーが大広間に来てみると（ロンはラベンダーと一緒に来ていた）、長テーブルがなくなっていた。高窓に雨が激しく打ちつけ、魔法のかかった天井は暗い渦を巻いていた。生徒たちは、各寮の寮監であるマクゴナガル、スネイプ、フリットウィック、スプラウトの諸先生方と、魔法省から派遣された「姿あらわし」の指導官と思われる、小柄な魔法使いの前に集まった。指導官は、奇妙に色味のないまつげに霞《かすみ》のような髪で、一陣の風にも吹き飛ばされてしまいそうな実在感のない雰囲気だった。しょっちゅう消えたり現れたりしていたから、何かしらん実体がなくなってしまったのだろうか、こういうはかなげな体型が、姿を消したい人には理想的なのだろうか、とハリーは考えた。

「みなさん、おはよう」

生徒が全員集まり、寮監が静粛にと呼びかけたあと、魔法省の指導官が挨拶した。

「私はウィルキー・トワイクロスです。これから十二週間、魔法省『姿あらわし』指導官を務めます。その期間中、みなさんが『姿あらわし』の試験に受かるように訓練するつもりです――」

「マルフォイ、静かにお聞きなさい！」マクゴナガル先生が叱りつけた。

みんながマルフォイを振り返った。マルフォイは鈍いピンク色にほおを染め、怒り狂った顔で、それまでヒソヒソ声で口論していたらしいクラッブから離れた。ハリーは急いでスネイプを盗み見た。スネイプもいらだっていたが、ハリーの見るところ、マルフォイの行儀の悪さのせいというより、ほかの寮の寮監であるマクゴナガルに叱責されたせいではないかと思った。

「――それまでには、みなさんの多くが、試験を受けることができる年齢になっているでしょう」

トワイクロスは何事もなかったかのように話し続けた。

「知ってのとおり、ホグワーツ内では通常、『姿あらわし』も『姿くらまし』もできません。校長先生が、みなさんの練習のために、この大広間にかぎって、一時間だけ呪縛を解きました。念を押しますが、この大広間の外では『姿あらわし』はできませんし、試したりするのも賢明とは言えません」

「それではみなさん、前の人との間を一・五メートル空けて、位置についてください」

互いに離れたりぶつかったり、自分の空間から出ろと要求したりで、かなり押し合いへし合いがあった。寮監が生徒の間を回って、位置につかせたり、言い争いをやめさせたりした。

「ハリー、どこにいくの？」ハーマイオニーが見とがめた。

ハリーは、それには答えず、混雑の中をすばやく縫って歩いていった。全員が一番前に出たがっているレイブンクロー生を位置に着かせようと、キーキー声を出しているフリットウィック先生のそばを通り過ぎ、ハッフルパフ生を追い立てて並ばせているスプラウト先生を通り越し、アーニー・マクミランをさけて、最後に群れの一番後ろ、マルフォイの真後ろに首尾よく場所を占めた。マルフォイは部屋中の騒ぎに乗じて、反抗的な顔をして一・五メートル離れた所に立っているクラッブと、口論を続けていた。

「いいか？　あとどのくらいかかるかわからないんだ」

すぐ後ろにハリーがいることには気づかず、マルフォイが投げつけるように言った。

「考えていたより長くかかっている」

クラッブが口を開きかけたが、マルフォイはクラッブの言おうとしていることを読んだようだった。

「いいか、僕が何をしていようと、クラッブ、おまえには関係ない。おまえもゴイルも、言われたとおりにして、見張りだけやっていろ！」

「友達に見張りを頼むときは、僕なら自分の目的を話すけどな」

ハリーは、マルフォイだけに聞こえる程度の声で言った。マルフォイは、サッと杖に手をかけながら、くるりと後ろ向きになったが、ちょうどその時、寮監の四人が「静かに！」と大声を出し、部屋中が再び静かになった。マルフォイはゆっくりと正面に向きなおった。

「どうも」トワイクロスが言った。「さて、それでは……」

指導官が杖を振ると、たちまち生徒全員の前に、古くさい木の輪っかが現れた。

「『姿あらわし』で覚えておかなければならない大切なこと、は三つの『D』です！」

トワイクロスが言った。

「どこへ、どうしても、どういう意図で！」

「第一のステップ。**どこへ行きたいか**、しっかり思い定めること」

トワイクロスが言った。

「今回は、輪っかの中です。では『**どこへ**』に集中してください」

みんなが周りをちらちら盗み見て、ほかの人も輪っかの中を見つめているかどうかをチェックし、それから急いで言われたとおりにした。ハリーは、輪っかが丸く取り囲んでいるほこりっぽい床を見つめて、ほかのことは何も考えまいとしたが、無理だった。マルフォイがいったいなんのために見張りを立てる必要があるのかを考えてしまうからだ。

「第二のステップ」トワイクロスが言った。

「『**どうしても**』という気持ちを、目的の空間に集中させる！　どうしてもそこに行きたいという決意が、体のすみずみにまであふれるようにする！」

ハリーはこっそりあたりを見回した。ちょっと離れた左のほうで、アーニー・マクミランが自分の輪っかに意識を集中しようとするあまり、顔が紅潮していた。クアッフル大の卵を産み落とそうと力んでいるかのようだった。ハリーは笑いをかみ殺し、あわてて自分の輪っかに視線を戻した。

「第三のステップ」トワイクロスが声を張り上げた。

「そして、私が号令をかけたそのときに……その場で回転する。無の中に入り込む感覚で、『**どういう意図で**』行くかを慎重に考えながら動く！　一、二、三の号令に合わせて、では……一──」

ハリーはあたりを見回した。そんなに急に「姿あらわし」をしろと言われてもと、驚愕《きょうがく》した顔が多かった。

「──二──」

ハリーはもう一度輪っかに意識を集中しようとした。三つの「D」がなんだったか、とっくに忘れていた。

「──三！」

ハリーはその場で回転したが、バランスを失って転びそうになった。ハリーだけではなかった。大広間はたちまち集団よろけ状態になっていた。ネビルは完全に仰向けにひっくり返っていた。一方アーニー・マクミランは、つま先で回転し、踊るように輪の中に飛び込んで、一瞬ぞくぞくしているようだったが、すぐに、自分を見て大笑いしているディーン・トーマスに気づいた。

「かまわん、かまわん」

トワイクロスはそれ以上のことを期待していなかったようだった。

「輪っかを直して、元の位置に戻って……」

二回目も一回目よりましとは言えず、三回目も相変わらずだめだった。四回目になってやっとひと騒動起こった。恐ろしい苦痛の悲鳴が上がり、みんながぞっとして声のほうを見ると、ハッフルパフのスーザン・ボーンズが、一・五メートル離れた出発地点に左足を残したまま、輪の中でぐらぐら揺れていた。

寮監たちがスーザンを包囲し、バンバンいう音と紫の煙が上がり、それが消えたあとには、左足と再び合体したスーザンが、おびえきった顔で泣きじゃくっていた。

「『ばらけ』とは、体のあちこちが分離することで」

ウィルキー・トワイクロスが平気な顔で言った。

「心が充分に『**どうしても**』と決意していないときに起こります。継続的に『**どこへ**』に集中しなければなりません。そして、あわてず、しかし『**どういう意図で**』を忘れずに慎重に動くこと……そうすれば」

トワイクロスは前に進み出て両腕を伸ばし、その場で優雅に回転してローブの渦の中に消えたかと思うと、大広間の後ろに再び姿を現した。

「三つの『D』を忘れないように」トワイクロスが言った。

「ではもう一度……一――二――三――」

しかし、一時間たっても、スーザンの「ばらけ」以上におもしろい事件はなかった。トワイクロスは別に落胆した様子もない。首のところでマントのひもを結びながら、ただこう言った。

「では、みなさん、次の土曜日に。忘れないでくださいよ、『**どこへ、どうしても、どういう意図で**』」

そう言うなりトワイクロスが杖をひと振りすると、輪っかが全部消えた。トワイクロスはマクゴナガル先生に付き添われて大広間を出ていった。生徒たちは玄関ホールへと移動し、たちまちおしゃべりが始まった。

「どうだった？」

ロンが急いでハリーのほうへやってきて聞いた。

「最後にやったとき、なんだか感じたみたいな気がするな――両足がジンジンするみたいな」

「スニーカーが小さすぎるんじゃないの、ウォン－ウォン」

背後で声がして、ハーマイオニーが冷ややかな笑いを浮かべながら、つんけんと二人を追い越していった。

「僕はなんにも感じなかった」ハリーはちゃちゃが入らなかったかのように言った。

「だけど、いまはそんなことどうでもいい――」

「どういうことだ？　どうでもいいって……『姿あらわし』を覚えたくないのか？」

ロンが信じられないという顔をした。

「ほんとにどうでもいいんだ。僕は飛ぶほうが好きだ」

ハリーは振り返ってマルフォイがどこにいるかを確かめ、玄関ホールに出てから足を速めた。

「頼む、急いでくれ。僕、やりたいことがあるんだ……」

なんだかわからないまま、ロンはハリーのあとから、グリフィンドール塔に向かって走った。途中、ピーブズの足止めを食った。ピーブズが五階のドアをふさいで、自分のズボンに火をつけないと開けてやらないと、通せん坊していたのだ。しかし二人は、後戻りして、確実な近道の一つを使った。五分もしないうちに、二人は肖像画の穴をくぐっていた。

「さあ、何するつもりか、教えてくれるか？」

ロンが少し息を切らしながら聞いた。

「上で」

ハリーは談話室を横切り、先に立って男子寮へのドアを通りながら言った。

ハリーの予想どおり、寝室には誰もいなかった。ハリーはトランクを開けて、引っかき回した。ロンはいらいらしながらそれを見ていた。

「ハリー……」

「マルフォイがクラッブとゴイルを見張りに使ってる。クラッブとさっき口論していた。僕は知りたいんだ……あった」

見つけたのは、四角にたたんだ羊皮紙で、見かけは白紙だ。ハリーはそれを広げて、杖の先でコツコツたたいた。

「**我、ここに誓う。我、よからぬことをたくらむ者なり**……少なくともマルフォイはたくらんでる」

羊皮紙に「忍びの地図」がたちどころに現れた。城の各階の詳細な図面が描かれ、城の住人の名前がついた小さな黒い点が、図面の周りを動き回っていた。

「マルフォイを探すのを手伝って」ハリーが急《せ》き込んで言った。

ベッドに地図を広げ、ハリーはロンと二人でのぞき込んで探した。

「**そこだ！**」

一、二分でロンが見つけた。

「スリザリンの談話室にいる。ほら……パーキンソン、ザビニ、クラッブ、ゴイルと一緒だ……」

ハリーはがっかりして地図を見下ろしたが、すぐに立ち直った。

「よし、これからはマルフォイから目を離さないぞ」

ハリーは決然として言った。

「あいつがクラッブとゴイルを見張りに立てて、どこかをうろついているのを見かけたら、いつもの『透明マント』をかぶって、あいつが何しているかを突き止めに――」

ネビルが入ってきたので、ハリーは口をつぐんだ。ネビルは焼け焦げのにおいをプンプンさせながら、トランクを引っかき回して着替えのズボンを探しはじめた。

マルフォイのしっぽを押さえようと決意したにもかかわらず、なんのチャンスもつかめないまま一、二週間が過ぎた。できるだけひんぱんに地図を見ていたし、時には授業の合間に行きたくもないトイレに行ってまで調べたが、マルフォイが怪しげな場所にいるのを一度も見かけなかった。もっとも、クラッブやゴイルが、いつもよりひんぱんに二人きりで城の中を歩き回ったり、時には人気のない廊下にじっとしていたりするのを見つけたものの、そういうときに、マルフォイは二人の近くにいないばかりか、地図のどこにいるのやら、まったく見つからなかった。これは不思議千万だった。

マルフォイが実は学校の外に出ているという可能性をちらりと考えてもみたが、厳戒体制の敷かれた城で、そんなことができるとは考えられなかった。地図上の何百という小さな黒い点に紛れて、マルフォイを見失ったのだろうと考えるしかなかった。これまではいつもくっついていたマルフォイ、クラッブ、ゴイルが、バラバラな行動を取っている様子なのは、それぞれが成長したからだろう――ロンとハーマイオニーがそのいい例だと思うと、ハリーは悲しい気持ちになった。

二月が三月に近づいたが、天気は相変わらずだった。しかも、雨だけでなく風までも強くなった。談話室の掲示板に、次のホグズミード行きは取り消しという掲示が出たときには、全員が憤慨した。ロンはカンカンだった。

「僕の誕生日だぞ！」ロンが言った。「楽しみにしてたのに！」

「だけど、そんなに驚くようなことでもないだろう？」ハリーが言った。「ケイティのことがあったあとだし」

ケイティはまだ聖マンゴ病院から戻っていなかった。その上、「日刊予言者」には行方不明者の記事がさらに増え、その中にはホグワーツの生徒の親戚も何人かいた。

「だけど、ほかに期待できるものっていえば、バカバカしい『姿あらわし』しかないんだぜ！」

ロンがぶつくさ言った。

「すごい誕生日祝いだよ……」

三回目の練習が終わっても、「姿あらわし」は相変わらず難しく、何人かが「ばらけ」おおせただけだった。焦燥感が高まると、ウィルキー・トワイクロスとその口ぐせの「３Ｄ」に対する多少の反感が出てきて、トワイクロスには、「３Ｄ」に刺激されたあだ名がたくさんついた。ドンクサ、ドアホなどはまだましなほうだった。

三月一日の朝、ハリーもロンも、シェーマスとディーンがドタバタと朝食に下りていく音で起こされた。

「誕生日おめでとう、ロン」ハリーが言った。「プレゼントだ」

ハリーがロンのベッドに放り投げた包みは、すでに小高く積み上げられていたプレゼントの山に加わった。夜のうちに屋敷しもべ妖精が届けたのだろうと、ハリーは思った。

「あんがと」

ロンが眠そうに言った。ロンが包み紙を破り取っている間に、ハリーはベッドから起き出し、トランクを開けて、隠しておいた「忍びの地図」を探った。毎回使ったあとは、そこに隠しておいたのだ。トランクの中身を半分ほどひっくり返し、丸めたソックスの下に隠れていた地図をやっと見つけた。ソックスの中には、幸運をもたらす魔法薬「フェリックス・フェリシス」の瓶がいまもしまってある。

「よし」

ハリーはひとり言を言いながら地図をベッドに持ち帰り、ちょうどその時、ハリーのベッドの足側を通り過ぎていたネビルに聞こえないように、杖でそっとたたきながら呪文をつぶやいた。

「我、ここに誓う。我、よからぬことをたくらむ者なり」

「ハリー、いいぞ！」

ロンは、ハリーが贈った真新しいクィディッチ・キーパーのグローブを振りながら、興奮していた。

「そりゃよかった」

ハリーは、マルフォイを探してスリザリン寮を克明に見ていたので、上の空の返事をした。

「おい……やつはベッドにいないみたいだぞ……」

ロンはプレゼントの包みを開けるのに夢中で、答えなかった。ときどきうれしそうな声を上げていた。

「今年はまったく大収穫だ！」

ロンは、重そうな金時計を掲げながら大声で言った。時計は縁に奇妙な記号がついていて、針のかわりに小さな星が動いていた。

「ほら、パパとママからの贈り物を見たか？　おっどろきー、来年もう一回成人になろうかな……」

「すごいな」

ハリーはいっそう丹念に地図を調べながら、ロンの時計をちらりと見て気のないあいづちを打った。マルフォイはどこなんだ？　大広間のスリザリンのテーブルで朝食を食べている様子もない……研究室に座っているスネイプの近くにも見当たらない……どのトイレにも、医務室にもいない……。

「一つ食うか？」

「大鍋チョコレート」の箱を差し出しながら、ロンがもぐもぐ言った。

「いいや」ハリーは目を上げた。「マルフォイがまた消えた！」

「そんなはずない」

ロンはベッドをすべり下りて服を着ながら、二つ目の大鍋チョコを口に押し込んでいた。

「さあ、急がないと、すきっ腹で『姿あらわし』するはめになるぞ……もっとも、そのほうが簡単かも……」

ロンは、大鍋チョコレートの箱を思案顔で見たが、肩をすくめて三個目を食べた。

ハリーは、杖で地図をたたき、まだ完了していなかったのに「**いたずら完了**」と唱えた。それから服を着ながら、必死で考えた。マルフォイがときどき姿を消すことには、必ず何か説明がつくはずだ。しかし、ハリーにはさっぱり思いつかない。一番いいのはマルフォイのあとをつけることだが、透明マントがあるにせよ、これは現実的な案ではない。授業はあるし、クィディッチの練習やら宿題やら「姿あらわし」の練習まである。一日中学校内でマルフォイをつけ回していたら、どうしたってハリーの欠席が問題視されてしまう。

「行こうか？」

ハリーがロンに声をかけた。

寮のドアまで半分ほど歩いたところで、ハリーは、ロンがまだ動いていないのに気づいた。ベッドの柱に寄りかかり、奇妙にぼけっとした表情で、雨の打ちつける窓を眺めていた。

「ロン？　朝食だ」

「腹へってない」

ハリーは目を丸くした。

「たったいま、君、言ったじゃ――？」

「ああ、わかった。一緒に行くよ」ロンはため息をついた。「だけど、食べたくない」

ハリーは何事かと、ロンをよくよく観察した。

「たったいま、大鍋チョコレートの箱を半分も食べちゃったもんな？」

「そのせいじゃない」ロンはまたため息をついた。

「君には……君には理解できっこない」

「わかったよ」

さっぱりわからなかったが、ハリーは、ロンに背を向けて寮のドアを開けた。

「ハリー！」出し抜けにロンが呼んだ。

「なんだい？」

「ハリー、僕、がまんできない！」

「何を？」

ハリーは今度こそ何かおかしいと思った。ロンは、かなり青い顔をして、いまにも吐きそうだった。

「どうしてもあの女《ひと》のことを考えてしまうんだ！」ロンが、かすれ声で言った。

ハリーはあぜんとしてロンを見つめた。こんなことになろうとは思わなかったし、そんな言葉は聞きたくなかったような気がする。ロンとは確かに友達だが、ロンがラベンダーを「ラブ――ラブ」と呼びはじめるようなら、ハリーとしても断固とした態度を取らねばならない。

「それがどうして、朝食を食べないことにつながるんだ？」

事のなりゆきに、なんとか常識の感覚を持ち込まねばと、ハリーが聞いた。

「あの女は、僕の存在に気づいていないと思う」

ロンは絶望的なしぐさをした。

「あの女は、君の存在にははっきり気づいているよ」

ハリーはとまどった。

「しょっちゅう君にイチャついてるじゃないか？」

ロンは目をパチクリさせた。

「誰のこと言ってるんだ？」

「**君こそ**誰の話だ？」ハリーが聞き返した。

この会話はまったくつじつまが合っていないという気持ちが、だんだん強くなっていた。

ロンはやさしく言った。そのとたん、ロンの顔が、混じりけのない太陽光線を受けたように、パッと輝いたように見えた。

「ロミルダ・ベイン」

二人はまるまる一分間見つめ合った。そしてハリーが口を開いた。

「冗談だろう？　冗談言うな」

「僕……ハリー、僕、あの女を愛していると思う」ロンが首をしめられたような声を出した。

「オッケー」

ハリーは、ロンのぼんやりした目と青白い顔をよく見ようと、ロンに近づいた。

「オッケー……もう一度真顔で言ってみろよ」

「愛してる」ロンは息をはずませながら言った。

「あの女の髪を見たか？　真っ黒でつやつやして、絹のようになめらかで……それにあの目はどうだ？　ぱっちりした黒い目は？　そしてあの女の――」

「いいかげんにしろ」ハリーはいらいらした。

「冗談はもうおしまいだ。いいか？　もうやめろ」

ハリーは背を向けて立ち去りかけたが、ドアに向かって三歩と行かないうちに、右耳にガツンと一発食らった。ハリーがよろけながら振り返ると、ロンが拳をかまえていた。顔が怒りでゆがみ、またしてもパンチを食らわそうとしていた。

ハリーは本能的に動いた。ポケットから杖を取り出し、何も意識せずに、思いついた呪文を唱えた。

「**レビコーパス！**」

ロンは悲鳴を上げ、またしてもくるぶしからひねり上げられて逆さまにぶら下がり、ローブがだらりと垂れた。

「**なんの恨みがあるんだ？**」ハリーがどなった。

「君はあの女を侮辱した！　ハリー！　冗談だなんて言った！」

ロンが叫んだ。血が一度に頭に下がって、顔色が徐々に紫色になっていた。

「まともじゃない！」ハリーが言った。「いったい何に取り憑《つ》かれた――？」

その時ふと、ロンのベッドで開けっぱなしになっている箱が目についた。事の真相が、暴走するトロール並みの勢いでひらめいた。

「その大鍋チョコレートを、どこで手に入れた？」

「僕の誕生日プレゼントだ！」

ロンは体を自由にしようともがいて、空中で大きく回転しながら叫んだ。

「君にも一つやるって言ったじゃないか？」

「さっき床から拾った。そうだろう？」

「僕のベッドから落ちたんだ。わかったら下ろせ！」

「君のベッドから落ちたんじゃない。このまぬけ、まだわからないのか？　それは僕のだ。地図を探してたとき、僕がトランクから放り出したんだ。クリスマスの前にロミルダが僕にくれた大鍋チョコレート。全部ほれ薬が仕込んであったんだ！」

しかし、これだけ言っても、ロンには一言しか頭に残らなかったようだ。

「ロミルダ？」ロンがくり返した。

「ロミルダって言ったか？　ハリー——あの女を知っているのか？　紹介してくれないか？」

ハリーは、今度は期待ではち切れそうになった宙吊《づ》りのロンの顔をまじまじと見て、笑いだしたいのをぐっとこらえた。頭の一部では——特にずきずきする右耳のあたりが——ロンを下ろしてやり、ロンが突進していくのを薬の効き目が切れるまで見物してみたいと思った……しかし、なんと言っても、二人は友達じゃないか。攻撃したときのロンは、自分が何をしているのかわからなかったのだ。ロンがロミルダ・ベインに永遠の愛を告白するようなまねをさせたりしたら、自分はもう一度パンチを食らうに値すると、ハリーは思った。

「ああ、紹介してやるよ」

ハリーは忙しく考えをめぐらせながら言った。

「それじゃ、いま、下ろしてやるからな。いいか？」

ハリーは、ロンが床にわざと激突するように下ろした（何しろハリーの耳は、相当痛んでいた）。しかし、ロンはなんでもなさそうに、ニコニコしてはずむように立ち上がった。

「ロミルダは、スラグホーンの部屋にいるはずだ」

ハリーは先に立ってドアに向かいながら、自信たっぷりに言った。

「どうしてそこにいるんだい？」ロンは急いで追いつきながら、心配そうに聞いた。

「ああ、魔法薬の特別授業を受けている」ハリーはいいかげんにでっち上げて答えた。

「一緒に受けられないかどうか、頼んでみようかな？」ロンが意気込んで言った。

「いい考えだ」ハリーが言った。

肖像画の穴の横で、ラベンダーが待っていた。ハリーの予想しなかった、複雑な展開だ。

「遅いわ、ウォン－ウォン！」ラベンダーが唇をとがらせた。

「お誕生日にあげようと思って――」

「ほっといてくれ」ロンがいらいらと言った。

「ハリーが僕を、ロミルダ・ベインに紹介してくれるんだ」

それ以上一言も言わず、ロンは肖像画の穴に突進して出ていった。ハリーは、ラベンダーにすまなそうな顔を見せたつもりだったが、「太った婦人《レディ》」が二人の背後でピシャリと閉じる直前、ラベンダーがますますむくれ顔になっていたことから考えると、ただ単にゆかいそうな表情になっていたのかもしれない。

スラグホーンが朝食に出ているのではないかと、ハリーはちょっと心配だったが、ドアを一回たたいただけで、緑のビロードの部屋着に、おそろいのナイトキャップをかぶったスラグホーンが、かなり眠そうな目をして現れた。

「ハリー」スラグホーンがブツブツ言った。

「訪問には早すぎるね……土曜日はだいたい遅くまで寝ているんだが……」

「先生、お邪魔してほんとうにすみません」

ハリーはなるべく小さな声で言った。ロンはつま先立ちになって、スラグホーンの頭越しに部屋をのぞこうとしていた。

「でも、友達のロンが、まちがってほれ薬を飲んでしまったんです。先生、解毒剤を調合してくださいますよね？　マダム・ポンフリーの所に連れていこうと思ったんですが、『ウィーズリー・ウィザード・ウィーズ』からは何も買ってはいけないことになっているから、あの……都合の悪い質問なんかされると……」

「君なら、ハリー、君ほどの魔法薬作りの名手なら、治療薬を調合できたのじゃないかね？」

「えーと」

ロンが無理やり部屋に入ろうとして、今度はハリーの脇腹をこづいているので、ハリーは気が散った。

「あの、先生、僕はほれ薬の解毒剤を作ったことがありませんし、ちゃんと出来上がるまでに、ロンが何か大変なことをしでかしたりすると――」

うまい具合に、ちょうどその時、ロンがうめいた。

「あの女がいないよ、ハリー――この人が隠してるのか？」

「その薬は使用期限内のものだったかね？」

スラグホーンは、今度は専門家の目でロンを見ていた。

「いやなに、長く置けば置くほど強力になる可能性があるのでね」

「それでよくわかりました」

スラグホーンをたたきのめしかねないロンと、いまや本気で格闘しながら、ハリーがあえぎあえぎ言った。

「先生、今日はこいつの誕生日なんです」ハリーが懇願した。

「ああ、よろしい。それでは入りなさい。さあ」スラグホーンがやわらいだ。

「わたしの鞄に必要なものがある。難しい解毒剤ではない……」

ロンは猛烈な勢いで、暖房の効きすぎた、ごてごてしたスラグホーンの部屋に飛び込んだが、房飾りつきの足置き台につまずいて転びかけ、ハリーの首根っこにつかまってやっと立ち直った。

「あの女は見てなかっただろうな？」とロンがつぶやいた。

「あの女は、まだ来ていないよ」

スラグホーンが魔法薬キットを開けて、小さなクリスタルの瓶に、あれこれ少しずつつまんでは加えるのを見ながら、ハリーが言った。

「よかった」ロンが熱っぽく言った。「僕、どう見える？」

「とても男前だ」

スラグホーンが、透明な液体の入ったグラスをロンに渡しながら、よどみなく言った。

「さあ、これを全部飲みなさい。神経強壮剤だ。彼女が来たとき、それ、君が落ち着いていられるようにね」

「すごい」ロンは張り切って、解毒剤をずるずると派手な音を立てながら飲み干した。

ハリーもスラグホーンもロンを見つめた。しばらくの間、ロンは二人にニッコリ笑いかけていたが、やがてニッコリはゆっくりと引っ込み、消え去って、極端な恐怖の表情と入れ替わった。

「どうやら、元に戻った？」

ハリーはニヤッと笑った。スラグホーンはクスクス笑っていた。

「先生、ありがとうございました」

「いやなに、かまわん、かまわん」

打ちのめされたような顔で、そばのひじかけ椅子に倒れ込むロンを見ながら、スラグホーンが言った。

「気つけ薬が必要らしいな」

スラグホーンが、今度は飲み物でびっしりのテーブルに急ぎながら言った。

「バタービールがあるし、ワインもある。オーク樽《だる》熟成の蜂蜜酒は最後の一本だ……ウーム……ダンブルドアにクリスマスに贈るつもりだったが……まあ、それは……」

スラグホーンは肩をすくめた。

「……もらっていなければ、別に残念とは思わないだろう！　いま開けて、ミスター・ウィーズリーの誕生祝いといくかね？　失恋の痛手を追い払うには、上等の酒に勝るものなし……」

スラグホーンはまたうれしそうに笑い、ハリーも一緒に笑った。真実の記憶を引き出そうとして大失敗したあの時以来、スラグホーンとほとんど二人だけになったのは、初めてだった。スラグホーンの上機嫌を続けさせることができれば、もしかして……オーク樽熟成の蜂蜜酒をたっぷり飲み交わしたあとで、もしかしたら……。

「そうら」

スラグホーンがハリーとロンにそれぞれグラスを渡し、それから自分のグラスを挙げて言った。

「さあ、誕生日おめでとう、ラルフ――」

「――ロンです――」ハリーがささやいた。

しかしロンは、乾杯の音頭が耳に入らなかったらしく、とっくに蜂蜜酒を口に放り込み、ゴクリと飲んでしまった。

ほんの一瞬だった。心臓がひと鼓動する間もなかった。ハリーは何かとんでもないことが起きたのに気づいた。スラグホーンは、どうやら気づいていない。

「――いついつまでも健やかで――」

「**ロン！**」

ロンは、グラスをポトリと落とした。椅子から立ち上がりかけたとたん、グシャリと崩れ、手足が激しくけいれんしはじめた。口から泡を吹き、両眼が飛び出している。

「先生！」ハリーが大声を上げた。

「なんとかしてください！」

しかし、スラグホーンは、衝撃であぜんとするばかりだった。ロンはピクピクけいれんし、息を詰まらせた。皮膚が紫色になってきた。

「いったい――しかし――」スラグホーンはしどろもどろだった。

ハリーは低いテーブルを飛び越して、開けっぱなしになっていたスラグホーンの魔法薬キットに飛びつき、瓶や袋を引っ張り出した。その間も、ゼイゼイというロンの恐ろしい断末魔の息づかいが聞こえていた。やっと見つけた――魔法薬の授業でスラグホーンがハリーから受け取った、しなびた肝臓のような石だ。

ハリーはロンのそばに飛んで戻り、あごをこじ開け、ベゾアール石を口に押し込んだ。ロンは大きく身震いしてゼーッと息を吐き、ぐったりと静かになった。

第19章　しもべ妖精の尾行

「それじゃ結局、ロンにとってはいい誕生日じゃなかったわけか？」フレッドが言った。

もう日が暮れていた。窓にはカーテンが引かれ、静かな医務室にランプが灯っている。病床に横たわっているのはロン一人だけだった。ハリー、ハーマイオニー、ジニーは、ロンの周りに座っていた。三人とも両開きの扉の外で一日中待ち続け、誰かが出入りするたびに中をのぞこうとしたが、八時になってやっとマダム・ポンフリーが中に入れてくれた。フレッドとジョージは、それから十分ほどしてやってきた。

「俺たちの想像したプレゼント贈呈の様子はこうじゃなかったな」

ジョージが、贈り物の大きな包みをロンのベッド脇の整理棚の上に置き、ジニーの隣に座りながら真顔で言った。

「そうだな。俺たちの想像した場面では、こいつは意識があった」フレッドが言った。

「俺たちはホグズミードで、こいつをびっくりさせてやろうと待ちかまえてた――」ジョージが言った。

「ホグズミードにいたの？」

ジニーが顔を上げた。

「ゾンコの店を買収しようと考えてたんだ」

フレッドが暗い顔をした。

「ホグズミード支店というわけだ。しかし、君たちが週末に、うちの商品を買いにくるための外出を許されないとなりゃ、俺たちゃいい面の皮だ……まあ、いまはそんなこと気にするな」

フレッドはハリーの横の椅子を引いて、ロンの青い顔を見た。

「ハリー、いったい何が起こったんだ？」

ハリーは、ダンブルドアや、マクゴナガル、マダム・ポンフリーやハーマイオニー、ジニーに、もう百回も話したのではないかと思う話をくり返した。

「……それで、僕がベゾアール石をロンののどに押し込んだら、ロンの息が少し楽になって、スラグホーンが助けを求めに走ったんだ。マクゴナガルとマダム・ポンフリーが駆けつけて、ロンをここに連れてきた。二人ともロンは大丈夫だろうって言ってた。マダム・ポンフリーは一週間ぐらいここに入院しなきゃいけないって……悲嘆草のエキスを飲み続けて……」

「まったく、君がベゾアール石を思いついてくれたのは、ラッキーだったなぁ」

ジョージが低い声で言った。

「その場にベゾアール石があってラッキーだったよ」

ハリーは、あの小さな石がなかったらいったいどうなっていたかと考えるたびに、背筋が寒くなった。

ハーマイオニーが、ほとんど聞こえないほどかすかに鼻をすすった。ハーマイオニーは一日中、いつになくだまり込んでいた。医務室の外に立っていたハリーの所へ、ハーマイオニーは真っ青な顔で駆けつけた。何が起こったのかを聞き出したあとは、ハリーとジニーが、ロンはいったいなんで毒を盛られたのかと憑《つ》かれたように議論しているのにもほとんど加わらず、ただ二人のそばに突っ立って、やっと面会の許可が出るまで、歯を食いしばり顔を引きつらせていた。

「親父《おやじ》とおふくろは知ってるのか？」

フレッドがジニーに聞いた。

「もうお見舞いに来たわ。一時間前に着いたの――いま、ダンブルドアの校長室にいるけど、まもなく戻ってくる……」

みんなしばらくだまり込み、ロンがうわ言を言うのを見つめていた。

「それじゃ、毒はその飲み物に入ってたのか？」フレッドがそっと聞いた。

「そう」ハリーが即座に答えた。

そのことで頭がいっぱいだったので、その問題をまた検討する機会ができたことを喜んだ。

「スラグホーンが注いで――」

「君に気づかれずに、スラグホーンが、ロンのグラスにこっそり何か入れることはできたか？」

「たぶん」ハリーが言った。「だけど、スラグホーンがなんでロンに毒を盛りたがる？」

「さあね」フレッドが顔をしかめた。

「グラスをまちがえたってことは考えられないか？　君に渡すつもりで？」

「スラグホーンがどうしてハリーに毒を盛りたがるの？」ジニーが聞いた。

「さあ」フレッドが言った。

「だけど、ハリーに毒を盛りたいやつは、ごまんといるんじゃないか？　『選ばれし者』云々だろ？」

「じゃ、スラグホーンが死喰《しく》い人だってこと？」ジニーが言った。

「なんだってありうるよ」フレッドが沈んだ声で言った。

「『服従の呪文』にかかっていたかもしれないし」ジョージが言った。

「スラグホーンが無実だってこともありうるわ」ジニーが言った。

「毒は瓶の中に入っていたかもしれないし、それなら、スラグホーン自身をねらっていた可能性もある」

「スラグホーンを、誰が殺したがる？」

「ダンブルドアは、ヴォルデモートがスラグホーンを味方につけたがっていたと考えている」

ハリーが言った。

「スラグホーンは、ホグワーツに来る前、一年も隠れていた。それに……」

ハリーは、ダンブルドアがスラグホーンからまだ引き出せない記憶のことを考えた。

「それに、もしかしたらヴォルデモートは、スラグホーンを片づけたがっているのかもしれないし、スラグホーンがダンブルドアにとって価値があると考えているのかもしれない」

「だけど、スラグホーンは、その瓶をクリスマスにダンブルドアに贈ろうと計画してたって言ったわよね」

ジニーが、ハリーにそのことを思い出させた。

「だから、毒を盛ったやつが、ダンブルドアをねらっていたという可能性も同じぐらいあるわ」

「それなら、毒を盛ったのは、スラグホーンをよく知らない人だわ」

何時間もだまっていたハーマイオニーが、初めて口をきいたが、鼻風邪を引いたような声だった。

「知っている人だったら、そんなにおいしいものは、自分でとっておく可能性が高いことがわかるはずだもの」

「アーマイニー」

誰も予想していなかったのに、ロンがしわがれ声を出した。

みんなが心配そうにロンを見つめて息をひそめたが、ロンは、意味不明の言葉をしばらくブツブツ言ったきり、単純にいびきをかき始めた。

医務室のドアが急に開き、みんなが飛び上がった。ハグリッドが大股で近づいてくる。髪は雨粒だらけで、石弓を手に熊皮のオーバーをはためかせ、床にイルカぐらいある大きい泥だらけの足跡をつけながらやってきた。

「一日中禁じられた森にいた！」ハグリッドが息を切らしながら言った。「アラゴグの容態が悪くなって、俺はあいつに本を読んでやっとった——たったいま、夕食に来たとこなんだが、そしたらスプラウト先生からロンのことを聞いた！　様子はどうだ？」

「そんなに悪くないよ」ハリーが言った。「ロンは大丈夫だって言われた」

「お見舞いは一度に六人までです！」

マダム・ポンフリーが事務室から急いで出てきた。

「ハグリッドで六人だけど」ジョージが指摘した。

「あ……そう……」

マダム・ポンフリーは、ハグリッドの巨大さのせいで数人分と数えていたらしい。自分の勘ちがいをごまかすのに、マダム・ポンフリーは、せかせかと、ハグリッドの足跡の泥を杖《つえ》で掃除しにいった。

「信じられねえ」

ロンをじっと見下ろして、でっかいぼさぼさ頭を振りながら、ハグリッドがかすれた声で言った。

「まったく信じられねえ……ロンの寝顔を見てみろ……ロンを傷つけようなんてやつは、いるはずがねえだろうが？　あ？」

「いまそれを話していたところだ」ハリーが言った。「わからないんだよ」

「グリフィンドールのクィディッチ・チームに恨みを持つやつがいるんじゃねえのか？」

ハグリッドが心配そうに言った。

「最初はケイティ、今度はロンだ……」

「まさかクィディッチ・チームを、殺《や》っちまおうなんてやつはいないだろう」ジョージが言った。

「ウッドなら別だ。やれるもんならスリザリンのやつらを殺っちまったかもな」

フレッドが納得のいく意見を述べた。

「そうね、クィディッチだとは思わないけど、事件の間になんらかの関連性があると思うわ」

ハーマイオニーが静かに言った。

「どうしてそうなる？」フレッドが聞いた。

「そう、一つには、両方とも致命的な事件のはずだったのに、そうはならなかった。もっとも、単に幸運だったにすぎないけど。もう一つには、毒もネックレスも、殺す予定の人物までたどり着かなかった。もちろん……」

ハーマイオニーは、考え込みながら言葉を続けた。

「そのことで、事件の陰にいるのが、ある意味ではより危険人物だということになるわ。だって、目的の犠牲者にたどり着く前に、どんなにたくさんの人を殺すことになっても、犯人は気にしないみたいですもの」

この不吉な意見にまだ誰も反応しないうちに、再びドアが開いて、ウィーズリー夫妻が急ぎ足で医務室に入ってきた。さっき来たときには、ロンが完全に回復すると知って安心するとすぐにいなくなったのだが、今度はウィーズリーおばさんが、ハリーをつかまえてしっかり抱きしめた。

「ダンブルドアが話してくれたわ。あなたがベゾアール石でロンを救ったって」

おばさんはすすり泣いた。

「ああ、ハリー。なんてお礼を言ったらいいの？　あなたはジニーを救ってくれたし、アーサーも……今度はロンまでも……」

「そんなに……僕、別に……」ハリーはどぎまぎしてつぶやくように言った。

「考えてみると、家族の半分が君のおかげで命拾いした」おじさんが声を詰まらせた。「そうだ、ハリー、これだけは言える。ロンがホグワーツ特急で君と同じコンパートメントに座ろうと決めた日こそ、ウィーズリー一家にとって幸運な日だった」

ハリーはなんと答えていいやら思いつかなかった。マダム・ポンフリーが、ロンのベッドの周りには最大六人だけだと、再度注意しに戻ってきたときは、かえってホッとした。ハリーとハーマイオニーがすぐに立ち上がり、ハグリッドも二人と一緒に出ることに決め、ロンの家族だけをあとに残した。

「ひでえ話だ」

三人で大理石の階段に向かって廊下を歩きながら、ハグリッドがあごひげに顔をうずめるようにして唸《うな》った。

「安全対策を新しくしたっちゅうても、子供たちはひどい目にあってるし……ダンブルドアは心配で病気になりそうだ……あんまりおっしゃらねえが、俺にはわかる……」

「ハグリッド、ダンブルドアに何かお考えはないのかしら？」ハーマイオニーがすがる思いで聞いた。

「何百っちゅうお考えがあるにちげえねえ。あんなに頭のええ方だ」

ハグリッドが揺るがぬ信頼を込めて言った。

「そんでも、ネックレスを贈ったやつは誰で、あの蜂蜜酒に毒を入れたのは誰だっちゅうことがおわかりになんねえ。わかってたら、やつらはもう捕まっとるはずだろうが？　俺が心配しとるのはな」ハグリッドは、声を落としてちらりと後ろを振り返った（ハリーは、ピーブズがいないかどうか、念のため天井もチェックした）。「子供たちが襲われてるとなれば、ホグワーツがいつまで続けられるかっちゅうことだ。またしても『秘密の部屋』のくり返しだろうが？　パニック状態になる。親たちが学校から子供を連れ帰る。そうなりゃ、ほれ、次は学校の理事会だ……」

長い髪の女性のゴーストがのんびりと漂っていったので、ハグリッドはいったん言葉を切ってから、またかすれ声でささやきはじめた。

「……理事会じゃあ、学校を永久閉鎖する話をするに決まっちょる」

「まさか？」ハーマイオニーが心配そうに言った。

「あいつらの見方で物を見にゃあ」

ハグリッドが重苦しく言った。

「そりゃあ、ホグワーツに子供を預けるっちゅうのは、いつでもちいとは危険をともなう。そうだろうが？　何百人っちゅう未成年の魔法使いが一緒にいりゃあ、事故もあるっちゅうもんだ。だけんど、殺人未遂っちゅうのは、話がちがう。そんで、ダンブルドアが立腹なさるのも無理はねえ。あのスネ――」

ハグリッドは、はたと足を止めた。もじゃもじゃの黒ひげから上のほうしか見えない顔に、いつもの「しまった」という表情が浮かんだ。

「えっ？」ハリーがすばやく突っ込んだ。「ダンブルドアがスネイプに腹を立てたって？」

「俺はそんなこと言っとらん」

そう言ったものの、ハグリッドのあわてふためいた顔のほうがよっぽど雄弁だった。

「こんな時間か。もう真夜中だ。俺は――」

「ハグリッド、ダンブルドアはどうしてスネイプを怒ったの？」ハリーは大声を出した。

「シーッ！」

ハグリッドは緊張しているようでもあり、怒っているようでもあった。

「そういうことを大声で言うもんでねえ、ハリー。俺をクビにしてえのか？　そりゃあ、そんなことはどうでもええんだろうが。もう俺の『飼育学』の授業を取ってねえんだし――」

「僕のやましい気持ちに訴えようとしたってむだだ！」ハリーが語調を強めた。「スネイプは何をしたんだ？」

「知らねえんだ、ハリー。俺はなんにも聞くべきじゃあなかった！　俺は――まあ、いつだったか、夜に俺が森から出てきたら、二人で話しとるのが聞こえた――まあ、議論しちょった。俺のほうに気を引きたくはなかったんで、こそっと歩いて、なんも聞かんようにしたんだ。だけんど、あれは――まあ、議論が熱くなっとって、聞こえねえようにするのは難しかったんでな」

「それで？」ハリーがうながした。ハグリッドは巨大な足をもじもじさせていた。

「まあ――俺が聞こえっちまったのは、スネイプが言ってたことで、ダンブルドアはなんでもかんでも当然のように考えとるが、自分は――スネイプのことだがな――もうそういうこたぁやりたくねえと――」

「何をだって？」

「ハリー、俺は知らねえ。スネイプはちぃと働かされすぎちょると感じてるみてえだった。それだけだ――とにかく、ダンブルドアはスネイプにはっきり言いなすった。スネイプがやるって承知したんだから、それ以上なんも言うなってな。ずいぶんときつく言いなすった。それからダンブルドアは、スネイプが自分の寮のスリザリンを調査するっちゅうことについて、何か言いなすった。まあ、そいつはなんも変なこっちゃねえ！」

ハリーとハーマイオニーが意味ありげに目配せし合ったので、ハグリッドがあわててつけ加えた。

「寮監は全員、ネックレス事件を調査しろって言われちょるし――」

「ああ、だけど、ダンブルドアはほかの寮監と口論はしてないだろう？」ハリーが言った。

「ええか」

ハグリッドは、気まずそうに石弓を両手でねじった。ボキッと大きな音がして、石弓が二つに折れた。

「スネイプのことになるっちゅうと、ハリー、おまえさんがどうなるかわかっちょる。だから、いまのことを、変に勘ぐってほしくねえんだ」

「気をつけて」ハーマイオニーが早口で言った。

振り返ったとたん、背後の壁に映ったアーガス・フィルチの影が、だんだん大きくなってくるのが見えた。そして、背中を丸め、あごを震わせながら、本人が角を曲がって現れた。

「オホッ！」

フィルチがゼイゼイ声で言った。

「こんな時間にベッドを抜け出しとるな。つまり、罰則だ！」

「そうじゃねえぞ、フィルチ」ハグリッドが短く答えた。「二人とも俺と一緒だろうが？」

「それがどうしたんでござんすか？」

フィルチがしゃくにさわる言い方をした。

「俺が先生だってこった、このこそこそスクイブめ！」

ハグリッドがたちまち気炎を上げた。

フィルチが怒りでふくれ上がったとき、シャーッシャーッといやな音が聞こえた。いつの間にかミセス・ノリスが現れて、フィルチのやせこけた足首に身体を巻きつけるように、しなしなと歩いていた。

「早く行け」ハグリッドが奥歯の奥から言った。

言われるまでもなかった。ハリーもハーマイオニーも、急いでその場を離れた。ハグリッドとフィルチのどなり合いが、走る二人の背後で響いていた。グリフィンドール塔に近い曲がり角でピーブズとすれちがったが、ピーブズはうれしそうに高笑いし、叫びながら、どなり合いの聞こえてくるほうに急いでいた。

けんかはピーブズに任せよう
全部二倍にしてやろう！

うとうとしていた「太った婦人《レディ》」は、起こされて不機嫌だったが、ぐずぐず言いながらも開いて二人を通してくれた。ありがたいことに、談話室は静かで誰もいなかった。ロンのことはまだ誰も知らないらしい。一日中うんざりするほど質問されていたハリーはホッとした。ハーマイオニーがおやすみと挨拶して女子寮に戻ったが、ハリーはあとに残って暖炉脇に腰かけ、消えかけている残り火を見下ろしていた。

それじゃ、ダンブルドアはスネイプと口論したのか。僕にはああ言ったのに、スネイプを完全に信用していると主張したのに、ダンブルドアはスネイプに対して腹を立てたんだ……スネイプがスリザリン生を充分に調べなかったと考えたからだろうか……それとも、たった一人、マルフォイを充分調べなかったからなのか？

ダンブルドアが、ハリーの疑惑は取るに足らないというふりをしたのは、ハリーが自分でこの件を解決しようなどと、愚かなことをしてほしくないと考えたからなのだろうか？　それはありうることだ。もしかしたら、ダンブルドアの授業や、スラグホーンの記憶を聞き出すこと以外は、ほかにいっさい気を取られてほしくなかったのかもしれない。たぶんダンブルドアは、教員に対する自分の疑念を、十六歳の者に打ち明けるのは正しいことではないと考えたのだろう……。

「ここにいたのか、ポッター！」

ハリーは度肝を抜かれて飛び上がり、杖をかまえた。談話室には絶対に誰もいないと思い込んでいたので、離れた椅子から突然ぬうっと立ち上がった影には不意を食らわされた。よく見ると、コーマック・マクラーゲンだった。

「君が帰ってくるのを待っていた」

マクラーゲンは、ハリーの抜いた杖を無視して言った。

「眠り込んじまったらしい。いいか、ウィーズリーが医務室に運び込まれるのを見ていたんだ。来週の試合ができる状態ではないようだ」

しばらくしてやっと、ハリーは、マクラーゲンがなんの話をしているかがわかった。

「ああ……そう……クィディッチか」

ハリーはジーンズのベルトに杖を戻し、片手で物憂げに髪をかいた。

「うん……だめかもしれないな」

「そうか、それなら、僕がキーパーってことになるな？」マクラーゲンが言った。

「ああ」ハリーが言った。「うん、そうだろうな……」

ハリーは反論を思いつかなかった。なんと言っても、マクラーゲンが、選抜では二位だったのだ。

「よーし」マクラーゲンが満足げに言った。「それで、練習はいつだ？」

「え？　ああ……明日の夕方だ」

「よし。いいか、ポッター、その前に話がある。戦略について考えがある。君の役に立つと思うんだ」

「わかった」

ハリーは気のない返事をした。

「まあ、それなら、明日聞くよ。いまはかなりつかれてるんだ……またな……」

ロンが毒を盛られたというニュースは、次の日たちまち広まったが、ケイティの事件ほどの騒ぎにはならなかった。ロンはその時「魔法薬」の先生の部屋にいたのだから、単なる事故だったのだろうと考えられたこともあり、すぐに解毒剤を与えられたため大事にはいたらなかったというせいもある。事実、グリフィンドール生全体の関心は、むしろ差し迫ったクィディッチのハッフルパフ戦のほうに大きく傾いていた。ハッフルパフのチェイサー、ザカリアス・スミスが、シーズン開幕の対スリザリン戦であんな解説をしたからには、今回は充分にとっちめられるところを見たいと願ったからだ。

しかし、ハリーのほうは、いままでこんなにクィディッチから気持ちが離れたことはなかった。急速にドラコ・マルフォイに執着するようになっていた。相変わらず、機会さえあれば「忍びの地図」を調べていたし、マルフォイの立ち寄った場所にわざわざ行ってみることもあったが、マルフォイが普段とちがうことをしている様子はなかった。しかし、不可解にも地図から消えてしまうことがときどきあった……。

ハリーには、この問題を深く考えている時間がなかった。クィディッチの練習、宿題、それに今度は、あらゆる所でコーマック・マクラーゲンとラベンダー・ブラウンにつきまとわれていた。

二人のうちどっちがよりわずらわしいのか、優劣をつけがたいほどだった。マクラーゲンは、ロンよりも自分のほうがキーパーのレギュラーとしてふさわしいし、自分のプレーぶりを定期的に目にするようになったハリーも、きっとそう考えるようになるにちがいないと、ひっきりなしにほのめかし続けた。その上、マクラーゲンはチームのほかのメンバーを批評したがり、ハリーに練習方法を細かく提示した。ハリーは一度ならず、どっちがキャプテンかを言い聞かせなければならなかった。

一方ラベンダーは、しょっちゅうハリーににじり寄って、ロンのことを話した。ハリーは、マクラーゲンからクィディッチの説教を聞かされるよりもげんなりした。はじめのうちラベンダーは、ロンの入院を誰も自分に教えようとしなかったことでいらだっていた――「だって、ロンのガールフレンドは**私よ！**」――ところが、不運なことに、ラベンダーは、ハリーが教えるのを忘れていたのは許すことに決め、今度はロンの愛情について、ハリーにこまごまとしゃべりたがった。ハリーにとっては、喜んで願い下げにしたい、なんとも不快な経験だった。

「ねえ、そういうことはロンに話せばいいじゃないか」

ことさら長いラベンダーの質問攻めにへきえきしたあとで、ハリーが言った。ラベンダーの話は、自分の新しいローブについてロンがどう言ったか逐一聞かせるところから、ロンが自分との関係を「本気」だと考えているかとハリーに意見を求めるところまで、ありとあらゆるものをふくんでいた。

「ええ、まあね。だけど私がお見舞いにいくとロンはいつも寝てるんですもの！」ラベンダーはじりじりしながら言った。

「寝てる？」ハリーは驚いた。

ハリーが医務室に行ったときはいつでも、ロンはしっかり目を覚ましていて、ダンブルドアとスネイプの口論に強い興味を示したし、マクラーゲンをこき下ろすのに熱心だった。

「ハーマイオニー・グレンジャーは、いまでもロンをお見舞いしてるの？」ラベンダーが急に詰問した。

「ああ、そうだと思うよ。だって、二人は友達だろう？」ハリーは気まずい思いで答えた。

「友達が聞いてあきれるわ」ラベンダーがあざけるように言った。

「ロンが私とつき合いだしてからは、何週間も口をきかなかったくせに！　でも、その埋め合わせをしようとしているんだと思うわ。ロンがいまはすごく**おもしろい**から……」

「毒を盛られたことが、おもしろいって言うのかい？」ハリーが聞いた。

「とにかく――ごめん、僕、行かなきゃ――マクラーゲンがクィディッチの話をしに来る」

ハリーは急いでそう言うと、壁のふりをしているドアに横っ飛びに飛び込み、魔法薬の教室への近道を疾走した。ありがたいことに、ラベンダーもマクラーゲンも、そこまではついて来られなかった。

ハッフルパフとのクィディッチの試合の朝、ハリーは競技場に行く前に、医務室に立ち寄った。ロンは相当動揺していた。マダム・ポンフリーは、ロンが興奮しすぎるからと、試合を見にいかせてくれないのだ。

「それで、マクラーゲンの仕上がり具合はどうだ？」

ロンは心配そうに聞いた。同じことをもう二回も聞いたのを、まったく忘れている。

「もう言っただろう」ハリーが辛抱強く答えた。

「あいつがワールドカップ級だったとしても、僕はあいつを残すつもりはない。選手全員にどうしろこうしろと指図するし、どのポジションも自分のほうがうまいと思っているんだ。あいつをきれいさっぱり切るのが待ち遠しいよ。切るって言えば――」

ハリーは、ファイアボルトをつかんで立ち上がりながら言った。

「ラベンダーが見舞いに来るたびに、寝たふりをするのはやめてくれないか？　あいつは僕までいらいらさせるんだ」

「ああ」ロンはばつの悪そうな顔をした。「うん、いいよ」

「もう、あいつとつき合いたくないなら、そう言ってやれよ」ハリーが言った。

「うん……まあ……そう簡単にはいかないだろ？」ロンはふと口をつぐんだ。

「ハーマイオニーは試合前に顔を見せるかな？」ロンがなにげなさそうに聞いた。

「いいや、もうジニーと一緒に競技場に行った」

「ふーん」

ロンはなんだか落ち込んだようだった。

「そうか、うん、がんばれよ。こてんぱんにしてやれ、マクラー——じゃなかった、スミスなんか」

「がんばるよ」ハリーは箒《ほうき》を肩に担いだ。「試合のあとでな」

ハリーは人気《ひとけ》のない廊下を急いだ。全校生が外に出てしまい、競技場に向かっている途中か、もう座席に座っているかだった。ハリーは急ぎながら窓の外を見て、風の強さを計ろうとした。その時、行く手で音がしたので目を向けると、マルフォイがやってくるではないか。すねて仏頂面の女の子を二人連れている。

ハリーを見つけると、マルフォイは、はたと立ち止まったが、おもしろくもなさそうに短く笑うと、そのまま歩き続けた。

「どこに行くんだ?」ハリーが詰問した。

「ああ、教えて差し上げますとも、ポッター。どこへ行こうと大きなお世話、じゃないからねえ」マルフォイがせせら笑った。

「急いだほうがいいんじゃないか。『選ばれしキャプテン』をみんなが待っているからな——『得点した男の子』——みんながこのごろはなんて呼んでいるのか知らないがね」

女の子の一人が、取ってつけたようなクスクス笑いをした。ハリーがその子をじっと見ると、女の子は顔を赤らめた。マルフォイはハリーを押しのけるようにして通り過ぎた。笑った女の子とその友達も、そのあとをトコトコついて行き、三人とも角を曲がって見えなくなった。

ハリーはその場に根が生えたようにたたずみ、三人の姿を見送った。なんたることだ。試合までギリギリの時間しかないというそんな時に、マルフォイがからっぽの学校をこそこそ歩き回っている。マルフォイのたくらみを暴くには、またとない最高の機会なのに。刻々と沈黙の時が過ぎる間、ハリーはマルフォイの消えたあたりを見つめて、凍りついたように立ち尽くしていた……。

「どこに行ってたの？」

ハリーが更衣室に飛び込むと、ジニーが問い詰めた。選手はもう全員着替えをすませて待機していた。ピータ

ーのクートとピークスは、ピリピリしながら棍棒《こんぼう》で自分たちの脚をたたいていた。

「マルフォイに出会った」

ハリーは真紅のユニフォームを頭からかぶりながら、そっとジニーに言った。

「それで？」

「それで、みんながここにいるのに、やつがガールフレンドを二人連れて、城にいるのはなぜなのか、知りたかった……」

「いまのいま、それが大事なことなの？」

「さあね、それがわかれば苦労はないだろう？」

ハリーはファイアボルトを引っつかみ、めがねをしっかりかけなおした。

「さあ、行こう！」

あとは何も言わず、耳をろうする歓声と罵声に迎えられて、ハリーは堂々と競技場に進み出た。風はほとんどない。雲はとぎれとぎれで、ときどきまぶしい陽光が輝いた。

「難しい天気だぞ！」

マクラーゲンがチームに向かって鼓舞するように言った。

「クート、ピークス、太陽を背にして飛べ。敵に近づいていく姿を見られないようにな――」

「マクラーゲン、キャプテンは僕だ。選手に指示するのはやめろ」ハリーが憤慨した。

「ゴールポストの所に行ってろ！」

マクラーゲンが肩をそびやかして行ってしまったあとで、ハリーはクートとピークスに向きなおった。

「**必ず**太陽を背にして飛べよ」ハリーはしかたなしに二人にそう言った。

ハリーはハッフルパフのキャプテンと握手をすませ、マダム・フーチのホイッスルで地面を蹴り、空に舞い上がった。ほかの選手たちよりずっと高く、スニッチを探して競技場の周囲を猛スピードで飛んだ。早くスニッチをつかめば、城に戻って忍びの地図を持ち出し、マルフォイが何をしているかを見つけ出す可能性があるかもしれない……。

「そして、クアッフルを手にしているのは、ハッフルパフのスミスです」

地上から、夢見心地の声が流れてきた。

「スミスは、もちろん、前回の解説者でした。そして、ジニー・ウィーズリーがスミスに向かって飛んでいきましたね。たぶん意図的だと思うわ――そんなふうに見えたもン。スミスはグリフィンドールに、とっても失礼でした。対戦しているいまになって、それを後悔していることでしょう――あら、見て、スミスがクアッフルを落としました。ジニーが奪いました。あたし、ジニーが好きよ。とってもすてきだもン……」

ハリーは目を見開いて解説者の演壇を見た。まさか、まともな神経の持ち主なら、ルーナ・ラブグッドを解説者に立てたりはしないだろう？　しかし、こんな高い所からでも、紛れもなく、あのにごり色のブロンドの長い髪、バタービールのコルクのネックレス……ルーナの横で、この人選はまずかったと思っているかのように、当惑気味の顔をしているのは、マクゴナガル先生だ。

「……でも、今度は大きなハッフルパフ選手が、ジニーからクアッフルを取りました。なんていう名前だったかなあ、確かビブルみたいな――ううん、バギンズかな――」

「キャッドワラダーです！」

ルーナの脇から、マクゴナガル先生が大声で言った。観衆は大笑いだ。

ハリーは目を凝らしてスニッチを探したが、影も形もない。しばらくして、キャッドワラダーが得点した。マクラーゲンは、ジニーがクアッフルを奪われたことを大声で批判していて、自分の右耳のそばを大きな赤い球がかすめて飛んでいくのに気づかなかったのだ。

「マクラーゲン、自分のやるべきことに集中しろ。ほかの選手にかまうな！」ハリーはくるりとキーパーのほうに向きなおってどなった。

「君こそいい模範を示せ！」マクラーゲンが真っ赤になってどなり返した。

「さて、今度はハリー・ポッターがキーパーと口論しています」下で観戦しているハッフルパフ生やスリザリン生が、歓声を上げたりヤジったりする中、ルーナがのどかに言った。「それはハリー・ポッターがスニッチを見つける役には立たないと思うけど、でもきっと、賢い策略なのかもね……」

ハリーはカンカンになって悪態をつきながら、向きを変えてまた競技場を回りはじめ、羽の生えた金色の球の姿を求めて空に目を走らせた。

ジニーとデメルザが、それぞれ一回ゴールを決め、下にいる赤と金色のサポーターが歓声を上げる機会を作った。それからキャッドワラダーがまた点を入れ、スコアはタイになったが、ルーナはそれに気づかないようだった。点数なんていう俗なことにはまったく関心がない様子で、観衆の注意を形のおもしろい雲に向けたり、ザカリアス・スミスがクアッフルをそれまで一分以上持っていられなかったのは、「負け犬病」とかいう病気を患っている可能性があるという方向に持っていった。

「七〇対四〇、ハッフルパフのリード！」

マクゴナガル先生が、ルーナのメガホンに向かって大声を出した。

「もうそんなに？」ルーナが漠然と言った。

「あら、見て！　グリフィンドールのキーパーが、ビーターのクラブをつかんでいます」

ハリーは空中でくるりと向きを変えた。確かに、マクラーゲンが、どんな理由かはマクラーゲンのみぞ知るだが、ピークスの棍棒を取り上げ、突っ込んでくるキャッドワラダーにどうやってブラッジャーを打ち込むかを、やって見せているらしい。

「**クラブを返してゴールポストに戻れ！**」

ハリーがマクラーゲンに向かって突進しながら吠《ほ》えるのと、マクラーゲンがブラッジャーに獰猛《どうもう》な一撃を加えるのとが同時だった。バカ当たりの一撃だった。

目がくらみ、激烈な痛み……閃光《せんこう》……遠くで悲鳴が聞こえる……長いトンネルを落ちていく感じ……。

気がついたときには、ハリーはすばらしく温かい快適なベッドに横たわり、薄暗い天井に金色の光の輪を描いているランプを見上げていた。ハリーはぎこちなく頭を持ち上げた。左側に、見慣れた赤毛のそばかす顔があった。

「立ち寄ってくれて、ありがと」ロンがニヤニヤした。

ハリーは目をしばたいて周りを見回した。紛れもない。ハリーは医務室にいた。外は真っ赤な縞《しま》模様の藍色の空だ。試合は何時間も前に終わったにちがいない……マルフォイを追い詰める望みも同じくついえた。頭が変に重たかった。手でさわると、包帯で固くターバン巻きにされていた。

「どうなったんだ？」

「頭がい骨骨折です」

マダム・ポンフリーがあわてて出てきて、ハリーを枕に押し戻しながら言った。

「心配いりません。私がすぐに治しました。でもひと晩ここに泊めます。数時間は無理しちゃいけません」

「ひと晩ここに泊まっていたくありません」

体を起こし、かけぶとんを跳ねのけて、ハリーがいきり立った。

「マクラーゲンを見つけ出して殺してやる」

「残念ながら、それは『無理する』の分類に入ります」

マダム・ポンフリーがハリーをしっかりとベッドに押し戻し、脅すように杖を上げた。

「私が退院させるまで、ポッター、あなたはここに泊まるのです。さもないと校長先生を呼びますよ」

マダム・ポンフリーはせわしなく事務室に戻っていき、ハリーは憤慨して枕に沈み込んだ。

「何点差で負けたか知ってるか？」

ハリーは歯ぎしりしながらロンに聞いた。

「ああ、まあね」

ロンが申し訳なさそうに言った。

「最終スコアは三二〇対六〇だった」

「すごいじゃないか」ハリーはカンカンになった。

「まったくすごい！　マクラーゲンのやつ、捕まえたらただじゃ――」

「捕まえないほうがいいぜ。あいつはトロール大だ」ロンがまっとうなことを言った。

「僕個人としては、プリンスの『爪伸ばし呪い』をかけてやる価値、大いにありだな。どっちにしろ、君が退院する前に、ほかの選手があいつを片づけちまってるかもしれない。みんなおもしろくないからな……」

ロンの声はうれしさを隠しそこねていた。マクラーゲンがとんでもないへまをやったことでロンがまちがいなくわくわくしているのが、ハリーにはわかった。ハリーは天井の灯《あか》りの輪を見つめながら横たわっていた。治療を受けたばかりの頭がい骨は、確かにうずきはしなかったが、ぐるぐる巻きの包帯の下で少し過敏になっていた。

「ここから試合の解説が聞こえたんだ」ロンが言った。声が笑いで震えていた。「これからはずっとルーナに解説してほしいよ……**『負け犬病』**か……」

ハリーは腹が立って、こんな状況にユーモアを感じるどころではなかった。しばらくすると、ロンの噴き出し笑いも収まった。

「君が意識を失ってるときに、ジニーが見舞いにきたよ」

しばらくだまったあとで、ロンが言った。

ハリーの妄想が「無理する」域にまでふくれ上がった。たちまち、ぐったりした自分の体に取りすがって、ジニーがよよと泣く姿を想像した。ハリーに対する深い愛情を告白し、ロンが二人を祝福する……。

「君が試合ぎりぎりに到着したって言ってた。どうしたんだ？　ここを出たときは充分時間があったのに」

「ああ……」心象風景がパチンと内部崩壊した。

「うん……それは、マルフォイが、いやいや一緒にいるみたいな女の子を二人連れて、こそこそ動き回ってるのを見たからなんだ。ほかの生徒がクィディッチ競技場に行ってるのに、わざわざあいつが行かなかったのは、これで二度目だ。この前の試合にも行かなかった。覚えてるか？」

ハリーはため息をついた。

「試合がこんな惨敗なら、あいつを追跡していればよかったたって、いまではそう思ってるよ」

「バカ言うな」ロンが厳しい声を出した。

「マルフォイをつけるためにクィディッチ試合を抜けるなんて、できるはずないじゃないか。君はキャプテンだ！」

「マルフォイが何をたくらんでるのか知りたいんだ」ハリーが言った。

「それに、僕の勝手な想像だなんて言うな。マルフォイとスネイプの会話を聞いてしまった以上――」

「君の勝手な想像だなんて言ったことないぞ」

今度はロンが片ひじをついて体を起こし、ハリーをにらんだ。

「だけど、この城で何かたくらむことができるのは、一時に一人だけだなんてルールはない！　君はちょっとマルフォイにこだわりすぎだぞ。ハリー、あいつをつけるのにクィディッチの試合を放棄するなんて考えるのは……」

「あいつの現場を押さえたいんだ！」

ハリーがじれったそうに言った。

「だって、地図から消えてるとき、あいつはどこに行ってるんだ？」

「さあな……ホグズミードか？」ロンがあくびまじりに言った。

「あいつが、秘密の通路を通っていくところなんか、一度も地図で見たことがない。それに、そういう通路は、どうせいま、みんな見張られてるだろう？」

「さあ、そんなら、わかんないな」ロンが言った。

二人ともだまり込んだ。ハリーは天井のランプの灯りを見つめながら、じっと考えた……。

ルーファス・スクリムジョールほどの権力があれば、マルフォイに尾行をつけられるだろうが、残念ながら、ハリーが意のままにできる「闇祓《やみばら》い」が大勢いる局などない……。DAを使って何か作り上げようかとちらりと考えたが、結局DAのメンバーの大部分は、やはり時間割がぎっしり詰まっているので、誰かが授業を休まなければならないという問題が出てくる……。

ロンのベッドから、グーグーと低いいびきが聞こえてきた。しばらくして、マダム・ポンフリーが、今度は分厚い部屋着を着て事務所から出てきた。狸《たぬき》寝入りするのが一番簡単だったので、ハリーはごろりと横を向き、マダム・ポンフリーの杖でカーテンが全部閉まっていく音を聞いていた。ランプが暗くなり、マダム・ポンフリーは事務所に戻っていった。その背後でドアがカチリと閉まる音が聞こえ、マダム・ポンフリーが自分のベッドに向かっているのがわかった。

クィディッチのけがで入院したのはこれで三度目だと、暗闇の中でハリーは考えにふけった。前回は、吸魂鬼が競技場に現れたせいで箒から落ちたし、その前は、どうしようもない無能なロックハート先生のおかげで片腕の骨が全部なくなった……あの時が一番痛かった……ひと晩で片腕全部の骨を再生する苦しみを、ハリーは思い出した。あの不快感を一段と悪化させたのは、夜中に予期せぬ訪問者がやってきたことで――。

ハリーはガバッと起き上がった。心臓がドキドキして、ターバン巻き包帯が横っちょにずれていた。ついに解決法を見つけたのだ。マルフォイを尾行する方法が、**あった**――どうして忘れていたのだろう？　どうしてもっと早く思いつかなかったのだろう？

しかし、どうやったら呼び出せるのか？　どうやるんだったっけ？　ハリーは低い声で、遠慮がちに、暗闇に向かって話しかけた。

「クリーチャー？」

バチンと大きな音がして、静かな部屋が、ガサゴソ動き回る音とキーキー声でいっぱいになった。ロンがギャッと叫んで目を覚ました。

「なんだぁ――？」

ハリーは急いで事務所に杖を向け、「**マフリアート！　耳ふさぎ！**」と唱えて、マダム・ポンフリーが飛んでこないようにした。それから、何事が起こっているかをよく見ようと、急いでベッドの足側のほうに移動した。

屋敷しもべ妖精が二人、医務室の真ん中の床を転げ回っていた。一人は縮んだ栗色のセーターを着て、毛糸の帽子を数個かぶっている。もう一人は汚らしいボロを腰布のように巻きつけている。そこへもう一度大きな音がして、ポルターガイストのピーブズが、取っ組み合っているしもべ妖精の頭上に現れた。

「ポッティ！　俺が見物してたんだぞ！」

けんかを指差しながら、ピーブズが怒ったように言った。それからクアックアッと高笑いした。

「ババッチイやつらがつかみ合い。パックンバックン、ポックンボックン――」

「クリーチャーはドビーの前でハリー・ポッターを侮辱しないのです。絶対にしないのです。さもないと、ドビーは、クリーチャーめの口を封じてやるのです！」

ドビーがキーキー声で叫んだ。

「――ケッポレ、カッポレ！」

ピーブズが、今度はチョーク弾丸を投げつけて、しもべ妖精を扇動していた。

「ヒッパレ、ツッパレ！」

「クリーチャーは、自分のご主人様のことをなんとでも言うのです。ああ、そうです。なんというご主人様だろう。汚らわしい『穢《けが》れた血』の仲間だ。ああ、クリーチャーの哀れな女主人様は、なんとおっしゃるだろう――？」

クリーチャーの女主人様がなんとおっしゃるやら、正確には聞けずじまいだった。何しろそのとたんに、ドビーがゴツゴツした小さなげんこつをクリーチャーの口に深々とお見舞いし、歯を半分もぶっ飛ばしてしまったのだ。ハリーもロンも、ベッドから飛び出し、二人のしもべ妖精を引き離した。しかし二人とも、ピーブズにあおられて、互いに蹴ったりパンチをかまそうとしたりし続けていた。ピーブズは、襲いかかるようにランプの周りを飛びまわりながら、ギャーギャーわめき立てた。

「鼻に指を突っ込め、鼻血出させろ、耳を引っ張れ――」

ハリーはピーブズに杖を向けて唱えた。

「ラングロック！　舌しばり！」

ピーブズはのどを押さえ、息を詰まらせて、部屋からスーッと消えていった。指で卑猥《ひわい》なしぐさをしたものの、口蓋に舌が貼りついていて、何も言えなくなっていた。

「いいぞ」

ドビーを高く持ち上げて、ジタバタする手足がクリーチャーに届かないようにしながら、ロンが感心したように言った。

「そいつもプリンスの呪いなんだろう？」

「うん」ハリーは、クリーチャーのしなびた腕をハーフネルソンにしめ上げながら言った。

「よし――二人ともけんかすることを禁じる！　さあ、クリーチャー、おまえはドビーと戦うことを禁じられている。ドビー、君には命令が出せないって、わかっているけど――」

「ドビーは自由な屋敷しもべ妖精なのです。だから誰でも自分の好きな人に従うことができます。そしてドビーは、ハリー・ポッターがやってほしいということならなんでもやるのです！」

ドビーのしなびた小さな顔を伝う涙が、いまやセーターに滴っていた。

「オッケー、それなら」

ハリーとロンがしもべ妖精を放すと、二人とも床に落ちたが、けんかを続けはしなかった。

「ご主人様はお呼びになりましたか？」

クリーチャーはしわがれ声でそう言うと、ハリーが痛い思いをして死ねばいいとあからさまに願う目つきをしながらも、深々とおじぎをした。

「ああ、呼んだ」

ハリーは「**耳ふさぎ**」の呪文がまだ効いているかどうかを確かめようと、マダム・ポンフリーの事務所のドアにちらりと目を走らせながら言った。騒ぎが聞こえた形跡はまったくなかった。

「おまえに仕事をしてもらう」

「クリーチャーはご主人様がお望みならなんでもいたします」

クリーチャーは、節くれ立った足の指に唇がほとんど触れるぐらい深々とおじぎをした。

「クリーチャーは選択できないからです。しかしクリーチャーはこんなご主人を持って恥ずかしい。そうですとも――」

「ドビーがやります。ハリー・ポッター！」

ドビーがキーキー言った。テニスボールほどある目玉はまだ涙にぬれていた。

「ドビーは、ハリー・ポッターのお手伝いをするのが光栄なのです！」

「考えてみると、二人いたほうがいいだろう」

ハリーが言った。

「オッケー、それじゃ……二人とも、ドラコ・マルフォイを尾行してほしい」

ロンが驚いたような、あきれたような顔をするのを無視して、ハリーは言葉を続けた。

「あいつがどこに行って、誰に会って、何をしているのかを知りたいんだ。あいつを二十四時間尾行してほしい」

「はい、ハリー・ポッター！」

ドビーが興奮に大きな目を輝かせて、即座に返事した。

「そして、ドビーが失敗したら、ドビーは、一番高い塔から身を投げます。ハリー・ポッター！」

「そんな必要はないよ」ハリーがあわてて言った。

「ご主人様は、クリーチャーに、マルフォイ家の一番お若い方をつけろとおっしゃるのですか？」

クリーチャーがしわがれ声で言った。

「ご主人様がスパイしろとおっしゃるのは、クリーチャーの昔の女主人様の姪御《めいご》様の、純血のご子息のことですか？」

「そいつのことだよ」

ハリーは、予想される大きな危険を、いますぐに封じておこうと決意した。

「それに、クリーチャー、おまえがやろうとしていることを、あいつに知らせたり、示したりすることを禁じる。あいつと話すことも、手紙を書くことも、それから……それからどんな方法でも、あいつと接触することを禁じる。わかったか？」

与えられたばかりの命令の抜け穴を探そうと、クリーチャーがもがいているのが、ハリーには見えるような気がした。ハリーは待った。ややあって、ハリーにとっては大満足だったが、クリーチャーが再び深くおじぎし、恨みを込めて苦々しくこう言った。

「ご主人様はあらゆることをお考えです。そしてクリーチャーはご主人様に従わねばなりません。たとえクリーチャーがあのマルフォイ家の坊ちゃまの召使いになるほうがずっといいと思ってもです。ああ、そうですとも……」

「それじゃ、決まった」ハリーが言った。

「定期的に報告してくれ。ただし、現れるときは、僕の周りに誰もいないのを確かめること。ロンとハーマイオニーならかまわない。それから、おまえたちがやっていることを、誰にも言うな。二枚のイボ取りばんそうこうみたいに、マルフォイにぴったり貼りついているんだぞ」

第20章　ヴォルデモート卿の頼み

ハリーとロンは月曜の朝一番に退院した。マダム・ポンフリーの介護で完全に健康を取り戻し、強打されたり毒を盛られたりした見返りを、いまこそ味わうことができた。最大の収穫は、ハーマイオニーがロンと仲なおりしたことだった。

朝食の席まで二人に付き添いながら、ハーマイオニーは、ジニーがディーンと口論したというニュースをもたらした。ハリーの胸でうとうとしていた生き物が、急に頭をもたげ、何か期待するようにあたりをクンクンかぎだした。

「何を口論したの？」

角を曲がって八階の廊下に出ながら、ハリーはできるだけなにげない聞き方をした。廊下には、チュチュを着たトロールのタペストリーをしげしげ見ている、小さな女の子以外には誰もいなかった。六年生が近づいてくるのを見て、女の子はおびえたような顔をして、持っていた重そうな真鍮《しんちゅう》のはかりを落とした。

「大丈夫よ！」ハーマイオニーはやさしく声をかけ、急いで女の子に近づいた。

「さあ……」ハーマイオニーは壊れたはかりを杖《つえ》でたたき、「**レパロ、直れ**」と唱えた。

女の子は礼も言わず、その場に根が生えたように突っ立って、三人がそこを通り過ぎ、姿が見えなくなるまで見ていた。

「連中、だんだん小粒になってきてるぜ、まちがいない」ロンが女の子を振り返って言った。

「女の子のことは気にするな」ハリーは少しあせった。

「ハーマイオニー、ジニーとディーンは、なんでけんかしたんだ？」

「ああ、マクラーゲンがあなたにブラッジャーをたたきつけたことを、ディーンが笑ったの」ハーマイオニーが言った。

「そりゃ、おかしかったろうな」ロンがもっともなことを言った。

「全然おかしくなかったわ！」ハーマイオニーが熱くなった。

「恐ろしかったわ。クートとピークスがハリーを捕まえてくれなかったら、大けがになっていたかもしれないのよ！」

「うん、まあ、ジニーとディーンがそんなことで別れる必要はなかったのに」

ハリーは相変わらずなにげなく聞こえるように努力した。

「それとも、まだ一緒なのかな？」

「ええ、一緒よ――でもどうして気になるの？」ハーマイオニーが鋭い目でハリーを見た。

「僕のクィディッチ・チームが、またもちゃくちゃになるのがいやなだけだ！」

あわててそう答えたが、ハーマイオニーはまだ疑わしげな目をしていた。背後で「ハリー！」と呼ぶ声がしたときには、ハーマイオニーに背を向ける口実ができて、ハリーは内心ホッとした。

「ああ、やあ、ルーナ」

「医務室にあんたを探しにいったんだけど」ルーナが鞄《かばん》をゴソゴソやりながら言った。「もう退院したって言われたんだ……」

ルーナは、エシャロットみたいなもの一本と、斑《ふ》入りの大きな毒キノコ一本、それに相当量の猫のトイレ砂のようなものを、ロンの両手に押しつけて、やっと、かなり汚れた羊皮紙の巻紙を引っ張り出し、ハリーの手に渡した。

「……これをあんたに渡すように言われてたんだ」

小さな巻紙だった。ハリーはすぐに、それがダンブルドアからの授業の知らせだとわかった。

「今夜だ」

ハリーは羊皮紙を広げるや否や、ロンとハーマイオニーに告げた。

「この間の試合の解説、よかったぜ！」

ルーナがエシャロットと毒キノコと猫のトイレ砂を回収しているときに、ロンが言った。ルーナはあいまいにほほえんだ。

「からかってるんだ。ちがう？」ルーナが言った。

「みんな、あたしがひどかったって言うもン」

「ちがうよ、僕、ほんとにそう思う！」ロンが真顔で言った。

「あんなに解説を楽しんだことないぜ！　ところで、これ、なんだ？」

ロンは、エシャロットのようなものを目の高さに持ち上げて聞いた。

「ああ、それ、ガーディルート」

猫のトイレ砂と毒キノコを鞄に押し込みながら、ルーナが答えた。

「欲しかったら、あげるよ。あたし、もっと持ってるもン。ガルピング・プリンピーを撃退するのにすごく効果があるんだ」

そしてルーナは行ってしまった。あとに残ったロンは、ガーディルートをつかんだまま、おもしろそうに大声で笑った。

「あのさ、だんだん好きになってきたよ、ルーナが」

大広間に向かってまた歩きだしながら、ロンが言った。

「あいつが正気じゃないってことはわかってるけど、そいつはいい意味で――」

ロンが突然口をつぐんだ。険悪な雰囲気のラベンダー・ブラウンが、大理石の階段下に立っていた。

「やあ」ロンは、落ち着かない様子で声をかけた。

「行こう」ハリーはそっとハーマイオニーに声をかけ、急いでその場を離れたが、ラベンダーの声を聞かないわけにはいかなかった。

「今日が退院だって、どうして教えてくれなかったの？　それに、どうして**あの女**が一緒なの？」

三十分後に朝食に現れたロンは、むっつりしていらだっていた。ラベンダーと並んで腰かけてはいたものの、ハリーはその間ずっと、二人が言葉を交わすところを見なかった。ハーマイオニーは、そんなことにいっさい気づかないように振る舞っていたが、一、二度、不可解なひとり笑みが顔をよぎったのにハリーは気づいた。その日は一日中、ハーマイオニーは上機嫌で、夕方談話室にいるとき、ハリーの薬草学のレポートを見るという（ということは、仕上げるということなのだが）頼みに応じてくれた。そんなことをすれば、ハリーがロンに丸写しさせることを知っていたハーマイオニーは、これまで、そんな依頼は絶対にお断りだったのだ。

「ありがとう、ハーマイオニー」

ハリーは、ハーマイオニーの背中をポンポンたたきながら腕時計を見た。もう八時近くだった。

「あのね、僕、急がないと、ダンブルドアとの約束に遅れちゃう……」

ハーマイオニーは答えずに、ハリーの文章の弱い所を、大儀そうに削除していた。ハリーはひとりでニヤニヤ笑いながら、急いで肖像画の穴を通り、校長室に向かった。怪獣像《ガーゴイル》は、「**タフィー　エクレア**」の合言葉で飛びのき、ハリーが、動く螺旋《らせん》階段を二段跳びに駆け上がってドアをたたいたときに、中の時計がちょうど八時を打った。

「お入り」

ダンブルドアの声がした。ハリーがドアに手をかけて押し開けようとすると、ドアが内側からぐいと引っ張られた。そこに、トレローニー先生が立っていた。

「ははーん！」

拡大鏡のようなめがねの中から、目をしばたたかせてハリーを見つめ、トレローニー先生は芝居がかったしぐさでハリーを指差した。

「あたくしが邪険に放り出されるのは、このせいでしたのね、ダンブルドア！」

「これこれ、シビル」

ダンブルドアの声がかすかにいらだっていた。

「あなたを邪険に放り出すなどありえんことじゃ。しかし、ハリーとは確かに約束があるし、これ以上何も話すことはないと思うが――」

「けっこうですわ」

トレローニー先生は、深く傷ついたような声で言った。

「あたくしの地位を不当に奪った、あの馬を追放なさらないのでしたら、いたしかたございませんわ……あたくしの能力をもっと評価してくれる学校を探すべきなのかもしれません……」

トレローニー先生は、ハリーを押しのけて螺旋階段に消えた。階段半ばでつまずく音が聞こえ、ハリーは、だらりと垂れたショールのどれかを踏んづけたのだろうと思った。

「ハリー、ドアを閉めて、座るがよい」ダンブルドアはかなりつかれた声で言った。

ハリーは言われたとおりにした。ダンブルドアの机の前にあるいつもの椅子に座りながら、二人の間に「憂いの篩《ふるい》」がまた置かれ、渦巻く記憶がぎっしり詰まったクリスタルの小瓶が、二本並んでいることに気がついた。

「それじゃ、トレローニー先生は、フィレンツェが教えることをまだいやがっているのですか？」ハリーが聞いた。

「そうじゃ」ダンブルドアが言った。

「わし自身が占いを学んだことがないものじゃから、占い学はわしの予見を超えて、やっかいなことになっておる。フィレンツェに森に帰れとは言えぬ。追放の身じゃからのう。さりとてシビル・トレローニーに去れとも言えぬ。ここだけの話じゃが、シビルが城の外に出ればどんな危険な目にあうか、シビルにはまったくわかっておらぬ。シビル自身は知らぬことじゃが――それに、知らせるのは賢明ではないと思うが――君とヴォルデモートに関する予言をしたのは、それ、シビル・トレローニーなのじゃからし

ダンブルドアは深いため息をついてから、こう言った。

「教職員の問題については、心配するでない。我々にはもっと大切な話がある。まず、前回の授業の終わりに君に出した課題は処理できたかね？」

「あっ」

ハリーは突然思い出した。「姿あらわし」の練習やらクィディッチやら、ロンが毒を盛られたり自分の頭がい骨が割られたりした上、ドラコ・マルフォイのたくらみを暴きたい一心で、ハリーは、スラグホーン先生から記憶を引き出すようにとダンブルドアに言われていたことを、ほとんど忘れていた……。

「あの、先生、スラグホーン先生に魔法薬の授業のあとでそのことを聞きました。でも、あの、教えてくれませんでした」

しばらく沈黙が流れた。

「さようか」やっとダンブルドアが口を開いた。

半月めがねの上からじっとのぞかれ、ハリーは、まるでレントゲンで透視されているような、いつもの感覚に襲われた。

「それで君は、このことに最善を尽くしたと、そう思っておるかね？　君の少なからざる創意工夫の能力を、余すところなく駆使したのかね？　その記憶を取り出すという探求のために、最後の一滴まで知恵をしぼりきったのかね？」

「あの」

ハリーはなんと受け答えすべきか、言葉に詰まった。記憶を取り出そうとしたのはたった一回だったというのではお粗末で、急に恥ずかしく思えた。

「あの……ロンがまちがってほれ薬を飲んでしまった日に、ロンをスラグホーン先生の所に連れていきました。先生をいい気分にさせれば、もしかして、と思ったんです――」

「それで、それはうまくいったのかね？」ダンブルドアが聞いた。

「あの、いいえ、先生。ロンが毒を飲んでしまったものですから――」

「――それで、当然、君は記憶を引き出すことなど忘れはててしまった。親友が危険なうちは、わしもそれ以外のことを期待せんじゃろう。しかし、ミスター・ウィーズリーが完全に回復するとはっきりした時点で、わしの出した課題に戻ってもよかったのではないかな。あの記憶がどんなに大事なものかということを、わしは君にはっきり伝えたと思う。それればかりか、それが最も肝心な記憶であり、それがなければこの授業の時間はむだじゃと君にわからせようと、わしは最大限努力したつもりじゃ」

申し訳なさが、チクチクと熱く、ハリーの頭のてっぺんから体中に広がった。ダンブルドアは声を荒らげなかった。怒っているようにも聞こえなかった。しかし、どなってもらったほうがむしろ楽だった。ダンブルドアのひんやりとした失望が、何よりもつらかった。

「先生」

なんとかしなければという気持ちで、ハリーが言った。

「気にしていなかったわけではありません。ただ、ほかの――ほかのことが……」

「ほかのことが気になっていた」

ダンブルドアがハリーの言葉を引き取った。

「なるほど」

二人の間に、また沈黙が流れた。ダンブルドアとの間でハリーが経験した中でも、一番気まずい沈黙だった。沈黙がいつまでも続くような気がした。ダンブルドアの頭の上にかかっているアーマンド・ディペットの肖像画から聞こえる軽い寝息が、ときどき沈黙を破るだけだった。ハリーは自分が奇妙に小さくなったような気がした。この部屋に入って以来、体が少し縮んだような感覚だった。

もうそれ以上は耐えられなくなり、ハリーが言った。

「ダンブルドア先生、申し訳ありませんでした。もっと努力すべきでした……ほんとうに大切なことでなければ、先生は僕に頼まなかっただろうと、気づくべきでした」

「わかってくれてありがとう、ハリー」ダンブルドアが静かに言った。

「それでは、これ以後、君がこの課題を最優先にすると思ってよいかな？　あの記憶を手に入れなければ、次からは授業をする意味がなくなるじゃろう」

「僕、そのようにします。あの記憶を手に入れます」ハリーが真剣に言った。

「それでは、いまは、もうこのことを話題にすまい」ダンブルドアはよりやわらいだ口調で言った。

「そして、前回の話の続きを進めることにしよう。どのあたりじゃったか、覚えておるかの？」

「はい、先生」ハリーが即座に答えた。

「ヴォルデモートが父親と祖父母を殺し、それをおじのモーフィンの仕業に見せかけました。それからホグワーツに戻り、質問を……スラグホーン先生にホークラックスについて質問をしました」ハリーは恥じ入って口ごもった。

「よろしい」ダンブルドアが言った。

「さて、覚えておると思うが、一連の授業の冒頭に、我々は推測や憶測の域に入り込むことになるじゃろうと言うたの？」

「はい、先生」

「これまでは、君も同意見じゃと思うが、ヴォルデモートが十七歳になるまでのことに関して、わしの推量の根拠となるかなり確かな事実を、君に示してきたの？」

ハリーはうなずいた。

「しかし、これからは、ハリー」ダンブルドアが言った。

「これから先、事はだんだん不確かで、不可思議になっていく。リドルの少年時代に関する証拠を集めるのも困難じゃったが、成人したヴォルデモートに関する記憶を語ってくれる者を見つけるのは、ほとんど不可能じゃった。事実、リドルがホグワーツを去ってからの生き方を完全に語れるのは、本人を除けば、一人として生存していないのではないかと思う。しかし、最後に二つ残っておる記憶を、これから君とともに見よう」

ダンブルドアは、「憂いの篩」の横で、かすかに光っている二本のクリスタルの小瓶を指した。

「見たあとで、わしの引き出した結論が、ありうることかどうか、君の意見を聞かせてもらえればありがたい」

ダンブルドアが自分の意見をこれほど高く評価しているのだと思うと、ホークラックスの記憶を引き出す課題をやりそこねたことを、ハリーはますます深く恥じ入った。ダンブルドアが最初の一本を取り上げて、光にかざして調べているとき、ハリーは申し訳なさに座ったままもじもじしていた。

「他人の記憶にもぐり込むことにあきてはおらんじゃろうな。これからの二つは、興味ある記憶なのでのう」ダンブルドアが言った。

「最初のものは、ホキーという名の非常に年老いた屋敷しもべ妖精から取ったものじゃ。ホキーが目撃したものを見る前に、ヴォルデモート卿《きょう》がどのようにしてホグワーツを去ったかを簡単に語らねばなるまい」

「あの者は七年生になった。成績は、君も予想したじゃろうが、受けた試験はすべて一番じゃった。あの者の周囲では、級友たちが、ホグワーツ卒業後にどんな仕事に就くかを決めているところじゃった。トム・リドルに関しては、ほとんどすべての者が、輝かしい何かを期待しておった。監督生で首席、学校に対する特別功労賞の経歴じゃからのう。スラグホーン先生をふくめて何人かの先生方が、魔法省に入省するようにすすめ、面接を設定しようと申し出たり、有力な人脈を紹介しようとしたりしたのじゃ。あの者はそれを全部断った。教職員が気づいたときには、あの者は『ボージン・アンド・バークス』で働いておった」

「ボージン・アンド・バークス？」ハリーは度肝を抜かれて聞き返した。

「ボージン・アンド・バークスじゃ」ダンブルドアが静かにくり返した。

「ホキーの記憶に入ってみれば、その場所があの者にとって、どのような魅力があったのかがわかるはずじゃ。しかしながら、この仕事がヴォルデモートにとっての第一の選択肢ではなかった。その時にそれを知っていた者はほとんどいなかった——その当時の校長が打ち明けた数少ない者の一人がわしなのじゃが——ヴォルデモートは、まずディペット校長に近づき、ホグワーツの教師として残れないかと聞いたのじゃ」

「ここに残りたい？　どうして？」ハリーはますます驚いて聞いた。

「理由はいくつかあったじゃろうが、ヴォルデモートはディペット校長に何一つ打ち明けはせなんだ」ダンブルドアが言った。

「第一に、非常に大切なことじゃが、ヴォルデモートはどんな人間にも感じていなかった親しみを、この学校には感じておったのじゃろうと、わしはそう考えておる。あの者が一番幸せじゃったのはホグワーツにおるときで、そこがくつろげる最初の、そして唯一の場所だったのじゃ」

それを聞いてハリーは、少し当惑した。ハリーもホグワーツに対して、まったく同じ思いを抱いていたからだ。

「第二に、この城は古代魔法の牙城じゃ。ヴォルデモートは、ここを通過していった大多数の生徒たちより、ずっと多くの秘密をつかんでいたにちがいない。しかし、まだ開かれていない神秘や、利用されておらぬ魔法の宝庫があると感じておったのじゃろう」

「そして第三に、教師になれば、若い魔法使いたちに大きな権力と影響力を行使できたはずじゃ。おそらく、一番親しかったスラグホーン先生から、そうした考えを得たのじゃろう。教師がどんなに影響力のある役目をはたせるかを、スラグホーン先生が示したわけじゃな。ヴォルデモートがずっと一生ホグワーツで過ごす計画だったとは、わしは微塵《みじん》も考えてはおらぬ。しかし、人材を集め、自分の軍隊を組織する場所として、ここが役に立つと考えたのじゃろう」

「でも、先生、その仕事が得られなかったのですね？」

「そうじゃ。ディペット先生は、十八歳では若すぎるとヴォルデモートに告げ、数年後にまだ教えたいと願うなら、再応募してはどうかとすすめたのじゃ」

「先生は、そのことをどう思われましたか？」ハリーは遠慮がちに聞いた。

「非常に懸念した」ダンブルドアが言った。

「わしは前もってアーマンドに、採用せぬようにと進言しておった――いま君に教えたような理由を言わずにじゃ。ディペット校長はヴォルデモートを大変気に入っておったし、あの者の誠意を信じておったからのう――しかしわしは、ヴォルデモート卿がこの学校に戻ることを、特に権力を持つ職に就くことを欲しなかったのじゃ」

「どの職を望んだのですか、先生？　教えたがったのは、どの学科ですか？」

ハリーはなぜか、ダンブルドアが答える前に、答えがわかっていたような気がした。

『闇の魔術に対する防衛術』じゃ。その当時は、ガラテア・メリィソートという名の老教授が教えておった。ほとんど半世紀、ホグワーツに在職した先生じゃ」

「そこで、ヴォルデモートはボージン・アンド・バークスへと去り、あの者を称賛しておった教師たちは、口をそろえて、あんな優秀な魔法使いが店員とはもったいないと言ったものじゃ。しかし、ヴォルデモートは単なる使用人にとどまりはしなかった。ていねいな物腰の上にハンサムで賢いヴォルデモートは、まもなくボージン・アンド・バークスのような店にしかない、特別な仕事を任されるようになった。あの店は、君も知ってのとおり、強い魔力のあるめずらしい品物を扱っておる。ヴォルデモートは、そうした宝物を手放して店で売るように説得する役目を任され、持ち主の所に送り込まれた。そして、ヴォルデモートは、聞きおよぶところによると、その仕事に稀有《けう》な才能を発揮した」

「よくわかります」ハリーはだまっていられなくなって口をはさんだ。

「ふむ、そうじゃろう」ダンブルドアがほほえんだ。

「さて、ホキーの話を聞く時が来た。この屋敷しもべ妖精が仕えていたのは、年老いた大金持ちの魔女で、名前をヘプジバ・スミスという」

ダンブルドアは渦巻く記憶を「憂いの篩」に注ぎ込み終えると、「ハリー、先にお入り」と言った。

ダンブルドアが杖で瓶を軽くたたくと、コルク栓が飛んだ。ダンブルドアは渦巻く記憶を「憂いの
ハリーは立ち上がり、また今回も、石の水盆の中でさざ波を立てている銀色の物質にかがみ込み、顔をその表面につけた。暗い無の空間を転げ落ち、ハリーが着地した先は、でっぷり太った老婦人が座っている居間だった。ごてごてした赤毛のかつらを着け、けばけばしいピンクのローブを体の周りに波打たせ、デコレーション・ケーキが溶けかかったような姿だった。

婦人は宝石で飾られた小さな鏡をのぞき込み、もともと真っ赤なほおに、巨大なパフでほお紅をはたき込んでいた。足元では、ハリーがこれまで見た中でも一番年寄りで、一番小さな老女のしもべ妖精が、ぶくぶくした婦人の足を、きつそうなサテンのスリッパに押し込み、ひもを結んでいた。

「ホキー、早くおし！」ヘプジバが傲然と言った。

「あの人は四時に来るって言ったわ。あと一、二分しかないじゃない。あの人は一度も遅れたことがないんだから！」

婦人は化粧パフをしまい込み、しもべ妖精が立ち上がった。しもべ妖精の背丈はヘプジバの椅子の座面にも届かず、身にまとった張りのあるリネンのキッチン・タオルがトーガ風に垂れ下がっているのと同様、カサカサの紙のような皮膚が垂れ下がっていた。

「あたくしの顔、どうかしら？」

ヘプジバが首を回して、鏡に映る顔をあちこちの角度から眺めながら聞いた。

「おきれいですわ。マダム」ホキーがキーキー声で言った。

この質問が出たときには、あからさまなうそをつかねばならないと、ホキーの契約書に書いてあるのだろうと、ハリーは想像せざるをえなかった。何しろ、ヘプジバ・スミスは、ハリーの見るところ、おきれいからはほど遠かった。

玄関のベルがチリンチリンと鳴り、女主人もしもべ妖精も飛び上がった。

「早く、早く。あの方がいらしたわ、ホキー！」

ヘプジバが叫び、しもべ妖精があわてて部屋から出ていった。いろいろなものが所狭しと置かれた部屋は、誰でも最低十回ぐらい何かにつまずかないと通れそうにもなかった。うるし細工の小箱が詰まったキャビネット、金文字の型押し本がずらりと並んだ本箱、玉やら天体球儀やらののった棚、真鍮の容器に入った鉢植えの花々などなど、まさに、魔法骨董《こっとう》店と温室をかけ合わせたような部屋だった。

しもべ妖精は、ほどなく背の高い若者を案内して戻ってきた。ハリーは、それがヴォルデモートだと、なんの苦もなくわかった。飾りけのない黒いスーツ姿で、学生時代より髪が少し長く、ほおがこけていたが、そうしたものがすべて似合っている。いままでよりずっとハンサムに見えた。ヴォルデモートは、これまで何度も訪れたことがある雰囲気で、ごたごたした部屋を通り抜け、ヘプジバのぶくっとした小さな手を取り、深々とおじぎをしてその手に軽く口づけした。

「お花をどうぞ」

ヴォルデモートはそっと言いながら、どこからともなくバラの花束を取り出した。

「いけない子ね、そんなことしちゃだめよ！」

ヘプジバ老婦人がかん高い声を出した。しかし、ハリーは、一番近いテーブルに、からの花瓶がちゃんと準備されているのに気づいた。

「トムったら、年寄りを甘やかすんだから……さ、座って。座ってちょうだい……ホキーはどこかしら……えーと……」

しもべ妖精が、小さなケーキをのせた盆を持って部屋に駆け戻り、女主人のそばにそれを置いた。

「どうぞ、トム、召し上がって」ヘプジバが言った。

「あたくしのケーキがお好きなのはわかってますわよ。ねえ、お元気？　顔色がよくないわ。お店でこき使われているのね。あたくし、もう百回ぐらいそう言ってるのに……」

ヴォルデモートが機械的にほほえみ、ヘプジバは間の抜けた顔でニッとほほえんだ。

「今日はどういう口実でいらっしゃったのかしら？」

ヘプジバがまつげをパチパチさせながら聞いた。

「店主のバークが、小鬼《ゴブリン》のきたえた甲冑《かっちゅう》に、よりよい買い値をつけたいと申しております」

ヴォルデモートが言った。

「五百ガリオンです。これは普通ならつけない、よい値だと申して――」

「あら、まあ、そうお急ぎにならないで。それじゃ、まるであたくしの小道具だけをお目当てにいらしたと思ってしまいますことよ！」ヘプジバが唇をとがらせた。

「そうしたもののために、ここに来るように命じられております」ヴォルデモートが静かに言った。

「マダム、私は単なる使用人の身です。命じられたとおりにしなければなりません。店主のバークから、おうかがいしてくるようにと命じられまして――」

「まあ、バークさんなんか、プフー！」ヘプジバは小さな手を振りながら言った。

「あなたにお見せするものがありますのよ。バークさんには見せたことがないものなの！　トム、秘密を守ってくださる？　バークさんには、あたくしが持っているなんて言わないって約束してくださる？　あなたに見せたとわかったら、あの人、あたくしを一時も安らがせてくれませんわ。でもあたくしは売りませんわ。バークには売らないし、誰にも売りませんわ！　でも、トム、あなたには、そのものの歴史的価値がおわかりになるわ。ガリオン金貨が何枚になるかの価値じゃなくってね……」

ヴォルデモートが静かに言った。ヘプジバは、また少女のようにクスクス笑った。

「ミス・ヘプジバが見せてくださるものでしたら、なんでも喜んで拝見します」

「ホキーに持ってこさせてありますのよ……ホキー、どこなの？　リドルさんにわが家の**最高の**秘宝をお見せしたいのよ……ついでだから、二つとも持っていらっしゃい……」

「マダム、お持ちしました」

しもべ妖精のキーキー声でハリーが見ると、二つ重ねにした革製の箱が動いていた。小さなしもべ妖精が頭にのせて運んでいることはわかってはいたが、まるでひとりでに動いているかのように、テーブルやクッション、足のせ台の間を縫って部屋のむこうからやってくるのが見えた。

「さあ」

しもべ妖精から箱を受け取り、ひざの上にのせて上の箱を開ける準備をしながら、ヘプジバがうれしそうに言った。

「きっと気に入ると思うわ、トム……あぁ、あなたにこれを見せていることを親族が知ったら……あの人たち、のどから手が出るほどこれが欲しいんだから！」

ヘプジバがふたを開けた。ハリーはよく見ようとして少し身を乗り出した。入念に細工された二つの取っ手がついた、小さな金のカップが見えた。

「なんだかおわかりになるかしら、トム？　手に取ってよく見てごらんなさい！」

ヘプジバがささやくように言った。ヴォルデモートはすらりとした指を伸ばし、絹の中にすっぽりと納まっているカップを、取っ手の片方を握って取り出した。ハリーは、ヴォルデモートの暗い目がちらりと赤く光るのを見たような気がした。舌なめずりするようなヴォルデモートの表情は、奇妙なことに、ヘプジバの顔にも見られた。ただし、その小さな目は、ヴォルデモートのハンサムな顔に釘《くぎ》づけになっていた。

「穴熊」

ヴォルデモートがカップの刻印を調べながらつぶやいた。

「すると、これは……？」

「ヘルガ・ハッフルパフのものよ。よくご存じのようにね。なんて賢い子！」

ヘプジバはコルセットのきしむ大きな音とともに、前かがみになり、ヴォルデモートのくぼんだほおをほんとうにつねった。

「あたくしが、ずっと離れた子孫だって言わなかった？　これは先祖代々受け継がれてきたものなの。きれいでしょう？　それに、どんなにいろいろな力が秘められていることか。でも、あたくしは完全に試してみたことがないの。ただ、こうして大事に、安全にしまっておくだけ……」

ヘプジバはヴォルデモートの長い指からカップをはずし、そっと箱に戻した。ていねいに元の場所に収めるのに気を取られて、ヘプジバは、カップが取り上げられたときにヴォルデモートの顔をよぎった影に気づかなかった。

「さて、それじゃあ」

ヘプジバがうれしそうに言った。

「ホキーはどこ？　ああ、そこにいたのね――これを片づけなさい、ホキー――」

しもべ妖精は従順に箱入りのカップを受け取り、ヘプジバはひざにのっているもっと平たい箱に取りかかった。

「トム、あなたには、こちらがもっと気に入ると思うわ」ヘプジバがささやいた。「少しかがんでね、さあ、よく見えるように……もちろん、バークは、あたくしがこれを持っていることを知っていますよ。あの人から買ったのですからね。あたくしが死んだら、きっと買い戻したがるでしょうね……」

ヘプジバは精緻な金銀線細工の留め金をはずし、パチンと箱を開けた。なめらかな真紅のビロードの上にのっていたのは、どっしりした金のロケットだった。

ヴォルデモートは、今度はうながされるのも待たずに手を伸ばし、ロケットを明かりにかざしてじっと見つめた。

「スリザリンの印」ヴォルデモートが小声で言った。

曲がりくねった飾り文字の「S」に光が踊り、きらめかせていた。

「そのとおりよ！」ヘプジバが大喜びで言った。

ヴォルデモートが、魅入られたようにじっと自分のロケットを見つめている姿が、うれしかったらしい。

「身ぐるみはがされるほど高かったわ。でも、見逃すことはできなかったわね。こんなに貴重なものを。どうしても、あたくしのコレクションに加えたかったのよ。バークはどうやら、みすぼらしい身なりの女から買ったらしいわ。その女は、これを盗んだのでしょうけれど、ほんとうの価値をまったく知らなかったようね――」

今度はまちがいない。この言葉を聞いた瞬間、ヴォルデモートの目が真っ赤に光った。ロケットの鎖にかかった手が、血の気が失《う》せるほどギュッと握りしめられるのを、ハリーは見た。

「――バークはその女に、きっと雀《すずめ》の涙ほどしか払わなかったことでしょうよ。でも、しょうがないわね……きれいでしょう？　それに、これにも、どんなに多くの力が秘められていることでしょう。でも、あたくしは、大事に、安全にしまっておくだけ……」

ヘプジバがロケットに手を伸ばして取り戻そうとした。ハリーは一瞬、ヴォルデモートが手放さないのではないかと思ったが、ロケットはその指の間をすべり、真紅のビロードのクッションへと戻された。

「そういうわけよ、トム。楽しんだでしょうね！」

ヘプジバが、トムの顔を真正面から見た。そしてハリーは、ヘプジバの間の抜けた笑顔が、この時、初めて崩れるのを見た。

「トム、大丈夫なの？」

「ええ」ヴォルデモートが静かに言った。

「ええ、すべて大丈夫です……」

「あたくしは――でも、きっと光のいたずらね――」

ヘプジバが落ち着かない様子で言った。ヘプジバもヴォルデモートの目にチラチラと赤い光が走るのを見たのだと、ハリーは思った。

「ホキー、ほら、二つとも持っていって、また鍵をかけておきなさい……いつもの呪文をかけて……」

「ハリー、帰る時間じゃ」

ダンブルドアが小声で言った。小さなしもべ妖精が箱を持ってひょこひょこ歩きはじめると同時に、ダンブルドアは再びハリーの腕をつかんだ。二人は連れ立って無意識の中を上昇し、ダンブルドアの校長室に戻った。

「ヘプジバ・スミスは、あの短い場面の二日後に死んだ」

ダンブルドアが席に戻り、ハリーにも座るようにうながしながら言った。

「屋敷しもべ妖精のホキーが、誤って女主人の夜食のココアに毒を入れた廉《かど》で、魔法省から有罪判決を受けたのじゃ」

「絶対ちがう！」ハリーが憤慨した。

「我々は同意見のようじゃな」ダンブルドアが言った。

「紛れもなく、今度の死とリドル一家の死亡との間には、多くの類似点がある。どちらの場合も、誰かほかの者が責めを負うた。死にいたらしめたというはっきりした記憶を持つ誰かがじゃ――」

「ホキーが自白を？」

「ホキーは女主人のココアに何か入れたことを覚えておった。それが砂糖ではなく、ほとんど知られていない猛毒だったとわかったのじゃ」ダンブルドアが言った。

「ホキーにはそのつもりがなかったが、年を取って混乱したのだという結論になった――」

「ヴォルデモートがホキーの記憶を修正したんだ。モーフィンにしたことと同じだ！」

「いかにも。わしも同じ結論じゃ」ダンブルドアが言った。

「さらに、モーフィンのときと同じく、魔法省ははじめからホキーを疑ってかかっておった――」

「――ホキーが屋敷しもべ妖精だから」ハリーが言った。

ハリーはこの時ほどハーマイオニーが設立した「S・P・E・W《しもべ妖精福祉振興協会》」に共鳴したことはなかった。

「そのとおりじゃ」ダンブルドアが言った。

「ホキーは老いぼれていたし、飲み物に細工をしたことを認めたのじゃから、魔法省には、それ以上調べようとする者は誰もおらなんだ。モーフィンの場合と同様、わしがホキーを見つけ出してこの記憶を取り出したときには、もうホキーの命は尽きようとしておった――しかし言うまでもなく、ホキーの記憶は、ヴォルデモートが、カップとロケットの存在を知っておったということを証明するにすぎぬ」

「ホキーが有罪になったころに、ヘプジバの親族たちが、最も大切な秘蔵の品が二つなくなっていることに気づいた。それを確認するまでに、しばらく時間がかかった。何しろヘプジバは蒐集《しゅうしゅう》品を油断なく保管しており、隠し場所が多かったからじゃ。しかし、カップとロケットの紛失が、親族にとって疑いの余地のないものとなったときには、すでに、ボージン・アンド・バークスの店員で、ヘプジバをひんぱんに訪ねては見事にとりこにしていた青年は、店を辞めて姿を消してしまっておった。店の上司たちは、青年がどこに行ってしまったのかさっぱりわからず、その失踪には誰よりも驚いていた。そして、その時を最後に、トム・リドルは長い間、誰の目にも耳にも触れることがなかったのじゃ」

「さて」ダンブルドアが言った。「ここで、ハリー、我々がいま見た物語に関して、いくつか君の注意を喚起しておきたいので、ひと息入れてみようかのう。ヴォルデモートはまたしても殺人を犯した。リドル一家を殺して以来、初めてだったかどうかはわからぬが、そうだったのじゃろう。今回は、君も見たとおり、復讐《ふくしゅう》のためではなく、欲しいものを手に入れるためじゃった。熱を上げたあの哀れな老女に見せられたすばらしい二つの記念品を、ヴォルデモートは欲しがった。かつて孤児院でほかの子供たちから奪ったように、おじのモーフィンの指輪を盗んだように、今度はヘプジバのカップとロケットを奪って逃げたのじゃ」

「でも」ハリーが顔をしかめた。

「まともじゃない……そんなもののためにあらゆる危険をおかして、仕事も投げ打つなんて……」

「君にとっては、たぶんまともではなかろうが、ヴォルデモートにとってはちがうのじゃ」ダンブルドアが言った。

「こうした品々が、ヴォルデモートにとってどういう意味があったのか、ハリー、君にも追い追いわかってくるはずじゃ。ただし、当然じゃが、あの者が、ロケットはいずれにせよ正当に自分のものだと考えたであろうことは想像にかたくない」

「ロケットはそうかもしれません」ハリーが言った。

「でも、どうしてカップまで奪うのでしょう?」

「カップは、ホグワーツのもう一人の創始者に連なるものじゃ」ダンブルドアが言った。

「あの者はまだこの学校に強くひかれており、ホグワーツの歴史がたっぷりしみ込んだ品物には抗しがたかったのじゃろう。ほかにも理由はある。おそらく……。時が来たら、君に具体的に説明することができることじゃろう」

「さて次は、わしが所有しておる記憶としては、君に見せる最後のものじゃ。少なくとも、スラグホーン先生の記憶を君が首尾よく回収するまではじゃが。この記憶は、ホキーの記憶から十年隔たっておる。その十年の間、ヴォルデモート卿が何をしていたのかは、想像するしかない……」

ダンブルドアが最後の記憶を「憂いの篩」にあけ、ハリーが再び立ち上がった。

「誰の記憶ですか?」ハリーが聞いた。

「わしのじゃ」ダンブルドアが答えた。

そして、ハリーは、ダンブルドアのあとからゆらゆら揺れる銀色の物質をくぐって、いま出発したばかりの同じ校長室に降り立った。フォークスが止まり木で幸福そうにまどろみ、そして机のむこう側に、なんとダンブルドアがいた。ハリーの横に立っているいまのダンブルドアとほとんど変わらなかったが、両手はそろって傷もなく、顔は、もしかしたらしわがやや少ないかもしれない。現在の校長室とのちがいは、過去のその日に雪が降っていたことだ。外は暗く、青みがかった雪片が窓をよぎって舞い、外の窓枠に積もっていた。

いまより少し若いダンブルドアは、何かを待っている様子だった。予想どおり、二人がこの場面に到着してまもなく、ドアをたたく音がした。「お入り」とダンブルドアが言った。

ハリーはアッと声を上げそうになり、あわてて押し殺した。ヴォルデモートが部屋に入ってきた。二年ほど前ハリーが目撃した、石の大鍋からよみがえったヴォルデモートの顔ではなかった。それほど蛇に似てはいなかったし、両眼もまだ赤くはない。まだ仮面をかぶったような顔になってはいない。しかし、あのハンサムなトム・リドルではなくなっていた。火傷《やけど》を負って顔立ちがはっきりしなくなったような、奇妙に変形したろう細工のようだった。白目はすでに、永久に血走っているようだったが、瞳孔はまだ、ハリーの見た現在のヴォルデモートの瞳のように細く縦に切れ込んだような形にはなっていなかった。ヴォルデモートは黒い長いマントをまとい、その顔は、両肩に光る雪と同じように蒼白《あおじろ》かった。

机のむこうのダンブルドアは、まったく驚いた様子がない。訪問は前もって約束してあったにちがいない。

「こんばんは、トム」ダンブルドアがくつろいだ様子で言った。

「かけるがよい」

「ありがとうございます」

ヴォルデモートはダンブルドアが示した椅子に腰かけた――椅子の形からして、現在のハリーが、たったいまそこから立ち上がったばかりの椅子だった。

「あなたが校長になったと聞きました」

ヴォルデモートの声は以前より少し高く、冷たかった。

「すばらしい人選です」

「君が賛成してくれてうれしい」ダンブルドアがほほえんだ。

「何か飲み物はどうかね？」

「いただきます」ヴォルデモートが言った。「遠くから参りましたので」

ダンブルドアは立ち上がって、現在は「憂いの篩」が入れてある棚の所へ行った。そこには瓶がたくさん並んでいた。ヴォルデモートにワインの入ったゴブレットを渡し、自分にも一杯注いでから、ダンブルドアは机のむこうに戻った。

「それで、トム……どんな用件でお訪ねくださったのかな？」

ヴォルデモートはすぐには答えず、ただワインをひと口飲んだ。

「私はもう『トム』と呼ばれていません」ヴォルデモートが言った。

「このごろ私の名は――」

「君がなんと呼ばれているかは知っておる」

ダンブルドアが愛想よくほほえみながら言った。

「しかし、わしにとっては、君はずっとトム・リドルなのじゃ。いらいらするかもしれぬが、これは年寄りの教師にありがちなくせでのう。生徒たちの若いころのことを完全に忘れることができんのじゃ」

ダンブルドアはヴォルデモートに乾杯するかのようにグラスを掲げた。ヴォルデモートは相変わらず無表情だ。しかし、ハリーはその部屋の空気が微妙に変わるのを感じた。ヴォルデモート自身が選んだ名前を使うのを拒んだということは、ヴォルデモートがこの会合の主導権を握るのを許さないということであり、ヴォルデモートもそう受け取ったのがハリーにはわかったのだ。

「あなたがこれほど長くここにとどまっていることに、驚いています」

短い沈黙のあと、ヴォルデモートが言った。

「あなたほどの魔法使いが、なぜ学校を去りたいと思われなかったのか、いつも不思議に思っていました」

「さよう」ダンブルドアはまだほほえんでいた。

「わしのような魔法使いにとって一番大切なことは、昔からの技を伝え、若い才能を磨く手助けをすることなのじゃ。わしの記憶が正しければ、君もかつて教えることにひかれたことがあったのう」

「いまでもそうです」ヴォルデモートが言った。

「ただ、なぜあなたほどの方が、と疑問に思っただけです――魔法省からしばしば助言を求められ、魔法大臣になるようにと、確か二度も請われたあなたが――」

「実は最終的に三度じゃ」ダンブルドアが言った。

「しかしわしは、一生の仕事として、魔法省には一度もひかれたことはない。またしても、君とわしとの共通点じゃのう」

ヴォルデモートはほほえみもせず首をかしげて、またワインをひと口飲んだ。いまや二人の間に張り詰めている沈黙を、ダンブルドアは自分からは破らず、楽しげに期待するかのような表情で、ヴォルデモートが口を開くのを待ち続けていた。

「私は戻ってきました」しばらくしてヴォルデモートが言った。

「ディペット校長が期待していたよりも遅れたかもしれませんが……しかし、戻ってきたことには変わりありません。ディペット校長がかつて、私が若すぎるからとお断りになったことを再び要請するために戻りました。この城に戻って教えさせていただきたいと、あなたにお願いするためにやってきたのです。ここを去って以来、私が多くのことを見聞し、成しとげたことを、あなたはご存じだと思います。

私は、生徒たちに、ほかの魔法使いからは得られないことを示し、教えることができるでしょう」

ダンブルドアは、手にしたゴブレットの上から、しばらくヴォルデモートを観察していたが、やがて口を開いた。

「いかにもわしは、君がここを去って以来、多くのことを見聞し、成しとげてきたことを知っておる」

ダンブルドアが静かに言った。

「君の所業は、トム、風の便りで君の母校にまで届いておる。わしはその半分も信じたくない気持ちじゃ」

ヴォルデモートは相変わらずうかがい知れない表情で、こう言った。

「偉大さはねたみを招き、ねたみを、恨みを、恨みはうそを招く。ダンブルドア、このことは当然ご存じでしょう」

「自分がやってきたことを、君は『偉大さ』と呼ぶ。そうかね？」

ダンブルドアは微妙な言い方をした。

「もちろんです」

ヴォルデモートの目が赤く燃えるように見えた。

「私は実験した。魔法の境界線を広げてきた。おそらく、これまでになかったほどに――」

「ある種の魔法と言うべきじゃろう」ダンブルドアが静かに訂正した。

「ある種の、ということじゃ。ほかのことに関して、君は……失礼ながら……嘆かわしいまでに無知じゃ」

ヴォルデモートが初めて笑みを浮かべた。引きつったような薄ら笑いは、怒りの表情よりももっと人をおびやかす、邪悪な笑みだった。

「古くさい議論だ」ヴォルデモートが低い声で言った。

「しかし、ダンブルドア、私が見てきた世の中では、私流の魔法より愛のほうがはるかに強いものだという、あなたの有名な見解を支持する者は皆無だった」

「君はおそらく、まちがった所を見てきたのであろう」ダンブルドアが言った。

「それならば、私が新たに研究を始める場として、ここ、ホグワーツほど適切な場所があるでしょうか？」ヴォルデモートが言った。

「戻ることをお許し願えませんか？　私の知識を、あなたの生徒たちに与えさせてくださいませんか？　私自身と私の才能を、あなたの手にゆだねます。あなたの指揮に従います」

ダンブルドアが眉を吊《つ》り上げた。

「すると、**君が**指揮する者たちはどうなるのかね？　自ら名乗って――といううわさではあるが――『死喰《しく》い人』と称する者たちはどうなるのかね？」

ヴォルデモートには、ダンブルドアがこの呼称を知っていることが予想外だったのだと、ハリーにはわかった。ヴォルデモートの目がまた赤く光り、細く切れ込んだような鼻の穴が広がるのを、ハリーは見た。

「私の友達は」しばらくの沈黙のあと、ヴォルデモートが言った。「私がいなくとも、きっとやっていけます」

「その者たちを、友達と考えておるのは喜ばしい」ダンブルドアが言った。

「むしろ、召使いの地位ではないかという印象を持っておったのじゃが」

「まちがっています」ヴォルデモートが言った。

「さすれば、今夜ホッグズ・ヘッドを訪れても、そういう集団はおらんのじゃろうな――ノット、ロジエール、マルシベール、ドロホフ——君の帰りを待っていたりはせぬじゃろうな？　まさに献身的な友達じゃ。雪の夜を、君とともにこれほどの長旅をするとは。君が教職を得ようとする試みに成功するようにと願うためだけにのう」

一緒に旅してきた者たちのことをダンブルドアがくわしく把握しているのが、ヴォルデモートにとって、なおさらありがたくないということは、目に見えて明らかだった。しかし、ヴォルデモートは、たちまち気を取りなおした。

「相変わらずなんでもご存じですね、ダンブルドア」

「いや、いや、あそこの店主と親しいだけじゃ」ダンブルドアが気楽に言った。

「さて、トム……」

ダンブルドアはからのグラスを置き、椅子に座りなおして、両手の指先を組み合わせる独特のしぐさをした。

「……率直に話そうぞ。互いにわかっていることじゃが、望んでもおらぬ仕事を求めるために、腹心の部下を引き連れて、君が今夜ここを訪れたのは、なぜなのじゃ？」

ヴォルデモートは冷ややかに、驚いた顔をした。

「私が望まない仕事？　とんでもない、ダンブルドア。私は強く望んでいます」

「ああ、君はホグワーツに戻りたいと思っておるのじゃ。しかし、十八歳のときもいまも、君は教えたいなどとは思っておらぬ。トム、何がねらいじゃ？　一度ぐらい、正直に願い出てはどうじゃ？」

ヴォルデモートが鼻先で笑った。

「あなたが私に仕事をくださるつもりがないなら——」

「もちろん、そのつもりはない」ダンブルドアが言った。

「それに、わしが受け入れるという期待を君が持ったとは、まったく考えられぬ。にもかかわらず、君はやってきて、頼んだ。何か目的があるにちがいない」

ヴォルデモートが立ち上がった。ますますトム・リドルの面影が消え、顔の隅々まで怒りでふくれ上がっていた。

「それが最後の言葉なのか？」

「そうじゃ」ダンブルドアも立ち上がった。

「では、互いに何も言うことはない」

「いかにも、何もない」ダンブルドアの顔に、大きな悲しみが広がった。「君の洋だんすを燃やして怖がらせたり、君が犯した罪をつぐなわせたりできた時代は、とうの昔になってしもうた。しかし、トム、わしはできることならそうしてやりたい……できることなら……」

一瞬、ハリーは、叫んでも意味がないのに、危ないと叫びそうになった。ヴォルデモートの手が、ポケットの杖に向かって確かにピクリと動いたと思ったのだ。しかし、一瞬が過ぎ、ヴォルデモートは背を向けた。ドアが閉まり、ヴォルデモートは行ってしまった。

ハリーはダンブルドアの手が再び自分の腕をつかむのを感じ、次の瞬間、二人はほとんど同じ位置に立っていた。しかし窓枠に積もっていた雪はなく、ダンブルドアの右手は、死んだような黒い手に戻っていた。

「なぜでしょう？」

ハリーは、ダンブルドアの顔を見上げてすぐさま聞いた。

「ヴォルデモートはなぜ戻ってきたのですか？　先生は結局、理由がおわかりになったのですか？」

「わしなりの考えはある」ダンブルドアが言った。

「しかし、わしの考えにすぎぬ」

「どんなお考えなのですか、先生？」

「君がスラグホーン先生の記憶を回収したら、ハリー、その時には話して聞かせよう」ダンブルドアが言った。

「ジグソーパズルのその最後の一片を、君が手に入れたとき、すべてが明らかになることを願っておる……わしにとっても、君にとってもじゃ」

ハリーは、知りたくてたまらない気持ちが消えず、ダンブルドアが出口まで歩いていって、ハリーのためにドアを開けてくれたときも、すぐには動かなかった。

「先生、ヴォルデモートはあの時も、『闇の魔術に対する防衛術』を教えたがっていたのですか？　何も言わなかったので……」

「おお、まちがいなく『闇の魔術に対する防衛術』の職を欲しておった」ダンブルドアが言った。

「あの短い会合の後日談が、それを示しておる。よいかな、ヴォルデモート卿がその職に就くことをわしが拒んで以来、この学校には、一年を超えてその職にとどまった教師は一人もおらぬ」

第21章　不可知の部屋

次の週、どうやったらスラグホーンを説得してほんとうの記憶を手に入れられるかと、ハリーは知恵をしぼった。しかしなんのひらめきもなく、このごろとほうに暮れたときについやってしまうことを、くり返すばかりだった。それは、魔法薬の教科書をすみずみまで調べることだ。これまでもたびたびそういうことがあったので、プリンスが何か役立つことを余白に書き込んでいるかもしれないと期待したのだ。

「そこからは何も出てこないわよ」

日曜の夜もふけたころ、ハーマイオニーがきっぱりと言った。

「文句を言うなよ、ハーマイオニー」ハリーが言った。

「プリンスがいなかったら、ロンはこんなふうに座っていられなかっただろう」

「いられたわよ。あなたが一年生のときにスネイプの授業をよく聞いてさえいたらね」

ハーマイオニーが簡単に却下した。

ハリーは知らんぷりをした。「敵に対して」という言葉に興味をそそられて、その上の余白になぐり書きしてある呪文（**セクタムセンプラ！**）が目に入ったところだった。ハリーは使ってみたくてうずうずしていたが、ハーマイオニーの前ではやめたほうがいいと思った。そのかわり、そっとそのページの端を折り曲げた。

三人は談話室の暖炉脇に座っていた。ほかにまだ起きているのは、同学年の六年生たちだけだった。

夕食から戻ったときに、掲示板に「姿あらわし」試験の日付が貼り出されていたので、六年生たちがちょっとした興奮状態におちいった。四月二十一日が試験の最初の日だが、その日までに十七歳になる生徒は、追加練習の申し込みができる。練習は（厳しい監視の下で）ホグズミードで行われる、という掲示だった。

ロンは掲示を見てパニック状態になった。まだ「姿あらわし」をこなしていなかったので、テストの準備が間に合わないのではないかと恐れたのだ。ハーマイオニーは、すでに二度「姿あらわし」に成功していたので、少しは自信があった。ハリーはと言えば、あと四か月たたないと十七歳にならないので、準備ができていようといなかろうと、テストを受けることはできなかった。

「だけど、君は少なくとも『姿あらわし』できるじゃないか！」

ロンはせっぱ詰まった声で言った。

「君、七月にはなんの問題もないよ！」

「一回できただけだ」

ハリーが訂正した。前回の練習でやっと、姿をくらましたあと、輪っかの中に再出現できたのだ。

「姿あらわし」が心配だと、さんざんしゃべって時間をむだにしてしまったロンは、今度はとほうもなく難しいスネイプの宿題と格闘していた。ハリーもハーマイオニーもそのレポートはもう仕上げていた。吸魂鬼と取り組む最善の方法に関して、ハリーはスネイプと意見が合わなかったので、どうせ低い点しかもらえないと充分予想できた。しかし、そんなことはどうでもよかった。むしろスラグホーンの記憶が、いまのハリーには最重要課題だった。

「言っておきますけど、ハリー、このことに関しては、バカバカしいプリンスは助けてくれないわよ！」

ハーマイオニーは一段と声高に言った。

「無理やりこちらの思いどおりにさせる方法は、一つしかないわ。『服従の呪文』だけど、それは違法だし――」

「ああ、わかってるよ。ありがと」ハリーは本から目を離さずに言った。

「だから、何か別の方法を探してるんじゃないか。ダンブルドアは、『真実薬』も役に立たないって言ったんだ。でも、何かほかの薬とか、呪文とか……」

「あなた、やり方をまちがえてるわ」ハーマイオニーが言った。

「あなただけが記憶を手に入れられるって、ダンブルドアがそう言ったのよ。ほかの人ができなくとも、あなたならスラグホーンを説得できるという意味にちがいないわ。スラグホーンにこっそり薬を飲ませるなんていう問題じゃない。それなら誰だってできるもの――」

「『こうせん的』って、どう書くの？」

ロンが羊皮紙をにらんで、羽根ペンを強く振りながら聞いた。

「向《むか》う戦じゃないみたいだし」

「ちがうわね」

ハーマイオニーがロンの宿題を引き寄せながら言った。

「それに『卜占《ぼくせん》』は『木占』じゃないわよ。いったいどんな羽根ペンを使っているの？」

「フレッドとジョージの『綴《つづ》り修正付き』のやつさ。……だけど、呪文が切れかかってるみたいだ……」

「ええ、きっとそうよ」

ハーマイオニーが、ロンのエッセイの題を指差しながら言った。

「だって、宿題は『吸魂鬼』について書くことで、『球根木』じゃないもの。それに、あなたが名前を『ローニル・ワズリブ』に変えたなんて、記憶にないけど」

「ええっ！」

ロンは真っ青になって羊皮紙を見つめた。

「まさか、もう一回全部書きなおしかよ！」

「大丈夫よ。直せるわ」

ハーマイオニーが宿題を手元に引き寄せて、杖《つえ》を取り出した。

「愛してるよ、ハーマイオニー」

ロンはつかれたように目をこすりながら、椅子にドサリと座り込んだ。

ハーマイオニーはほんのりほおを染めたが、「そんなこと、ラベンダーに聞かれないほうがいいわよ」

と言っただけだった。

「聞かせないよ」

ロンが、自分の両手に向かって言った。

「それとも、聞かせようかな……そしたらあいつが捨ててくれるかも……」

「おしまいにしたいんだったら、君が捨てればいいじゃないか？」ハリーが言った。

「君は誰かを振ったことがないんだろう？」ロンが言った。「君とチョウはただ――」

「なんとなく別れた、うん」ハリーが言った。

「僕とラベンダーも、そうなってくれればいいのに」

ロンが、ハーマイオニーを見ながら憂鬱そうに言った。ハーマイオニーは黙々と、杖の先で綴りのまちがいを一つずつ軽くたたき、羊皮紙上で自動修正させていた。

「だけど、おしまいにしたいってほのめかせばほのめかすほど、あいつはしがみついてくるんだ。巨大イカとつき合ってるみたいだよ」

「できたわ」二十分ぐらいしてから、ハーマイオニーが宿題をロンに返した。

「感謝感激」ロンが言った。

「結論を書くから、君の羽根ペン貸してくれる？」

ハリーは、プリンスの書き込みに、何も役に立つものが見つからなかったので、あたりを見回した。談話室に残っているのは、もう三人だけになっていた。シェーマスが、スネイプと宿題を呪いながら寝室に上がっていったばかりだった。暖炉の火がはぜる音と、ロンがハーマイオニーの羽根ペンを使って「吸魂鬼」の最後の一節を書くカリカリという音しか聞こえなかった。ハリーがプリンスの教科書を閉じ、あくびをしたその時――。

バチン。

ハーマイオニーが小さな悲鳴を上げ、ロンはレポートいっぱいにインクをこぼした。

「クリーチャー！」ハリーが言った。

屋敷しもべ妖精は深々とおじぎをして、節くれだった自分の足の親指に向かって話しかけた。

「ご主人様は、マルフォイ坊ちゃんが何をしているか、定期的な報告をお望みでしたから、クリーチャーはこうして――」

バチン。

ドビーがクリーチャーの横に現れた。帽子がわりのティーポット・カバーが、横っちょにずれている。

「ドビーも手伝っていました、ハリー・ポッター！」

ドビーはクリーチャーを恨みがましい目で見ながら、キーキー声で言った。

「そしてクリーチャーはドビーに、いつハリー・ポッターに会いにいくかを教えるべきでした。二人で一緒に報告するためです！」

「何事なの？」

突然の出現に、ハーマイオニーはまだ衝撃から立ちなおれない顔だった。

「ハリー、いったい何が起こっているの？」

ハリーはどう答えようかと迷った。ハーマイオニーには、クリーチャーとドビーにマルフォイを尾行させたことを話していなかった。屋敷しもべ妖精のことになると、ハーマイオニーはいつも非常に敏感になるからだ。

「その……二人は僕のためにマルフォイをつけていたんだ」ハリーが言った。

「昼も夜もです」クリーチャーがしわがれ声で言った。

「ドビーは一週間、寝ていません、ハリー・ポッター！」ドビーはふらふらっとしながら、誇らしげに言った。

ハーマイオニーが憤慨した顔になった。

「ドビー、寝てないんですって？　でも、ハリー、あなた、まさか寝るななんて――」

「もちろん、そんなこと言ってないよ」ハリーがあわてて言った。

「ドビー、寝ていいんだ、わかった？　でも、どっちかが何か見つけたのかい？」

ハーマイオニーがまた邪魔をしないうちにと、ハリーは急いで聞いた。

「マルフォイ様は純血にふさわしい高貴な動きをいたします」

クリーチャーが即座に答えた。

「その顔かたちはわたしの女主人様の美しい顔立ちを思い起こさせ、その立ち居振る舞いはまるで――」

「ドラコ・マルフォイは悪い子です！」ドビーが怒ってキーキー言った。

「悪い子で、そして――そして――」

ドビーは、ティーポット・カバーのてっぺんの房飾りから靴下のつま先までブルブル震え、暖炉めがけて飛び込みそうな勢いで駆けだした。ハリーはこういうこともありうると予想していたので、腰のあたりをつかまえてすばやくドビーを押さえた。ドビーは数秒間もがいていたが、やがてだらりとなった。

「ありがとうございます。ハリー・ポッター」

ドビーが息を切らしながら言った。

「ドビーはまだ、昔のご主人のことを悪く言えないのです……」

ハリーがドビーを放すと、ドビーはティーポット・カバーをかぶりなおし、クリーチャーに向かって挑むように言った。

「でも、クリーチャーは、ドラコ・マルフォイが、しもべ妖精にとってよいご主人ではないと知るべきです！」

「そうだ。君がマルフォイを愛しているなんて聞く必要はない」ハリーがクリーチャーに言った。

「早回しにして、マルフォイが実際どこに出かけているのかを聞こう」

クリーチャーは憤慨した顔で、また深々とおじぎをしてから言った。

「マルフォイ様は大広間で食事をなさり、地下室にある寮で眠られ、授業はさまざまな所――」

「ドビー、君が話してくれ」ハリーはクリーチャーをさえぎって言った。

「マルフォイは、どこか、行くべきではない所に行かなかったか？」

「ハリー・ポッター様」

ドビーは、テニスボールのような大きい目を暖炉の灯《あか》りにきらめかせながら、キーキー言った。

「マルフォイは、ドビーが見つけられる範囲では、なんの規則も破っておりません。でも、やっぱり、探られないようにとても気を使っています。いろいろな生徒と一緒に、しょっちゅう八階に行きます。

その生徒たちに見張らせて、自分は――」

「『必要の部屋』だ！」

ハリーは『上級魔法薬』の教科書で自分の額をバンとたたいた。ハーマイオニーとロンが、目を丸くしてハリーを見た。

「そこに姿をくらましていたんだ！　そこでやっているんだ……何かをやってる！　きっとそれで、地図から消えてしまったんだ――そういえば、地図で『必要の部屋』を見たことがない！」

「忍びの者たちは、そんな部屋があることを知らなかったのかもな」ロンが言った。

「それが『必要の部屋』の魔法の一つなんだと思うわ」ハーマイオニーが言った。

「地図上に表示されないようにする必要があれば、部屋がそうするのよ」

「ドビー、うまく部屋に入って、マルフォイが何をしているかのぞけたかい？」ハリーが急《せ》き込んで聞いた。

「いいえ、ハリー・ポッター。それは不可能です」ドビーが言った。

「そんなことはない」ハリーが即座に言った。

「マルフォイは、先学期、僕たちの本部に入ってきた。だから僕も入り込んで、あいつのことを探れる。大丈夫だ」

「だけど、ハリー、それはできないと思うわ」

ハーマイオニーが考えながら言った。

「マルフォイは、私たちがあの部屋をどう使っていたかをちゃんと知っていた。そうでしょう？　だって、あのバカなマリエッタがベラベラしゃべったから。マルフォイには、あの部屋がＤＡの本部になる必要があったから、部屋はその必要に応えたのよ。でも、あなたは、マルフォイが部屋に入っているときに、あの部屋がなんの部屋になっているのかを知らない。だからあなたは、どういう部屋になれって願うことができないわ」

「なんとかなるさ」ハリーが事もなげに言った。

「ドビー、君はすばらしい仕事をしてくれたよ」

「クリーチャーもよくやったわ」

ハーマイオニーがやさしく言ったが、クリーチャーは感謝の表情を見せるどころか、大きな血走った目をそらし、しわがれ声で天井に話しかけた。

『穢《けが》れた血』がクリーチャーに話しかけている。クリーチャーは聞こえないふりをする――」

「やめろ」ハリーが鋭く言った。

クリーチャーは最後にまた深々とおじぎをして、「姿くらまし」した。

「ドビー、君も帰って少し寝たほうがいいよ」

「ありがとうございます、ハリー・ポッター様！」

ドビーはうれしそうにキーキー言って、こちらも姿を消した。

「上出来だろ？」

談話室がまた元どおり、しもべ妖精なしの状態になったとたん、ハリーはロンとハーマイオニーに熱っぽく言った。

「マルフォイがどこに出かけているのか、わかったんだ！　とうとう追い詰めたぞ！」

「ああ、すごいよ」

宿題にしみ込んだ大量のインクをぬぐい取りながら、ロンが不機嫌に言った。ついさっきまでは、ほとんど完成していたレポートだ。ハーマイオニーがロンの宿題を引き寄せて、杖でインクを吸い込みはじめた。

「だけど、『いろいろな生徒』と一緒にそこに行くって、どういうことかしら？」

ハーマイオニーが言った。

「何人関わっているの？　マルフォイが大勢の人間を信用して、自分のやっていることを知らせるとは思えないけど……」

「うん、それは変だ」ハリーが顔をしかめた。

「マルフォイが、自分のやっていることはおまえの知ったこっちゃないって、クラッブに言ってるのを聞いた……それなら、マルフォイはほかの見張りの連中に……連中に……」

ハリーの声がだんだん小さくなり、じっと暖炉の火を見つめた。

「そうか、なんてバカだったんだろう」ハリーがつぶやいた。

「はっきりしてるじゃないか？　地下牢《ろう》教室には、あれの大きな貯蔵桶《おけ》があった……マルフォイは授業中にいつでも少しくすねることができたはずだ……」

「くすねるって、何を？」ロンが聞いた。

「『ポリジュース薬』。スラグホーンが最初の授業で見せてくれたポリジュース薬を、少し盗んだんだ……マルフォイの見張りをする生徒がそんなにいろいろいるわけがない……いつものように、クラッブとゴイルだけなんだ……うん、これでつじつまが合う！」

ハリーは勢いよく立ち上がり、暖炉の前を往《い》ったり来たりしはじめた。

「あいつらバカだから、マルフォイが何をしようとしているかを教えてくれなくとも、やれと言われたことをやる……でもマルフォイは、『必要の部屋』の外を二人がうろついているところを見られたくなかった。だからポリジュース薬を飲ませて、ほかの人間の姿を取らせたんだ……マルフォイがクィディッチに来なかったとき、マルフォイと一緒にいた二人の女の子――そうだ！　クラッブとゴイルだ！」

「ということは――」ハーマイオニーがささやき声で言った。

「私がはかりを直してあげた、あの小さな女の子――？」

「ああ、もちろんだ！」

ハリーは、ハーマイオニーを見つめて大声で言った。

「もちろんさ！　マルフォイがあの時、『部屋』の中にいたにちがいない。それで女の子は――何を寝ぼけたことを言ってるんだか――**男の子は**、はかりを落として、外に誰かいるから出てくるなって、マルフォイに知らせたんだ！　それに、ヒキガエルの卵を落としたあの女の子もだ！　マルフォイのすぐそばを、しょっちゅう通り過ぎていながら、僕たち、気がつかなかったんだ！」

「マルフォイのやつ、クラッブとゴイルを女の子に変身させたのか？」ロンがゲラゲラ笑いだした。

「おっどろきー……あいつらがこのごろふてくされているわけだ……あいつら、マルフォイにやーめたって言わないのが不思議だよ……」

「そりゃあ、できっこないさ。うん。マルフォイが、あいつらに腕の『闇の印』を見せたなら」ハリーが言った。

「んんんん……『闇の印』があるかどうかはわからないわ」

ハーマイオニーは、疑わしいという言い方をしながら、ロンの羊皮紙を乾かし終え、それ以上被害をこうむらないうちにと丸めてロンに渡した。

「そのうちわかるさ」ハリーが、自信ありげに言った。

「ええ、そのうちね」ハーマイオニーは立ち上がって伸びをしながら言った。

「でもね、ハリー、あんまり興奮しないうちに言っておくけど、『必要の部屋』の中に何があるかをまず知らないと、部屋には入れないと思うわ。それに、忘れちゃだめよ」

ハーマイオニーは鞄《かばん》を持ち上げて肩にかけながら、真剣なまなざしでハリーを見た。

「あなたは、スラグホーンの記憶を取り出すことに集中しているはずなんですからね。おやすみなさい」

ハリーは、ちょっと不機嫌になって、ハーマイオニーを見送った。女子寮のドアが閉まったとたん、ハリーはロンに振り向いた。

「どう思う？」

「屋敷しもべ妖精みたいに『姿くらまし』できたらなぁ」

ロンは、ドビーが消えたあたりを見つめて言った。

「そしたら『姿あらわし』試験はいただきなんだけど」


ハリーはその晩よく眠れなかった。目がさえたまま何時間も過ぎたような気がした。マルフォイは、「必要の部屋」をどんな用途に使っているのだろう。あしたそこに入ったら、何を目にするだろう？　ハーマイオニーがなんと言おうと、マルフォイがＤＡの本部を見ることができたのなら、ハリーにも部屋の中が見られるはずだ。マルフォイの……いったいなんだろう？　会合の場？　隠れ家？　納戸？　作業場？　ハリーは必死で考えた。やっと眠り込んでからも、とぎれとぎれの夢で眠りがさまたげられた。マルフォイがスラグホーンになり、スラグホーンがスネイプに変わり……。

次の朝、朝食の間中、ハリーは大きな期待で胸を高鳴らせていた。「闇の魔術に対する防衛術」の授業の前に自由時間がある。その時間を使い、なんとか「必要の部屋」に入ろうと決心していた。ハーマイオニーは、ハリーが「部屋」に侵入する計画を小声で言っても、ことさらに無関心の態度を示した。ハリーを助けるつもりになれば、ハーマイオニーはとても役に立つのにと考えると、ハリーはいらいらした。

「いいかい」

ハリーは身を乗り出して、ふくろう便が配達したばかりの「日刊予言者新聞」を押さえ、ハーマイオニーが広げた新聞の陰に隠れてしまうのを防ぎながら、小声で言った。

「僕はスラグホーンのことを忘れちゃいない。だけど、どうやったら記憶を引き出せるか、まったく見当がつかないんだ。頭に何かひらめくまで、マルフォイが何をやってるか探し出したっていいだろう？」

「もう言ったはずよ。あなたはスラグホーンを**説得する**必要があるの」

ハーマイオニーが言った。

「小細工するとか、呪文をかけるとかの問題じゃないわ。そんなことだったら、ダンブルドアがあっという間にできたはずですもの。『必要の部屋』の前でちょっかいを出しているひまがあったら――」

ハーマイオニーは、ハリーの手から「日刊予言者」をぐいと引っ張り、広げて一面に目をやりながら言った。

「スラグホーンを探し出して、あの人の善良なところに訴えてみることね」

「誰か知ってる人は――？」

ハーマイオニーが見出しを読み出したので、ロンが聞いた。

「いるわ！」

ハーマイオニーの声に、朝食を食べていたハリーもロンもむせ込んだ。

「でも大丈夫。死んじゃいないわ――マンダンガス。捕まってアズカバンに送られたわ！『亡者』のふりをして押し込み強盗しようとしたことに関係しているらしいわね……オクタビウス・ペッパーとかいう人が姿を消したし……まあ、なんてひどい話。九歳の男の子が、祖父母を殺そうとして捕まったわ。『服従の呪文』をかけられていたんじゃないかって……」

三人はだまり込んで朝食を終えた。ハーマイオニーはすぐに「古代ルーン文字」の授業に向かい、ロンは、スネイプの「吸魂鬼」のレポートの結論を仕上げに、談話室に戻った。ハリーは八階の廊下に向かい、「バカのバーナバス」がトロールにバレエを教えているタペストリーの反対側にある、長い石壁を目指した。

人影のない通路に出るとすぐ、ハリーは透明マントをかぶったが、何も気にする必要はなかった。目的地に着いたときにも、誰もいなかった。「部屋」に入るのには、マルフォイが中にいるときがいいのか、いないときのほうがいいのか、ハリーには判断がつかなかった。いずれにせよ初回の試みには、十一歳の女の子に化けたクラッブやゴイルがいないほうが、事は簡単に運ぶだろう。

ハリーは目を閉じて、「必要の部屋」の扉が隠されている壁に近づいた。先学年に習熟していたので、やり方はわかっていた。全神経を集中して、ハリーは考えた。

僕はマルフォイがここで何をしているか見る必要がある……僕はマルフォイがここで何をしているか見る必要がある……僕はマルフォイがここで何をしているか見る必要がある……。

ハリーは扉の前を、三度通り過ぎた。そして、興奮に胸を高鳴らせながら壁に向かって立ち、目を開けた――見えたのは、相変わらずなんの変哲もない、長い石壁だった。

ハリーは壁に近づき、試しに押してみた。石壁は固く頑固に突っ張ったままだった。

「オッケー」ハリーは声に出して言った。

「オッケー……念じたことがちがってたんだ……」

ハリーはしばらく考えてから、また開始した。目をつむり、できるだけ神経を集中した。

僕はマルフォイが何度もこっそりやってくる場所を見る必要がある……僕はマルフォイが何度もこっそりやってくる場所を見る必要がある……。

三回通り過ぎて、今度こそと目を開けた。

扉はなかった。

「おい、いいかげんにしろ」ハリーは壁に向かっていらいらと言った。「はっきり指示したのに……ようし……」ハリーは数分間必死に考えてから、また歩きだした。

君がドラコ・マルフォイのためになる場所になってほしい……。

往復をやり終えても、ハリーはすぐには目を開かなかった。扉がポンと現れる音が聞こえはしないかと、ハリーは耳を澄ました。しかし、何も聞こえない。どこか遠くのほうで、鳥の鳴き声が聞こえるばかりだった。ハリーは目を開けた。

またしても扉はなかった。

ハリーは、悪態をついた。すると誰かが悲鳴を上げた。振り返ると、一年生の群れが、大騒ぎで角を曲がって逃げていくところだった。ひどく口汚いゴーストに出くわしてしまったと思い込んだらしい。

ハリーは一時間のうちに考えられるかぎり、「僕はドラコ・マルフォイが部屋の中でやっていることを見る必要がある」の言い方を変えてやってみたが、最後には、ハーマイオニーの言うことが正しいかもしれないと、しぶしぶ認めざるをえなくなった。「部屋」は頑としてハリーのために開いてはくれなかった。ハリーは透明マントを脱いで鞄にしまい、挫折感でいらいらしながら、「闇の魔術に対する防衛術」の授業に向かった。

「また遅刻だぞ、ポッター」

ハリーが、ろうそくの灯りに照らされた教室に、急いで入っていくと、スネイプが冷たく言った。

「グリフィンドール、一〇点減点」

ハリーはロンの隣の席にドサリと座りながら、スネイプをにらみつけた。クラスの半分はまだ立ったままで、学用品をそろえていた。ハリーがみんなより特に遅れたとは言えないはずだ。

「授業を始める前に、『吸魂鬼』のレポートを出したまえ」

スネイプがぞんざいに杖を振ると、二十五本の羊皮紙の巻紙が宙に舞い上がり、スネイプの机の上に整然と積み上がった。

「『服従の呪文』への抵抗に関するレポートのくだらなさに、我輩は耐え忍ばねばならなかったが、今回のレポートはそれよりはましなものであることを、諸君のために望みたいものだ。さて、教科書を開いて、ページは――ミスター・フィネガン、なんだ？」

「先生」シェーマスが言った。「質問があるのですが、亡者とゴーストはどうやって見分けられますか？　実は『日刊予言者』に、亡者のことが出ていたものですから――」

「出ていない」スネイプがうんざりした声で言った。

「でも、先生、僕、聞きました。みんなが話しているのを――」

「ミスター・フィネガン、問題の記事を自分で読めば、亡者と呼ばれたものが、実はマンダンガス・フレッチャーという名の、小汚いコソ泥にすぎなかったことがわかるはずだ」

「スネイプとマンダンガスは味方同士じゃなかったのか？」

ハリーは、ロンとハーマイオニーに小声で言った。

「マンダンガスが逮捕されても平気なのか――？」

「しかし、ポッターはこの件について、ひとくさり言うことがありそうだ」

スネイプは突然教室の後ろを指差し、暗い目でハタとハリーを見すえた。

「ポッターに聞いてみることにしよう。亡者とゴーストをどのようにして見分けるか」

クラス中がハリーを振り返った。ハリーは、スラグホーンを訪れた夜にダンブルドアが教えてくれたことを、あわてて思い出そうとした。

「えーと——あの——ゴーストは透明で——」ハリーが言った。

「ほう、大変よろしい」

答えをさえぎったスネイプの口元が皮肉にゆがんだ。

「なるほど、ポッター、ほぼ六年におよぶ魔法教育はむだではなかったということがよくわかる。**ゴーストは透明で**」

パンジー・パーキンソンが、かん高いクスクス笑いをもらした。ほかにも何人かがニヤニヤ笑っていた。ハリーは腸《はらわた》が煮えくり返っていたが、深く息を吸って、静かに続けた。

「ええ、ゴーストは透明です。でも亡者は死体です。そうでしょう？　ですから、固い実体があり——」

「五歳の子供でもその程度は教えてくれるだろう」スネイプが鼻先で笑った。

「亡者は、闇の魔法使いの呪文により動きを取り戻した屍《しかばね》だ。生きてはいない。その魔法使いの命ずる仕事をするため、傀儡《かいらい》のごとくに使われるだけだ。ゴーストは、そろそろ諸君も気づいたと思うが、この世を離れた魂が地上に残した痕跡だ……それに、もちろん、ポッターが賢しくも教えてくれたように、**透明だ**」

「でも、ハリーが言ったことは、どっちなのかを見分けるのには、一番役に立つ！」ロンが言った。「暗い路地でそいつらと出くわしたら、固いかどうかちょっと見てみるんじゃないかなあ？　質問なんかしないと思うけど。『すみませんが、あなたは魂の痕跡ですか？』なんてさ」

笑いがさざ波のように広がったが、スネイプが生徒をひとにらみするとたちまち消えた。

「グリフィンドール、もう一〇点減点。ロナルド・ウィーズリー、我輩は君に、それ以上高度なものは何も期待しておらぬ。その固さたるや、教室内で一寸たりとも『姿あらわし』できまいな」

「**だめ！**」憤慨して口を開きかけたハリーの腕をつかみ、ハーマイオニーが小声で言った。「なんにもならないわ。また罰則を受けるだけよ。ほっときなさい！」

「さて、教科書の二一三ページを開くのだ」

スネイプが、得意げな薄ら笑いを浮かべながら言った。

「『磔《はりつけ》の呪文』の最初の二つの段落を読みたまえ……」

ロンは、そのあとずっと沈んでいた。終業ベルが鳴ると、ラベンダーがロンとハリーを追いかけてきて（ラベンダーが近づくと、ハーマイオニーの姿が不思議にも溶けるように見えなくなった）、スネイプがロンの「姿あらわし」をあざけったことを、カンカンになってののしった。しかし、ロンはかえっていらだった様子で、ハリーと二人でわざと男子トイレに立ち寄って、ラベンダーを振り切ってしまった。

「だけど、スネイプの言うとおりだ。そうだろう？」

ひびの入った鏡を一、二分見つめたあと、ロンが言った。

「僕なんて、試験を受ける価値があるかどうかわかんないよ。『姿あらわし』のコツがどうしてもつかめないんだ」

「とりあえず、ホグズミードでの追加訓練を受けて、どこまでやれるようになるか見てみたらどうだ」

ハリーが理性的に言った。

「バカバカしい輪っかに入る練習よりおもしろいことは確かだ。それで、もしもまだ――つまり――自分の思うようにはできなかったら、試験を延ばせばいい。僕と一緒に、夏に――マートル、ここは男子トイレだぞ！」

　女の子のゴーストが、二人の背後の小部屋の便器から出てきて宙に浮き、白く曇った分厚い丸いめがねの奥から、じっと二人を見つめていた。

「あら」マートルが不機嫌に言った。「あんたたちだったの」

「誰を待ってたんだ？」ロンが、鏡に映るマートルを見ながら言った。

「別に」マートルは、物憂げにあごのにきびをつぶした。

「あの人、またわたしに会いにここに来るって言ったの。でも、**あなただって**、またわたしに会いに立ち寄るって言ったけどね……」

　マートルはハリーを非難がましい目で見た。

「……それなのに、あなたは何か月も何か月も姿を見せなかったわ。男の子にはあまり期待しちゃだめだって、わたし、わかったの」

「君は女子トイレに住んでいるものと思ってたけど？」

　ハリーはここ数年、その場所を慎重に遠ざけていた。

「そうよ」

　マートルは、すねたように小さく肩をすくめた。

「だけど、ほかの場所を**訪問**できないってことじゃないわ。あなたに会いに、一度お風呂場に行ったこと、覚えてる？」

「はっきりとね」ハリーが言った。

「だけど、あの人はわたしのことが好きだと思ったんだけど」マートルが悲しげに言った。

「二人がいなくなったら、もしかしてあの人が戻ってくるかもしれない……わたしたちって、共通点がたくさんあるもの……あの人はきっとそれを感じたと思うわ……」

マートルは、もしかしたら、という目つきで入口を見た。

「共通点が多いっていうことは——」

ロンが、おもしろくなってきたという口ぶりで言った。

「そいつもS字パイプに住んでるのかい？」

「ちがうわ」

マートルの挑戦的な声が、トイレの古いタイルに反響した。

「つまり、その人は繊細なの。みんながあの人のこともいじめる。孤独で、誰も話す相手がいないのよ。それに自分の感情を表すことを恐れないで、泣くの！」

「ここで泣いてる男がいるのか？」ハリーが興味津々で聞いた。

「まだ小さい男の子かい？」

「気にしないで！」

マートルは、いまやニタニタ笑っているロンを、小さなぬれた目で見すえながら言った。

「誰にも言わないって、わたし、約束したんだから。あの人の秘密は言わない。死んでも——」

「——墓場まで持っていく、じゃないよな？」ロンがフンと鼻を鳴らした。

「下水まで持っていく、かもな……」

怒ったマートルは、吠《ほ》えるように叫んで便器に飛び込み、あふれた水が床をぬらした。マートルをからかうことで、ロンは気を取りなおしたようだった。

「君の言うとおりだ」

ロンは、鞄を肩に放り上げながら言った。

「ホグズミードで追加練習をしてから、試験を受けるかどうか決めるよ」

試験まであと二週間と迫った次の週末、ロンは、ハーマイオニーや試験までに十七歳になるほかの六年生たちと一緒に出かけることになった。村に行く準備をしているみんなを、ハリーはねたましい思いで眺めていた。村までの遠足ができなくなったことを、ハリーはさびしく思っていたし、その日は特によく晴れた春の日で、しかもこんな快晴はここしばらくなかったからだ。しかし、ハリーはこの時間を使って、「必要の部屋」への突撃に再挑戦しようと決めていた。

「それよりもね」

玄関ホールでハリーがロンとハーマイオニーにその計画を打ち明けると、ハーマイオニーが言った。

「まっすぐスラグホーンの部屋に行って、記憶を引き出す努力をするほうがいいわ」

「努力してるよ！」

ハリーは不機嫌になった。まちがいなく努力はしていた。ここ一週間、魔法薬の授業のたびに、ハリーはあとに残ってスラグホーンを追い詰めようとした。しかし魔法薬の先生は、いつもすばやく地下牢教室からいなくなり、捕まえることができなかった。ハリーは、二度も先生の部屋に行ってドアをたたいたが、返事はなかった。しかし、二度目のときは、確かに、古い蓄音機の音をあわてて消す気配がした。

「ハーマイオニー、あの人は、僕と話したがらないんだよ！　スラグホーンが一人のときを僕がねらっていると知ってて、そうさせまいとしてるんだ！」

「まあね、でも、がんばり続けるしかないでしょう？」

管理人のフィルチの前には短い列ができていて、フィルチはいつもの「詮索センサー」でつついていた。列が二、三歩前に進んだので、ハリーは管理人に聞かれてはまずいと思い、答えなかった。ロンとハーマイオニーを、がんばれと見送ったあと、ハーマイオニーがなんと言おうと、一、二時間は「必要の部屋」に専念しようと決意して、ハリーは大理石の階段を戻った。

玄関ホールから見えない場所まで来ると、ハリーは忍びの地図と透明マントを鞄から取り出した。身を隠してから、ハリーは地図をたたいて「**我、ここに誓う。我、よからぬことをたくらむ者なり**」と唱え、地図を細かく見回した。

日曜の朝だったので、ほとんどの生徒は各寮の談話室にいた。グリフィンドール生とレイブンクロー生はそれぞれの塔に、スリザリン生は地下牢で、ハッフルパフ生は厨房《ちゅうぼう》近くの地下の部屋だった。図書館や廊下を一人でぶらぶら歩いている生徒が、あちらこちらに見えた……何人かは校庭だ……そして、見よ、八階の廊下に、グレゴリー・ゴイルがたった一人でいる。「必要の部屋」の印は何もないが、ハリーは気にならなかった。ゴイルが外で看視に立っているなら、地図が認識しようとしまいと、「部屋」は開いている。

ハリーは階段を全速力で駆け上がり、八階の廊下に出る曲がり角近くでやっと速度を落とした。そこからはゆっくりと忍び足で、小さな女の子に近づいた。二週間前、ハーマイオニーが親切に助けてやった、重そうな真鍮《しんちゅう》のはかりをしっかり抱えたあの女の子だ。ハリーは女の子の真後ろに近づいてから、低く身をかがめてささやき声で言った。

「やあ……君、とってもかわいいじゃないか?」

度肝を抜かれたゴイルは、かん高い叫び声を上げ、はかりを放り投げて駆けだした。はかりが落ちて廊下に反響する音が消えたときには、ゴイルの姿はとっくに見えなくなっていた。ハリーは笑いながら、のっぺりした石壁を凝視した。その陰にいま、ドラコ・マルフォイが、都合の悪い誰かが外にいることを知って、姿を現すこともできず、凍りついたように立っているにちがいない。まだ試していない言葉の組み合わせを考えながら、ハリーは主導権を握った心地よさを味わっていた。

しかし、この高揚した状態は、長くは続かなかった。マルフォイが何をしているかを見るという必要を、あらゆる言い方で試してみたにもかかわらず、三十分たっても壁は頑としてドアを現してくれなかった。ハリーはどうしようもないほどいらだった。マルフォイは、すぐそこにいるかもしれないのだ。それなのに、そこでマルフォイが何をしているのか、いまだに爪の先ほどの証拠もない。堪忍袋の緒がぷっつり切れ、ハリーは壁に突進して蹴りつけた。

「**アイタッ！**」

足の親指が折れたかと思った。ハリーは足をつかんで片足でピョンピョン跳ね、透明マントがすべり落ちた。

「ハリー？」

ハリーは片足のまま振り返り、ひっくり返った。そこには、なんと驚いたことに、トンクスがいた。この廊下をしょっちゅうぶらついているかのように、ハリーに近づいてくる。

「こんな所で、何してるの？」

ハリーはあわてて立ち上がりながら聞いた。トンクスはどうして、自分が床に転がっているときばかり現れるんだろう？

「ダンブルドアに会いにきたの」トンクスが言った。

ハリーは、トンクスがひどい様子をしていると思った。前よりやつれて、くすんだ茶色の髪はだらりと伸びきっていた。

「校長室はここじゃないよ」ハリーが言った。

「城の反対側で、怪獣像《ガーゴイル》の裏の――」

「知ってる」トンクスが言った。「そこにはいない。どうやらまた出かけている」

「また？」

ハリーは痛めた足をそっと床に下ろした。

「ねえ――トンクスは、ダンブルドアがどこに出かけるのか、知らないだろうね？」

「知らない」トンクスが言った。

「なんの用でダンブルドアに会いにきたの？」

「別に特別なことじゃないんだけど」

トンクスは、どうやら無意識にローブのそでを何度もつまみながら、言った。

「ただ、何が起こっているか、ダンブルドアなら知っているんじゃないかと思って……うわさを聞いたんだ……人が傷ついている……」

「うん、知ってる。新聞にいろいろ出ているし」ハリーが言った。

「小さい子が人を殺そうとしたとか――」

「『日刊予言者』は、ニュースが遅いことが多いんだ」

トンクスが言った。ハリーの言うことは聞いていないように見えた。

「騎士団の誰かから、最近手紙が来てないでしょうね？」

「騎士団にはもう、手紙をくれる人は誰もいない」ハリーが言った。「シリウスはもう――」

ハリーは、トンクスの目が涙でいっぱいなのを見た。

「ごめん」ハリーは当惑してつぶやいた。

「あの……僕もあの人がいなくてさびしいんだ……」

「えっ？」

トンクスは、ハリーの言ったことが聞こえなかったかのように、キョトンとした。

「じゃあ……またね、ハリー……」

トンクスは唐突にきびすを返し、廊下を戻っていった。残されたハリーは目を丸くして見送った。一、二分がたち、ハリーは透明マントをかぶりなおして、再び「必要の部屋」に入ろうと取り組みはじめたが、もう気が抜けてしまっていた。胃袋もからっぽだったし、考えてみれば、ロンとハーマイオニーがまもなく昼食に戻ってくる。ハリーはついにあきらめ、廊下をマルフォイに明け渡した。おそらくマルフォイは、不安であと数時間はここから出られないだろう。いい気味だ。

ロンとハーマイオニーは大広間にいた。早い昼食を、もう半分すませていた。

「できたよ――まあ、ちょっとね！」

ロンはハリーの姿を見つけると、興奮して言った。

「マダム・パディフットの喫茶店の外に『姿あらわし』するはずだったんだけど、ちょっと行きすぎて、スクリベンシャフト羽根ペン専門店の近くに出ちゃってさ。でも、とにかく動いた！」

「やったね」ハリーが言った。「君はどうだった？　ハーマイオニー？」

「ああ、完璧さ。当然」ハーマイオニーより先に、ロンが言った。

「完璧な3Dだ。『どういう意図で』、『どっちらけ』、『どん底』、だったかな、まあどうでもいいや――そのあと、みんなで『三本の箒《ほうき》』にちょっと飲みにいったんだけど、トワイクロスが、ハーマイオニーをほめるのほめないのって――そのうちきっと結婚の申し込みを――」

「それで、あなたはどうだったの？」

ハーマイオニーはロンを無視して聞いた。

「ずっと『必要の部屋』に関わりきりだったの？」

「そっ」ハリーが言った。「それで、誰に出会ったと思う？　トンクスさ！」

「トンクス？」ロンとハーマイオニーがびっくりして同時に聞き返した。

「ああ。ダンブルドアに会いにきたって言ってた……」

「僕が思うには」

ハリーが、トンクスとの会話のことを話し終わると、ロンが言った。

「トンクスはちょっと変だよ。魔法省での出来事のあと、意気地がない」

「ちょっとおかしいわね」

ハーマイオニーは、何か思うところがあるのか、とても心配そうだった。

「トンクスは学校を護《まも》っているはずなのに、どうして急に任務を放棄して、ダンブルドアに会いにきたのかしら？　しかも留守なのに」

「こういうことじゃないかな」

ハリーは遠慮がちに言った。こんなことを自分が言うのはそぐわないような気がした。むしろハーマイオニーの領域だ。

「トンクスは、もしかしたら……ほら……シリウスを愛してた？」

ハーマイオニーは、目を見張った。

「いったいどうしてそう思うの？」

「さあね」ハリーは肩をすくめた。

「だけど、僕がシリウスの名前を言ったら、ほとんど泣きそうだった……それに、トンクスのいまの守護霊は、大きな動物なんだ……もしかしたら、守護霊が変わったんじゃないかな……ほら……シリウスに」

「一理あるわ」ハーマイオニーが考えながら言った。

「でも、突然、城に飛び込んできた理由がまだわからないわ。もしほんとうにダンブルドアに会いにきたのだとしたら……」

「結局、僕の言ったことに戻るわけだろ？」

ロンが、今度はマッシュポテトをかっ込みながら言った。

「トンクスはちょっとおかしくなった。意気地がない。女ってやつは――」

ロンは賢《さか》しげにハリーに向かって言った。

「あいつらは簡単に動揺する」

「だけど」

ハーマイオニーが、突然現実に戻ったように言った。

「**女なら**、誰かさんの鬼婆《おにばば》とか癒師の冗談や、**ミンビュラス・ミンブルトニア**の冗談で、マダム・ロスメルタが笑ってくれなかったからといって、誰かさんみたいに三十分もすねたりしないでしょうね」

ロンが顔をしかめた。

第22章　埋葬のあと

城の尖塔《せんとう》の上に、青空が切れ切れにのぞきはじめた。しかし、こうした夏の訪れのしるしも、ハリーの心を高揚させてはくれなかった。マルフォイのくわだてを見つけ出す試みも、スラグホーンと会話する努力も挫折し、何十年も押し込められていたであろう記憶をスラグホーンから引き出す糸口は、見つかっていなかった。

「もう、これっきり言わないけど、マルフォイのことは忘れなさい」

ハーマイオニーがきっぱりと言った。

昼食のあと、三人は中庭の陽《ひ》だまりに座っていた。ハーマイオニーもロンも、魔法省のパンフレット、『「姿あらわし」のよくあるまちがいと対処法』を握りしめていた。二人とも、その日の午後に試験を受けることになっていたからだ。しかし、パンフレットなどというものは、概して神経をなだめてくれるものではない。女の子が一人、曲がり角から現れたのを見て、ロンはぎくりとしてハーマイオニーの陰に隠れた。

「ラベンダーじゃないわよ」ハーマイオニーがうんざりしたように言った。

「あ、よかった」ロンがホッとしたように言った。

「ハリー・ポッター？」女の子が聞いた。「これを渡すように言われたの」

「ありがとう……」

小さな羊皮紙の巻紙を受け取りながら、ハリーは気持ちが落ち込んだ。女の子が声の届かない所まで行くのを待って、ハリーが言った。

「僕が記憶を手に入れるまではもう授業をしないって、ダンブルドアはそう言ったんだ！」

「あなたがどうしているか、様子を見たいんじゃないかしら？」

ハリーが羊皮紙を広げる間、ハーマイオニーが意見を述べた。しかし、羊皮紙には、ダンブルドアの細長い斜め文字ではなく、ぐちゃぐちゃした文字がのたくっていた。何か所も、インクがにじんで大きなしみになっているので、とても読みにくい。

ハリー、ロン、ハーマイオニー
アラゴグが昨晩死んだ。

ハリー、ロン、おまえさんたちはアラゴグに会ったな。だからあいつがどんなに特別なやつだったかわかるだろう。ハーマイオニー、おまえさんもきっと、あいつが好きになっただろうに。

今日、あとで、おまえさんたちが埋葬にちょっくら来てくれたら、俺は、うんとうれしい。夕闇が迫るころに埋めてやろうと思う。あいつの好きな時間だったしな。

そんなに遅くに出てこれねえってことは知っちょる。だが、おまえさんたちは「マント」が使える。無理は言わねえが、俺ひとりじゃ耐えきれねえ。

ハグリッド

「これ、読んでよ」

ハリーはハーマイオニーに手紙を渡した。

「まあ、どうしましょう」

ハーマイオニーは急いで読んで、ロンに渡した。ロンは読みながら、だんだん「マジかよ」という顔になった。

「**まともじゃない！**」ロンが憤慨した。

「仲間の連中に、僕とハリーを食えって言ったやつだぜ！　勝手に食えって、そう言ったんだぜ！　それなのにハグリッドは、今度は僕たちが出かけていって、おっそろしい毛むくじゃら死体に涙を流せっていうのか！」

「それだけじゃないわ」ハーマイオニーが言った。

「夜に城を抜け出せって頼んでるのよ。安全対策が百万倍も強化されているし、私たちが捕まったら大問題になるのを知ってるはずなのに」

「前にも夜に訪ねていったことがあるよ」ハリーが言った。

「ええ、でも、こういうことのためだった？」ハーマイオニーが言った。

「私たち、ハグリッドを助けるために危険をおかしてきたわ。でもどうせ――アラゴグはもう死んでるのよ。これがアラゴグを助けるためだったら――」

「――ますます行きたくないね」ロンがきっぱりと言った。

「ハーマイオニー、君はあいつに会ってない。いいかい、死んだことで、やつはずっとましになったはずだ」

ハリーは手紙を取り戻して、羊皮紙いっぱい飛び散っているインクのしみを見つめた。羊皮紙に大粒の涙がポタポタこぼれたにちがいない……。

「ハリー、**まさか**、行くつもりじゃないでしょうね」ハーマイオニーが言った。

「そのために罰則を受けるのはまったく意味がないわ」

ハリーはため息をついた。

「うん、わかってる」ハリーが言った。

「ハグリッドは、僕たち抜きで埋葬しなければならないだろうな」

「ええ、そうよ」ハーマイオニーがホッとしたように言った。

「ねえ、魔法薬の授業は今日、ほとんどがらがらよ。私たちが全部試験に出てしまうから……その時に、スラグホーンを少し懐柔してごらんなさい！」

「五十七回目に、やっと幸運ありっていうわけ？」ハリーが苦々しげに言った。

「幸運――」

ロンが突然口走った。

「ハリー、それだ――幸運になれ！」

「なんのことだい？」

「『幸運の液体』を使え！」

「ロン、それって――それよ！」ハーマイオニーが、ハッとしたように言った。

「もちろんそうだわ！　どうして思いつかなかったのかしら？」

ハリーは目を見張って二人を見た。

「『フェリックス・フェリシス』？　どうかな……僕、取っておいたんだけど……」

「なんのために？」ロンが信じられないという顔で問い詰めた。

「ハリー、スラグホーンの記憶ほど大切なものがほかにある？」ハーマイオニーが問いただした。

ハリーは答えなかった。このところしばらく、金色の小瓶が、ハリーの空想の片隅に浮かぶようになっていた。漠然とした形のない計画だったが、ジニーがディーンと別れ、ロンはジニーの新しいボーイフレンドを見てなぜか喜ぶ、というような筋書きが、頭の奥のほうでふつふつと醸成されていた。夢の中や、眠りと目覚めとの間の、ぼんやりした時間にだけしか意識していなかったのだが……。

「ハリー、ちゃんと聞いてるの？」ハーマイオニーが聞いた。

「えっ――？　ああ、もちろん」

ハリーは我に返った。

「うん……オッケー。今日の午後にスラグホーンを捕まえられなかったら、『フェリックス』を少し飲んで、もう一度夕方にやってみる」

「じゃ、決まったわね」

ハーマイオニーはきびきび言いながら、立ち上がってつま先で優雅にくるりと回った。

「どこへ……どうしても……どういう意図で……」ハーマイオニーがブツブツ言った。

「おい、やめてくれ」ロンが哀願した。

「僕、それでなくても、もう気分が悪いんだから……あ、隠して！」

「ラベンダーじゃないわよ！」

ハーマイオニーがいらいらしながら言った。中庭に女の子が二人現れたとたん、ロンはたちまちハーマイオニーの陰に飛び込んでいた。

「よーし」

ロンはハーマイオニーの肩越しにのぞいて確かめた。

「おかしいな、あいつら、なんだか沈んでるぜ、なあ？」

「モンゴメリー姉妹よ。沈んでるはずだわ。弟に何が起こったか、聞いていないの？」ハーマイオニーが言った。

「正直言って、誰の親戚に何があったなんて、僕もうわかんなくなってるんだ」ロンが言った。

「あのね、弟が狼《おおかみ》人間に襲われたの。うわさでは、母親が死喰《しく》い人に手を貸すことを拒んだそうよ。とにかく、その子はまだ五歳で、聖マンゴで死んだの。助けられなかったのね」

「死んだ？」

ハリーがショックを受けて聞き返した。

「だけど、狼人間はまさか、殺しはしないだろう？　狼人間にしてしまうだけじゃないのか？」

「時には殺す」

ロンがいつになく暗い表情で言った。

「狼人間が興奮すると、そういうことが起こるって聞いた」

「その狼人間、なんていう名前だった？」ハリーが急《せ》き込んで聞いた。

「どうやら、フェンリール・グレイバックだったといううわさよ」ハーマイオニーが言った。

「そうだと思った――子供を襲うのが好きな狂ったやつだ。ルーピンがそいつのことを話してくれた！」ハリーが怒った。

ハーマイオニーは暗い顔でハリーを見た。

「ハリー、あの記憶を引き出さないといけないわ」ハーマイオニーが言った。

「すべては、ヴォルデモートを阻止することにかかっているのよ。恐ろしいことがいろいろ起こっているのは、結局みんなヴォルデモートに帰結するんだわ……」

頭上で城の鐘が鳴り、ハーマイオニーとロンが、引きつった顔ではじかれたように立ち上がった。

「きっと大丈夫だよ」

「姿あらわし」試験を受ける生徒たちと合流するために、玄関ホールに向かう二人に、ハリーは声をかけた。

「がんばれよ」

「あなたもね！」

ハーマイオニーは意味ありげな目でハリーを見ながら、地下牢《ろう》に向かうハリーに声をかけた。

午後の魔法薬の授業には、三人の生徒しかいなかった。ハリー、アーニー、ドラコ・マルフォイだった。

「みんな『姿あらわし』するにはまだ若すぎるのかね？」

スラグホーンが愛想よく言った。

「まだ十七歳にならないのか？」

三人ともうなずいた。

「そうか、そうか」

スラグホーンがゆかいそうに言った。

「これだけしかいないのだから、**何か楽しいこと**をしよう。なんでもいいから、おもしろいものを煎じてみてくれ！」

「いいですね、先生」

アーニーが両手をこすり合わせながら、へつらうように言った。一方マルフォイは、ニコリともしなかった。

「『おもしろいもの』って、どういう意味ですか？」マルフォイがいらいらしながら言った。

「ああ、わたしを驚かせてくれ」

スラグホーンが気軽に言った。

マルフォイはむっつりと『上級魔法薬』の教科書を開いた。この授業がむだだと思っていることは明らかだ。ハリーは教科書の陰から、上目づかいでマルフォイを見ながら、この時間を「必要の部屋」で過ごせないことを悔しがっているにちがいないと思った。

ハリーの思いすごしかもしれないが、マルフォイもトンクスと同じように、やつれたのではないだろうか？　マルフォイの顔色が悪いのは確かだ。相変わらず青黒いくまがある。このごろほとんど陽に当たっていないからなのかもしれない。しかし、その顔には、取りすました傲慢さも、興奮も優越感も見られない。ホグワーツ特急で、ヴォルデモートに与えられた任務をおおっぴらに自慢していたときの、あのいばりくさった態度は微塵《みじん》もない……結論は一つしかない、とハリーは考えた。どんな任務かは知らないが、その任務がうまくいっていないのだ。

そう思うと元気が出て、ハリーは『上級魔法薬』の教科書を拾い読みした。すると、教科書をさんざん書き替えた、プリンス版の「陶酔感を誘う霊薬」が目にとまった。スラグホーンの課題にぴったりなばかりか、もしかすると（そう考えたとたん、ハリーは心がおどった）、その薬をひと口飲むようにハリーがうまく説得できればの話だが、スラグホーンがご機嫌な状態になり、あの記憶をハリーに渡してもよいと思うかもしれない……。

「さーて、これはまたなんともすばらしい」

一時間半後に、スラグホーンがハリーの大鍋をのぞき、太陽のように輝かしい黄金色の薬を見下ろして、手をたたいた。

「陶酔薬、そうだね？　それにこの香りはなんだ？　ウムムム……ハッカの葉を入れたね？　正統派ではないが、ハリー、なんたるひらめきだ。もちろん、ハッカは、たまに起こる副作用を相殺する働きがある。唄を歌いまくったり、やたらと人の鼻をつまんだりする副作用だがね……いったいどこからそんなことを思いつくのやら、さっぱりわからんね……もしや――」

ハリーはプリンスの教科書を、足で鞄《かばん》の奥に押し込んだ。

「――母親の遺伝子が、君に現れたのだろう！」

「あ……ええ、たぶん」

ハリーはホッとした。

アーニーは、かなり不機嫌だった。今度こそハリーよりうまくやろうとして、無謀にも独自の魔法薬を創作しようとしたのだが、薬はチーズのように固まり、鍋底で紫のだんご状になっていた。マルフォイはふてくされた顔で、もう荷物を片づけはじめていた。スラグホーンは、マルフォイの「しゃっくり薬」を「まあまあ」と評価しただけだった。

終業ベルが鳴り、アーニーもマルフォイもすぐに出ていった。

「先生」

ハリーが切り出したが、スラグホーンはすぐに振り返って教室をざっと眺めた。自分とハリー以外に誰もいないと見て取ると、スラグホーンは大急ぎで立ち去ろうとした。

「先生――先生、試してみませんか？　僕の――」

ハリーは必死になって呼びかけた。

しかし、スラグホーンは行ってしまった。がっかりして、ハリーは鍋をあけて荷物をまとめ、足取りも重く地下牢教室を出て、談話室まで戻った。

ロンとハーマイオニーは、午後の遅い時間に帰ってきた。

「ハリー！」

ハーマイオニーが肖像画の穴を抜けながら呼びかけた。

「ハリー、合格したわ！」

「よかったね！」ハリーが言った。

「ロンは？」

「ロンは――ロンは**おしいとこで**落ちたわ」

ハーマイオニーが小声で言った。陰気くさい顔のロンが、がっくり肩を落として穴から出てきたところだった。

「ほんとに運が悪かったわ。些細《ささい》なことなのに。試験官が、ロンの片方の眉が半分だけ置き去りになっていることに気づいちゃったの……スラグホーンはどうだった？」

「アウトさ」

ハリーがそう答えたとき、ロンがやってきた。

「運が悪かったな、おい。だけど、次は合格だよ――一緒に受験できる」

「ああ、そうだな」

ロンが不機嫌に言った。

「だけど、**眉半分だぜ！**　目くじら立てるほどのことか？」

「そうよね」

ハーマイオニーがなぐさめるように言った。

「ほんとに厳しすぎるわ……」

夕食の時間のほとんどを、三人は「姿あらわし」の試験官を、こてんぱんにこき下ろすことに費やした。談話室に戻りはじめるころまでには、ロンはわずかに元気を取り戻し、今度は三人で、まだ解決していないスラグホーンの記憶の問題について話しはじめた。

「それじゃ、ハリー――『フェリックス・フェリシス』を使うのか、使わないのか？」ロンが迫った。

「うん、使ったほうがよさそうだ」ハリーが言った。

「全部使う必要はないと思う。十二時間分はいらない。ひと晩中はかからない……ひと口だけ飲むよ。二、三時間で大丈夫だろう」

「飲むと最高の気分だぞ」

ロンが思い出すように言った。

「失敗なんてありえないみたいな」

「何を言ってるの？」

ハーマイオニーが笑いながら言った。

「あなたは飲んだことがないのよ！」

「ああ、だけど、飲んだと**思ったん**だ。そうだろ？」

ロンは、言わなくともわかるだろうと言わんばかりだった。

「効果はおんなじさ……」

スラグホーンがいましがた大広間に入ったのを見届けた三人は、スラグホーンが食事に充分時間をかけることを知っていたので、しばらく談話室で時間をつぶした。スラグホーンが自分の部屋に戻るまで待って、ハリーが出かけていくという計画だった。禁じられた森の梢《こずえ》まで太陽が沈んだとき、三人はいよいよだと判断した。ネビル、ディーン、シェーマスが、全員談話室にいることを慎重に確かめてから、三人はこっそり男子寮に上がった。

ハリーは、トランクの底から丸めたソックスを取り出し、かすかに輝く小瓶を引っ張り出した。

「じゃ、いくよ」

ハリーは小瓶を傾け、慎重に量の見当をつけてひと口飲んだ。

「どんな気分？」

ハーマイオニーが小声で聞いた。

ハリーはしばらく答えなかった。やがて、無限大の可能性が広がるようなうきうきした気分が、ゆっくりと、しかし確実に体中にしみ渡った。なんでもできそうな気がした。どんなことだって……そして、突然、スラグホーンから記憶を取り出すことが可能に思えた。そればかりか、たやすいことだと……。

ハリーはニッコリと立ち上がった。自信満々だった。

「最高だ」ハリーが言った。

「ほんとに最高だ。よーし……これからハグリッドの所に行く」

「えーっ？」

ロンとハーマイオニーが、とんでもないという顔で同時に言った。

「ちがうわ、ハリー――あなたはスラグホーンの所に行かなきゃならないのよ。覚えてる？」ハーマイオニーが言った。

「いや」

ハリーが自信たっぷりに言った。

「ハグリッドの所に行く。ハグリッドの所に行くといいことが起こるって気がする」

「巨大蜘蛛《ぐも》を埋めにいくのが、いいことだって気がするのか？」ロンがあぜんとして言った。

「そうさ」

ハリーは透明マントを鞄から取り出した。

「今晩、そこに行くべきだという予感だ。わかるだろう？」

「全然」

ロンもハーマイオニーも、仰天していた。

「これ、**ほんとうに**『フェリックス・フェリシス』よね？」

ハーマイオニーは心配そうに、小瓶を灯《あか》りにかざして見た。

「ほかに小瓶は持ってないでしょうね。たとえば――えーと――」

「『的外れ薬』？」

ハリーがマントを肩に引っかけるのを見ながら、ロンが意見を述べた。

ハリーが声を上げて笑い、ロンもハーマイオニーもますます仰天した。

「心配ないよ」ハリーが言った。

「自分が何をやってるのか、僕にはちゃんとわかってる……少なくとも……」

ハリーは自信たっぷりドアに向かって歩きだした。

「『フェリックス』には、ちゃんとわかっているんだ」

ハリーは透明マントを頭からかぶり、寮の階段を下りはじめた。ロンとハーマイオニーは急いであとに続いた。階段を下りきったところで、ハリーは開いていたドアをすっと通り抜けた。

「そんなところで、**その人と**何をしてたの？」

ロンとハーマイオニーが男子寮から一緒に現れたところを、ラベンダー・ブラウンがハリーの体を通過して目撃し、金切り声を上げた。ロンがしどろもどろになるのを背後に聞きながら、ハリーは矢のように談話室を横切り、その場から遠ざかった。

肖像画の穴を通過するのは、簡単だった。ハリーが穴に近づくのと、ジニーとディーンが出てくるのとが同時で、ハリーは二人の間をすり抜けることができたが、誤ってジニーに触れてしまった。

「**押さないで**ちょうだい、ディーン」

ジニーがいらいらしながら言った。

「あなたって、いつもそうするんだから。私、一人でちゃんと通れるわ……」

肖像画はハリーの背後でバタンと閉まったが、その前に、ディーンが怒って言い返す声が聞こえた……ハリーの高揚感はますます高まった。ハリーは城の中を堂々と歩いた。忍び歩きの必要はなかった。途中、誰にも会わなかったが、別に変だとも思わなかった。今夜のハリーは、ホグワーツで一番幸運な人間なのだ。


ハグリッドの所に行くのが正しいと感じたのはなぜなのか、ハリーはまったくわからなかった。薬は、一度に数歩先までしか、照らしてくれないようだった。最終目的地は見えなかったし、スラグホーンがどこで登場するのかわからなかったが、しかしこれが記憶を獲得する正しい道だということはわかっていた。

玄関ホールに着くと、フィルチが正面の扉に鍵をかけ忘れていることがわかった。ハリーはニッコリ笑って勢いよく扉を開き、しばらくの間、新鮮な空気と草のにおいを吸い込み、それから黄昏《たそがれ》の中へと歩きだした。

階段を下りきったところで、ハリーは急に、ハグリッドの小屋まで、野菜畑を通っていくとどんなに心地よいだろうと思いついた。厳密には寄り道になるのだが、ハリーにとっては、この気まぐれを行動に移さなければならないことがはっきりしていた。そこですぐさま野菜畑に足を向けた。うれしいことに、そして別に不思議だとは思わなかったが、そこでスラグホーン先生がスプラウト先生と話しているのに出くわした。ハリーは、ゆったりとした安らぎを感じながら、低い石垣の陰に隠れて、二人の会話を聞いた。

「……ポモーナ、お手間を取らせてすまなかった」

スラグホーンが礼儀正しく挨拶していた。

「権威者のほとんどが、夕暮れ時につむのが一番効果があるという意見ですのでね」

「ええ、そのとおりです」

スプラウト先生が温かく言った。

「それで充分ですか？」

「充分、充分」

ハリーが見ると、スラグホーンはたっぷり葉の茂った植物を腕いっぱいに抱えていた。

「三年生の全員に数枚ずつ行き渡るでしょうし、煮込みすぎた子のために少し余分もある……さあ、それではおやすみなさい。ほんとうにありがとう！」

スプラウト先生はだんだん暗くなる道を、温室のほうに向かい、スラグホーンは透明なハリーが立っている場所に近づいてきた。

ハリーは突然姿を現したくなり、マントを派手に打ち振って脱ぎ捨てた。

「先生、こんばんは」

「こりゃあびっくり、ハリー、腰を抜かすところだったぞ」

スラグホーンはバッタリ立ち止まり、警戒するような顔で言った。

「どうやって城を抜け出したんだね？」

「フィルチが扉に鍵をかけ忘れたにちがいありません」

ハリーはほがらかに答え、スラグホーンがしかめっ面をするのを見てうれしくなった。

「このことは報告しておかねば。まったく、あいつは、適切な保安対策より、ごみのことを気にしている……ところで、ハリー、どうしてこんな所にいるんだね？」

「ええ、先生、ハグリッドのことなんです」

ハリーには、いまはほんとうのことを言うべきときだとわかっていた。

「ハグリッドはとても動揺しています……でも、先生、誰にも言わないでくださいますか？　ハグリッドが困ったことになるのはいやですから……」

スラグホーンは明らかに好奇心を刺激されたようだった。

「さあ、約束はできかねる」

スラグホーンはぶっきらぼうに言った。

「しかし、ダンブルドアがハグリッドを徹底的に信用していることは知っている。だから、ハグリッドがそれほど恐ろしいことをしでかすはずはないと思うが……」

「ええ、巨大蜘蛛のことなんです。ハグリッドが何年も飼っていたんです……禁じられた森に棲《す》んでいて……話ができたりする蜘蛛でした――」

「森には、毒蜘蛛のアクロマンチュラがいるといううわさは、聞いたことがある」

黒々と茂る木々のかなたに目をやりながら、スラグホーンがひっそりと言った。

「それでは、ほんとうだったのかね？」

「はい」ハリーが答えた。

「でも、この蜘蛛はアラゴグといって、ハグリッドが初めて飼った蜘蛛です。昨夜死にました。ハグリッドは打ちのめされています。アラゴグを埋葬するときに、誰かそばにいてほしいと言うので、僕が行くって言いました」

「やさしいことだ、やさしいことだ」

遠くに見えるハグリッドの小屋の灯りを、大きな垂れ目で見つめながら、スラグホーンが上の空で言った。

「しかし、アクロマンチュラの毒は非常に貴重だ……その怪物が死んだばかりなら、まだ乾ききってはおるまい……もちろん、ハグリッドが動揺しているなら、心ないことは何もしたくない……しかし、多少なりと手に入れる方法があれば……つまり、アクロマンチュラが生きているうちに毒を取るのは、ほとんど不可能だ……」

スラグホーンは、ハリーにというより、いまや自分に向かって話しているようだった。

「……採集しないのはいかにももったいない……半リットルで百ガリオンになるかもしれない……正直言って、私の給料は高くない……」

ハリーはもう、何をすべきかがはっきりわかった。

「えーっと」

ハリーは、いかにも躊躇《ちゅうちょ》しているように言った。

「えーっと、もし先生がいらっしゃりたいのでしたら、ハグリッドはたぶん、とても喜ぶと思います……アラゴグのために、ほら、よりよい野辺送りができますから……」

「いや、もちろんだ」

スラグホーンの目が、いまや情熱的に輝いていた。

「いいかね、ハリー、あっちで君と落ち合おう。わたしは飲み物を一、二本持って……哀れな大蜘蛛に乾杯するとしよう――まあ――死者の健康を祝してというわけにはいかんが――とにかく、埋葬がすんだら、格式ある葬儀をしてやろう。それに、ネクタイを変えてこなくては。このネクタイは葬式には少し派手だ……」

スラグホーンはバタバタと城に戻り、ハリーは大満悦でハグリッドの小屋へと急いだ。

「来てくれたんか」

戸を開け、ハリーが透明マントから姿を現したのを見て、ハグリッドはかすれ声で言った。

「うん――ロンとハーマイオニーは来られなかったけど」ハリーが言った。

「とっても申し訳ないって言ってた」

「そんな――そんなことはねえ……そんでも、ハリー、おまえさんが来てくれて、あいつは感激してるだろうよ……」

ハグリッドは大きく泣きじゃくった。靴墨に浸したボロ布で作ったような喪章をつけ、目を真っ赤に泣き腫らしている。ハリーはなぐさめるようにハグリッドのひじをポンポンたたいた。ハリーが楽に届くのは、せいぜいその高さ止まりだった。

「どこに埋めるの？」ハリーが聞いた。「禁じられた森？」

「とんでもねえ」

ハグリッドがシャツのすそで流れ落ちる涙をぬぐった。

「アラゴグが死んじまったんで、ほかの蜘蛛のやつらは、俺を巣のそばに一歩も近づかせねえ。連中が俺を食わんかったんは、どうやら、アラゴグが命令してたかららしい！ハリー、信じられっか？」

正直な答えは、「信じられる」だった。ハリーとロンが、アクロマンチュラと顔をつき合わせた場面を、ハリーは痛いほどよく覚えている。アラゴグがいるからハグリッドを食わなかったのだと、連中がはっきり言った。

「森ン中で、俺が行けねえ所なんか、いままではなかった！」

ハグリッドは頭を振り振り言った。

「アラゴグのむくろをここまで持ってくるんは、並たいてえじゃあなかったぞ。まったく――連中は死んだもんを食っちまうからな……だけんど、俺は、こいつにいい埋葬をしてやりたかった……ちゃんとした葬式をな……」

ハグリッドはまた激しくすすり上げはじめた。ハリーはハグリッドのひじをまたポンポンたたきながら（薬がそうするのが正しいと知らせているような気がしたので）、こう言った。

「ハグリッド、ここに来る途中で、スラグホーン先生に会ったんだ」

「問題になったんか？」

ハグリッドは驚いて顔を上げた。

「夜は城を出ちゃなんねえ。わかってるんだ。俺が悪い――」

「ちがうよ。僕がしようとしていることを、先生に話したら、先生もアラゴグに最後の敬意を表しにきたいって言うんだ」ハリーが言った。

「もっとふさわしい服に着替えるのに、城に戻ったんだ、と思うよ……それに、飲み物を何本か持ってくるって。アラゴグの思い出に乾杯するために……」

「そう言ったんか？」

ハグリッドは驚いたような、感激したような顔をした。

「そりゃ――そりゃ親切だ。そりゃあ。それに、おまえさんを突き出さんかったこともな。俺はこれまであんまり、ホラス・スラグホーンと付き合いがあったわけじゃねえが……だけんど、アラゴグのやつを見送りにきてくれるっちゅうのか？　え？　フム……きっと喜んだだろうよ……アラゴグのやつがな……」

ハリーは内心、スラグホーンに食える肉がたっぷりあるところが、一番アラゴグを喜ばせただろうと思ったが、だまってハグリッドの小屋の裏側の窓に近寄った。そこから、かなり恐ろしい光景が見えた。巨大な蜘蛛の死体がひっくり返って、もつれて丸まった足をさらしていた。

「ハグリッド、ここに埋めるの？　庭に？」

「かぼちゃ畑の、ちょっとむこうがええと思ってな」

ハグリッドが声を詰まらせた。

「もう掘ってあるんだ――ほれ――墓穴をな。なんかええことを言ってやりてえと思ってなあ――ほれ、楽しかった思い出とか――」

ハグリッドの声がわなわなと震えて涙声になった。戸をたたく音がして、ハグリッドは、でっかい水玉模様のハンカチで鼻をチンとかみながら、戸を開けにいった。スラグホーンが急いで敷居をまたいで入ってきた。腕に瓶を何本か抱え、厳粛な黒いネクタイをしめている。

「ハグリッド」スラグホーンが深い沈んだ声で言った。

「まことにご愁傷さまで」

「ごていねいなこって」ハグリッドが言った。

「感謝します。それに、ハリーを罰則にしなかったことも、ありがてえ……」

「そんなことは考えもしなかっただろう」スラグホーンが言った。

「悲しい夜だ。悲しい夜だ……哀れな仏は、どこにいるのかね？」

「こっちだ」

ハグリッドは声を震わせた。

「そんじゃ――そんじゃ、始めるかね？」

三人は裏庭に出た。木の間からかいま見える月が、淡い光を放ち、ハグリッドの小屋からもれる灯りとまじり合って、アラゴグのなきがらを照らした。掘ったばかりの土が三メートルもの高さに盛り上げられ、その脇の巨大な穴の縁に、むくろが横たわっている。

「壮大なものだ」

スラグホーンが、蜘蛛の頭部に近づいた。乳白色の目が八個、うつろに空を見上げ、二本の巨大な曲がった鋏《はさみ》が、動きもせず、月明かりに輝いていた。スラグホーンが、巨大な毛むくじゃらの頭部を調べるような様子で鋏の上にかがみ込んだとき、ハリーは瓶が触れ合う音を聞いたような気がした。

「こいつらがどんなに美しいか、誰にでもわかるっちゅうわけじゃねえ」

目尻のしわから涙をあふれさせながら、ハグリッドがスラグホーンの背中に向かって言った。

「ホラス、あんたがアラゴグみてえな生き物に興味があるとは、知らんかった」

「興味がある？　ハグリッドや、わたしは連中をあがめているのだよ」

スラグホーンが死体から離れた。ハリーは、瓶がキラリと光ってスラグホーンのマントの下に消えるのを見た。しかし、また目をぬぐっていたハグリッドは、何も気づいていない。

「さて……埋葬を始めるとするかね？」

ハグリッドはうなずいて、進み出た。巨大蜘蛛を両腕に抱え、大きな唸《うな》り声とともに、ハグリッドはなきがらを暗い穴に転がした。死骸はかなり恐ろしげなバリバリッという音を立てて、穴の底に落ちた。ハグリッドがまた泣きはじめた。

「もちろん、彼を最もよく知る君には、つらいことだろう」

スラグホーンは、ハリー同様、ハグリッドのひじの高さまでしか届かなかったが、やはりポンポンとたたいた。

「お別れの言葉を述べてもいいかな？」

墓穴の縁に進み出たスラグホーンの口元が、満足げにゆるんでいた。上質のアラゴグの毒をたっぷり採集したにちがいない、とハリーは思った。スラグホーンはゆっくりと、厳かな声で唱えた。

「さらば、アラゴグよ。蜘蛛の王者よ。汝《なんじ》との長き固き友情を、汝を知る者すべて忘れまじ！　汝がなきがらは朽ちはてんとも、汝が魂は、なつかしき森の棲家《すみか》の、蜘蛛の巣に覆われし静けき場所にとどまらん。汝が子孫の多目の眷属《けんぞく》が永久《とこしえ》に栄え、汝が友どちとせし人々が、汝を失いし悲しみになぐさめを見出さんことを」

「なんと……なんと……美しい！」

ハグリッドは吠《ほ》えるような声を上げ、堆肥の山に突っ伏して、ますます激しくオンオン泣いた。

「さあ、さあ」

スラグホーンが杖《つえ》を振ると、高々と盛り上げられた土が飛び上がり、ドスンと鈍い音を立てて蜘蛛の死骸の上に落ち、なめらかな塚になった。

「中に入って一杯飲もう。ハリー、ハグリッドのむこう側に回って……そうそう……さあ、ハグリッド、立って……よしよし……」

二人はハグリッドを、テーブルのそばの椅子に座らせた。埋葬の間、バスケットにコソコソ隠れていたファングが、そっと近づいてきて、いつものように、重たい頭をハリーのひざにのせた。スラグホーンは持ってきたワインを一本開けた。

「**すべて**毒味をすませてある」

最初の一本のほとんどを、ハグリッドのバケツ並みのマグに注ぎ、それをハグリッドに渡しながら、スラグホーンがハリーに請け合った。

「君の気の毒な友達のルパートにあんなことがあったあと、屋敷しもべ妖精に、全部のボトルを毒味させた」

ハリーの心にハーマイオニーの表情が浮かんだ。屋敷しもべ妖精へのこの虐待を聞いたら、どんな顔をするか。ハリーはハーマイオニーには絶対に言うまいと決めた。

「ハリーにも一杯……」

スラグホーンが、二本目を二つのマグに分けて注ぎながら言った。

「……私にも一杯。さて」

スラグホーンがマグを高く掲げた。

「アラゴグに」

「アラゴグに」

ハリーとハグリッドが唱和した。

スラグホーンもハグリッドも一気にぐいと飲んだが、ハリーは、「フェリックス・フェリシス」のおかげで行き先が照らし出されていたので、自分は飲んではいけないことがわかっていた。ハリーは飲むまねだけで、テーブルにマグを戻した。

「俺は、なあ、あいつを卵から孵《かえ》したんだ」

ハグリッドがむっつりと言った。

「孵ったときにゃあ、ちっちゃな、かわいいやつだった。ペキニーズの犬ぐれえの」

「かわいいな」スラグホーンが言った。

「学校の納戸に隠しておいたもんだ。ある時まではな……あー……」

ハグリッドの顔が曇った。ハリーはわけを知っていた。トム・リドルが、「秘密の部屋」を開いた罪をハグリッドに着せ、退学になるように仕組んだのだ。しかし、スラグホーンは聞いていないようだった。天井を見上げていた。そこには真鍮《しんちゅう》の鍋がいくつかぶら下がっていたが、同時に絹糸のような輝く白い長い毛が、糸束になって下がっていた。

「ハグリッド、あれはまさか、一角獣《ユニコーン》の毛じゃなかろうね？」

「ああ、そうだ」ハグリッドが無頓着に言った。「しっぽの毛が、ほれ、森の木の枝なんぞに引っかかって抜けたもんだ……」

「しかし、君、あれがどんなに**高価な**ものか知っているかね？」

「俺は、けがした動物に、包帯を縛ったりするのに使っちょる」

ハグリッドは肩をすくめて言った。

「うんと役に立つぞ……なんせ頑丈だ」

スラグホーンは、もう一回ぐいっと飲んだ。その目が、今度は注意深く小屋を見回していた。ほかのお宝を探しているのだと、ハリーにはわかった。オーク樽《だる》で熟成した蜂蜜酒だとか、砂糖漬けパイナップル、ゆったりしたベルベットの上着などが、たんまり手に入る宝だ。スラグホーンは、ハグリッドのマグに注ぎ足し、自分のにも注いで、最近森に棲む動物についてや、ハグリッドがどんなふうに面倒を見ているのかなどを質問した。酒とスラグホーンのおだて用の興味に乗せられたせいで、ハグリッドは気が大きくなり、もう涙をぬぐうのはやめて、うれしそうに、ボウトラックルの飼育を長々と説明しはじめた。

「フェリックス・フェリシス」が、ここでハリーを軽くこづいた。ハリーは、スラグホーンが持ってきた酒が急激に少なくなっているのに気づいた。ハリーはまだ、沈黙したまま「補充呪文」をかけることができなかったが、しかし今夜は、できないかもしれないなどと考えること自体が、笑止千万だった。ハリーは一人でほくそ笑みながら、ハグリッドにもスラグホーンにも気づかれず（二人はいまや、ドラゴンの卵の非合法取引についての逸話を交換していた）、テーブルの下から、からになりかけた瓶に杖を向けた。たちまち酒が補充されはじめた。

一時間ほどたつと、ハグリッドとスラグホーンは、乾杯の大盤振る舞いを始めた。ホグワーツに乾杯、ダンブルドアに乾杯、しもべ妖精醸造のワインに乾杯――。

「ハリー・ポッターに乾杯！」

バケツ大のマグで十四杯目のワインを飲み干し、飲みこぼしをあごから滴らせながら、ハグリッドが破鐘《われがね》のような声で言った。

「そうだ」

スラグホーンは少しろれつが回らなくなっていた。

「パリー・オッター、『選ばれし男の子』――いや――とかなんとかに」

ブツブツ言いながら、スラグホーンもマグを飲み干した。

それからまもなく、ハグリッドはまた涙もろくなり、一角獣のしっぽの毛を全部ごっそりスラグホーンに押しつけた。スラグホーンはそれをポケットに入れながら叫んだ。

「友情に乾杯！　気前のよさに乾杯！　一本十ガリオンに乾杯！」

それからは、ハグリッドとスラグホーンは並んで腰かけ、互いの体に腕を回して、オドと呼ばれた魔法使いの死を語る、ゆっくりした悲しい曲をしばらく歌っていた。

「あぁぁぁー、いいやつぁ早死にする」

ハグリッドは、テーブルの上にだらりとうなだれながら、酔眼でつぶやいた。一方スラグホーンは、声を震わせて歌のリフレインをくり返していた。

「俺の親父《おやじ》はまーぁだ逝く年じゃあなかったし……おまえさんの父さん母さんもだぁ、なあ、ハリー……」

大粒の涙が、またしてもハグリッドの目尻のしわからにじみだした。ハグリッドは、ハリーの腕を握って振りながら言った。

「……あの年頃の魔女と魔法使いン中じゃあ、俺の知っちょるかぎりイッチ（一）番だ……ひどいもんだ……ひどいもんだ……」

スラグホーンは悲しげに歌った。

かくしてみなは英雄の、オドを家へと運び込む
その家はオドがその昔、青年の日を過ごした場
オドの帽子は裏返り、オドのその杖真っ二つ
悲しい汚名の品とともに、オドはその家に葬らる

「……ひどいもんだ」

ハグリッドが低くうめき、ぼうぼうの頭がゴロリと横に傾いで、両腕にもたれたとたん、大いびきをかいて眠り込んだ。

「すまん」

スラグホーンがしゃっくりしながら言った。

「どうがんばっても調子っぱずれになってしまう」

「ハグリッドは、先生の歌のことを言ったのじゃありません」

ハリーが静かに言った。

「僕の両親が死んだことを言っていたんです」

「ああ」スラグホーンが、大きなゲップを押さえ込みながら言った。

「ああ、なんと。いや、あれは――あれはほんとうにひどいことだった。ひどい……ひどい……」

スラグホーンは言葉に窮した様子で、その場しのぎに二人のマグに酒を注いだ。

「たぶん――たぶん君は、覚えてないのだろう？　ハリー？」

スラグホーンが気まずそうに聞いた。

「はい――だって、僕はまだ一歳でしたから」

ハリーは、ハグリッドのいびきでゆらめいている、ろうそくの炎を見つめながら言った。

「でも、何が起こったのか、あとになってずいぶんくわしくわかりました。父が先に死んだんです。ご存じでしたか？」

「い――いや、それは」

スラグホーンが消え入るような声で言った。

「そうなんです……ヴォルデモートが父を殺し、そのなきがらをまたいで母に迫ったんです」

ハリーが言った。

スラグホーンは大きく身震いしたが、目をそらすことができない様子で、おびえた目でハリーの顔を見つめ続けた。

「あいつは母にどけと言いました」

ハリーは、容赦なく話し続けた。

「ヴォルデモートは僕に、母は死ぬ必要がなかったと言いました。あいつは僕だけが目当てだった。母は逃げることができたんです」

「おお、なんと」スラグホーンがひっそりと言った。

「逃げられたのに……死ぬ必要は……なんとむごい……」

「そうでしょう？」

ハリーはほとんどささやくように言った。

「でも母は動かなかった。父はもう死んでしまったけれど、母は僕までも死なせたくなかった。母はヴォルデモートに哀願しました……でも、あいつはただ高笑いを……」

「もういい！」

突然スラグホーンが、震える手でさえぎった。

「もう充分だ。ハリー、もう……わたしは老人だ……聞く必要はない……聞きたくない……」

「忘れていた」ハリーは、「フェリックス・フェリシス」が示すままにでまかせを言った。「先生は、母が好きだったのですね？」

「好きだった？」

スラグホーンの目に、再び涙があふれた。

「あの子に会った者は、誰だって好きにならずにはいられない……あれほど勇敢で……あれほどユーモアがあって……なんという恐ろしいことだ……」

「それなのに、先生は、その息子を助けようとしない」ハリーが言った。

「母は僕に命をくれました。それなのに、先生は記憶をくれようとしない」

ハグリッドのごうごうたるいびきが小屋を満たした。ハリーは涙をためたスラグホーンの目をしっかり見つめた。魔法薬の教授は、目をそらすことができないようだった。

「そんなことを言わんでくれ」

スラグホーンがかすかな声で言った。

「君にやるかやらないかの問題ではない……君を助けるためなら、もちろん……しかし、なんの役にも立たない……」

「役に立ちます」ハリーははっきりと言った。

「ダンブルドアには情報が必要です。僕には情報が必要です」

何を言っても安全だと、ハリーにはわかっていた。朝になれば、スラグホーンは何も覚えていないと、「フェリックス」が教えてくれていた。スラグホーンの目をまっすぐに見つめながら、ハリーは少し身を乗り出した。

「僕は『選ばれし者』だ。やつを殺さなければならない。あの記憶が必要なんだ」

スラグホーンはサッと青ざめた。テカテカした額に、汗が光っていた。

「君は**やはり**、『選ばれし者』なのか？」

「もちろんそうです」ハリーは静かに言った。

「しかし、そうすると……君は……君は大変なことを頼んでいる……わたしに頼んでいるのは、実は、君が『あの人』を破滅させるのを援助しろと――」

「リリー・エバンズを殺した魔法使いを、退治したくないんですか？」

「ハリー、ハリー、もちろんそうしたい。しかし――」

「怖いんですね？　僕を助けたとあいつに知られてしまうことが」

スラグホーンは無言だった。恐れおののいているようだった。

「先生、僕の母のように、勇気を出して……」

スラグホーンはむっちりした片手を上げ、指を震わせながら口を覆った。一瞬、育ちすぎた赤ん坊のように見えた。

「自慢できることではない……」

指の間から、スラグホーンがささやいた。

「恥ずかしい――あの記憶のあらわすことが……あの日に、わたしはとんでもない惨事を引き起こしてしまったのではないかと思う……」

「僕にその記憶を渡せば、先生のやったことはすべて帳消しになります」ハリーが言った。

「そうするのは、とても勇敢で気高いことです」

ハグリッドは眠ったままでピクリと動いたが、またいびきをかき続けた。スラグホーンとハリーは、ろうそくのなびく炎をはさんで見つめ合った。長い、長い沈黙が流れた。「フェリックス・フェリシス」が、ハリーに、そのままだまって待てと教えていた。

やがてスラグホーンは、ゆっくりとポケットに手を入れ、杖を取り出した。もう一方の手をマントに突っ込み、小さな空き瓶を取り出した。ハリーの目を見つめたまま、スラグホーンは杖の先でこめかみに触れ、杖を引いた。記憶の長い銀色の糸が、杖先について出てきた。記憶は、長々と伸び、最後に切れて、銀色に輝きながら杖の先で揺れた。スラグホーンがそれを瓶に入れると、糸は螺旋《らせん》状に巻き、やがて広がってガスのように渦巻いた。震える手でコルク栓を閉め、スラグホーンはテーブル越しに瓶をハリーに渡した。

「ありがとう、先生」

「君はいい子だ」

スラグホーンのふくれたほおを涙が伝い、セイウチひげに落ちた。

「それに、君の目は母親の目だ……それを見ても、わたしのことをあまり悪く思わんでくれ……」

そして、両腕に頭をもたせて深いため息をつき、スラグホーンもまた眠り込んだ。

第23章　ホークラックス

　こっそりと城に戻る途中、ハリーは「フェリックス・フェリシス」の幸運の効き目がだんだん切れていくのを感じた。正面の扉こそまだ鍵がかかっていなかったものの、四階でピーブズに出くわし、いつもの近道の一つに横っ飛びに飛び込んで、かろうじて見つからずにすんだ。さらに時間がたって、「太った婦人《レディ》」の肖像画の前で透明マントを脱いだときに、「婦人」が最悪のムードだったのも、別に変だとは思わなかった。

「いま何時だと思ってるの？」

「ごめんなさい——大事な用で出かけなければならなかったので——」

「あのね、合言葉は真夜中に変わったの。だから、あなたは廊下で寝なければならないことになるわね？」

「まさか！」ハリーが言った。「どうして真夜中に変わらなきゃいけないんだ？」

「そうなっているのよ」

「太った婦人」が言った。

「腹が立つなら校長先生に抗議しなさい。安全対策を厳しくしたのはあの方ですからね」

「そりゃいいや」

　硬そうな床を見回しながら、ハリーが苦々しげに言った。

「まったくすごいや。ああ、ダンブルドアが学校にいるなら、抗議しにいくよ。だって、僕の用事はダンブルドアが——」

「いらっしゃいますぞ」

背後で声がした。

「ダンブルドア校長は、一時間前に学校に戻られました」

「ほとんど首無しニック」が、いつものようにひだ襟の上で首をぐらぐらさせながら、するするとハリーに近づいてきた。

「校長が到着するのを見ていた、『血みどろ男爵』から聞きました」ニックが言った。

「男爵が言うには、校長は、もちろん少しおつかれのご様子ですが、お元気だそうです」

「どこにいるの？」ハリーは心が躍った。

「ああ、天文台の塔でうめいたり、鎖をガチャつかせたりしていますよ。男爵の趣味でして——」

「『血みどろ男爵』じゃなくて、ダンブルドア！」

「ああ——校長室です」ニックが言った。

「男爵の言い方から察しますに、おやすみになる前に何か用事がおありのようで——」

「うん、そうなんだ」

あの記憶を手に入れたことを、ダンブルドアに報告できると思うと、ハリーの胸は興奮で熱くなった。くるりと向きを変え、「太った婦人」の声が追いかけてくるのを無視して、ハリーはまた駆けだした。

「戻ってらっしゃい！　ええ、私がうそをついたの！　起こされていらいらしたからよ！　合言葉は変わってないわ。『サナダムシ』よ！」

しかし、ハリーはもう、廊下を疾走していた。数分後には、ダンブルドアの怪獣像《ガーゴイル》に向かって「**タフィー　エクレア**」と合言葉を言い、怪獣像は飛びのいて、ハリーを螺旋《らせん》階段に通していた。

「お入り」

ハリーのノックにダンブルドアが答えた。つかれきった声だった。

ハリーは扉を押して入った。ダンブルドアの校長室はいつもどおりだったが、窓の外は真っ暗な空に星が散っていた。

「なんと、ハリー」

ダンブルドアは驚いたように言った。

「こんなに夜ふけにわしを訪ねてきてくれるとは、いったいどんなわけがあるのじゃ？」

「先生――手に入れました。スラグホーンの記憶を、手に入れました」

ハリーはガラスの小瓶を取り出して、ダンブルドアに見せた。ダンブルドアは一瞬、不意をつかれた様子だったが、やがてニッコリと顔をほころばせた。

「ハリー、すばらしい知らせじゃ！ ようやった！ 君ならできると思うておった！」

時間が遅いことなど、すっかり忘れてしまったように、ダンブルドアは急いで机のむこうから出てきて、傷ついていないほうの手でスラグホーンの記憶の瓶を受け取り、「憂いの篩《ふるい》」がしまってある棚にツカツカと歩み寄った。

「いまこそ」

ダンブルドアは石の水盆を机に置き、瓶の中身をそこに注ぎながら言った。

「ついにいまこそ、見ることができる。ハリー、急ぐのじゃ……」

ハリーは素直に「憂いの篩」をのぞき込み、床から足が離れるのを感じた……今回もまたハリーは、暗闇の中を落ちていき、何年も前のホラス・スラグホーンの部屋に降り立った。

いまよりずっと若いホラス・スラグホーンがいる。つやのある豊かな麦藁《むぎわら》色の髪に、赤毛まじりのブロンドの口ひげのスラグホーンは、前の記憶と同じように、心地よさそうなひじかけ椅子に腰かけ、ビロードのクッションに足をのせ、片手に小さなワイングラスをつかみ、もう一方の手で、砂糖漬けパイナップルの箱を探っていた。十代の男の子が六人ほど、スラグホーンの周りに座り、その真ん中にトム・リドルがいる。その指に、マールヴォロの金と黒の指輪が光っていた。

ダンブルドアがハリーの横に姿を現したとき、リドルが聞いた。

「先生、メリィソート先生が退職なさるというのはほんとうですか？」

「トム、トム、たとえ知っていても、君には教えられないね」

スラグホーンは指をリドルに向けて、叱るように振ったが、同時にウィンクした。

「まったく、君って子は、どこで情報を仕入れてくるのか、知りたいものだ。教師の半数より情報通だね、君は」

リドルは微笑した。ほかの少年たちは笑って、リドルを称賛のまなざしで見た。

「知るべきではないことを知るという、君のなぞのような能力、大事な人間をうれしがらせる心づかい――ところで、パイナップルをありがとう。君の考えどおり、これはわたしの好物で――」

何人かの男の子が、またクスクス笑った。

「――君は、これから二十年のうちに魔法大臣になれると、わたしは確信しているよ。引き続きパイナップルを送ってくれたら十五年だ。魔法省には**すばらしい**コネがある」

ほかの男の子はまた笑ったが、トム・リドルはほほえんだだけだった。リドルがそのグループで最年長ではないのに、全員がリドルをリーダーとみなしているらしいことに、ハリーは気がついた。

「先生、僕に政治が向いているかどうかわかりません」

笑い声が収まったところで、リドルが言った。

「一つには、僕の生い立ちがふさわしいものではありません」

リドルの周りにいた男の子が二人、顔を見合わせてニヤリと笑った。仲間だけに通じる冗談を楽しんでいるのだと、ハリーにはわかった。自分たちの大将が、有名な先祖の子孫だと知っているか、またはそうだろうと考えているにちがいない。

「バカな」

スラグホーンがきびきびと言った。

「君ほどの能力だ。由緒正しい魔法使いの家系であることは火を見るよりも明らかだ。いや、トム、君は出世する。生徒に関して、わたしがまちがったためしはない」

スラグホーンの背後で、机の上の小さな金色の置き時計が、十一時を打ち、スラグホーンが振り返った。

「なんとまあ、もうそんな時間か？　みんな、もう戻ったほうがいい。そうしないと、困ったことになるからね。レストレンジ、明日までにレポートを書いてこないと、罰則だぞ。エイブリー、君もだ」

男の子たちがぞろぞろ出ていく間、スラグホーンはひじかけ椅子から重い腰を上げ、からになったグラスを机のほうに持っていった。背後の気配でスラグホーンが振り返ると、リドルがまだそこに立っていた。

「トム、早くせんか。時間外にベッドを抜け出しているところを捕まりたくはないだろう。君は監督生なのだし……」

「先生、おうかがいしたいことがあるんです」

「それじゃ、遠慮なく聞きなさい、トム、遠慮なく」

「先生、ご存じでしょうか……ホークラックスのことですが？」

スラグホーンはリドルをじっと見つめた。ずんぐりした指が、ワイングラスの足を無意識になでている。

「『闇の魔術に対する防衛術』の課題かね？」

学校の課題ではないことを、スラグホーンは百も承知だと、ハリーは思った。

「いいえ、先生、そういうことでは」リドルが答えた。

「本を読んでいて見つけた言葉ですが、完全にはわかりませんでした」

「ふむ……まあ……トム、ホグワーツでホークラックスの詳細を書いた本を見つけるのは骨だろう。闇も闇、真っ暗闇の術だ」スラグホーンが言った。

「でも、先生はすべてご存じなのでしょう？　つまり、先生ほどの魔法使いなら――すみません、つまり、先生が教えてくださらないなら、当然――誰かが教えてくれるとしたなら、先生しかないと思ったのです――ですから、とにかくうかがってみようと――」

うまい、とハリーは思った。遠慮がちに、なにげない調子で慎重におだて上げる。どれ一つとしてやりすぎてはいない。気が進まない相手をうまく乗せて情報を聞き出すことにかけては、ハリー自身がいやというほど経験していたので、名人芸だと認めることができた。リドルはその情報が欲しくてたまらないのだとわかった。おそらく、この時のために何週間も準備していたのだろう。

「さてと」

スラグホーンはリドルの顔を見ずに、砂糖漬けパイナップルの箱の上のリボンをいじりながら言った。

「まあ、もちろん、ざっとしたことを君に話しても別にかまわないだろう。その言葉を理解するためだけになら。ホークラックスとは、人がその魂の一部を隠すために用いられるものを指す言葉で、分霊箱のことを言う」

「でも、先生、どうやってやるのか、僕にはよくわかりません」リドルが言った。

慎重に声を抑えてはいたが、ハリーはリドルが興奮しているのを感じることができた。

「それはだね、魂を分断するわけだ」スラグホーンが言った。

「そして、その部分を体の外にあるものに隠す。すると、体が攻撃されたり破滅したりしても、死ぬことはない。なぜなら、魂の一部は滅びずに地上に残るからだ。しかし、もちろん、そういう形での存在は……」

スラグホーンは激しく顔をしかめた。ハリー自身も、思わずほぼ二年前に聞いた言葉を思い出していた。

――俺様は肉体から引き裂かれ、霊魂にも満たない、ゴーストの端くれにも劣るものになった……しかし、俺様はまだ生きていた。

「……トム、それを望む者はめったにおるまい。めったに。死のほうが望ましいだろう」

しかし、リドルはいまや欲望をむき出しにしていた。渇望を隠しきれず、貪欲な表情になっていた。

「どうやって魂を分断するのですか？」

「それは」

スラグホーンが当惑しながら言った。

「魂は完全な一体であるはずだということを理解しなければならない。分断するのは暴力行為であり、自然に逆らう」

「でも、どうやるのですか？」

「邪悪な行為――悪の極みの行為による。殺人を犯すことによってだ。殺人は魂を引き裂く。分霊箱を作ろうと意図する魔法使いは、破壊を自らのために利用する。引き裂かれた部分をものに閉じ込める――」

「閉じ込める？　でも、どうやって――？」

「呪文がある。聞かないでくれ。わたしは知らない！」

スラグホーンは年老いた象がうるさい蚊を追い払うように頭を振った。

「わたしがやったことがあるように見えるかね？――わたしが殺人者に見えるかね？」

「いいえ、先生、もちろん、ちがいます」

リドルが急いで言った。

「すみません……お気を悪くさせるつもりは……」

「いや、いや、気を悪くしてはいない」

スラグホーンがぶっきらぼうに言った。

「こういうことにちょっと興味を持つのは自然なことだ……ある程度の才能を持った魔法使いは、常にその類の魔法にひかれてきた……」

「そうですね、先生」リドルが言った。

「でも、僕がわからないのは――ほんの好奇心ですが――あの、一個だけの分霊箱で役に立つのでしょうか？　魂は一回しか分断できないのでしょうか？　もっとたくさん分断するほうがより確かで、より強力になれるのではないでしょうか？　つまり、たとえば、七という数は、一番強い魔法数字ではないですか？　七個の場合は――？」

「とんでもない、トム！」

スラグホーンがかん高く叫んだ。

「七個！　一人を殺すと考えるだけでも充分に悪いことじゃないかね？　それに、いずれにしても……魂を二つに分断するだけでも充分に悪い……七つに引き裂くなど……」

スラグホーンは、今度は困りはてた顔で、それまで一度もはっきりとリドルを見たことがないかのような目で、じっとリドルを見つめていた。そもそもこんな話を始めたこと自体を後悔しているのだと、ハリーには察しがついた。

「もちろん」スラグホーンがつぶやいた。「すべて仮定の上での話だ。我々が話していることは。そうだね？　すべて学問的な……」

「ええ、もちろんです、先生」リドルがすぐに答えた。

「しかし、いずれにしても、トム……だまっていてくれ。わたしが話したことは――つまり、我々が話したことは、という意味だが。我々が分霊箱のことを気軽に話したことが知れると、世間体が悪い。ホグワーツでは、つまり、この話題は禁じられている……ダンブルドアは特にこのことについて厳しい……」

「一言も言いません、先生」

そう言うと、リドルは出ていった。しかしその前に、ハリーはちらりとその顔を見た。自分が魔法使いだと初めて知ったときに見せたと同じ、あのむき出しの幸福感に満ちた顔だった。幸福感が端正な面立ちを引き立たせるのではなく、なぜか非人間的な顔にしていた……。

「ハリー、ありがとう」ダンブルドアが静かに言った。「戻ろうぞ……」

ハリーが校長室の床に着地したとき、ダンブルドアはすでに机のむこう側に座っていた。ハリーも腰かけて、ダンブルドアの言葉を待った。

「わしはずいぶん長い間、この証拠を求めておった」

しばらくしてダンブルドアが話しはじめた。

「わしが考えていた理論を裏づける証拠じゃ。これで、わしの理論が正しいということと同時に、道のりがまだ遠いことがわかる……」

ハリーは突然、壁の歴代校長の肖像画がすべて目を覚まして、二人の会話に聞き入っていることに気がついた。でっぷり太った赤鼻の魔法使いは、古いらっぱ形補聴器まで取り出していた。

「さて、ハリー」

ダンブルドアが言った。

「君は、いましがた我々が耳にしたことの重大さに気づいておることじゃろう。いまの君とほんの数か月とたがわぬ同い年で、トム・リドルは、自らを不滅にする方策を探し出すのに全力を傾けておった」

「先生はそれが成功したとお考えですか？」ハリーが聞いた。

「あいつは分霊箱を作ったのですか？　僕を襲ったときに死ななかったのは、そのせいなのですか？　どこかに分霊箱を一つ隠していたのですか？　魂の一部は安全だったのですか？」

「一部……もしくはそれ以上」ダンブルドアが言った。

「ヴォルデモートの言葉を聞いたじゃろうが、ホラスから特に聞き出したがっていたのは、複数の分霊箱を作った魔法使いはどうなるかに関する意見じゃった。是が非でも死を回避せんと、何度も殺人を犯すことをも辞さない魔法使いが、くり返し引き裂いた魂を、数多くの分霊箱に別々に収めて隠した場合、その魔法使いがどうなるかについての意見じゃ。どの本からもそのような情報は得られなかったじゃろう。わしの知るかぎり――ヴォルデモートの知るかぎりでもあろうと確信しておるが――魂を二つに引き裂く以上のことをした魔法使いは、いまだかつておらぬ」

ダンブルドアは一瞬言葉を切り、考えを整理していたが、やがて口を開いた。

「四年前、わしは、ヴォルデモートが魂を分断した、確かな証拠と考えられるものを受け取った」

「どこでですか？」ハリーが聞いた。「どうやってですか？」

「君がわしに手渡したのじゃ、ハリー」ダンブルドアが言った。

「日記、リドルの日記じゃ。『秘密の部屋』を、いかにして再び開くかを指示した日記じゃ」

「よくわかりません、先生」ハリーが言った。

「されば、日記から現れたリドルをわしは見ておらぬが、君が説明してくれた現象は、わしが一度も目撃したことのないものじゃった。単なる記憶が行動を起こし、自分で考えるとは？　単なる記憶が、手中にした少女の命を搾り取るであろうか？　ありえぬ。あの本の中には、何かもっと邪悪なものが棲《す》みついておったのじゃ……魂のかけらが。わしはほぼ確信した。日記は分霊箱じゃった。しかし、これで一つの答えを得たものの、より多くの疑問が起こった。わしが最も関心を持ち、また驚愕《きょうがく》したのは、あの日記が護《まも》りの道具としてだけではなく、武器として意図されていたことじゃった」

「まだよくわかりません、先生」ハリーが言った。

「さよう。あれは分霊箱としてしかるべき機能をはたした――換言すれば、その中に隠された魂のかけらは安全に保管され、まちがいなく、その所有者が死ぬことを回避する役目をはたした。しかし、リドルが実は、あの日記が読まれることを望んでいたのは、疑いの余地がない。スリザリンの怪物が再び解き放たれるよう、自分の魂のかけらが、誰かの中に棲みつくか取り憑《つ》くかすることを望んでおったのじゃ」

「ええ、せっかく苦労して作ったものを、むだにはしたくなかったのでしょう」ハリーが言った。

「自分がスリザリンの継承者だということを、みんなに知ってほしかったんだ。あの時代にはそういう評価が得られなかったから」

「まさにそのとおりじゃ」ダンブルドアがうなずいた。

「しかし、ハリー、気づかぬか？　日記を未来のホグワーツの生徒の手に渡したり、こっそり忍び込ませたりすることを、ヴォルデモートが意図していたとすれば、その中に隠した大切な自分の魂のかけらに関して、あまりに投げやりではないか。分霊箱の所以《ゆえん》は、スラグホーン先生の説明にもあったように、自分の一部を安全に隠しておくことであり、誰かの行く手に投げ出して、破壊されてしまう危険をおかしたりせぬものじゃ――事実そうなってしもうた。あの魂のかけらは失われた。君がそうしたのじゃ」

「ヴォルデモートがあの分霊箱を軽率に考えていたということが、わしにとっては最も不気味なのじゃ。つまり、それは、ヴォルデモートがすでに、さらに複数の分霊箱を作った――または作ろうとしていた――ということを示唆しておる。つまり最初の分霊箱の喪失が、それほど致命的にならぬようにしたのじゃ。信じたくはないが、それ以外には説明がつかぬ」

「それから二年後、君は、ヴォルデモートが肉体を取り戻した夜のことを、わしに語ってくれた。死喰《しく》い人たちに、ヴォルデモートは、まことに示唆に富む、驚くべきことを言うておる。『**誰よりも深く不死の道へと入り込んでいたこの俺様が**』とな。ヴォルデモートがそう言うたと、君が話してくれた。『**誰よりも深く**』と。そして、死喰い人には理解できなんじゃったろうが、わしはその意味がわかった。ヴォルデモートは分霊箱のことを言うておったのじゃ。複数の分霊箱じゃよ、ハリー。ほかの魔法使いにそのような前例はないじゃろう。しかし、つじつまが合う。ヴォルデモート卿《きょう》は、年月がたつにつれ、ますます人間離れした姿になっていった。わしが思うに、そうした変身の道を説明できるのは、唯一、あの者がその魂を、我々が通常の悪と呼ぶものを超えた領域にまで切り刻んでいたということじゃ……」

「それじゃ、あいつは、ほかの人間を殺すことで、自分が殺されるのを不可能にしたのですか？」ハリーが聞いた。

「それほど不滅になりたかったのなら、どうして自分で『賢者の石』を創るか、盗むかしなかったのでしょう？」

「いや、そうしようとしたことはわかっておる。五年前のことじゃ」ダンブルドアが言った。「しかし、ヴォルデモート卿にとって、『賢者の石』は分霊箱ほど魅力がなかったのではないかと、わしは考えておる。それにはいくつか理由がある」

「『命の霊薬』は確かに生命を延長するものではあるが、不滅の命を保つには、定期的に、永遠に飲み続けなければならない。さすれば、ヴォルデモートは、その霊薬に全面的に依存することになり、霊薬が切れたり不純なものになったりするか、または『石』が盗まれた場合は、ヴォルデモートはほかの者同様、死ぬことになるであろう。ヴォルデモートは、覚えておろうが、自分ひとりで事を為したがる。依存するということは、たとえそれが霊薬への依存であろうとも、がまんならなかったのであろうと思う。もちろん、君を襲ったあとに、あのように恐ろしい半生命の状態におとしめられ、そこから抜け出すためであれば霊薬を飲もうと思ったのであろう。しかし、それは肉体を取り戻すためにのみじゃ。それ以後は、引き続き分霊箱を信頼しようとしていたと、わしは確信しておる。それ以外には何も必要ではなかった。ただ人間としての形を取り戻すことさえできれば。あの者はすでに不滅だったのじゃから……もしくは、ほかの誰も到達できないほどに、不滅に近かったのじゃから」

「しかし、ハリーよ、君が首尾よく手に入れてくれた、この肝心な記憶という情報が武器になり、我々はいまこそ、ヴォルデモート卿を破滅させるための秘密に、これまでの誰よりも近づいておる。ハリー、あの者の言葉を聞いたじゃろう。『もっとたくさん分断するほうがより確かで、より強力になれるのではないでしょうか？　……七という数は、一番強い魔法数字ではないですか……？』。**七という数は、一番強い魔法数字ではないですか**。さよう。七分断された魂という考えが、ヴォルデモート卿を強くひきつけたであろうと思うのじゃ」

「**七個**の分霊箱を作ったのですか？」

ハリーは恐ろしさに身震いし、壁の肖像画の何枚かも、同じように衝撃と怒りの声を上げた。

「でも、その七個は、世界中のどこにだってありうる——隠して——埋めたり、見えなくしたり——」

「問題の大きさに気づいてくれたのはうれしい」ダンブルドアが冷静に言った。

「しかし、まず、ハリー、七個の分霊箱ではない。六個じゃ。七個目の魂は、どのように損傷されていようとも、よみがえった身体の中に宿っておる。長年の逃亡中、幽霊のような存在で生きていた部分じゃ。それなしでは、あの者に自己というものはまったくない。その七番目の魂こそ、ヴォルデモートを殺そうとする者が最後に攻撃しなければならない部分じゃ——ヴォルデモートの身体の中に棲む魂のかけらじゃ」

「でも、それじゃ、六個の分霊箱は」ハリーは絶望気味に言った。「いったいどこを探せばよいのですか？」

「忘れておるようじゃの……君はすでにそのうちの一個を破壊した。そしてわしももう一個を破壊した」

「先生が？」ハリーは急《せ》き込んだ。

「いかにも」

ダンブルドアはそう言うと、黒く焼け焦げたような手を挙げた。

「指輪じゃよ、ハリー。マールヴォロの指輪じゃ。それにも恐ろしい呪いがかけられておった。わしの並はずれた術と——謙譲という美徳に欠ける言い方を許しておくれ——さらに、著しく傷ついてホグワーツに戻ったときのスネイプ先生のすばやい処置がなければ、わしは生きてこの話をすることができなかったことじゃろう。しかし、片手がなえようとも、ヴォルデモートの七分の一の魂と引き換えなら、理不尽ではないじゃろう。指輪はもはや分霊箱ではない」

「でも、どうやって見つけたのですか？」

「そうじゃのう。もう君にもわかったじゃろうが、わしは長年、ヴォルデモートの過去をできるだけつまびらかにすることを責務としてきた。ヴォルデモートがかつて知っておった場所を訪ねて、わしはあちこちを旅した。たまたま廃屋になったゴーントの家に、指輪が隠してあったのを見つけたのじゃ。その中に魂の一部を首尾よく封じ込めたあとは、ヴォルデモートはもう指輪をはめたくなかったのじゃな。先祖がかつて住んでいた小屋に指輪を隠し、幾重にも強力な魔術を施して指輪を護った――もちろん、モーフィンはすでにアズカバンに連れ去られておった――いつの日か、わしがわざわざその廃屋を訪ねるだろうとは、またわしが魔法による秘匿の跡に目を光らせるだろうとは、夢にも思わなかったことじゃろう」

「しかし、心から祝うわけにはいかぬ。君は日記を、わしは指輪を破壊したが、魂の七分断説が正しいとすれば、あと四個の分霊箱が残っておる」

「それはどんな形でもありうるのですね？」ハリーが言った。

「古い缶詰とか、えーと、からの薬瓶とか……？」

「君が考えているのは、ハリー、移動《ポート》キーじゃ。それはあたりまえのもので、簡単に見落とされそうなものでなければならない。しかし、ヴォルデモート卿が、自分の大切な魂を護るのに、ブリキ缶や古い薬瓶を使うと思うかね？　わしがこれまで君に見せたことを忘れているようじゃ。ヴォルデモート卿は勝利のトロフィーを集めたがったし、強力な魔法の歴史を持ったものを好んだ。自尊心、自分の優位性に対する信仰、魔法史に驚くべき一角を占めようとする決意。こうしたことから考えると、ヴォルデモートは分霊箱をある程度慎重に選び、名誉にふさわしい品々を好んで選んだと思われる」

「日記はそれほど特別ではありませんでした」

「日記は、君自身が言うたように、ヴォルデモートがスリザリンの後継者であるという証《あかし》となるものじゃった。ヴォルデモートはそのことを、この上なく大切だと考えたにちがいない」

「それじゃ、ほかの分霊箱は？」

ハリーが聞いた。

「先生、どういう品か、ご存じなのですか？」

「推量するしかない」ダンブルドアが言った。

「いまも言うたような理由から、ヴォルデモート卿は、品物自体がなんらかの意味で偉大なものを好んだであろうと思う。そこでわしは、ヴォルデモートの過去をくまなく探り、あの者の周囲で何か品物が紛失した形跡を見つけようとした」

「ロケットだ！」ハリーが大声を出した。

「ハッフルパフのカップ！」

「そうじゃ」ダンブルドアがほほえんだ。

「賭けてもよいが――もう一方の手を賭けるわけにはいかぬのう――指の一、二本ぐらいなら賭けてもよいが、その二つの品が三番目と四番目の分霊箱になった。残る二個は、全部で六個を作ったと仮定しての話じゃが、もっと難しい。しかし、当たるも八卦《はっけ》で言うならば、ハッフルパフとスリザリンの品を確保したあと、ヴォルデモートは、グリフィンドールとレイブンクローの所持品を探しはじめたであろう。四人の創始者の四つの品々は、ヴォルデモートの頭の中で、強い引力になっていたにちがいあるまい。はたしてレイブンクローの品を何か見つけたかどうか、わしは答えを持たぬが、しかし、グリフィンドール縁《ゆかり》の品として知られる唯一のものは、いまだに無事じゃ」

ダンブルドアは黒焦げの指で背後の壁を指した。そこには、ルビーをちりばめた剣《つるぎ》が、ガラスケースに収まっていた。

「先生、ヴォルデモートは、ほんとうはそれが目当てで、ホグワーツに戻ってきたかったのでしょうか？」

ハリーが言った。

「創始者の一人の品を何か見つけようとして？」

「わしもまさにそう思う」ダンブルドアが言った。

「しかし、残念ながら、そこから先はあまり説明できぬ。なぜなら、ヴォルデモートは学校の中を探索する機会もなく──とわしは信じておるのじゃが──門前払いされてしもうたのじゃから。ヴォルデモートは、四人の創始者の品々を集めるという野望を満たすことができなかった、と結論せざるをえんじゃろう。まちがいなく二つは手に入れた──三つ見つけたかもしれぬ──いまはせいぜいそこまでしか考えられぬ」

「レイブンクローかグリフィンドールの品のどちらかを手に入れたとしても、まだ六番目の分霊箱が残っています」

ハリーは指を折って数えながら言った。

「それとも、二つの品を両方とも手に入れたのでしょうか？」

「そうは思わぬ」ダンブルドアが言った。

「六番目が何か、わしにはわかるような気がする。わしが、蛇のナギニの行動にしばらく興味を持っていたと打ち明けたら、君はどう思うかね？」

「あの蛇ですか？」ハリーはギクッとした。

「動物を分霊箱に使えるのですか？」

「いや、賢明とは言えぬ」ダンブルドアが言った。

「それ自身が考えたり動いたりできるものに、魂の一部を預けるのは、当然危険をともなう。しかし、わしの計算が正しければ、ヴォルデモートが君を殺そうとして、ご両親の家に侵入したとき、六個の分霊箱という目標には、まだ少なくとも一個欠けておった」

「ヴォルデモートは、特に重大な者の死の時まで、分霊箱を作る過程を延期していたようじゃ。君の場合は、紛れもなくそうした死の一つじゃったろう。ヴォルデモートは、君を殺せば、予言が示した危機を打ち砕くことになると信じていた。自分を無敵の存在にできると信じていた。君を殺して最後の分霊箱を作ろうと考えていたと、わしは確信を持っておる」

「知ってのとおり、あの者はしくじった。しかし、何年かの後、ヴォルデモートはナギニを使って年老いたマグルの男を殺し、たぶんその時に、ナギニを最後の分霊箱にすることを思いついたのじゃろう。ナギニはスリザリンとのつながりを際立たせるし、ヴォルデモート卿の神秘的な雰囲気を高める。ヴォルデモートが好きになれる何かがあるとするならば、おそらくそれはナギニじゃと思う。確かにナギニをそばに置きたがっておるし、いくら蛇語使いじゃと言うても、異常なほどナギニを強く操っているようじゃ」

「すると」ハリーが言った。

「日記もなくなったし、指輪もなくなった。カップ、ロケット、それと蛇はまだ残っている。そして先生は、かつてレイブンクローかグリフィンドールのものだった品か何かが、分霊箱になっているかもしれないとお考えなのですね？」

「見事に簡潔で正確な要約じゃ。そのとおり」ダンブルドアは一礼しながら言った。

「それで……先生はまだ、そうしたものを探していらっしゃるのですね？　学校を留守になさったとき、そういう場所を訪ねていらっしゃったのですか？」

「そうじゃ」ダンブルドアが答えた。

「長いこと探しておった。たぶん……わしの考えでは……ほどなくもう一つ発見できるかもしれぬ。それらしい印がある」

「発見なさったら」ハリーが急いで言った。

「僕も一緒に行って、それを破壊する手伝いができませんか？」

ダンブルドアは一瞬、ハリーをじっと見つめ、やがて口を開いた。

「いいじゃろう」

「いいんですか？」

ハリーは、まさかの答えに衝撃を受けた。

「いかにも」ダンブルドアはわずかにほほえんでいた。

「君はその権利を勝ち取ったと思う」

ハリーは胸が高鳴った。初めて警告や庇護《ひご》の言葉を聞かされなかったのがうれしかった。周囲の歴代校長たちは、ダンブルドアの決断に、あまり感心しないようだった。ハリーには何人かが首を横に振っているのが見えたし、フィニアス・ナイジェラスはフンと鼻を鳴らした。

「先生、ヴォルデモートは、分霊箱が壊されたとき、それがわかるのですか？　感じるのですか？」ハリーは肖像画の反応を無視して尋ねた。

「非常に興味ある質問じゃよ、ハリー。答えは否じゃろう。ヴォルデモートはいまや、どっぷりと悪に染まっておるし、さらに自分自身の肝心な部分である分霊が、ずいぶん長いこと本体から切り離されておるので、我々が感じるようには感じない。たぶん、自分が死ぬ時点で、あの者は失ったものに気づくのであろう……たとえば、ルシウス・マルフォイの口から真実を吐かせるまで、あの者は日記が破壊されてしまったことに気づかなんだ。日記がズタズタになり、そのすべての力を失ったと知ったとき、ヴォルデモートの怒りたるや、見るも恐ろしいほどじゃったと聞きおよぶ」

「でも、ルシウス・マルフォイがホグワーツに日記を忍び込ませたのは、あいつがそう指示したからでしょう?」

「いかにも。何年も前のことじゃが、あの者が複数の分霊箱を作れるという確信があったときにじゃ。しかしながら、ヴォルデモートの命令を待つ手はずじゃったルシウスは、その命令を受けることはなかった。日記をルシウスに預けてからまもなく、ヴォルデモートが消えたからじゃ。あの者は、ルシウスが分霊箱をただ大切に護るじゃろうと思い、まさか、それ以外のことをするとは思わなかったにちがいない。しかし、ヴォルデモートは、ルシウスの恐怖心を過大に考えておった。何年も姿を消したままの、死んだと思われるご主人様に対して、ルシウスが持つ恐怖心のことじゃ。もちろん、ルシウスは日記の本性を知らなんだ。あの日記には巧みな魔法がかけてあるので、『秘密の部屋』をもう一度開かせるものになるだろうと、ヴォルデモートがルシウスに話しておいたのじゃろうと思う。ご主人様の魂の一部が託されているものだと知っていたなら、ルシウスはまちがいなくあの日記を、もっとうやうやしく扱ったことじゃろう――しかし、そうはせずに、古いくわだてを自分自身の目的のために勝手に実行してしまった。アーサー・ウィーズリーの娘のもとに日記を忍び込ませることで、アーサーの信用を傷つけ、わしをホグワーツから追放させ、同時に自分にとって非常に不利になる物証を片づけるという、一石三鳥をねらったのじゃ。ああ、哀れなルシウスよ……一つには、自らの利益のため

ても無理からぬことじゃ」

鱗《りん》に触れてしもうた。現在はアズカバンに収監されているから安全じゃと、本人が内心喜んでいるとし

に分霊箱を捨ててしもうたという事実、また一つには昨年の魔法省での大失態で、ヴォルデモートの逆《げき》

ハリーはしばらく考え込み、やがて質問した。

「すると、分霊箱を全部破壊すれば、ヴォルデモートを殺すことが**可能**なのですか？」

「そうじゃろうと思う」ダンブルドアが言った。

「分霊箱がなければ、ヴォルデモートは切り刻まれて減少した魂を持つ、滅すべき運命の存在じゃ。しかし、忘れるでない。あの者の魂は、修復不能なまでに損傷されておるかもしれぬが、頭脳と魔力は無傷じゃ。ヴォルデモートのような魔法使いを殺すには、たとえ分霊箱がなくなっても、非凡な技と力を要するじゃろう」

「でも、僕は非凡な技も力も持っていません」ハリーは思わず口走った。

「いや、持っておる」

ダンブルドアがきっぱりと言った。

「君はヴォルデモートが持ったことがない力を持っておる。君の力は——」

「わかっています！」

ハリーはいらいらしながら言った。

「僕は愛することができます！」

そのあとにもう一言、「それがどうした！」と言いたいのを、ハリーはやっとの思いでのみ込んだ。

「そうじゃよ、ハリー、君は愛することができる」

ダンブルドアは、ハリーがいまのみ込んだ言葉をはっきりと知っているかのような表情で言った。

「これまで君の身に起こったさまざまな出来事を考えてみれば、それは偉大なすばらしいものなのじゃ。ハリー、自分がどんなに非凡な人間であるかを理解するには、君はまだ若すぎる」

「それじゃ、予言で、僕が『闇の帝王の知らぬ力』を持つと言っていたのは、ただ単なる――愛？」ハリーは少し失望した。

「そうじゃ――単なる愛じゃ」ダンブルドアが言った。

「しかし、ハリー、忘れるでないぞ。予言が予言として意味を持つのは、ヴォルデモートがそのようにしたからなのじゃということを。先学年の終わりに君に話したが、ヴォルデモートは、自分にとって一番危険になりうる人物として、君を選んだ――そうすることで、あの者は君を、自分にとって最も危険な人物に**した**のじゃ！」

「でも、結局はおんなじことになる――」

「いや、同じにはならぬ！」

今度はダンブルドアがいらだった口調になった。黒くしなびた手でハリーを指しながら、ダンブルドアが言った。

「君は予言に重きを置きすぎておる」

「でも」ハリーは急き込んだ。

「でも先生は、予言の意味を――」

「ヴォルデモートがまったく予言を聞かなかったとしたら、予言は実現したじゃろうか？　予言に意味があったじゃろうか？　もちろん、ない！　『予言の間』のすべての予言が現実のものとなったと思うかね？」

「でも」ハリーは当惑した。

「でも先生は先学年の終わりにおっしゃいました。二人のうちどちらかが、もう一人を殺さなければならないと――」

「ハリー、ハリー、それはヴォルデモートが重大なまちがいを犯し、トレローニー先生の言葉に応じて行動したからじゃ！　ヴォルデモートが君の父君を殺さなかったら、君の心に燃えるような復讐《ふくしゅう》の願いをかき立てたじゃろうか？　もちろん否じゃ！　ヴォルデモートが、君を護ろうとした母君を死に追いやらなかったら、あの者が侵入できぬほどの強い魔法の護りを、君に与えることになったじゃろうか？　もちろん否じゃよ、ハリー！　わからぬか？　すべての暴君たる者がそうであるように、ヴォルデモート自身が、最大の敵を創り出したのじゃ！　暴君たる者が、自ら虐げている民をどんなに恐れているか、わかるかね？　暴君は、多くの虐げられた者の中から、ある日必ず誰かが立ち上がり、反撃することを認識しておるのじゃ。ヴォルデモートとて例外ではない！　誰かが自分に刃向かうのを、常に警戒しておる。予言を聞いたヴォルデモートは、すぐさま行動した。その結果、自分を破滅させる可能性の最も高い人物を自ら選んだばかりでなく、その者に無類の破壊的な武器まで手渡したのじゃ」

「でも――」

「君がこのことを理解するのが肝心なのじゃ！」

ダンブルドアは立ち上がって、輝くローブをひるがえしながら、部屋の中を大股で歩き回っていた。こんなに激しく論じるダンブルドアを、ハリーは初めて見た。

「君を殺そうとしたことで、ヴォルデモート自身が、非凡なる人物を選び出した。その人物はわしの目の前におる。そしてその人物に、任務のための道具まで与えた！　君がヴォルデモートの考えや野心をのぞき見ることができ、あの者が命令する際に使う、蛇の言葉を理解することさえできるようにしたのは、ヴォルデモートの失敗じゃった。しかも、ハリー、ヴォルデモートの世界を洞察できるという、君の特権にもかかわらず――ついでながら、そのような才能を得るためなら、死喰い人は殺人もいとわぬことじゃろう――君は一度たりとも闇の魔術に誘惑されたことがない。けっして、一瞬たりとも、ヴォルデモートの従者になりたいという願望を、露ほども見せたことがない！」

「当然です！」

ハリーはいきどおった。

「あいつは僕の父さんと母さんを殺した！」

「つまり、君は、愛する力によって護られておるのじゃ！」ダンブルドアが声を張り上げた。「ヴォルデモートが持つ類の力の誘惑に抗する唯一の護りじゃ！　あらゆる誘惑に耐えなければならなかったにもかかわらず、あらゆる苦しみにもかかわらず、君の心は純粋なままじゃ。十一歳のとき、君の心の望みを映す鏡を見つめていたときと変わらぬ純粋さじゃ。あの鏡が示しておったのは、不滅の命でも富でもなく、ヴォルデモート卿を倒す方法のみじゃった。ハリー、あの鏡に、君が見たと同じものを見る魔法使いがいかに少ないか、わかっておるか？　ヴォルデモートはあの時に、自分が対峙《たいじ》しているものがなんなのかを知るべきじゃった。しかし、あの者は気づかなんだ！」

「しかし、あの者は、いまではそれを知っておる。君は自らをそこなうことなしに、ヴォルデモート卿の心に舞い込むことができた。一方、あの者は、君に取り憑こうとすれば、死ぬほどの苦しみに耐えなければならないということに、魔法省で気づいたのじゃ。なぜそうなるのか、ハリー、あの者にはわかっておらぬと思う。あの者は、自らの魂を分断することを急ぐあまり、汚れのない、全き魂の比類なき力を理解する間がなかったのじゃ」

「でも、先生」

ハリーは反論がましく聞こえないよう、けなげに努力しながら言った。

「結局は、すべて同じことなのではないですか？　僕はあいつを殺さなければならない。さもないと――」

「なければならない？」ダンブルドアが言った。

「もちろん、君はそうしなければならない！　しかし、予言のせいではない！　君が、君自身が、そうしなければ休まることがないからじゃ！　わしも、君もそれを知っておる！　頼む、しばしの間でよいから、あの予言を聞かなかったと思ってほしい！　さあ、ヴォルデモートについて、君はどう感じるかな？　考えるのじゃ！」

ハリーは、目の前を大股で往《い》ったり来たりしているダンブルドアを見つめながら、考えた。母親のこと、父親のこと、そしてシリウスのことを思った。セドリック・ディゴリーのことを思った。ヴォルデモート卿の仕業であることがわかっている、あらゆる恐ろしい行為のことを思った。胸の中にメラメラと炎が燃え上がり、のど元を焦がすような気がした。

「あいつを破滅させたい」

ハリーは静かに言った。

「そして、僕が、そうしてやりたい」

「もちろん君がそうしたいのじゃ！」ダンブルドアが叫んだ。

「よいか。予言は君が何かを**しなければならない**という意味ではない！　しかし、予言は、ヴォルデモート卿に、君を**自分に比肩する者として印《しる》す**ように仕向けた……つまり、君がどういう道を選ぼうと自由じゃ。予言に背を向けるのも自由なのじゃ！　しかしヴォルデモートは、いまでも予言を重要視しておる。君を追い続けるじゃろう……さすれば、確実に、まさに――」

「一方が、他方の手にかかって死ぬ」ハリーが言った。「そうです」

ハリーはやっと、ダンブルドアが自分に言わんとしていたことがわかった。死に直面する戦いの場に引きずり込まれるか、頭を高く上げてその場に歩み入るかのちがいなのだ、とハリーは思った。その二つの道の間には、選択の余地はほとんどないという人も、たぶんいるだろう。しかし、ダンブルドアは知っている――僕も知っている。そう思うと、誇らしさが一気に込み上げてきた。そして、僕の両親も知っていた――その二つの間は、天と地ほどにちがうのだということを。

第24章　セクタムセンプラ

夜更けの授業でつかれきっていたが、ハリーはうれしかった。翌朝の呪文学のクラスで、ハリーは、ロンとハーマイオニーに一部始終を話して聞かせた（その前に近くの生徒たちに「**耳ふさぎ呪文**」をかけておいた）。どんなふうにしてスラグホーンを乗せ、記憶を引き出したかを聞いて、二人とも感心したので、ハリーは満足だった。ヴォルデモートの分霊箱のことや、ダンブルドアが、次の一個を発見したらハリーを連れていくと約束した話をすると、二人は感服しておそれ入った。

「ウワー」

ハリーがやっとすべてを話し終えると、ロンが声をもらした。ロンは自分が何をやっているのかまったく意識せず、なんとなく天井に向けて杖《つえ》を振っていた。

「ウワー、君、ほんとうにダンブルドアと一緒に行くんだ……そして破壊する……ウワー」

「ロン、あなた、雪を降らせてるわよ」

ハーマイオニーがロンの手首をつかみ、杖を天井からそらせながら、やさしく言った。確かに、大きな雪片が舞い落ちはじめていた。目を真っ赤にしたラベンダー・ブラウンが、隣のテーブルからハーマイオニーをにらみつけているのに、ハリーは気がついた。ハーマイオニーもすぐにロンの腕を放した。

「ああ、ほんとだ」

ロンは驚いたような驚かないような顔で、自分の肩を見下ろした。

「ごめん……みんなひどいふけ症になったみたいだな……」

ロンはにせの雪をハーマイオニーの肩からちょっと払った。ラベンダーが泣きだした。ロンは大いに申し訳なさそうな顔になり、ラベンダーに背を向けた。

「僕たち、別れたんだ」

ロンは、ほとんど口を動かさずにハリーに言った。

「きのうの夜。ラベンダーは、僕がハーマイオニーと一緒に寮から出てくるのを見たんだ。当然、君の姿は見えなかった。だから、ラベンダーは、二人きりだったと思い込んだよ」

「ああ」ハリーが言った。「まあね——だめになったって、いいんだろ？」

「うん」ロンが認めた。「あいつがわめいてた間は、相当まいったけど、少なくとも僕のほうからおしまいにせずにすんだ」

「弱虫」

そう言いながら、ハーマイオニーはおもしろがっているようだった。

「まあ、ロマンスにとってはいろいろと受難の夜だったみたいね。ジニーとディーンも別れたわよ、ハリー」

ハリーは、ハーマイオニーがハリーにそう言いながら、わけ知り顔の目つきをしたような気がした。しかしまさか、ハリーの胸の中が、急にコンガを踊りだしたことまでは気づくはずがない。できるかぎり無表情で、できるだけなにげない声で、ハリーは聞いた。

「どうして？」

「ええ、なんだかとってもバカバカしいこと……ジニーが言うには、肖像画の穴を通るとき、まるでジニーがひとりで登れないみたいに、ディーンがいつも助けようとしたとか……でも、あの二人はずっと前から危うかったのよ」

ハリーは、教室の反対側にいるディーンをちらりと見た。確かに落ち込んでいる。

「そうなると、もちろん、あなたにとってはちょっとしたジレンマね？」ハーマイオニーが言った。

「どういうこと？」ハリーがあわてて聞いた。

「クィディッチのチームのことよ」ハーマイオニーが言った。

「ジニーとディーンが口をきかなくなると……」

「あ──ああ、うん」ハリーが言った。

「フリットウィックだ」ロンが警報を出した。

呪文学のちっちゃい先生が、三人のほうにひょこひょこやってきた。酢をワインに変えおおせていたのはハーマイオニーだけで、そのフラスコは真紅の液体で満たされていたが、ハリーとロンのフラスコの中身はにごった茶色だった。

「さあ、さあ、そこの二人」

フリットウィック先生がとがめるようにキーキー言った。

「おしゃべりを減らして、行動を増やす……先生にやってみせてごらん……」

二人は一緒に杖を上げ、念力を集中させてフラスコに杖を向けた。ハリーの酢は氷に変わり、ロンのフラスコは爆発した。

「はい……宿題ね……」

机の下から再び姿を現し、帽子のてっぺんからガラスの破片を取り除きながら、フリットウィック先生が言った。

「**練習しなさい**」

呪文学のあとは、めずらしく三人そろっての自由時間だったので、一緒に談話室に戻った。ロンは、ラベンダーとの仲が終わったことで俄然《がぜん》、気楽になったようだったし、ハーマイオニーもなんだか機嫌がよかった。ただ、どうしてニヤニヤしているのかと聞くと、ハーマイオニーは、「いい天気ね」と言っただけだった。二人とも、ハリーの頭の中で激しい戦いがくり広げられていることに、気づかないようだった。

あの女《ひと》はロンの妹だ。

でもディーンを振った！

それでもロンの妹だ。

僕はロンの親友だ！

だからますます悪い。

最初にロンに話せば――。

ロンは君をぶんなぐるぞ。

僕が気にしないと言ったら？

ロンは君の親友だぞ！

ハリーは、肖像画の穴を乗り越えて陽当《ひあ》たりのよい談話室に入っていたことに、自分ではほとんど気づかなかったし、七年生が小さな群れを作っていることも、ハーマイオニーの声を聞くまではなんとなく意識しただけだった。

「ケイティ！　帰ってきたのね！　大丈夫？」

ハリーは目を見張った。まちがいなくケイティ・ベルだった。完全に健康を取り戻した様子のケイティを、友達が歓声を上げて取り囲んでいた。

「すっかり元気よ！」ケイティがうれしそうに言った。

「月曜日に聖マンゴから退院したんだけど、二、三日、パパやママと家で一緒に過ごして、今朝、戻ってきたの。ちょうどいま、リーアンが、マクラーゲンのことや、この間の試合のことを話してくれていたところよ。ハリー……」

「うん」ハリーが言った。

「まあ、君が戻ったし、ロンも好調だし、レイブンクローを打倒するチャンスは充分だ。つまり、まだ優勝杯をねらえる。ところで、ケイティ……」

ハリーは、早速ケイティに聞かないではいられなかった。知りたさのあまり、ジニーのことさえ一時頭から吹っ飛んでいた。ケイティの友達が、どうやら変身術の授業に遅れそうになっているらしく、出かける準備をしていたが、ハリーは声を落として聞いた。

「……あのネックレス……誰が君に渡したのか、いま、思い出せるかい？」

「ううん」ケイティは残念そうに首を振った。

「みんなに聞かれたんだけど、全然覚えていないの。最後に『三本の箒《ほうき》』の女子トイレに入ったことまでしか」

「それじゃ、まちがいなくトイレに入ったのね？」ハーマイオニーが聞いた。

「うーん、ドアを押し開けたところまでは覚えがあるわ」ケイティが言った。

「だから、私に『服従の呪文』をかけた誰かは、ドアのすぐ後ろに立っていたんだと思う。そのあとは、二週間前に聖マンゴで目を覚ますまで、記憶が真っ白。さあ、もう行かなくちゃ。帰ってきた最初の日だからって、反復書き取り罰を免除してくれるようなマクゴナガルじゃないしね……」

ケイティは鞄《かばん》と教科書類をつかみ、急いで友達のあとを追った。残されたハリー、ロン、ハーマイオニーは、窓際のテーブルに席を取り、ケイティがいま言ったことを考えた。

「ということは、ケイティにネックレスを渡したのは、女の子、または女性だったことになるわね」

ハーマイオニーが言った。

「女子トイレにいたのなら」

「それとも、女の子か女性に見える誰かだ」ハリーが言った。

「忘れないでくれよ。ホグワーツには大鍋いっぱいの『ポリジュース薬』があるってこと。少し盗まれたこともわかってるんだ……」

ハリーは、クラッブとゴイルが何人もの女の子の姿に変身して、踊り跳ねながら行進していく姿を、頭の中で思い浮かべていた。

「もう一回『フェリックス』を飲もうかと思う」ハリーが言った。

「そして、もう一度『必要の部屋』に挑戦してみる」

「それは、まったくのむだづかいよ」

ハーマイオニーが、いま鞄から取り出したばかりの『スペルマンのすっきり音節』をテーブルに置きながら、にべもなく言った。

「幸運には幸運の限界があるわ、ハリー。スラグホーンの場合は状況がちがうの。あなたにははじめからスラグホーンを説得する能力があったのよ。あなたは、状況をちょっとつねってやる必要があっただけ。でも、強力な魔法を破るには、幸運だけでは足りない。あの薬の残りをむだにしないで！ダンブルドアがあなたを一緒に連れていくときに、あらゆる幸運が必要になるわ……」

ハーマイオニーは声を落とし、ささやき声で言った。

「もっと煎じればどうだ？」

ロンはハーマイオニーを無視して、ハリーに言った。

「たくさんためておけたらいいだろうな……あの教科書を見てみろよ……」

ハリーは『上級魔法薬』の本を鞄から引っ張り出し、「フェリックス・フェリシス」を探した。

「驚いたなあ。マジで複雑だ」

材料のリストに目を走らせながら、ハリーが言った。

「それに、六か月かかる……煮込まないといけない……」

「いっつもこれだもんな」ロンが言った。

ハリーが本を元に戻そうとしたそのとき、ページの端が折れているのに気づいた。そこを開けると、ハリーが数週間前に印をつけた、「**セクタムセンプラ**」の呪文が見えた。「敵に対して」と見出しがついている。ハーマイオニーがそばにいるときに試すのは気が引けて、何をする呪文なのか、まだわかっていなかった。しかし、この次にマクラーゲンの背後に忍び寄ったときに、試してみようと考えていた。

ケイティ・ベルが帰ってきてうれしくなかったのは、ディーン・トーマスだけだった。チェイサーとしてケイティのかわりを務める必要がなくなるからだ。ハリーがそう告げたとき、ディーンはさばさばと打撃を受け止め、ただうめいて肩をすくめただけだった。しかし、ハリーがそばを離れたとき、ディーンとシェーマスが、背後で反抗的にブツクサつぶやく気配がはっきり感じ取れた。

それから二週間は、ハリーがキャプテンになって以来最高の練習が続いた。チーム全員が、マクラーゲンがいなくなったことを喜び、ケイティがやっと戻ってきたことがうれしくて、抜群の飛びっぷりだった。

ジニーは、ディーンと別れたことをちっとも気にかけていない様子で、それどころか、ジニーこそチームを楽しませる中心人物だった。クアッフルがロンに向かって猛進してきたとき、ロンがゴールポストの前で不安そうにピョコピョコする様子をまねしたり、ハリーがノックアウトされて気絶する直前にマクラーゲンに向かって大声で命令するところをまねたり、ジニーはしょっちゅう全員を楽しませた。ハリーもみんなと一緒に笑いながら、無邪気な理由でジニーを見ていられるのがうれしかった。しかし、まともにスニッチを探していなかったせいで、練習中にまたもや数回ブラッジャーを食らってけがをした。

頭の中の戦いは相変わらず壮絶だった。ジニーかロンか？　「ラベンダー後」のロンは、ハリーがジニーを誘っても、あまり気にしないのではないかと、時にはそう思ったが、そのたびに、ジニーがディーンにキスしているところを目撃したときのロンの表情を思い出した。ハリーがジニーの手を握っただけで、ロンはきっと、いやしい裏切りだと考えるだろう……。

それでもハリーは、ジニーに話しかけたかったし、一緒に笑いたかったし、練習のあとで一緒に歩いて戻りたかった。どんなに良心がうずこうと、気がつくと、どうやったらジニーと二人きりになれるかを考えていた。スラグホーンがまた小宴会を催してくれれば理想的だったろう。ロンがそばにいないだろうから――しかし、残念なことに、スラグホーンはパーティをあきらめてしまった様子だった。

一度か二度、ハリーはハーマイオニーに助けてもらおうかと思ったが、わかっていたわよ、という顔をされるのはがまんできなかった。ハリーが、ジニーを見つめたり、ジニーの冗談で笑っていたりするのを、ハーマイオニーが見つけてそういう表情をするのを、ハリーはときどき見たような気がした。さらに問題を複雑にしたのは、自分が申し込まなければ、たちまち誰かがジニーを誘うにちがいないという心配が、ハリーを悩ませたことだった。ハリーもロンも、人気がありすぎるのはジニー本人のためによくないという認識では、少なくとも一致していた。

結局のところ、もう一度「フェリックス・フェリシス」を飲みたいという誘惑が日増しに強くなっていた。何しろこの件は、ハーマイオニーに言わせれば、確実に「状況をちょっとつねる」に当たるのではないだろうか？

かぐわしい五月の日々がいつの間にか過ぎていくのに、ハリーがジニーを目にするときには、なぜかロンが必ずハリーのすぐそばにいた。

ハリーは一滴の幸運を切望していた。ロンが、親友と妹が互いに好きになるのはこの上ない幸せなことだと気がついてほしい。そして、少しまとまった時間、ジニーと二人きりにしてくれるような幸運が欲しい。しかし、シーズン最後のクィディッチの試合が近づいていたため、ロンは四六時中ハリーと戦術を話したがり、それ以外はほとんど何も考えていなかったので、どちらのチャンスもめぐってきそうになかった。

ロンだけが何も特別なわけではなかった。学校中で、グリフィンドール対レイブンクローの試合への関心が、極限まで高まっていた。この試合が、まだ混戦状態の優勝杯の行方を決定するはずだからだ。グリフィンドールがレイブンクローに三〇〇点差で勝てば（相当難しいが、ハリーには自分のチームの飛びっぷりが、これまでで最高だとわかっていた）、それでグリフィンドールが優勝する。三〇〇点を下回る得点差で勝った場合は、レイブンクローに次いで二位になる。一〇〇点差で負ければ、ハッフルパフより下位の三位になり、一〇〇点を超える得点差で負ければ四位だ。そうなれば、この二世紀来、初めてグリフィンドールを最下位に落としたキャプテンがハリーだと、みんなが、一生涯思い出させてくれることだろう。

雌雄を決するこの試合への序盤戦は、お定まりの行事だった。対抗する寮の生徒たちが、相手のチームを廊下で脅そうとしたり、選手が通り過ぎるときには、それぞれの選手をいやみったらしく声高にはやしたてたりした。選手のほうは、肩で風を切って歩き、注目されることを楽しむか、授業の合間にトイレに駆け込んでゲーゲー吐くかのどちらかだった。

なぜかハリーの頭の中では、試合の行方と、ジニーに対する自分の計画の成否とが密接に関連していた。三〇〇点より多い得点差で勝てば、陶酔状態と試合後のすてきな大騒ぎのパーティが、「フェリックス・フェリシス」を思いきり飲んだと同じ効果をもたらすような気がして、しかたがなかった。

いろいろと考えごとの多い中で、ハリーはもう一つの野心も捨てていなかった。マルフォイが「必要の部屋」で何をしているかを知ることだ。ハリーは相変わらず忍びの地図を調べていたし、マルフォイがしばしば地図から消えてしまうのは、「必要の部屋」で相当の時間を過ごしているからだろうと推量していた。首尾よくその部屋に入り込むという望みは失いかけていたものの、部屋の近くにいるときは、ハリーは必ず試してみた。しかし、どんなに言葉を変えて自分の必要を唱えてみても、壁は頑として扉を現さなかった。

レイブンクロー戦の数日前、ハリーは一人で談話室を出て、夕食に向かっていた。ロンは、またしてもゲーゲーやるのに近くのトイレに駆け込み、ハーマイオニーは、前回の数占いの授業で提出したレポートにまちがいが一つあったかもしれないと、ベクトル先生に会いに飛んでいった。

ハリーはつい習慣で、いつものように回り道して八階の廊下に向かいながら、忍びの地図をチェックした。ざっと見ても、どこにもマルフォイの姿が見つからなかったので、また「必要の部屋」の中にちがいないと思ったが、その時ふと、マルフォイと記された小さな点が、下の階の男子トイレにたたずんでいるのが見えた。一緒にいるのは、クラッブでもゴイルでもない。なんと「嘆きのマートル」だった。

あまりにありえない組み合わせだったので、ハリーは地図から目を離せず、鎧《よろい》に正面衝突してしまった。大きな衝突音で我に返ったハリーは、フィルチが現れないうちにと急いでその場を離れ、大理石の階段を駆け下りて、下の階の廊下を走った。トイレの外でドアに耳を押しつけたが、何も聞こえない。

ハリーはそうっとドアを開けた。

ドラコ・マルフォイがドアに背を向けて立っていた。両手で洗面台の両端を握り、プラチナ・ブロンドの頭を垂れている。

「やめて」

感傷的な「嘆きのマートル」の声が、小部屋の一つから聞こえてきた。

「やめてちょうだい……困ってることを話してよ……私が助けてあげる……」

「誰にも助けられない」

マルフォイが言った。体中を震わせていた。

「僕にはできない……できない……うまくいかない……それに、すぐにやらないと……あの人は僕を殺すって言うんだ……」

その時、ハリーは気がついた。あまりの衝撃で、ハリーはその場に根が生えてしまったような気がした。マルフォイが泣いている――ほんとうに泣いている――涙が青白いほおを伝って、あかじみた洗面台に流れ落ちていた。マルフォイはあえぎ、ぐっと涙をこらえて身震いし、顔を上げてひび割れた鏡をのぞいた。そして、肩越しにハリーが自分を見つめているのに気づいた。

マルフォイはくるりと振り返り、杖を取り出した。ハリーも反射的に杖を引き出した。マルフォイの呪いはわずかにハリーをそれ、そばにあった壁のランプを粉々にした。ハリーは脇に飛びのき、「**レビコーパス！　浮上せよ！**」と心で唱えて杖を振った。しかしマルフォイは、その呪いを阻止し、次の呪いをかけようと杖を上げた――。

「だめ！　だめよ！　やめて！」

「嘆きのマートル」がかん高い声を上げ、その声がタイル貼りのトイレに大きく反響した。

「やめて！　**やめて！**」

バーンと大きな音とともに、ハリーの後ろのごみ箱が爆発した。ハリーは「足縛りの呪い」をかけたが、マルフォイの耳の後ろの壁で跳ね返り、「嘆きのマートル」の下の水槽タンクを破壊した。マートルが大きな悲鳴を上げた。水が一面にあふれ出し、ハリーがすべった。マルフォイは顔をゆがめて叫んだ。

「**クルー——**」

「**セクタムセンプラ！**」床に倒れながらも、ハリーは夢中で杖を振り、大声で唱えた。

マルフォイの顔や胸から、まるで見えない刀で切られたように血が噴き出した。マルフォイはよろよろとあとずさりして、水浸しの床にバシャッと倒れ、右手がだらりと垂れて杖が落ちた。

「そんな——」ハリーは息をのんだ。

すべったりよろめいたりしながら、ハリーはやっと立ち上がってマルフォイの脇に飛んだ。マルフォイの顔はもう血で真っ赤に光り、蒼白《そうはく》な両手が血染めの胸をかきむしっていた。

「そんな——僕はそんな——」

ハリーは自分が何を言っているのかわからなかった。自分自身の血の海で、激しく震えているマルフォイの脇に、ハリーはがっくり両ひざをついた。「嘆きのマートル」が、耳をつんざく叫び声を上げた。

「**人殺し！　トイレで人殺し！　人殺し！**」

ハリーの背後のドアがバタンと開いた。目を上げたハリーはぞっとした。スネイプが憤怒の形相で飛び込んできていた。ハリーを荒々しく押しのけ、スネイプはひざまずいてマルフォイの上にかがみ込み、杖を取り出して、ハリーの呪いでできた深い傷を杖でなぞりながら、呪文を唱えた。まるで歌うような呪文だった。出血がゆるやかになったようだった。スネイプは、マルフォイの顔から残りの血をぬぐい、呪文をくり返した。今度は傷口がふさがっていくようだった。

ハリーは自分のしたことに愕然《がくぜん》として、自分も血と水とでぐしょぬれなことにはほとんど気づかず、ただ見つめ続けていた。頭上で「嘆きのマートル」が、すすり上げ、むせび泣き続けている。スネイプは三度目の反対呪文を唱え終わると、マルフォイを半分抱え上げて立たせた。

「医務室に行く必要がある。多少傷痕を残すこともあるが、すぐにハナハッカを飲めばそれもさけられるだろう……来い……」

スネイプはマルフォイを支えて、トイレのドアまで歩き、振り返って、冷たい怒りの声で言った。

「そして、ポッター……ここで我輩を待つのだ」

逆らおうなどとはこれっぽちも考えなかった。ハリーは震えながらゆっくり立ち上がり、ぬれた床を見下ろした。床一面に、真紅の花が咲いたように、血痕が浮いていた。「嘆きのマートル」は、相変わらず泣きわめいたりすすり上げたりして、だんだんそれを楽しんでいるのが明らかだったが、だまれという気力さえなかった。

十分後にスネイプが戻ってきた。トイレに入ってくるなり、スネイプはドアを閉めた。

「去れ」

スネイプのひと声で、マートルはすぐに便器の中にスイーッと戻っていった。あとには痛いほどの静けさが残った。

「そんなつもりはありませんでした」

ハリーがすぐさま言った。冷たい水浸しの床に、ハリーの声が反響した。

「あの呪文がどういうものなのか、知りませんでした」

しかし、スネイプは無視した。

「我輩は、君を見くびっていたようだな、ポッター」スネイプが低い声で言った。

「君があのような闇の魔術を知っていようとは、誰が考えようか？　あの呪文は誰に習ったのだ？」

「僕――どこかで読んだんです」

「どこで？」

「あれは――図書館の本です」

ハリーは破れかぶれにでっち上げた。

「思い出せません。なんという本――」

「うそをつくな」

スネイプが言った。ハリーはのどがからからからになった。スネイプが何をしようとしているかわかってはいたが、ハリーはこれまで一度もそれを防げなかった……。

トイレが目の前でゆらめいてきたようだった。すべての考えをしめ出そうと努力したが、もがけばもがくほど、プリンスの『上級魔法薬』の教科書が頭に浮かび、ぼんやり漂った……。

そして次の瞬間、ハリーは壊れてびしょぬれになったトイレで、再びスネイプを見つめていた。勝ち目はないと思いながらも、見られたくないものをスネイプが見なかったことを願いつつ、ハリーはスネイプの暗い目を見つめた。しかし――。

「学用品の鞄を持ってこい」

スネイプが静かに言った。

「それと、教科書を全部だ。**全部**だぞ。ここに、我輩の所へ持ってくるのだ。いますぐ！」

議論の余地はなかった。ハリーはすぐにきびすを返し、トイレからバシャバシャと出ていった。廊下まで出るやいなや、ハリーはグリフィンドール塔に向かって駆けだした。ほとんどの生徒が反対方向に歩いていて、ぐっしょりぬれた血だらけのハリーをあぜんとして見つめたが、すれちがいざまに投げかけられる質問にもいっさい答えずに、ハリーは走った。

ハリーは衝撃を受けていた。愛するペットが突然凶暴になったような気持ちだった。あんな呪文を教科書に書き込むなんて、いったいプリンスは何を考えていたんだ？　スネイプがそれを見たら、いったいどうなるんだろう？　スラグホーンに言いつけるだろうか――ハリーは胃がよじれる思いだった――ハリーが今学期中、魔法薬であんなによい成績だったのはなぜかを、スラグホーンにばらすだろうか？　ハリーにこれほど多くのことを教えてくれた教科書を、スネイプは取り上げるのか破壊してしまうのか……指南役でもあり、友達でもあったあの教科書を？　そんなことがあってはならない……そんなことはとても……。

「どこに行って――？　なんでそんなにぐしょぬれ――？　それ、**血じゃないのか？**」

ロンが階段の一番上に立って、当惑顔でハリーの姿を見ていた。

「君の教科書が必要だ」

ハリーが息をはずませながら言った。

「君の魔法薬の本。早く……僕に渡して……」

「でも、『プリンス』はどうするんだ？」

「あとで説明するから！」

ロンは自分の鞄から『上級魔法薬』の本を引っ張り出して、ハリーに渡した。ハリーはロンを置き去りにして走りだし、談話室に戻った。そこで鞄を引っつかみ、夕食をすませた何人かの生徒が驚いて眺めているのを無視して、再び肖像画の穴に飛び込み、八階の廊下を矢のように走った。

踊るトロールのタペストリーの脇で急停止し、ハリーは両目をつむって歩きはじめた。

僕の本を隠す場所が必要だ……僕の本を隠す場所が必要だ……僕の本を隠す場所が必要だ……。

何もない壁の前を、ハリーは三回往復した。目を開けると、ついにそこに扉が現れていた。「必要の部屋」の扉だ。ハリーはぐいと開けて中に飛び込み、扉をバタンと閉めた。

ハリーは息をのんだ。急いでいる上に、無我夢中だったし、トイレで恐怖が待ち受けているにもかかわらず、ハリーは目の前の光景に威圧された。そこは、大聖堂ほどもある広い部屋だった。高窓からいく筋もの光が射《さ》し込み、そびえ立つ壁でできている都市のような空間を照らしていた。ホグワーツの住人が何世代にもわたって隠してきたものが、壁のように積み上げられてできた都市だ。壊れた家具が積まれ、ぐらぐらしながら立っているその山の間が、通路や隘路《あいろ》になっている。

家具類は、たぶんしくじった魔法の証拠を隠すためにしまい込んだか、城自慢の屋敷しもべ妖精たちが隠したかったのだろう。何千冊、何万冊という本もあった。明らかに禁書か、書き込みがしてあるか、盗品だろう。羽の生えたパチンコ、かみつきフリスビーなどは、まだ少し生気が残っているものもあり、山のような禁じられた品々の上を、なんとなくふわふわ漂っている。固まった薬の入った欠けた瓶やら、帽子、宝石、マントなど。さらに、ドラゴンの卵の殻のようなもの。コルク栓がしてある瓶の中身はまだまがまがしく光っている。さびた剣が何振りかと、重い血染めの斧《おの》が一本。

ハリーは、隠された宝物に囲まれているいく筋もの隘路の一つに、急いで入り込んだ。巨大なトロールの剥製を通り過ぎた所で右に曲がり、少し走って、壊れた「姿をくらますキャビネット棚」の所を左折した。去年モンタギューが押し込められて姿を消したキャビネット棚だ。最後に、酸をかけられたらしく、表面がボコボコになった大きな戸棚の前でハリーは立ち止まった。

キーキーきしむ戸の一つを開けると、そこにはすでに、檻《おり》に入った何かが隠してあった。とっくに死んでいたが、骨は五本足だった。ハリーは檻の陰にプリンスの教科書を隠し、きっちり戸を閉めた。

雑然とした廃物の山を眺めて、ハリーはしばらくそこにたたずんだ。心臓が激しく鼓動している。……こんながらくたの中で、この場所をまた見つけることができるだろうか？　ハリーは、近くの木箱の上に置いてあった、年老いた醜い魔法戦士の欠けた胸像を取り上げて、本を隠した戸棚の上に置き、その頭にほこりだらけの古いかつらと黒ずんだティアラをのせて、さらに目立つようにした。それから、できるだけ急いでがらくたの隘路を駆け戻り、廊下に出て扉を閉めた。扉はたちまち元の石壁に戻った。

ハリーは、下の階のトイレに全速力で戻った。走りながら、ロンの『上級魔法薬』の教科書を自分の鞄に押し込んだ。

一分後、ハリーはスネイプの面前に戻っていた。スネイプは一言も言わずにハリーの鞄に手を差し出した。ハリーは息をはずませ、胸に焼けるような痛みを感じながら鞄を手渡して待った。

スネイプはハリーの本を一冊ずつ引き出して調べた。最後に残った魔法薬の教科書を、スネイプは入念に調べてから口をきいた。

「ポッター、これは君の『上級魔法薬』の教科書か？」

「はい」ハリーはまだ息をはずませていた。

「確かにそうか？　ポッター？」

「はい」ハリーは少し食ってかかるように言った。

「君がフローリシュ・アンド・ブロッツ書店から買った『上級魔法薬』の教科書か？」

「はい」ハリーはきっぱりと言った。

「それなれば、何故」スネイプが言った。「表紙の裏に、『ローニル・ワズリブ』と書いてあるのだ？」

ハリーの心臓が、一拍すっ飛ばした。

「それは僕のあだ名です」

「君のあだ名」スネイプがくり返した。

「ええ……友達が僕をそう呼びます」

「あだ名がどういうものかは、知っている」

スネイプが言った。冷たい暗い目が、またしてもハリーの目をグリグリえぐった。ハリーはスネイプの目を見ないようにした。**心を閉じるんだ……心を閉じるんだ……**しかしハリーは、そのやり方をきちんと習得していなかった……。

「ポッター、我輩が何を考えているかわかるか？」

スネイプは極めて低い声で言った。

「我輩は君がうそつきのペテン師だと思う。そして、今学期いっぱい、土曜日に罰則を受けるに値すると考える。ポッター、君はどう思うかね？」

「僕――僕はそうは思いません。先生」

ハリーはまだスネイプの目を見ないようにしていた。

「ふむ。罰則を受けたあとで君がどう思うか見てみよう」スネイプが言った。

「土曜の朝、十時だ。ポッター。我輩の研究室で」

「でも、先生……」ハリーは絶望的になって顔を上げた。

「クィディッチが……最後の試合が――」

「十時だ」

スネイプは黄色い歯を見せてニヤリと笑いながら、ささやき声で言った。

「哀れなグリフィンドールよ……今年は気の毒に、四位だろうな……」

スネイプはそれ以上一言も言わずに、トイレを出ていった。残されたハリーは、ロンでさえいままでに感じたことがないにちがいないほどの、ひどい吐き気をもよおしながら、割れた鏡を見つめていた。

「『だから注意したのに』、なんて言わないわ」

一時間後、談話室でハーマイオニーが言った。

「ほっとけよ、ハーマイオニー」ロンは怒っていた。

ハリーは、結局夕食に行かなかった。まったく食欲がなかった。ついいましがた、ロン、ハーマイオニー、ジニーに、何が起こったかを話して聞かせたところだったが、話す必要はなかったようだ。ニュースはすでにあっという間に広まっていた。どうやら「嘆きのマートル」が、勝手に役目を引き受けて、城中のトイレにポコポコ現れてその話をしたらしい。パンジー・パーキンソンはとっくに医務室に行ってマルフォイを見舞い、時を移さず津々浦々を回って、ハリーをこき下ろしていた。そしてスネイプは、先生方に何が起こったかを仔細《しさい》に報告していた。

ハリーはすでに談話室から呼び出され、マクゴナガル先生と差し向かいで、非常に不ゆかいな十五分間を耐え忍んだ。マクゴナガル先生は、ハリーが退学にならなかったのは幸運だと言い、今学期中すべての土曜日に罰則というスネイプの処罰を、全面的に支持した。

「あのプリンスという人物はどこか怪しいって、言ったはずよ」

ハーマイオニーは、どうしてもそう言わずにはいられない様子だった。

「私の言うとおりだったでしょ？」

「いいや、そうは思わない」ハリーは頑固に言い張った。

ハーマイオニーに説教されなくとも、ハリーはもう充分につらい思いを味わっていた。土曜日の試合でプレーできない、と告げたときのグリフィンドール・チームの表情が、最悪の罰だった。いまこそジニーが自分を見つめているのを感じたのに、目を合わせられなかった。ジニーの目に失望と怒りを見たくなかった。ハリーはたったいま、土曜日にはジニーがシーカーになり、ジニーのかわりにディーンがチェイサーを務めるようにと言ったばかりだった。試合に勝てば、もしかして試合後の陶酔感で、ジニーとディーンがよりを戻すかもしれない……その思いが、氷のナイフのようにハリーを刺した。

「ハリー」ハーマイオニーが言い返した。

「どうしてまだあの本の肩を持つの？　あんな呪文が――」

「あの本のことを、くだくだ言うのはやめてくれ！」ハリーがかみついた。

「プリンスはあれを書き写しただけなんだ！　誰かに使えってすすめていたのとはちがう！　そりゃ、断言はできないけど、プリンスは、自分に対して使われたやつを書きとめていただけかもしれないんだ！」

「信じられない」ハーマイオニーが言った。

「あなたが事実上弁護してることって――」

「自分のしたことを弁護しちゃいない！」ハリーは急いで言った。

「しなければよかったと思ってる。何も十数回分の罰則を食らったからって、それだけで言ってるわけじゃない。たとえマルフォイにだって、僕はあんな呪文は使わなかっただろう。だけどプリンスを責めることはできない。『これを使え、すごくいいから』なんて書いてなかったんだから――プリンスは自分のためにに書きとめておいただけなんだ。誰かのためにじゃない……」

「ということは」ハーマイオニーが言った。

「戻るつもり――？」

「そして本を取り戻す？　ああ、そのつもりだ」ハリーは力んだ。

「いいかい、プリンスなしでは、僕は『フェリックス・フェリシス』を勝ち取れなかっただろう。ロンが毒を飲んだとき、どうやって助けるかもわからなかったはずだ。それに、絶対――」

「――魔法薬にすぐれているという、身に余る評判も得られなかった」

ハーマイオニーが意地悪く言った。

「ハーマイオニー、やめなさいよ！」ジニーが言った。

ハリーは驚きと感謝のあまり、つい目を上げた。

「話を聞いたら、マルフォイが『許されざる呪文』を使おうとしていたみたいじゃない。ハリーが、いい切り札を隠していたことを喜ぶべきよ！」

「ええ、ハリーが呪いを受けなかったのは、もちろんうれしいわ！」

ハーマイオニーは明らかに傷ついたようだった。

「でも、ジニー、『**セクタムセンプラ**』の呪文がいい切り札だとは言えないわよ。結局ハリーはこんな目にあったじゃない！　せっかくの試合に勝てるチャンスが、おかげでどうなったかを考えたら、私なら――」

「あら、いまさらクィディッチのことがわかるみたいな言い方をしないで」

ジニーがピシャリと言った。

「自分がメンツを失うだけよ」

ハリーもロンも目を見張った。ハーマイオニーとジニーは、これまでずっと、とても馬が合っていたのに、いまや二人とも腕組みして座り、互いにそっぽを向いてにらんでいる。ロンはそわそわとハリーを見て、それから適当な本をサッとつかんでその陰に顔を隠した。

その夜は、それから誰も互いに口をきかなかった。にもかかわらず、ハリーは、そんな気分になる資格はないと思いながらも、急に信じられないほど陽気になっていた。

うきうき気分は長くは続かなかった。次の日、スリザリンのあざけりに耐えなければならなかったし、そればかりか仲間のグリフィンドール生の怒りも大変だった。何しろ、寮チームのキャプテンともあろう者が、シーズン最後の試合への、出場を禁じられるようなことをしでかしたというのが、どうにも気に入らなかったのだ。

ハーマイオニーには強気で言い張ったものの、土曜日の朝が来てみると、ハリーは、ロンやジニーやほかの選手たちと一緒にクィディッチ競技場に行けるなら、世界中の「フェリックス・フェリシス」を、のしをつけて差し出してもいいほどの気持ちになっていた。みんながロゼットや帽子を身につけ、旗やスカーフを振りながら、太陽の下に出ていくというのに、自分だけが大勢の流れに背を向け、石の階段を地下牢《ろう》教室に下りていくのは耐えがたかった。遠くの群集の声が、やがてまったく聞こえなくなり、一言の解説も、歓声も、うめき声も聞こえないだろうと、思い知らされるのはつらかった。

「ああ、ポッター」

ハリーが扉をノックして入っていくと、スネイプが言った。不ゆかいな思い出の詰まったなじみ深い研究室は、スネイプが上の階で教えるようになっても、明け渡されていなかった。いつものように薄暗く、以前と同じように、さまざまな色の魔法薬の瓶が壁いっぱいに並び、中にはどろりとした死骸が浮遊していた。明らかにハリーのために用意されているテーブルには、不吉にもクモの巣だらけの箱が積み上げられ、たいくつで骨が折れて、しかも無意味な作業だというオーラが漂っていた。

「フィルチさんが、この古い書類の整理をする者を探していた」

スネイプが猫なで声で言った。

「ご同類のホグワーツの悪童どもと、その悪行に関する記録だ。インクが薄くなっていたり、カードがネズミの害をこうむっている場合、犯罪と刑罰を新たに書き写していただこう。さらに、アルファベット順に並べて、元の箱に収めるのだ。魔法は使うな」

「わかりました。先生」

ハリーは「先生」という言葉に、できるかぎりの軽蔑を込めて言った。

「最初に取りかかるのは」

スネイプは、悪意たっぷりの笑みを唇に浮かべていた。

「千十二番から千五十六番までの箱がよろしかろう。いくつかおなじみの名前が見つかるだろうから、仕事がさらにおもしろくなるはずだ。それ……」

スネイプは、一番上にある箱の一つから、仰々しく一枚のカードを取り出して読み上げた。

「『**ジェームズ・ポッターとシリウス・ブラック。バートラム・オーブリーに対し、不法な呪いをかけた廉《かど》で捕まる。オーブリーの頭は通常の二倍。二倍の罰則**』」

スネイプがニヤリと笑った。

「死んでも偉業の記録を残す……そう考えると、大いになぐさめになるだろうねえ」

ハリーのみずおちに、いつもの煮えくり返るような感覚が走った。のどまで出かかった応酬の言葉をかみ殺し、ハリーは箱の山の前に腰かけ、箱を一つ手元に引き寄せた。

予想したとおり、無益でつまらない作業だった。ときどき（明らかにスネイプのねらいどおり）、父親やシリウスの名前を見つけて、胃が揺さぶられる思いがした。たいてい二人でつるんで、些細《ささい》ないたずらをしていた。ときどきリーマス・ルーピンやピーター・ペティグリューの名前も一緒に出てきた。どんな悪さでどんな罰を受けたかを写し取りながら、始まったばかりの試合はどうなっているのだろうと、ハリーは外のことを考えた……ジニーがシーカーとして、チョウと対決している……。

チクタクと時を刻んでいる壁の大時計に、ハリーは何度も目をやった。その時計は、普通の倍も時間をかけて動いているのではないかと思った。もしや、スネイプが魔法で遅くしたのでは？　まだ三十分しかたってないなんてありえない……まだ一時間……まだ一時間半……。

時計が十二時半を示したとき、ハリーの腹時計がグウグウ言いだした。作業の指示を出してから一度も口をきかなかったスネイプが、一時十分過ぎになってやっと顔を上げた。

「もうよかろう」スネイプが冷たく言った。

「どこまでやったか印をつけるのだ。次の土曜日、十時から先を続ける」

「はい、先生」

ハリーは、端を折ったカードを適当に箱に突っ込み、スネイプの気が変わらないうちに急いで部屋を出た。石段を駆け上がりながら、ハリーは競技場からの物音に耳を澄ましたが、まったく静かだった……もう、終わってしまったんだ……。

混み合った大広間の外で、ハリーは少し迷ったが、やがて大理石の階段を駆け上がった。グリフィンドールが勝っても負けても、選手が祝ったり相憐《あわ》れんだりするのは、通常、寮の談話室だ。

「**何事やある？　クイッド　アジス？**」

中で何が起こっているかと考えながら、ハリーは恐る恐る「太った婦人《レディ》」に呼びかけた。

「見ればわかるわ」と答えた婦人の表情からは、何も読み取れなかった。

婦人がパッと扉を開けた。

肖像画の裏の穴から、祝いの大歓声が爆発した。ハリーの姿を見つけて叫び声を上げるみんなの顔を、ハリーはポカンと大口を開けて見つめた。何本もの手が、ハリーを談話室に引き込んだ。

「勝ったぞ*！*」

ロンが目の前に躍り出て、銀色の優勝杯を振りながら叫んだ。

「勝ったんだ！　四五〇対一四〇！　勝ったぞ！」

ハリーはあたりを見回した。ジニーが駆け寄ってきた。決然とした、燃えるような表情で、ジニーはハリーに抱きついた。ハリーは、何も考えず、何もかまえず、五十人もの目が注がれているのも気にせず、ジニーにキスした。

どのくらいたったのだろう……三十分だったかもしれない……太陽の輝く数日間だったかもしれない――二人は離れた。部屋中がしんとなっていた。それから何人かが冷やかしの口笛を吹き、あちこちでくすぐったそうな笑い声が湧き起こった。

ジニーの頭越しに見ると、ディーン・トーマスが手にしたグラスを握りつぶし、ロミルダ・ベインは何かを投げつけたそうな顔をしていた。ハーマイオニーはニッコリしていた。しかし、ハリーはロンを目で探した。やっと見つけたロンは、優勝杯を握ったまま、頭を棍棒《こんぼう》でなぐられたときにふさわしい表情をしていた。一瞬、二人は顔を見合わせた。それからロンが、首を小さくクイッと傾けた。ハリーにはその意味がわかった。

「まあな――しかたないだろ」

ハリーの胸の中の生き物が、勝利に吠《ほ》えた。ハリーは、ジニーを見下ろしてニッコリ笑い、何も言わずに、肖像画の穴から出ようと合図した。校庭をいつまでも歩きたかった。その間に――時間があればだが――試合の様子を話し合えるかもしれない。

第25章　盗聴された予見者

ハリーがジニー・ウィーズリーとつき合っている。そのことは大勢の、特に女の子の関心の的になっているようだった。しかし、それからの数週間、ハリーはうわさ話など、まったく気にならないほど幸せだった。ずいぶん長い間、こんなに幸福な気持ちになったことがなかったし、幸せなことで人の口に上るのは、闇の魔術の恐ろしい場面に巻き込まれてうわさになるばかりだったハリーにとって、すばらしい変化だった。

「ほかにもっとうわさ話のネタはあるでしょうに」

談話室の床に座り、ハリーの脚に寄りかかって「日刊予言者新聞」を読んでいたジニーが言った。

「この一週間で三件も吸魂鬼襲撃事件があったっていうのに、ロミルダ・ベインが私に聞くことといったら、ハリーの胸にヒッポグリフの大きな刺青《いれずみ》があるというのはほんとうか、だって」

ロンとハーマイオニーが大笑いするのを、ハリーは無視した。

「なんて答えたんだい？」

「ハンガリー・ホーンテールだって言ってやったわ」

のんびりと新聞のページをめくりながら、ジニーが答えた。

「ずっとマッチョっぽいじゃない」

「ありがと」ハリーはニヤッと笑った。

「それで、ロンにはなんの刺青があるって言ったんだい？」

「ピグミーパフ。でも、どこにあるかは言わなかったわ」

ハーマイオニーは笑い転げ、ロンはしかめっ面でにらんだ。

「気をつけろ」

ロンがハリーとジニーを指差して、警告するように言った。

「許可を与えることは与えたけど、撤回しないとは言ってないぞ――」

『許可』？」ジニーがフンと言った。

「いつから私のすることに、許可を与えるようになったの？　どっちにしろ、マイケルやディーンなんかよりハリーだったらいいのにって言ったのは、あなた自身ですからね」

「ああ、そのほうがいいさ」ロンがしぶしぶ認めた。

「君たちが公衆の面前でイチャイチャしないかぎり――」

「偽善者もいいとこだわ！　ラベンダーとあなたのことは、どうなの？　あっちこっちで二匹のうなぎみたいにジタバタのたうってたのは、どなた？」ジニーが食ってかかった。

六月に入ると、ロンのがまんの限界を試す必要もなくなっていた。ハリーとジニーが、二人一緒に過ごす時間がどんどん少なくなっていたのだ。O《ふ》・W《くろ》・L《う》試験が近づいて、ジニーは夜遅くまで勉強しなければならなかった。そんなある夜、ジニーが図書館にこもり、ハリーは談話室の窓際に腰かけて、薬草学の宿題を仕上げていた。しかし、それはうわべだけで、実は昼休みにジニーと湖のそばで過ごした、この上なく幸せな時間を追想していたのだ。その時、ハーマイオニーが、何かふくむところがあるような顔で、ハリーとロンの間に座った。

「ハリー、お話があるの」

「なんだい？」

ハリーは、いやな予感がしながら聞き返した。ついきのうも、ハーマイオニーは、ジニーは試験のために猛勉強をしなければならないのだから、邪魔をしてはいけないと、ハリーに説教したばかりだった。

「いわゆる『半純血のプリンス』のこと」

「またか」ハリーがうめいた。「頼むからやめてくれないか？」

ハリーは、教科書を取りに「必要の部屋」に戻る勇気がなかった。その結果、魔法薬の成績が被害を受けた（ただし、スラグホーンは、お気に入りのジニーがハリーの相手だったので、恋の病のせいだとちゃかしてすました）。それでもハリーは、スネイプがプリンスの本を没収する望みをまだ捨ててはいないと確信していたので、スネイプの目が光っているうちは、本をそのままにしておこうと決めていた。

「やめないわ」

ハーマイオニーがきっぱりと言った。

「あなたが私の言うことをちゃんと聞くまではね。闇の呪文を発明する趣味があるのは、どういう人なのか、私、少し探ってみたの――」

「彼は、趣味でやったんじゃない――」

「彼、彼って――どうして男性なの？」

「前にも、同じやり取りをしたはずだ」ハリーがいらだった。「**プリンス**だよ、ハーマイオニー、**プリンス！**」

「いいわ！」

ハーマイオニーのほおがパッと赤く燃え上がった。ハーマイオニーはポケットからとびきり古い新聞の切り抜きを引っ張り出して、ハリーの目の前の机にバンとたたきつけた。

「見て！　この写真を見るのよ！」

ハリーはボロボロの紙切れを拾い上げ、セピア色に変色した動く写真を見つめた。ロンも体を曲げてのぞき込んだ。十五歳ぐらいの、やせた少女の写真だった。かわいいとは言えない。太く濃い眉に、青白い面長な顔は、いらいらしているようにも、すねているようにも見えた。写真の下にはこう書いてある。

アイリーン・プリンス。ホグワーツ・ゴブストーン・チームのキャプテン

「それで？」

写真に関係する短い記事にざっと目を通しながら、ハリーが言った。学校対抗試合の、かなりつまらない記事だった。

「この人の名前はアイリーン・プリンスよ。ハリー、**プリンス**」

三人は顔を見合わせ、ハリーはハーマイオニーの言おうとしていることに気づいた。ハリーは笑いだした。

「ありえないよ」

「何が？」

「この**女の子**が『半純血の……』？　いいかげんにしろよ」

「え？　どうして？　ハリー、魔法界にはほんとうの王子なんていないのよ！　あだ名か、勝手にその肩書きを名乗っているか、または実名かもしれないわ。そうでしょう？　いいから、よく聞いて！　もしこの女の子の父親が『プリンス』という姓で、母親がマグルなら、それで『半純血のプリンス』にな

るわ！」

「でも、そうなるわ！　この人はたぶん、自分が半分プリンスであることを誇りにしていたのよ！」

「いいかい、ハーマイオニー。女の子じゃないって、僕にはわかるんだ。とにかくわかるんだよ」

「ほんとうは、女の子がそんなに賢いはずはないって、そう思ってるんだわ」ハーマイオニーが怒ったように言った。

「五年も君のそばにいた僕が、女の子が賢くないなんて思うはずないだろ？」ハリーは少し傷ついて反論した。

「書き方だよ。プリンスが男だってことが、とにかくわかるんだ。僕にはわかるんだよ。この女の子はなんの関係もない。どっから引っ張り出してきたんだ？」

「図書館よ」

ハーマイオニーは予想どおりの答えを言った。

「古い『予言者新聞』が全部取ってあるの。さあ、私、できればアイリーン・プリンスのことをもっと調べるつもりよ」

「どうぞご勝手に」ハリーがいらいらと言った。

「そうするわ」ハーマイオニーが言った。

「それに、最初に調べるのは――」ハーマイオニーは肖像画の穴まで行き、ハリーに向かって語気鋭く言った。「昔の魔法薬の表彰の記録よ」

出ていくハーマイオニーを、ハリーはしばらくにらんでいたが、暗くなりかけた空を眺めながらまた思いにふけった。

「ハーマイオニーは、魔法薬で、君が自分よりできるっていうのが、どうしてもがまんならないだけさ」ロンは『薬草とキノコ一〇〇〇種』をまた読みはじめながら言った。

「あの本を取り戻したいって考える僕が、どうかしてると思うか？」

「思わないさ」ロンが力強く言った。「天才だよ。あのプリンスは。とにかく……ベゾアール石のヒントがなかったら……」

ロンは自分ののどをかき切る動作をした。

「生きてこんな話をすることができなかったただろ？　そりゃ、君がマルフォイに使った呪文がすごいなんては言わないけど――」

「僕だって」ハリーは即座に言った。

「だけど、マルフォイはちゃんと治ったじゃないか？　たちまち回復だ」

「うん」ハリーが言った。確かにそのとおりだったが、やはり良心が痛んだ。「スネイプのおかげでね……」

「君、また次の土曜日にスネイプの罰則か？」ロンが聞いた。

「うん。そのあとの土曜日も、またそのあとの土曜日もだ」

ハリーはため息をついた。

「それに、今学期中に全部の箱をやり終えないと、来学年も続けるなんてにおわせはじめてる」

ただでさえジニーと過ごす時間が少ないのに、その上罰則で時間を取られるのが、特にうんざりだった。最近ハリーは、スネイプが実は承知の上でそうしているのではないかと、しばしば疑うようになっていた。というのも、スネイプが、せっかくのよい天気なのに、いろいろな楽しみを失うとは、などとひとり言のようにチクチクつぶやきながら、毎回だんだんハリーの拘束時間を長くしていたからだ。

苦い思いをかみしめていたハリーは、ジミー・ピークスが急にそばに現れたのでビクッとした。ジミーは羊皮紙の巻紙を差し出していた。

「ありがとう、ジミー……あっ、ダンブルドアからだ！」

ハリーは巻紙を開いて目を走らせながら、興奮して言った。

「できるだけ早く、校長室に来てほしいって！」

ハリーは、ロンと顔を見合わせた。

「おっどろきー」ロンがささやくように言った。「もしかして……見つけたのかな……？」

「すぐ行ったほうがいいよね？」

ハリーは勢いよく立ち上がった。

ハリーはすぐに談話室を出て、八階の廊下をできるだけ急いだ。途中、ピーブズ以外には誰とも会わなかった。ピーブズは決まり事のように、チョークのかけらをハリーに投げつけ、ハリーの防衛呪文をかわして、高笑いしながらハリーと反対方向に飛び去った。ピーブズが消え去ったあとの廊下は、深閑としていた。夜間外出禁止時間まであと十五分しかなかったので、大多数の生徒はもう談話室に戻っていた。

その時、悲鳴と衝撃音が聞こえ、ハリーは足を止めて、耳を澄ました。

「なんて――**失礼な**――あなた――ああああーっ！」

音は近くの廊下から聞こえてくる。ハリーは杖《つえ》をかまえて音に向かって駆けだし、飛ぶように角を曲がった。トレローニー先生が、床に大の字に倒れていた。何枚も重なったショールの一枚が顔を覆い、そばにはシェリー酒の瓶が数本転がっていた。一本は割れている。

「先生――」

ハリーは急いで駆け寄り、トレローニー先生を助け起こした。ピカピカのビーズ飾りが何本か、めがねにからまっている。トレローニー先生は大きくしゃっくりしながら、髪をなでつけ、ハリーの腕にすがって立ち上がった。

「先生、どうなさったのですか？」

「よくぞ聞いてくださったわ！」

先生がかん高い声で言った。

「あたくし、考えごとをしながら歩き回っておりましたの。あたくしがたまたま垣間《かいま》見た、いくつかの闇の前兆についてとか……」

しかし、ハリーはまともに聞いてはいなかった。いま立っている場所がどこなのかに気がついたからだ。右には踊るトロールのタペストリー、左一面は頑丈な石壁だ。その裏に隠れているのは――。

「先生、『必要の部屋』に入ろうとしていたのですか？」

「……あたくしに啓示された予兆についてとか――えっ？」

先生は急にそわそわしはじめた。

「『必要の部屋』です」

ハリーがくり返した。

「そこに入ろうとなさっていたのですか？」

「あたくし――あら――生徒が知っているとは、あたくし存じませんでしたわ――」

「全員ではありません」ハリーが言った。「でも、何があったのですか？　悲鳴を上げましたね……けがでもしたように聞こえましたけど……」

「あたくし――あの」

トレローニー先生は、身を護《まも》るかのようにショールを体に巻きつけ、拡大された巨大な目でハリーをじっと見下ろした。

「あたくし――あ――ちょっとしたものを――あン――個人的なものをこの部屋に置いておこうと……」

それから先生は、「ひどい言いがかりですわ」のようなことをつぶやいた。

「そうですか」

ハリーは、シェリー酒の瓶をちらりと見下ろしながら言った。

「でも、中に入って隠すことができなかったのですね？」

変だ、とハリーは思った。「部屋」は、プリンスの本を隠したいと思ったとき、とうとうハリーのために開いてくれた。

「ええ、ちゃんと入りましたことよ」

トレローニー先生は壁をにらみつけながら言った。

「でも、そこには先客がいましたの」

「誰かが中に――？　誰が？」ハリーが詰問した。「そこには誰がいたんです？」

「さっぱりわかりませんわ」

ハリーの緊迫した声に少したじろぎながら、トレローニー先生が言った。

「『部屋』に入ったら、声が聞こえましたの。あたくし長年隠し――いえ、『部屋』を使ってきましたけれど――こんなことは初めて」

「声？　何を言っていたんです？」

「何かを言っていたのかどうか、わかりませんわ」

トレローニー先生が言った。

「ただ……歓声を上げていました」

「歓声を？」

「大喜びで」先生がうなずいた。

ハリーは先生をじっと見た。

「男でしたか？　女でしたか？」

「想像ざますけど、男でしょう」トレローニー先生が言った。

「それで、喜んでいたのですか？」

「大喜びでしたわ」トレローニー先生は尊大に鼻を鳴らしながら言った。

「何かお祝いしているみたいに？」

「まちがいなくそうですわ」

「それから――？」

「それから、あたくし、呼びかけましたの。『そこにいるのは誰？』と」

「聞かなければ、誰がいるのかわからなかったんですか？」

ハリーは少しじりじりしながら聞いた。

「『内なる眼《め》』は――」トレローニー先生は、ショールや何本ものキラキラするビーズ飾りを整えながら、威厳を込めて言った。「歓声などの俗な世界より、ずっと超越した事柄を見つめておりましたの」

「そうですか」

ハリーは早口で言った。トレローニー先生の「内なる眼」については、すでにいやというほど聞かされていた。

「それで、その声は、そこに誰がいるかを答えたのですか？」

「いいえ、答えませんでした。あたりが真っ暗になって、次に気がついたときには、頭から先に『部屋』から放り出されておりましたの！」

「それで、そういうことが起こるだろうというのは、見透《みとお》せなかったというわけですか？」

ハリーはそう聞かずにはいられなかった。

「いいえ。言いましたでございましょう。真っ暗――」

トレローニー先生は急に言葉を切り、何が言いたいのかと疑うようにハリーをにらんだ。

「ダンブルドア先生にお話ししたほうがいいと思います」

ハリーが言った。

「ダンブルドア先生は知るべきなんです。マルフォイがお祝いしていたこと――いえ、誰かが先生を『部屋』から放り出したことをです」

驚いたことに、トレローニー先生はハリーの意見を聞くと、気位高く背筋を伸ばした。

「校長先生は、あたくしにあまり来てほしくないとほのめかしましたわ」

トレローニー先生は冷たく言った。

「あたくしがそばにいることの価値を評価なさらない方に、無理にご一緒願うようなあたくしではございませんわ。ダンブルドアが、カード占いの警告を無視なさるおつもりなのでしたら――」

先生の骨ばった手が、突然ハリーの手首をつかんだ。

「何度も何度も、どんな並べ方をしても――」

そして先生は、ショールの下から仰々しくトランプを一枚取り出した。

「――稲妻に撃たれた塔」先生がささやいた。「災難。大惨事。刻々と近づいてくる……」

「そうですか」

ハリーはさっきと同じ答え方をした。

「えーと……それでもダンブルドアに、その声のことを話すべきだと思います。それに、真っ暗になって『部屋』から放り出されたことなんかも……」

「そう思いますこと？」

トレローニー先生はしばらく考慮しているようだったが、ハリーには、先生がちょっとした冒険話を聞かせたがっていることが読み取れた。

「僕はいま、校長先生に会いにいくところです」ハリーが言った。「校長先生と約束があるんです。一緒に行きましょう」

「あら、まあ、それでしたら」

トレローニー先生は、ほほえんだ。それからかがみ込んでシェリー酒の瓶を拾い集め、近くの壁のくぼみに置いてあった青と白の大きな花瓶に、無造作に投げ捨てた。

「ハリー、あなたがクラスにいないと、さびしいですわ」

一緒に歩きながら、トレローニー先生が感傷的に言った。

「あなたは大した『予見者』ではありませんでしたが……でも、すばらしい『対象者』でしたわ……」

ハリーは何も言わなかった。トレローニー先生の、絶え間ない宿命予言の「対象者」にされるのには辟易《へきえき》していた。

「残念ながら」先生はしゃべり続けた。「あの駄馬は――あら、ごめんあそばせ。あのケンタウルスは――トランプ占いを何も知りませんのよ。あたくし、質問しましたの――予見者同士としてざますけど――災難が近づいているという遠くの振動を、あなたも感じませんか？　と。ところが、あのケンタウルスは、あたくしのことを、ほとんど滑稽だと思ったらしいんですの。そうです、滑稽だと！」

トレローニー先生の声がヒステリー気味に高くなり、瓶はもう捨ててきたはずなのに、ハリーは、シェリー酒のきついにおいをかぎ取った。

「たぶんあの馬は、あたくしが高祖母の才能を受け継いでいない、などと誰かが言うのを聞いたのですわ。そういううわさは、嫉妬深い人たちが、もう何年も前から言いふらしてきたことです。あたくしがそういう人たちになんと言ってやるか、ハリー、おわかり？　あたくしの才能はダンブルドアに充分証明済みです。そうでなかったら、ダンブルドアはこの偉大な学校で、あたくしに教えさせたかしら？　この長年の間、あたくしをこんなに信用なさったかしら？」

ハリーは、ゴニョゴニョと聞き取れない言葉をつぶやいた。

「最初のダンブルドアの面接のことは、よく覚えていましてよ」

トレローニー先生は、かすれ声で話し続けた。

「ダンブルドアは、もちろん、とても感心しましたわ……。あたくしは、ホッグズ・ヘッドに泊まっておりました。ところで、あそこはおすすめしませんわ――あなた、ベッドにはダニですのよ――でも、予算が少なかったの。ダンブルドアは、あたくしの部屋までわざわざお訪ねくださったわ。あたくしに質問なさった……白状いたしますとね、はじめのうちはダンブルドアが『占い学』をお気に召さないようだと思いましたわ……そして、あたくし、なんだかちょっと変な気分になりましてね。その日はあまり食べていませんでしたの……でも、それから……」

ハリーは、いま初めてまともに傾聴していた。その時何が起こったかを知っていたからだ。トレローニー先生は、ハリーとヴォルデモートに関する予言をし、それがハリーの全人生を変えてしまったのだ。

「……でも、その時、セブルス・スネイプが、無礼にも邪魔をしたのです！」

「えっ？」

「そうです。扉の外で騒ぎがあって、ドアがパッと開いて、そこにかなり粗野なバーテンが、スネイプと一緒に立っていたのです。まちがえて階段を上がってきたとか、たわ言を並べ立てていましたわ。でも、あたくしはむしろ、ダンブルドアとあたくしの面接を盗み聞きしているところを捕まったのだろうと思いましたわ――だって、スネイプは、あの時、職を求めていましたもの。まちがいなく、面接のコツを探り出そうとしたのですわ！　そう、そのあとで、おわかりでございましょ、ダンブルドアはあたくしを採用なさることにずっと乗り気になったようでしたわ。ですから、ハリー、あたくしとしては、ダンブルドアには、気取らずオ能をひけらかさないあたくしと、鍵穴から盗み聞きするような、押しつけがましい図々しい若い男との、明らかな相違がおわかりになったのだと、そう考えざるをえませんわ――あら、ハリー？」

トレローニー先生は、ハリーが脇にいないことにやっと気づいて、振り返った。ハリーは足を止め、二人の間は三メートルも開いていた。

「ハリー？」トレローニー先生は、いぶかしげにもう一度呼びかけた。

おそらく、ハリーの顔が蒼白《そうはく》だったのだろう。先生はギョッとして、心配そうな顔になった。ハリーは身動きもせずに突っ立っていた。衝撃が波のように打ち寄せては砕けた。次々と押し寄せる波が、長年自分には秘密にされてきたこの情報以外のすべてのものを、意識からかき消していた……。

予言を盗み聞きしたのはスネイプだった。スネイプが、その予言をヴォルデモートに知らせた。スネイプとピーター・ペティグリューとがグルになって、ヴォルデモートがリリーとジェームズ、そしてその息子を追跡するように仕向けたのだ……。

ハリーには、もはや、ほかの事はどうでもよくなっていた。

「ハリー？」

トレローニー先生がもう一度声をかけた。

「ハリー――一緒に校長先生にお目にかかりにいくのじゃなかったかしら？」

「ここにいてください」ハリーはまひした唇の間から言葉をしぼり出した。

「でも、あなた……あたくしは、『部屋』で襲われたことを校長先生に申し上げるつもりで――」

「ここにいてください！」

ハリーが怒ったようにくり返した。

ハリーがトレローニー先生の前を駆け抜け、ダンブルドアの部屋に通じる廊下に向かって角を曲がっていくのを、トレローニー先生はあぜんとして見ていた。廊下には怪獣像《ガーゴイル》が見張りに立っていた。ハリーは怪獣像に向かって合言葉をどなり、動く螺旋《らせん》階段を、一度に三段ずつ駆け上がった。ダンブルドアの部屋の扉を軽くノックするのではなく、ガンガンたたいた。すると静かな声が答えた。

「お入り」

しかし、ハリーは、すでに部屋に飛び込んでいた。

不死鳥のフォークスが振り返った。フォークスの輝く黒い目が、窓の外に沈む夕日の金色を映して光っていた。ダンブルドアは、旅行用の長い黒マントを両腕にかけ、窓から校庭を眺めて立っていた。

「さて、ハリー、君を一緒に連れていくと約束したのう」

ほんの一瞬、ハリーは何を言われているのかわからなかった。トレローニーとの会話が、ほかのことをいっさい頭から追い出してしまい、脳みその動きがとても鈍いような気がした。

「一緒に……先生と……？」

「もちろん、もし君がそうしたければじゃが」

「もし僕が……」

そして、ハリーは、もともとどうしてダンブルドアの校長室に急いでいたかを思い出した。

「見つけたのですか？　分霊箱を見つけたのですか？」

「そうじゃろうと思う」

怒りと恨みの心が、衝撃と興奮の気持ちと戦った。しばらくの間、ハリーは口がきけなかった。

「恐れを感じるのは当然じゃ」ダンブルドアが言った。

「怖くありません！」ハリーは即座に答えた。

ほんとうのことだった。恐怖という感情だけはまったく感じていなかった。

「どの分霊箱ですか？　どこにあるのですか？」

「どの分霊箱かは定かではない――ただし、蛇だけは除外できるじゃろう――ここから何キロも離れた海岸の洞窟に隠されているらしい。その洞窟がどこにあるかを、わしは長い間探しておった。トム・リドルが、かつて年に一度の孤児院の遠足で、二人の子供を脅した洞窟じゃ。覚えておるかの？」

「はい」ハリーが答えた。「どんなふうに護られているのですか？」

「わからぬ。こうではないかと思うことはあるが、まったくまちごうておるかもしれぬ」

ダンブルドアは躊躇《ちゅうちょ》したが、やがてこう言った。

「ハリー、わしは君に一緒に来てよいと言うた。そして、約束は守る。しかし、君に警告しないのは大きなまちがいじゃろう。今回は極めて危険じゃ」

「僕、行きます」

ハリーはダンブルドアの言葉が終わらないうちに答えていた。スネイプへの怒りが沸騰し、何か命がけの危険なことをしたいという願いが、この数分で十倍にふくれ上がっていた。それがハリーの顔に表れたらしい。ダンブルドアは窓際を離れ、銀色の眉根にかすかにしわを寄せて、ハリーをさらにしっかりと見つめた。

「何があったのじゃ？」

「なんにもありません」ハリーは即座にうそをついた。

「なぜ気が動転しておるのじゃ？」

「動転していません」

「ハリー、君はよい閉心術者とは――」

その言葉が、ハリーの怒りに点火した。

「スネイプ！」

ハリーは大声を出した。フォークスが二人の背後で、小さくギャッと鳴いた。

「何かありましたとも！　スネイプです！　あいつが、ヴォルデモートに予言を教えたんだ。**あいつだったん**だ。扉の外で聞いていたのは、**あいつ**だった。トレローニーが教えてくれた！」

ダンブルドアは表情を変えなかった。しかし、沈む太陽に赤く映えるその顔の下で、ダンブルドアがすっと血の気を失《うしな》ったと、ハリーは思った。しばらくの間、ダンブルドアは無言だった。

「いつ、それを知ったのじゃ？」

しばらくして、ダンブルドアが聞いた。

「たったいまです！」

ハリーが言った。叫びたいのを抑えるのがやっとだった。しかし、突然、もうがまんできなくなった。

「それなのに、先生はあいつにここで教えさせた。そしてあいつは、ヴォルデモートに僕の父と母を追うように言った！」

まるで戦いの最中のように、ハリーは息を荒らげていた。眉根一つ動かさないダンブルドアに背を向け、ハリーは部屋を往《い》ったり来たりしながら拳をさすり、あたりのものをなぐり倒したい衝動を、必死で抑えた。ダンブルドアに向かって怒りをぶつけ、どなり散らしたかった。しかし同時に、ダンブルドアと一緒に分霊箱を破壊しにいきたかった。ダンブルドアに向かって、スネイプを信用するなんて、ばかな老人のすることだと言ってやりたかった。しかし、一方で自分が怒りを抑制しなければ、ダンブルドアが一緒に連れていってくれないことも恐れた……。

「ハリー」ダンブルドアが静かに言った。「わしの言うことをよく聞きなさい」

動き回るのをやめるのも、叫びたいのをこらえると同じぐらい難しかった。ハリーは唇をかんで立ち止まり、しわの刻まれたダンブルドアの顔を見た。

「スネイプ先生はひどいまちが――」

「まちがいを犯したなんて、言わないでください。先生、あいつは扉のところで盗聴してたんだ！」

「最後まで言わせておくれ」

ダンブルドアは、ハリーがそっけなくうなずくまで待った。

「スネイプ先生はひどいまちがいを犯した。トレローニー先生の予言の前半を聞いたあの夜、スネイプ先生はまだヴォルデモート卿《きょう》の配下だった。当然、ご主人様に、自分が聞いたことを急いで伝えた。それが、ご主人様に深く関わる事柄だったからじゃ。しかし、スネイプ先生は知らなかった――知る由もなかったのじゃ――ヴォルデモートがそのあと、どこの男の子を獲物にするのかも知らず、ヴォルデモートの残忍な追求の末に殺される両親が、スネイプ先生の知っている人々だとは、知らなかったのじゃ。それが君の父君、母君だとは――」

ハリーは、うつろな笑い声を上げた。

「あいつは僕の父さんもシリウスも、同じように憎んでいた！　先生、気がつかないんですか？　スネイプが憎んだ人間は、なぜか死んでしまう」

「ヴォルデモート卿が予言をどう解釈したのかに気づいたとき、スネイプ先生がどんなに深い自責の念にかられたか、君には想像もつかないじゃろう。人生最大の後悔だったじゃろうと、わしはそう信じておる。それ故に、スネイプ先生は戻ってきた――」

「でも、先生、**あいつこそ**、とてもすぐれた閉心術者じゃないんですか？」

平静に話そうと努力することで、ハリーの声は震えていた。

「それに、ヴォルデモートは、いまでも、スネイプが自分の味方だと信じているのではないですか？先生……スネイプがこっちの味方だと、なぜ**確信して**いらっしゃるのですか？」

ダンブルドアは、一瞬沈黙した。何事かに関して、意思を固めようとしているかのようだった。しばらくしてダンブルドアは口を開いた。

「わしは確信しておる。セブルス・スネイプを完全に信用しておる」

ハリーは自分を落ち着かせようと、しばらく深呼吸した。しかし、むだだった。

「でも、僕はちがいます！」

ハリーはまた大声を出していた。

「あいつは、いまのいま、ドラコ・マルフォイと一緒に何かたくらんでる。先生の目と鼻の先で。それでも先生はまだ――」

「ハリー、このことはもう話し合ったじゃろう」

ダンブルドアは再び厳しい口調に戻った。

「わしの見解はもう君に話した」

「先生は今夜、学校を離れる。それなのに、先生はきっと、考えたこともないんでしょうね、スネイプとマルフォイが何かするかもしれないなんて――」

「何をするというのじゃ？」

ダンブルドアは眉を吊《つ》り上げた。

「具体的に、二人が何をすると疑っておるのじゃ？」

「僕は……あいつらは何かたくらんでるんだ！」

そう言いながら、ハリーは拳を固めていた。

「トレローニー先生がいま『必要の部屋』に入って、シェリー酒の瓶を隠そうとしていたんです。そしたら、マルフォイが何かを祝って喜んでいる声を聞いたんです！　あの部屋で、マルフォイは何か危険なものを修理しようとしていた。きっと、とうとう修理が終わったんです。それなのに、先生は、学校を出ていこうとしている。なんにもせず――」

「もうよい」

ダンブルドアの声はとても静かだったが、ハリーはすぐにだまった。ついに見えない線を踏み越えてしまったと気づいたのだ。

「今学年になって、わしの留守中に、学校を無防備の状態で放置したことが、一度たりともあると思うか？　否じゃ。今夜、わしがここを離れるときには、再び追加的な保護策が施されるであろう。ハリー、わしが生徒たちの安全を真剣に考えていないなどと、仮初にも言うではないぞ」

「そんなつもりでは――」

ハリーは少し恥じ入って、口ごもったが、ダンブルドアがその言葉をさえぎった。

「このことは、これ以上話したくはない」

ハリーは、返す言葉をのみ込んだ。言いすぎて、ダンブルドアと一緒に行く機会をだめにしてしまったのではないかと恐れたが、ダンブルドアは言葉を続けた。

「今夜は、わしと一緒に行きたいか？」

「はい」ハリーは即座に答えた。

「よろしい。それでは、よく聞くのじゃ」

ダンブルドアは背筋を正し、威厳に満ちた姿で言った。

「連れていくには、一つ条件がある。わしが与える命令には、すぐに従うことじゃ。しかも質問することなしにじゃ」

「もちろんです」

「ハリー、よく理解するのじゃ。わしは、どんな命令にも従うように言うておる。たとえば、『逃げよ』、『隠れよ』、『戻れ』などの命令もじゃ。約束できるか？」

「僕――はい、もちろんです」

「わしが隠れるように言うたら、そうするか？」

「はい」

「わしが逃げよと言うたら、従うか？」

「はい」

「わしを置き去りにせよ、自らを助けよと言うたら、言われたとおりにするか？」

「僕――」

「ハリー？」

二人は一瞬見つめ合った。

「はい、先生」

「よろしい。それでは、戻って透明マントを取ってくるのじゃ。五分後に正面玄関で落ち合うこととする」

ダンブルドアは後ろを向き、真っ赤に染まった窓から外を見た。太陽がいまやルビーのように赤々と、地平線に沈もうとしていた。ハリーは急いで校長室を出て、螺旋階段を下りた。不思議にも、急に頭がさえざえとしてきた。何をなすべきかがわかっていた。


ハリーが談話室に戻ったとき、ロンとハーマイオニーは一緒に座っていた。

「ダンブルドアはなんのご用だったの？」

ハーマイオニーが間髪を容《い》れずに聞いた。

「ハリー、あなた、大丈夫？」

ハーマイオニーは心配そうに聞いた。

「大丈夫だ」

ハリーは足早に二人のそばを通り過ぎながら、短く答えた。階段を駆け上がり、寝室に入り、トランクを勢いよく開けて忍びの地図と丸めたソックスを一足引っ張り出した。それから、また急いで階段を下りて談話室に戻り、ぼうぜんと座ったままのロンとハーマイオニーの所まで駆け戻って急停止した。

「時間がないんだ」

ハリーは息をはずませて言った。

「ダンブルドアは、僕が透明マントを取りに戻ったと思ってる。いいかい……」

ハリーは、どこへなんのために行くのかを、二人にかいつまんで話した。ハーマイオニーが恐怖に息をのんでも、ロンが急いで質問しても、ハリーは話を中断しなかった。細かいことはあとで二人で考えることができるだろう。

「……だから、どういうことかわかるだろう？」

ハリーは、最後までまくし立てた。

「ダンブルドアは今夜ここにいない。だからマルフォイは、何をたくらんでいるにせよ、邪魔が入らないいいチャンスなんだ。**いいから、聞いてくれ！**」

ロンとハーマイオニーが口をはさみたくてたまらなそうにしたので、ハリーはかみつくように言った。

「『必要の部屋』で歓声を上げていたのはマルフォイだってことが、僕にはわかっているんだ。さあ――」

ハリーは忍びの地図をハーマイオニーの手に押しつけた。

「マルフォイを見張らないといけない。それにスネイプも見張らないといけない。ほかに誰でもいいから、ＤＡのメンバーをかき集められるだけ集めてくれ。ハーマイオニー、ガリオン金貨の連絡網はまだ使えるね？　ダンブルドアは学校に追加的な保護策を施したっていうけど、スネイプがからんでいるのなら、ダンブルドアの保護措置のことも、回避の方法も知られている――だけど、スネイプは、君たちが監視しているとは思わないだろう？」

「ハリー――」ハーマイオニーは恐怖に目を見開いて、何か言いかけた。

「議論している時間がない」ハリーはそっけなく言った。

「これも持っていて――」

ハリーは、ロンの両手にソックスを押しつけた。

「ありがと」ロンが言った。「あー――どうしてソックスが必要なんだ？」

「その中にくるまっているものが必要なんだ。『フェリックス・フェリシス』だ。君たちとジニーとで飲んでくれ。ジニーに、僕からのさよならを伝えてくれ。もう行かなきゃ。ダンブルドアが待ってる――」

「だめよ！」

ロンが、畏敬の念に打たれたような顔で、ソックスの中から小さな金色の薬が入った瓶を取り出したとき、ハーマイオニーが言った。

「私たちはいらない。あなたが飲んで。これから何があるかわからないでしょう？」

「僕は大丈夫だ。ダンブルドアと一緒だから」ハリーが言った。

「僕は、君たちが無事だと思っていたいんだ……そんな顔しないで、ハーマイオニー。あとでまた会おう……」

そして、ハリーはその場を離れて肖像画の穴をくぐり、正面玄関へと急いだ。

ダンブルドアは玄関の樫《かし》の扉の脇で待っていた。ハリーが息せき切って、脇腹を押さえながら、石段の最上段にすべり込むと、ダンブルドアが振り向いた。

「マントを着てくれるかの」

ダンブルドアはそう言うと、ハリーがマントをかぶるのを待った。

「よろしい。では参ろうか」

ダンブルドアはすぐさま石段を下りはじめた。夏の夕凪《ゆうなぎ》で、ダンブルドアの旅行用マントはちらりとも動かなかった。ハリーは透明マントに隠れ、並んで急ぎながらまだ息をはずませ、かなり汗をかいていた。

「でも、先生、先生が出ていくところを見たら、みんなはどう思うでしょう？」

ハリーは、マルフォイとスネイプのことを考えながら聞いた。

「わしが、ホグズミードに一杯飲みにいったと思うじゃろう」

ダンブルドアは気軽に言った。

「ときどきわしは、ロスメルタの得意客になるし、さもなければホッグズ・ヘッドに行くのじゃ……もしくは、そのように見えるのじゃ。ほんとうの目的地を隠すには、それが一番の方法なのじゃよ」

黄昏《たそがれ》の薄明かりの中、二人は馬車道を歩いた。草いきれ、湖の水のにおい、ハグリッドの小屋からの薪《まき》の煙のにおいがあたりを満たしていた。これから危険な、恐ろしいものに向かっていくことなど、信じられなかった。

「先生」

馬車道が尽きる所に校門が見えてきたとき、ハリーがそっと聞いた。

「『姿あらわし』するのですか？」

「そうじゃ」ダンブルドアが言った。

「君はもう、できるのじゃったな？」

「ええ」ハリーが言った。

「でも、まだ免許状をもらっていません」

正直に話すのが一番いいと思った。目的地から二百キロも離れた所に現れて、すべてがだいなしになったら？

「心配ない」ダンブルドアが言った。

「わしがまた介助しようぞ」

校門を出ると、二人は人気のない夕暮れの道を、ホグズミードに向かった。道々、夕闇が急速に濃くなり、ハイストリート通りに着いたときには、とっぷりと暮れていた。店の二階の窓々から、チラチラと灯《あか》りが見える。「三本の箒《ほうき》」に近づいたとき、騒々しいわめき声が聞こえてきた。

「――出ておいき！」

マダム・ロスメルタが、むさくるしい魔法使いを押し出しながら叫んだ。

「あら、アルバス、こんばんは……遅いおでかけね……」

「こんばんは、ロスメルタ、ご機嫌よう……すまぬが、ホッグズ・ヘッドに行くところじゃ……悪く思わんでくだされ。今夜は少し静かな所に行きたい気分でのう……」

ほどなく二人は、横道に入った。風もないのに、ホッグズ・ヘッドの看板がキーキーと小さくきしんでいた。「三本の箒」と対照的に、このパブはまったくからっぽのようだった。

「中に入る必要はなかろう」

ダンブルドアは、あたりを見回してつぶやいた。

「我々が消えるのを、誰にも目撃されないかぎり……さあ、ハリー、片手をわしの腕に置くがよい。強く握る必要はないぞ。君を導くだけじゃからのう。三つ数えて——一……二……三……」

ハリーは回転した。たちまち、太いゴム管の中に押し込められているような、いやな感覚に襲われた。息ができない。体中のありとあらゆる部分が、がまんできないほどに圧縮され、そして、窒息すると思ったその瞬間、見えないバンドがはちきれたようだった。

ハリーは冷たい暗闇の中に立ち、胸いっぱいに新鮮な潮風を吸い込んでいた。

第26章　洞窟

潮の香と、打ち寄せる波の音がした。月光に照らされた海と、星を散りばめた空を眺めるハリーの髪を、肌寒い風が軽く乱した。ハリーは、海から高く突き出た、黒々とした岩の上に立っていた。眼下に、海が泡立ち渦巻いている。振り返ると、見上げるような崖が、のっぺりした岩肌を見せて黒々とそそり立っていた。ハリーとダンブルドアが立っている岩と同じような大岩がいくつか、いつか昔に崖が割れて離れてしまったかのような姿で立っている。荒涼たる光景だ。海にも岩にも、厳しさをやわらげる草も木も、砂地さえもない。

「どう思うかの？」

ダンブルドアが聞いた。ピクニックをするのによい場所かどうか、ハリーの意見を聞いたのかもしれない。

「孤児院の子供たちを、ここに連れてきたのですか？」

遠足に来るにはこれほど不適切な場所はないだろうと思いながら、ハリーが聞いた。

「正確にはここではない」ダンブルドアが言った。

「後ろの崖沿いに半分ほど行った所に、村らしきものがある。孤児たちは海岸の空気を吸い、海の波を見るためにそこに連れていかれたのじゃろう。この場所そのものを訪れたのは、トム・リドルと幼い犠牲者たちだけじゃと思う。並はずれた登山家でもなければ、マグルはこの岩にたどり着くことはできぬし、船も崖には近づけぬ。この周りの海は危険すぎるのでな。リドルは崖を下りてきたのじゃろう。魔法が、ロープより役に立ったことじゃろうな。そして、小さな子供を二人連れてきた。おそらく脅す楽しみのためじゃ。連れてくるだけで、目的は充分はたされたと思うが、どうじゃな？」

ハリーはもう一度崖を見上げ、鳥肌が立つのを覚えた。

「しかし、リドルの最終目的地は――我々の目的地でもあるが――もう少し先じゃ。おいで」

ダンブルドアは、ハリーを岩の先端に招き寄せた。そこからギザギザのくぼみが足場になって、崖により近い、いくつかの大岩のほうへと下降していた。半分海に沈んでいる、いくつかの大岩までの危なっかしい岩場を、片手がなえているせいもあって、ダンブルドアはゆっくり下りていった。下のほうの岩は、海水ですべりやすくなっている。ハリーは、冷たい波しぶきが顔を打つのを感じた。

「**ルーモス、光よ**」

崖に一番近い大岩に近づき、ダンブルドアが唱えた。金色の光が、ダンブルドアが身をかがめている所から数十センチ下の暗い海面に反射し、何千という光の玉がきらめいた。ダンブルドアの横の黒い岩壁も照らし出された。

「見えるかの？」

ダンブルドアが杖《つえ》を少し高く掲げて、静かに言った。崖の割れ目に、黒い水が渦を巻いて流れ込んでいるのが見えた。

「多少ぬれてもかまわぬか？」

「はい」ハリーが答えた。

「それでは、透明マントを脱ぐがよい――いまは必要がない――ではひと泳ぎしようぞ」

ダンブルドアは、突然若者のような敏捷《びんしょう》さで大岩からすべり降りて海に入り、崖の割れ目を目指し、灯《あか》りのついた杖を口にくわえて完璧な平泳ぎで泳ぎはじめた。ハリーは透明マントを脱ぎ、ポケットに入れてあとを追った。

海は氷のように冷たかった。水を吸い込んだ服が体に巻きつき、ハリーは重みで沈みがちだった。大きく呼吸すると、潮の香と海草のにおいがツンと鼻をついた。崖の奥へと入り込んでいく杖灯りが、チラチラとだんだん小さくなっていくのを追って、ハリーは抜き手を切った。

割れ目のすぐ奥は、暗いトンネルになっていたが、満潮時には水没する所だろうと察しがついた。両壁の間隔は一メートルほどしかなく、ぬめぬめした岩肌が、ダンブルドアの杖灯りに照らされるたびに、ぬれたタールのように光る。少し入り込むとトンネルは左に折れ、崖のずっと奥まで伸びているのがハリーの目に入った。ハリーはダンブルドアの後ろを泳ぎ続けた。かじかんだ指先が、ぬれたあらい岩肌をこすった。

やがて、先のほうで、ダンブルドアが水から上がるのが見えた。銀色の髪と黒いローブがかすかに光っている。ハリーがそこにたどり着くと、大きな洞穴に続く階段が見えた。ぐっしょりぬれた服から水を滴らせながら、ハリーは階段を這《は》い上り、ガチガチ震えながら、凍りつくような冷たい静寂の中に出た。

ダンブルドアは洞穴の真ん中に立っていた。その場でゆっくり回りながら、杖を高く掲げて壁や天井を調べている。

「さよう。ここがその場所じゃ」ダンブルドアが言った。

「どうしてわかるのですか？」ハリーはささやき声で聞いた。

「魔法を使った形跡がある」ダンブルドアはそれだけしか言わなかった。

体の震えが、骨も凍るような寒さのせいなのか、その魔法を認識したからなのか、ハリーにはわからなかった。ダンブルドアが、ハリーには見えない何かに神経を集中しているのは明らかだった。ハリーは、その場を回り続けているダンブルドアを見つめていた。

「ここは、入口の小部屋にすぎない」

しばらくしてダンブルドアが言った。

「内奥に入り込む必要がある……これからは、自然の作り出す障害ではなく、ヴォルデモート卿《きょう》の罠《わな》が行く手をはばむ……」

ダンブルドアは洞穴の壁に近づき、ハリーには理解できない不思議な言葉を唱えながら、黒ずんだ指先でなでた。ダンブルドアは、洞穴を二度めぐり、ゴツゴツした岩のできるだけ広い範囲に触れた。ときどき歩を止めては、その場所で指を前後に走らせていたが、ついにある場所で岩壁にぴったり手のひらを押しつけ、ダンブルドアは立ち止まった。

「ここじゃ」ダンブルドアが言った。

「ここを通り抜ける。入口が隠されておる」

どうしてわかるのかと、ハリーは質問しなかった。こんなふうにただ見たり触ったりするだけで、物事を解決する魔法使いを見たことがなかったが、派手な音や煙は経験の豊かさを示すものではなく、むしろ無能力の印だということを、ハリーはとっくに学び取っていた。

ダンブルドアは壁から離れ、杖を岩壁に向けた。アーチ形の輪郭線が現れ、すきまのむこう側に強烈な光があるかのように、一瞬カッと白く輝いた。

「先生、やりましたね！」

歯をガチガチ言わせながら、ハリーが言った。しかし、その言葉が終わらないうちに、輪郭線は消え、なんの変哲もない元の固い岩に戻った。ダンブルドアが振り返った。

「ハリー、すまなかった。忘れておった」

ダンブルドアがハリーに杖を向けると、燃え盛るたき火の前で干したように、たちまち服が温かくなり乾いていた。

「ありがとうございます」

ハリーは礼を言ったが、ダンブルドアはすでに、固い岩壁に再び注意を向けていた。もはや魔法は使わず、ダンブルドアはただたたずんで、じっと壁を見つめていた。まるでそこに、とても興味深いことが書かれているかのようだった。ハリーは身動きもせずだまっていた。ダンブルドアの集中をさまたげたくなかった。

すると、かっきり二分後に、ダンブルドアが静かに言った。

「ああ、まさかそんなこととは。なんと幼稚な」

「先生、なんですか？」

「わしの考えでは」

ダンブルドアは傷ついていないほうの手をローブに入れて、銀の小刀を取り出した。ハリーが魔法薬の材料を刻むのに使うナイフのようなものだった。

「通行料を払わねばならぬらしい」

「通行料？」ハリーが聞き返した。

「扉に、何かやらないといけないんですか？」

「そうじゃ」ダンブルドアが言った。

「血じゃ。わしがそれほどまちごうておらぬなら」

「**血？**」

「幼稚だと言ったじゃろう」

ダンブルドアは軽蔑したようでもあり、ヴォルデモートがダンブルドアの期待する水準に達しなかったことに、むしろ失望したような言い方だった。

「君にも推測できたことと思うが、進入する敵は、自らその力を弱めなければならないという考えじゃ。またしてもヴォルデモート卿は、肉体的損傷よりも、はるかに恐ろしいものがあることを、把握しそこねておる」

「ええ、でも、さけられるのでしたら……」

痛みなら充分に経験済みのハリーは、わざわざこれ以上痛い思いをしたいとは思わなかった。

「しかし、時にはさけられぬこともある……」

ダンブルドアはローブのそでを振ってたくし上げ、傷ついたほうの手の前腕を出した。

「先生！」

ダンブルドアが小刀を振り上げたので、ハリーはあわてて飛び出して止めようとした。

「僕がやります。僕なら――」

ハリーはなんと言ってよいかわからなかった――若いから？　元気だから？　しかし、ダンブルドアはほほえんだだけだった。銀色の光が走り、真っ赤な色がほとばしった。岩の表面に黒く光る血が点々と飛び散った。

「ハリー、気持ちはうれしいが」

ダンブルドアは、自分で腕につけた深い傷を、杖先でなぞりながら言った。スネイプがマルフォイの傷を治したと同じように、ダンブルドアの傷はたちまち癒えた。

「しかし君の血は、わしのよりも貴重じゃ。ああ、これで首尾よくいったようじゃな」

岩肌に、銀色に燃えるアーチ形の輪郭が再び現れた。今度は消えなかった。輪郭の中の、血痕のついた岩がサッと消え、そこから先は真っ暗闇のように見えた。

「あとからおいで」

ダンブルドアがアーチ形の入口を通った。ハリーはそのすぐあとについて歩きながら、急いで自分の杖に灯りをともした。

目の前に、この世のものとも思えない光景が現れた。二人は巨大な黒い湖のほとりに立っていた。むこう岸が見えない、広い湖だ。洞穴は天井も見えないほど高い。遠く湖の真ん中と思《おぼ》しきあたりに、緑色にかすんだ光が見える。光は、さざ波一つない湖に反射していた。ビロードのような暗闇を破るものは、緑がかった光と二つの杖灯りだけだ。しかし、杖灯りは、ハリーが思ったほど遠くまでは届かなかった。この暗闇は、なぜか普通の闇よりも濃かった。

「歩こうかのう」

ダンブルドアが静かに言った。

「水に足を入れぬように気をつけるのじゃ。わしのそばを離れるでないぞ」

ダンブルドアは、湖の縁を歩きはじめた。ハリーは、ぴったりとそのあとについて歩いた。湖を囲んでいる狭い岩縁を踏む二人の足音が、ピタピタと反響した。二人は延々と歩いたが、光景にはなんの変化もなかった。二人の横にはゴツゴツした岩壁があり、反対側には鏡のようになめらかな湖が、はてしなく黒々と広がっていた。その真ん中に、神秘的な緑色の光がある。この場所、そしてこの静けさは、ハリーにとって重苦しく、言い知れぬ不安をかき立てた。

「先生？」

とうとうハリーが口をきいた。

「分霊箱はここにあるのでしょうか？」

「ああ、いかにも」

ダンブルドアが答えた。

「あることは確かじゃ。問題は、どうすればそれにたどりつけるのか？」

「もしかしたら……『呼び寄せ呪文』を使ってみてはどうでしょう？」

愚かな提案だとは思った。しかし、できるだけ早くこの場所から出たいという思いが、自分でも認めたくないほどに強かった。

「確かに、使ってみることはできる」

ダンブルドアが急に立ち止まったので、ハリーはぶつかりそうになった。

「君がやってみてはどうかな？」

「僕が？　あ……はい……」

こんなことになるとは思わなかったが、ハリーは咳《せき》払いをして、杖を掲げ、大声で叫んだ。

「**アクシオ、ホークラックス！　分霊箱よ、来い！**」

爆発音のような音とともに、何か大きくて青白いものが、五、六メートル先の暗い水の中から噴き出した。ハリーが見定める間もなく、それは恐ろしい水音を上げ、鏡のような湖面に大きな波紋を残して再び水中に消えた。ハリーは驚いて飛びすさり、岩壁にぶつかった。動悸《どうき》が止まらないまま、ハリーはダンブルドアのほうを見た。

「なんだったのですか？」

「たぶん、分霊箱を取ろうとする者を待ちかまえていた、何かじゃな」

ハリーは振り返って湖を見た。湖面は再び鏡のように黒く輝いていた。波紋は不自然なほど早く消えていたが、ハリーの心臓は、まだ波立っていた。

「先生は、あんなことが起こると予想していらっしゃったのですか？」

「分霊箱にあからさまに手出しをしようとすれば、**何かが**起こるとは考えておった。ハリー、非常によい考えじゃった。我々が向かうべき相手を知るには、最も単純な方法じゃ」

「でも、あれはなんだったのか、わかりません」

ハリーは不気味に静まり返った湖面を見ながら言った。

「**あれら**、と言うべきじゃろう」

ダンブルドアが言った。

「あれ一つだけ、ということはなかろう。もう少し歩いてみようかの？」

「先生？」

「なんじゃね？　ハリー？」

「湖の中に入らないといけないのでしょうか？」

「中に？　非常に不運な場合のみじゃな」

「分霊箱は、湖の底にはないのでしょうか？」

「いやいや……分霊箱は**真ん中**にあるはずじゃ」

ダンブルドアは湖の中心にある、緑色のかすんだ光を指した。

「それじゃ、手に入れるには、湖を渡らなければならないのですか？」

「そうじゃろうな」

ハリーはだまっていた。頭の中でありとあらゆる怪物が渦巻いていた。水中の怪物、大海蛇、魔物、水魔《グリンデロー》、妖怪……。

「おう」

ダンブルドアがまた急に立ち止まった。今度こそ、ハリーはぶつかってしまった。一瞬、ハリーは暗い水際に倒れかけたが、ダンブルドアが傷ついていないほうの手で、ハリーの腕をしっかりとつかみ、引き戻した。

「ハリー、まことにすまなんだ。前もって注意するべきじゃったのう。壁側に寄っておくれ。しかるべき場所を見つけたと思うのでな」

ハリーはダンブルドアが何を言っているのかさっぱりわからなかった。ハリーの見るかぎり、この場所は、ほかの暗い岸辺とまったく同じように見えた。しかし、ダンブルドアは、何か特別なものを見つけたようだった。今度は岩肌に手を這わせるのではなく、何か見えないものを探してつかもうとするように、ダンブルドアは空中を手探りした。

「ほほう」

数秒後、ダンブルドアがうれしそうに声を上げた。ハリーには見えなかったが、空中で何かをつかんでいる。ダンブルドアは水辺に近づいた。ダンブルドアの留め金つきの靴の先が岩の一番端にかかるのを、ハリーはハラハラしながら見つめていた。空中でしっかり手を握りながら、ダンブルドアはもう片方の手で杖を上げ、握り拳を杖先で軽くたたいた。

とたんに、赤みを帯びた緑色の太い鎖がどこからともなく現れた。鎖は湖の深みからダンブルドアの拳へと伸び、ダンブルドアが鎖をたたくと、握り拳を通って蛇のようにすべりだした。ガチャガチャという音を岩壁にうるさく反響させながら、鎖はひとりでに岩の上にとぐろを巻き、黒い水の深みから何かを引っ張り出した。ハリーは息をのんだ。小舟の舳先《へさき》が水面を割って幽霊のごとく現れ、鎖と同じ緑色の光を発しながらさざ波も立てずに漂って、ハリーとダンブルドアのいる岸辺に近づいてきた。

「あんなものがそこにあるって、どうしておわかりになったのですか？」

ハリーは驚愕《きょうがく》して聞いた。

「魔法は常に跡を残すものじゃ」

小舟が軽い音を立てて岸辺にぶつかったとき、ダンブルドアが言った。

「時には非常に顕著な跡をな。トム・リドルを教えたわしじゃ。あの者のやり方はわかっておる」

「この……この小舟は安全ですか？」

「ああ、そのはずじゃ。ヴォルデモートは、自分自身が分霊箱に近づいたり、またはそれを取り除いたりしたい場合には、湖の中に自ら配置したものの怒りを買うことなしに、この湖を渡る必要があったのじゃ」

「それじゃ、ヴォルデモートの舟で渡れば、水の中にいる何かは僕たちに手を出さないのですね？」

「どこかの時点で、我々がヴォルデモート卿ではないことに気づくであろうのう。そのことは覚悟せねばなるまい。しかしこれまでは首尾よくいった。連中は我々が小舟を浮上させるのを許した」

「でも、どうして許したんでしょう？」

岸辺が見えないほど遠くまで進んだとたん、黒い水の中から何本もの触手が伸びてくる光景を、ハリーは頭から振り払うことができなかった。

「よほど偉大な魔法使いでなければ、小舟を見つけることはできぬと、ヴォルデモートには相当な自信があったのじゃろう」

ダンブルドアが言った。

「あの者の考えでは、自分以外の者が舟を発見する可能性は、ほとんどありえなかった。しかも、あの者しか突破できない別の障害物も、この先に仕掛けてあるじゃろうから、確率の極めて低い危険性なら許容してもよかったのじゃろう。その考えが正しかったかどうか、いまにわかる」

ハリーは小舟を見下ろした。ほんとうに小さな舟だった。

「二人用に作られているようには見えません。二人とも乗れるでしょうか？　一緒だと重すぎはしませんか？」

ダンブルドアはクスクス笑った。

「ヴォルデモートは重さではなく、自分の湖を渡る魔法力の強さを気にしたことじゃろう。わしはむしろ、この小舟には、一度に一人の魔法使いしか乗れないように、呪文がかけられているのではないかと思う」

「そうすると――？」

「ハリー、君は数に入らぬじゃろう。未成年で資格がない。ヴォルデモートは、まさか十六歳の若者がここにやってくるとは、思いもつかなかったことじゃろう。わしの力と比べれば、君の力が考慮されることはありえぬ」

ダンブルドアの言葉は、ハリーの士気を高めるものではなかった。ダンブルドアにもたぶんそれがわかったのか、言葉をつけ加えた。

「ヴォルデモートの過ちじゃ、ハリー、ヴォルデモートの過ちじゃよ……年をとった者は愚かで忘れっぽくなり、若者をあなどってしまうことがあるものじゃ……さて、今度は先に行くがよい。水に触れぬよう注意するのじゃ」

ダンブルドアが一歩下がり、ハリーは慎重に舟に乗った。ダンブルドアも乗り込み、鎖を舟の中に巻き取った。二人で乗ると窮屈だった。ハリーはゆったり座ることができず、ひざを小舟の縁から突き出すようにうずくまった。小舟はすぐに動きだした。舳先が水を割る衣ずれのような音以外は、何も聞こえない。小舟は、ひとりでに真ん中の光のほうに、見えない綱で引かれるように進んだ。まもなく、洞窟の壁が見えなくなった。波はないものの、二人は海原に出たかのようだった。

下を見ると、ハリーの杖灯りが水面に反射して、舟が通るときに黒い水が金色にきらめくのが見えた。小舟は鏡のような湖面に深い波紋を刻み、暗い鏡に溝を掘っていく……。

その時、ハリーの目に飛び込んできたのは、湖面のすぐ下を漂っている、大理石のように白いものだった。

「先生！」ハリーの驚愕した声が、静まり返った水面に大きく響いた。

「なんじゃ？」

「水の中に手が見えたような気がします――人の手が！」

「さよう、見えたことじゃろう」

ダンブルドアが落ち着いて言った。

消えた手を探して湖面に目を凝らしながら、ハリーはいまにも吐きそうになった。

「それじゃ、水から飛び上がったあれは――？」

ダンブルドアの答えを待つまでもなかった。杖灯りが別の湖面を照らしだしたとき、水面のすぐ下に、今度は仰向けの男の死体が横たわっているのが見えたのだ。見開いた両目はクモの巣で覆われたように曇り、髪や衣服が身体の周りに煙のように渦巻いている。

「死体がある！」ハリーの声は、上ずって、自分の声のようではなかった。

「そうじゃ」ダンブルドアは平静だった。「しかし、いまはそのことを心配する必要はない」

「いまは？」

やっとのことで水面から目をそらし、ダンブルドアを見つめながらハリーが聞き返した。

「死体が下のほうで、ただ静かに漂っているうちは大丈夫じゃ」ダンブルドアが言った。

「ハリー、屍《しかばね》を恐れることはない。暗闇を恐れる必要がないのと同じことじゃ。もちろん、その両方を密《ひそ》かに恐れておるヴォルデモート卿は、意見を異にするがのう。しかし、あの者は、またしても自らの無知を暴露した。我々が、死や暗闇に対して恐れを抱くのは、それらを知らぬからじゃ。それ以外の何物でもない」

ハリーは無言だった。反論したいとは思わなかったが、周りに死体が浮かび、自分の下を漂っていると思うとぞっとしたし、それよりも何よりも、死体が危険ではないとは思えなかった。

「でも一つ飛び上がりました」

ハリーは、ダンブルドアと同じように平静な声で言おうと努力した。

「分霊箱を呼び寄せようとしたとき、湖から死体が飛び上がりました」

「そうじゃ」ダンブルドアが言った。

「我々が分霊箱を手に入れたときには、死体は静かではなくなるじゃろう。しかし、冷たく暗い所に棲《す》む生き物の多くがそうなのじゃが、死体は光と温かさを恐れる。じゃから、必要となれば、我々はそうしたものを味方にするのじゃハリー、火じゃよ」

ハリーが戸惑った顔をしていたので、ダンブルドアは、最後の言葉をほほえみながらつけ加えた。

「あ……はい……」

あわてて返事し、ハリーは、小舟が否応なく近づいていく先に目を向けた。緑がかった輝きが見える。怖くないふりは、もうできなかった。広大な黒い湖は死体であふれている……トレローニー先生に出会ったのも、ロンとハーマイオニーに「フェリックス・フェリシス」を渡したのも、何時間も前だったような気がする……突然、二人に、もっときちんと別れを告げればよかったと思った……それに、ジニーには会いもしなかった……。

「もうすぐじゃ」

ダンブルドアが楽しげに言った。

確かに、緑がかった光は、いよいよ大きくなったように見えた。そして数分後、小舟は何かに軽くぶつかって止まった。はじめはよく見えなかったが、ハリーが杖灯りを掲げて見ると、湖の中央にある、なめらかな岩でできた小島に着いていた。

「水に触れぬよう、気をつけるのじゃ」

ハリーが小舟から降りるとき、ダンブルドアが再び注意した。

小島はせいぜいダンブルドアの校長室ほどの大きさで、平らな黒い石の上に立っているのは、あの緑がかった光の源だけだった。近くで見るとずっと明るく見えた。ハリーは目を細めて光を見た。最初はランプのようなものかと思ったが、よく見ると、光はむしろ「憂いの篩《ふるい》」のような石の水盆から発していた。水盆は台座の上に置かれている。

ダンブルドアが台座に近づき、ハリーもあとに続いた。二人は並んで中をのぞき込んだ。水盆は、燐《りん》光《こう》を発するエメラルド色の液体で満たされていた。

「なんでしょう？」ハリーが小声で聞いた。

「よくわからぬ」ダンブルドアが言った。

「ただし、血や死体よりも、もっと懸念すべきものじゃ」

ダンブルドアはけがしたほうの手のローブのそでをたくし上げ、液体の表面に焼け焦げた指先を伸ばした。

「先生、やめて！　さわらないで――！」

「触れることはできぬ」

ダンブルドアはほほえんだ。

「ごらん。これ以上は近づくことができぬ。やってみるがよい」

ハリーは目を見張り、水盆に手を入れて液体に触れようとしたが、液面から二、三センチの所で見えない障壁にはばまれた。どんなに強く押しても、指に触れるのは硬くてびくともしない空気のようなものだけだった。

「ハリー、離れていなさい」ダンブルドアが言った。

ダンブルドアは杖をかざし、液体の上で複雑に動かしながら、無言で呪文を唱えた。何事も起こらない。ただ、液体が少し明るく光ったような気がしただけだった。ダンブルドアが術をかけている間、ハリーはだまっていたが、しばらくしてダンブルドアが杖を引いたとき、もう話しかけても大丈夫だと思った。

「先生、分霊箱はここにあるのでしょうか？」

「ああ、ある」

ダンブルドアは、さらに目を凝らして水盆をのぞいた。ハリーには、緑色の液体の表面に、ダンブルドアの顔が逆さまに映るのが見えた。

「しかし、どうやって手に入れるか？　この液体は手では突き通せぬ。『消失呪文』も効かぬし、分けることも、すくうことも、吸い上げることもできぬ。さらに、『変身呪文』やそのほかの呪文でも、いっさいこの液体の正体を変えることができぬ」

ダンブルドアは、ほとんど無意識に再び杖を上げて空中でひとひねりし、どこからともなく現れたクリスタルのゴブレットをつかんだ。

「結論はただ一つ、この液体は飲み干すようになっておる」

「ええっ？」ハリーが口走った。「だめです！」

「さよう、そのようじゃ。飲み干すことによってのみ、水盆の底にあるものを見ることができるのじゃ」

「でも、もし——もし劇薬だったら？」

「いや、そのような効果を持つものではなかろう」

ダンブルドアは気軽に言った。

「ヴォルデモート卿は、この島にたどり着くほどの者を、殺したくはないじゃろう」

ハリーは信じられない思いだった。またしても、誰に対しても善良さを認めようとする、ダンブルドアの異常な信念なのだろうか？

「先生」ハリーは理性的に聞こえるように努力した。「先生、相手は**ヴォルデモート**なのですよ——」

「言葉が足りなかったようじゃ、ハリー。こう言うべきじゃった。ヴォルデモートは、この島にたどり着くほどの者を、**すぐさま**殺したいとは思わぬじゃろう」

ダンブルドアが言いなおした。

「ヴォルデモートは、その者が、いかにしてここまで防衛線を突破しおおせたかがわかるまでは、生かしておきたいじゃろうし、最も重要なことじゃが、その者がなぜ、かくも熱心に水盆をからにしたがっているのかを知りたいことじゃろう。忘れてならぬのは、ヴォルデモート卿が、分霊箱のことは自分しか知らぬと信じておることじゃ」

ハリーはまた何か言おうとしたが、今度はダンブルドアが静かにするようにと手で制し、明らかに考えをめぐらしている様子で、少し顔をしかめながらエメラルドの液体を見た。

「まちがいない」

ダンブルドアがやっと口をきいた。

「この薬は、わしが分霊箱を奪うのを阻止する働きをするにちがいない。わしをまひさせるか、なぜここにいるのかを忘れさせるか、気をそらさざるをえないほどの苦しみを与えるか、もしくはそのほかのやり方で、わしの能力を奪うじゃろう。そうである以上、ハリー、君の役目は、わしに飲み続けさせることじゃ。わしの口が抗《あらが》い、君が無理に薬を流し込まなければならなくなってもじゃ。わかったかな？」

水盆をはさんで、二人は見つめ合った。不可思議な緑の光を受けて、二人の顔は青白かった。ハリーは無言だった。一緒に連れてこられたのは、このためだったのだろうか――ダンブルドアに耐えがたい苦痛を与えるかもしれない薬を、無理やり飲ませるためだったのだろうか？

「覚えておるじゃろうな？」ダンブルドアが言った。「君を一緒に連れてくる条件を」

ハリーはダンブルドアの目を見つめながら、躊躇《ちゅうちょ》した。ダンブルドアの青い目が水盆の光を映して緑色になっていた。

「でも、もし――？」

「誓ったはずじゃな？　わしの命令には従うと」

「はい、でも――」

「警告したはずじゃな？　危険がともなうかもしれぬと」

「はい」ハリーが言った。「でも――」

「さあ、それなら」

ダンブルドアはそう言うと、再びそでをたくし上げ、からのゴブレットを掲げた。

「わしの命令じゃ」

「僕がかわりに飲んではいけませんか？」

ハリーは絶望的な思いで聞いた。

「いや、わしのほうが年寄りで、より賢く、ずっと価値がない」

ダンブルドアが言った。

「一度だけ聞く。わしが飲み続けるよう、君は全力を尽くすと誓えるか？」

「どうしても――？」

「誓えるか？」

「でも――」

「誓うのじゃ、ハリー」

「僕は――はい、でも――」

ハリーがそれ以上抗議できずにいるうちに、ダンブルドアはクリスタルのゴブレットを下ろし、薬の中に入れた。一瞬、ハリーは、ゴブレットが薬に触れることができないようにと願った。しかし、ほかのものとはちがって、ゴブレットは液体の中に沈み込んだ。縁までなみなみと液体を満たし、ダンブルドアはそれを口元に近づけた。

「君の健康を願って、ハリー」

そして、ダンブルドアはゴブレットを飲み干した。ハリーは指先の感覚がなくなるほどギュッと水盆の縁を握りしめ、こわごわ見守った。

「先生？」

ダンブルドアがからのゴブレットを口から離したとき、ハリーが呼びかけた。気が気ではなかった。

「大丈夫ですか？」

ダンブルドアは目を閉じて首を振った。ハリーは苦しいのではないだろうかと心配だった。ダンブルドアは目を閉じたまま水盆にゴブレットを突っ込み、また飲んだ。

ダンブルドアは無言で、三度ゴブレットを満たして飲み干した。四杯目の途中で、ダンブルドアはよろめき、前かがみに倒れて水盆に寄りかかった。目は閉じたままで、息づかいが荒かった。

「ダンブルドア先生？」

ハリーの声が緊張した。

「僕の声が聞こえますか？」

ダンブルドアは答えなかった。深い眠りの中で、恐ろしい夢を見ているかのように、顔がけいれんしていた。ゴブレットを握った手がゆるみ、薬がこぼれそうになっている。ハリーは手を伸ばしてクリスタルのゴブレットをつかみ、しっかりと支えた。

「先生、聞こえますか？」

ハリーは大声でくり返した。声が洞窟にこだました。

ダンブルドアはあえぎ、ダンブルドアの声とは思えない声を発した。ダンブルドアが恐怖にかられた声を出すのを、ハリーはいままで聞いたことがなかったのだ。

「やりたくない……わしにそんなことを……」

ダンブルドアの顔は蒼白《そうはく》だった。よく見知っているはずのその顔と曲がった鼻、半月めがねをハリーはじっと見つめたが、どうしてよいのかわからなかった。

「……いやじゃ……やめたい……」ダンブルドアがうめいた。

「先生……やめることはできません、先生」ハリーが言った。

「飲み続けなければならないんです。そうでしょう？　先生が僕に、飲み続けなければならないっておっしゃいました。さあ……」

自分自身を憎み、自分のやっていることを嫌悪しながら、ハリーはゴブレットを無理やりダンブルドアの口元に戻し、傾け、中に残っている薬を飲み干させた。

「だめじゃ……」

ハリーがダンブルドアにかわってゴブレットを水盆に入れ、薬で満たしているとき、ダンブルドアがうめくように言った。

「いやじゃ……いやなのじゃ……行かせてくれ……」

「先生、大丈夫ですから」

ハリーの手が震えていた。

「大丈夫です。僕がついています——」

「やめさせてくれ。やめさせてくれ」ダンブルドアがうめいた。

「ええ……さあ、これでやめさせられます」

ハリーはうそをついて、ゴブレットの液体をダンブルドアの開いている口に流し込んだ。

ダンブルドアが叫んだ。その声は真っ黒な死の湖面を渡り、茫洋《ぼうよう》とした洞穴に響き渡った。

「だめじゃ、だめ、だめ……だめじゃ……わしにはできん……できん。させないでくれ。やりたくない……」

「大丈夫です。先生。大丈夫ですから！」

ハリーは大声で言った。手が激しく震え、六杯目の薬をまともにすくうことができないほどだった。水盆はいまや半分からになっていた。

「なんにも起こっていません。先生は無事です。夢を見ているんです。絶対に現実のことではありませんから——さあ、これを飲んで。飲んで……」

するとダンブルドアは、ハリーが差し出しているのが解毒剤であるかのように、従順に飲んだ。しかし、ゴブレットを飲み干したとたん、がっくりとひざをつき、激しく震えだした。

「わしのせいじゃ。わしのせいじゃ」

ダンブルドアはすすり泣いた。

「やめさせてくれ。わしが悪かったのじゃ。ああ、どうかやめさせてくれ。わしはもう二度と、けっして……」

「先生、これでやめさせられます」ハリーが言った。

七杯目の薬をダンブルドアの口に流し込みながら、ハリーは涙声になっていた。

ダンブルドアは、目に見えない拷問者に囲まれているかのように、身を縮めはじめ、うめきながら手を振り回して、薬を満たしたゴブレットを、ハリーの震える手から払い落としそうになった。

「あの者たちを傷つけないでくれ、頼む。お願いだ。わしが悪かった。かわりにわしを傷つけてくれ……」

「さあ、これを飲んで。飲んで。大丈夫ですから」

ハリーが必死でそう言うと、ダンブルドアは目を固く閉じたままで、全身震えてはいたが、再び従順に口を開いた。

今度は、ダンブルドアは前のめりに倒れ、ハリーが九杯目を満たしているとき、拳で地面をたたきながら悲鳴を上げた。

「頼む。お願いだ。お願いだ。だめだ……それはだめだ。それはだめだ。わしがなんでもするから……」

「先生、いいから飲んで。飲んで……」

ダンブルドアは、渇きで死にかけている子供のように飲んだ。しかし、飲み終わるとまたしても、内臓に火がついたような叫び声を上げた。

「もうそれ以上は、お願いだ、もうそれ以上は……」

ハリーは十杯目の薬をすくい上げた。ゴブレットが水盆の底をこするのを感じた。

「もうすぐです。先生。これを飲んで。飲んでください……」

ハリーはダンブルドアの肩を支えた。そしてダンブルドアはまたしてもゴブレットを飲み干した。ハリーはまた立ち上がり、ゴブレットを満たした。ダンブルドアは、これまで以上に激しい苦痛の声を上げはじめた。

「わしは死にたい！　やめさせてくれ！　やめさせてくれ！　死にたい！」

「飲んでください。先生、これを飲んでください……」

ダンブルドアが飲んだ。そして飲み干すやいなや、叫んだ。

「**殺してくれ！**」

「これで――これでそうなります！」

ハリーはあえぎながら言った。

「飲むんです……終わりますから……全部終わりますから！」

ダンブルドアはゴブレットをぐいと傾け、最後の一滴まで飲み干した。そして、ガラガラと大きく最後の息を吐き、転がってうつ伏せになった。

「先生！」

立ち上がってもう一度薬を満たそうとしていたハリーは、ゴブレットを水盆に落とし、叫びながらダンブルドアの脇にひざをつき、力いっぱい抱きかかえて仰向けにした。ダンブルドアのめがねがはずれ、口はぱっくり開き、目は閉じられていた。

「先生」

ハリーはダンブルドアを揺すった。

「しっかりして。死んじゃだめです。先生は毒薬じゃないって言った。目を覚ましてください。目を覚まして――**リナベイト！　蘇生《そせい》せよ！**」

ハリーは杖をダンブルドアの胸に向けて叫んだ。赤い光が走ったが、なんの変化もなかった。

「**リナベイト、蘇生せよ**――先生――お願いです――」

ダンブルドアのまぶたがかすかに動いた。ハリーは心が躍った。

「先生、大丈夫――？」

「水」

ダンブルドアがかすれ声で言った。

「水――」ハリーはあえいだ。「――はい――」

ハリーははじかれたように立ち上がり、水盆に落としたゴブレットをつかんだ。その下に丸まっている金色のロケットに、ハリーはほとんど気づかなかった。

「**アグアメンティ！　水よ！**」

ハリーは杖でゴブレットをつつきながら叫んだ。

清らかな水がゴブレットを満たした。ハリーはダンブルドアの脇にひざまずいて、頭を起こし、唇にゴブレットを近づけた――ところが、からっぽだった。ダンブルドアはうめき声を上げ、あえぎだした。

「でも、さっきは――待ってください――**アグアメンティ！　水よ！**」ハリーは再び唱えた。

もう一度、澄んだ水が、一瞬ゴブレットの中でキラキラ光った。しかし、ダンブルドアの唇に近づけると、再び水は消えてしまった。

「先生、僕、がんばってます。がんばってるんです！」

ハリーは絶望的な声を上げた。しかし聞こえているとは思えなかった。ダンブルドアは転がって横になり、ゼイゼイと苦しそうに末期の息を吐いていた。

「**アグアメンティ――水よ――アグアメンティ！**」

ゴブレットはまた満ちて、またからになった。ダンブルドアはいまや虫の息だった。頭の中はパニック状態で目まぐるしく動いていたが、ハリーには直感的に、水を得る最後の手段がわかっていた。ヴォルデモートがそのように仕組んでいたはずだ……。

ハリーは、身を投げ出すようにして岩の端からゴブレットを湖に突っ込み、冷たい水をいっぱいに満たした。水は消えなかった。

「先生――さあ！」

叫びながらダンブルドアに飛びつき、ハリーは不器用にゴブレットを傾けて、ダンブルドアの顔に水をかけた。

やっとの思いで、ハリーができたのはそれだけだった。ゴブレットを持っていないほうの腕にヒヤリとするものを感じたのは、水の冷たさが残っていたわけではなかった。ぬめぬめした白い手がハリーの手首をつかみ、その手の先にある何者かが、岩の上のハリーをゆっくりと引きずり戻していた。湖面はもはやなめらかな鏡のようではなく、激しく揺れ動いていた。ハリーの目が届くかぎり、暗い水から白い頭や手が突き出ている。男、女、子供。落ちくぼんだ見えない目が岩場に向かって近づいてくる。黒い水から立ち上がった、死人の軍団だ。

「**ペトリフィカス　トタルス！　石になれ！**」

ぬれてすべすべした小島の岩にしがみつこうともがきながら、ハリーは腕をつかんでいる亡者に杖を向けて叫んだ。亡者の手が離れ、のけぞって、水しぶきを上げながら倒れた。ハリーは足をもつれさせながら立ち上がった。しかし、亡者はうじゃうじゃと、つるつるした岩に骨ばった手をかけて這《は》い上がってきた。うつろなにごった目をハリーに向け、水浸しのボロを引きずりながら、落ちくぼんだ顔に不気味な薄笑いを浮かべている。

「**ペトリフィカス　トタルス！　石になれ！**」

あとずさりしながら杖を大きく振り下ろし、ハリーが再び叫んだ。七、八体の亡者がくずおれた。しかし、あとからあとから、ハリーめがけてやってくる。

「**インペディメンタ！　妨害せよ！　インカーセラス！　縛れ！**」

何体かが倒れた。一、二体が縄で縛られた。しかし、次々と岩場に登ってくる亡者は、倒れた死体を無造作に踏みつけ、乗り越えてやってくる。杖で空を切りながら、ハリーは叫び続けた。

「**セクタムセンプラ！　切り裂け！　セクタムセンプラ！**」

水浸しのボロと、氷のような肌がざっくりと切り裂かれはしたが、亡者は流すべき血を持たなかった。何も感じない様子で、しなびた手をハリーに向けて伸ばしながら歩き続けた。さらにあとずさりしたとき、ハリーは背後からいくつもの腕でしめつけられるのを感じた。死のように冷たく、やせこけた薄っぺらな腕が、ハリーを吊《つ》るし上げ、ゆっくりと、そして確実に水辺に引きずり込んでいった。逃れる道はない、とハリーは覚悟した。自分はおぼれ、引き裂かれたヴォルデモートの魂のひとかけらを護衛する、死人の一人になるのか……。

その時、暗闇の中から火が燃え上がった。紅と金色の炎の輪が岩場を取り囲み、ハリーをあれほどがっしりとつかんでいた亡者どもは、転び、ひるみ、火をかいくぐって湖に戻ることさえできない。亡者はハリーを放した。地べたに落ちたハリーは岩ですべって転び、両腕をすりむいたが、なんとか立ち上がり、杖をかまえてあたりに目を凝らした。

ダンブルドアが再び立ち上がっていた。顔色こそ包囲している亡者と同じく青白かったが、背の高いその姿はすっくと抜きん出ていた。瞳に炎を躍らせ、杖を松明《たいまつ》のように掲げている。杖先から噴出する炎が、巨大な投げ縄のように周囲のすべてを熱く取り囲んでいた。

亡者は、炎の包囲から逃れようとぶつかり合い、やみくもに逃げ惑っていた……。

ダンブルドアは水盆の底からロケットをすくい上げ、ローブの中にしまい込み、無言のままハリーを自分のそばに招き寄せた。炎に撹乱《かくらん》された亡者どもは、獲物が去っていくのにも気づかない。ダンブルドアはハリーを小舟へといざない、炎の輪も二人を取り巻いて水辺へと移動した。うろたえた亡者どもは水際までついてきて、そこから暗い水の中へと我先にすべり落ちていった。

体中震えながらも、ハリーは一瞬、ダンブルドアが自力で小舟に乗れないのではないかと思った。乗り込もうとして、ダンブルドアはわずかによろめいた。持てる力のすべてを、二人を囲む炎の輪の護《まも》りを維持するために注ぎ込んでいるように見えた。ハリーはダンブルドアを支え、小舟に乗るのを助けた。二人が再びしっかり乗り込むと、小舟は小島を離れ、炎の輪に囲まれたまま黒い湖を戻りはじめた。下のほうにうようよしている亡者どもは、どうやら二度と浮上できないらしい。

「先生」ハリーはあえぎながら言った。

「先生、僕、忘れていました――炎のことを――亡者に襲われて、僕、パニックになってしまって――」

「当然のことじゃ」

ダンブルドアがつぶやくように言った。その声があまりに弱々しいのに、ハリーは驚いた。

軽い衝撃とともに、小舟は岸に着いた。ハリーは飛び降り、急いでダンブルドアを介助した。岸に降り立ったとたん、ダンブルドアの杖を掲げた手が下がり、炎の輪が消えた。しかし、亡者は二度と水から現れはしなかった。小舟は再び水中に沈んだ。鎖もガチャガチャ音を立てながら湖の中にすべり込んでいった。ダンブルドアは大きなため息をつき、洞窟の壁に寄りかかった。

「わしは弱った……」ダンブルドアが言った。

「大丈夫です、先生」

ハリーが即座に言った。真っ青で疲労困憊《こんぱい》しているダンブルドアが心配だった。

「大丈夫です。僕が先生を連れて帰ります……先生、僕に寄りかかってください……」

そしてハリーは、ダンブルドアの傷ついていないほうの腕を肩に回し、その重みをほとんど全部背負って湖の縁を歩き、もと来た場所へと校長先生を導いた。

「防御は……最終的には……たくみなものじゃった」

ダンブルドアが弱々しく言った。

「一人ではできなかったであろう……君はよくやった。ハリー、非常によくやった……」

「いまはしゃべらないでください」

ダンブルドアの言葉があまりに不明瞭で、足取りがあまりに弱々しいのが、ハリーには心配でならなかった。

「おつかれになりますから……もうすぐここを出られます……」

「入口のアーチはまた閉じられているじゃろう……わしの小刀を……」

「その必要はありません。僕が岩で傷を負いましたから」

ハリーがしっかりと言った。

「どこなのかだけ教えてください……」

「ここじゃ……」

ハリーはすりむいた腕を、岩にこすりつけた。血の貢ぎ物を受け取ったアーチの岩は、たちまち再び開いた。二人は外側の洞窟を横切り、ハリーはダンブルドアを支え、崖の割れ目を満たしている氷のような海水に入った。

「先生、大丈夫ですよ」

ハリーは何度も声をかけた。弱々しい声も心配だったが、それよりダンブルドアが無言のままでいるほうがもっと心配だった。

「もうすぐです……僕が一緒に『姿あらわし』します……心配しないでください……」

「わしは心配しておらぬ、ハリー」

凍るような海中だったが、ダンブルドアの声がわずかに力強くなった。

「君と一緒じゃからのう」

第27章　稲妻に撃たれた塔

　星空の下に戻ると、ハリーはダンブルドアを一番近くの大岩の上に引っ張り上げ、抱きかかえて立たせた。ぐしょぬれで震えながら、ダンブルドアの重みを支え、ハリーはこんなに集中したことはないと思われるほど真剣に、目的地を念じた。ホグズミードだ。目を閉じ、ダンブルドアの腕をしっかり握り、ハリーは押しつぶされるような恐ろしい感覚の中に踏み入った。

　目を開ける前から、ハリーは成功したと思った。潮の香も潮風も消えていた。ダンブルドアと二人、ハリーはホグズミードのハイストリート通りの真ん中に、水を滴らせ、震えながら立っていた。一瞬、店の周辺からまたしても亡者たちが忍び寄ってくるような恐ろしい幻覚を見たが、瞬《まばた》きしてみると、何もうごめいてはいなかった。すべてが静まり返り、わずかな街灯と何軒かの二階の窓の明かりのほかは、真っ暗だった。

「やりました、先生！」

　ハリーはささやくのがやっとだった。急にみずおちに刺し込むような痛みを覚えた。

「やりました！　分霊箱を手に入れました！」

　ダンブルドアがぐらりとハリーに倒れかかった。一瞬、自分の未熟な「姿あらわし」のせいで、ダンブルドアがバランスを崩したのではないかと思ったが、次の瞬間、遠い街灯の明かりに照らされたダンブルドアの顔が、いっそう青白く衰弱しているのが見えた。

「先生、大丈夫ですか？」

「最高とは言えんのう」

ダンブルドアの声は弱々しかったが、唇の端がヒクヒク動いた。

「あの薬は……健康ドリンクではなかったでのう……」

そして、ダンブルドアは地面にくずおれた。ハリーは戦慄した。

「先生――大丈夫です。きっとよくなります。心配せずに――」

ハリーは助けを求めようと必死の思いで周りを見回したが、人影はない。ハリーは、ダンブルドアをなんとかして早く医務室に連れていかなければならない、ということしか思いつかなかった。

「先生を学校に連れて帰らなければなりません……マダム・ポンフリーが……」

「いや」ダンブルドアが言った。

「必要なのは……スネイプ先生じゃ……しかし、どうやら……いまのわしは遠くまでは歩けぬ……」

「わかりました――先生、いいですか――僕がどこかの家のドアをたたいて、先生が休める所を見つけます――それから走っていって、連れてきます。マダム――」

「セブルスじゃ」ダンブルドアがはっきりと言った。

「セブルスが必要じゃ……」

「わかりました。それじゃスネイプを――でも、しばらく先生をひとりにしないと――」

しかし、ハリーが行動を起こさないうちに、誰かの走る足音が聞こえた。ハリーは心が躍った。誰かが見つけてくれた。助けが必要なことに気づいてくれた――見回すと、マダム・ロスメルタが暗い通りを小走りに駆けてくるのが見えた。かかとの高いふわふわした室内ばきをはき、ドラゴンの刺繍《ししゅう》をした絹の部屋着を着ている。

「寝室のカーテンを閉めようとしていたら、あなたが『姿あらわし』するのが見えたの！　よかった、よかったわ。どうしたらいいのかわからなくて――まあ、アルバスに何かあったの？」

マダム・ロスメルタは息を切らしながら立ち止まり、目を見開いてダンブルドアを見下ろした。

「けがをしてるんです」ハリーが言った。

「マダム・ロスメルタ、僕が学校に行って助けを呼んでくるまで、先生を『三本の箒《ほうき》』で休ませてくれますか？」

「ひとりで学校に行くなんてできないわ！　わからないの――？　見なかったの――？」

「一緒に先生を支えてくだされば」ハリーは、ロスメルタの言ったことを聞いていなかった。「中まで運べると思います――」

「何があったのじゃ？」ダンブルドアが聞いた。「ロスメルタ、何かあったのか？」

「や――『闇の印』よ、アルバス」

そして、マダム・ロスメルタはホグワーツの方角の空を指差した。その言葉で背筋がぞっと寒くなり、ハリーは振り返って空を見た。

学校の上空に、確かにあの印があった。蛇の舌を出した緑色のどくろが、ギラギラ輝いている。死喰《しく》い人が侵入したあとに残す印だ……誰かを殺したときに残す印だ……。

「いつ現れたのじゃ？」

ダンブルドアが聞いた。立ち上がろうとするダンブルドアの手が、ハリーの肩に痛いほど食い込んだ。

「数分前にちがいないわ。猫を外に出したときにはありませんでしたもの。でも二階に上がったときに――」

「すぐに城に戻らねばならぬ」

ダンブルドアが言った。少しよろめきはしたが、しっかり事態を掌握していた。

「ロスメルタ、輸送手段が必要じゃ――箒が――」

「バーのカウンターの裏に、二、三本ありますわ」ロスメルタはおびえていた。

「行って取ってきましょうか――?」

「いや、ハリーに任せられる」

ハリーは、すぐさま杖《つえ》を上げた。

「**アクシオ、ロスメルタの箒よ、来い**」

たちまち大きな音がして、パブの入口の扉がパッと開き、箒が二本、勢いよく表に飛び出した。箒は抜きつ抜かれつハリーの脇まで飛んできて、かすかに振動しながら、腰の高さでぴたりと止まった。

「ロスメルタ、魔法省への連絡を頼んだぞ」

ダンブルドアは自分に近いほうの箒にまたがりながら言った。

「ホグワーツの内部の者は、まだ異変に気づいておらぬやもしれぬ……ハリー、透明マントを着るのじゃ」

ハリーはポケットからマントを取り出してかぶってから、箒にまたがった。ハリーとダンブルドアが地面を蹴って空に舞い上がったときには、マダム・ロスメルタは、すでにハイヒールの室内ばきでよろけながらパブに向かって小走りに駆けだしていた。

城を目指して速度を上げながら、ハリーは、ダンブルドアが落ちるようなことがあればすぐさま支えられるようにと、ちらちら横を見た。しかし、「闇の印」はダンブルドアにとって、刺激剤のような効果をもたらしたらしい。印を見すえて、長い銀色の髪とひげとを夜空になびかせながら、ダンブルドアは箒に低くかがみ込んでいた。ハリーも前方のどくろを見すえた。恐怖が泡立つ毒のように肺をしめつけ、ほかのいっさいの苦痛を念頭から追い出してしまった……。

二人は、どのくらいの時間、留守にしていたのだろう。ロンやハーマイオニー、ジニーの幸運は、もう効き目が切れたのだろうか？　学校の上空にあの印が上がったのは、三人のうちの誰かに何かあったからなのだろうか、それともネビルかルーナか？　ＤＡのメンバーの誰かではないだろうか？　そしてもしそうなら……廊下をパトロールしろと言ったのは自分だ。ベッドにいれば安全なのに、ベッドを離れるように頼んだのは自分だ……またしても僕のせいで、友人が死んだのだろうか？

出発のときに歩いた、曲がりくねった暗い道の上空を飛びながら、耳元で鳴る夜風のヒューヒューという音の合間に、ハリーは、ダンブルドアがまたしても不可解な言葉を唱えるのを聞いた。校庭に入る境界線を飛び越えた瞬間、箒が振動するのを感じた理由が、ハリーにはわかった。ダンブルドアは、自分が城にかけた呪文を解除し、二人が高速で突破できるようにしていたのだ。「闇の印」は、城で一番高い天文台の塔の真上で光っていた。そこで殺人があったのだろうか？

ダンブルドアは、塔の屋上の、銃眼つきの防壁をすでに飛び越え、箒から降りるところだった。ハリーもすぐあとからそのそばに降り、あたりを見回した。

防壁の内側には人影がない。城の内部に続く螺旋《らせん》階段の扉は閉まったままだ。争いの跡も、死闘がくり広げられた形跡もなく、死体すらない。

「どういうことでしょう？」

ハリーは、頭上に不気味に光る蛇舌のどくろを見上げながら、ダンブルドアに問いかけた。

「あれはほんとうの印でしょうか？　誰かがほんとうに——先生？」

印が放つかすかな緑の光で、黒ずんだ手で胸を押さえているダンブルドアが見えた。

「セブルスを起こしてくるのじゃ」

ダンブルドアはかすかな声で、しかしはっきりと言った。

「何があったかを話し、わしの所へ連れてくるのじゃ。ほかには何もするでないぞ。ほかの誰にも話をせず、透明マントを脱がぬよう。わしはここで待っておる」

「でも――」

「わしに従うと誓ったはずじゃ、ハリー――行くのじゃ！」

ハリーは螺旋階段の扉へと急いだ。しかし扉の鉄の輪に手が触れたとたん、扉の内側から誰かが走ってくる足音が聞こえた。振り返ると、ダンブルドアは退却せよと身振りで示していた。ハリーは杖をかまえながらあとずさりした。

扉が勢いよく開き、誰かが飛び出して叫んだ。

「**エクスペリアームス！　武器よ去れ！**」

ハリーはたちまち体が硬直して動かなくなり、まるで不安定な銅像のように倒れて、塔の防壁に支えられるのを感じた。動くことも口をきくこともできない。どうしてこんなことになったのか、ハリーにはわからなかった――「**エクスペリアームス**」は「凍結呪文」とはちがうのに――。

その時、「闇の印」の明かりで、ダンブルドアの杖が弧を描いて防壁の端を越えて飛んでいくのが見え、事態がのみ込めた……ダンブルドアが無言でハリーを動けなくしたのだ。その術をかける一瞬のせいで、ダンブルドアは自分を護《まも》るチャンスを失ったのだ。

血の気の失《う》せた顔で、防壁を背にして立ちながらも、ダンブルドアには恐怖や苦悩の影すらない。自分の武器を奪った相手に目をやり、ただ一言こう言った。

「こんばんは、ドラコ」

マルフォイが進み出た。すばやくあたりに目を配り、ダンブルドアと二人きりかどうかを確かめた。二本目の箒に目が走った。

「ほかに誰かいるのか？」

「わしのほうこそ聞きたい。君一人の行動かね？」

「闇の印」の緑の光で、マルフォイの薄い色の目がダンブルドアに視線を戻すのが見えた。

「ちがう」マルフォイが言った。「援軍がある。今夜この学校には死喰い人がいるんだ」

「ほう、ほう」

ダンブルドアはまるで、マルフォイががんばって仕上げた宿題を見ているような言い方をした。

「なかなかのものじゃ。君が連中を導き入れる方法を見つけたのかね？」

「そうだ」マルフォイは息を切らしていた。

「校長の目と鼻の先なのに、気がつかなかったろう！」

「よい思いつきじゃ」ダンブルドアが言った。

「しかし……失礼ながら……その連中はいまどこにいるのかね？　君の援軍とやらは、いないようだが」

「そっちの護衛に出くわしたんだ。下で戦ってる。追っつけ来るだろう……僕は先に来たんだ。僕には──僕にはやるべきことがある」

「おう、それなら、疾《と》くそれに取りかからねばなるまいのう」ダンブルドアがやさしく言った。

沈黙が流れた。ハリーは自分の体に閉じ込められ、身動きもできず、姿を隠したまま二人を見つめ、遠くに死喰い人の戦いの音が聞こえはしないかと、耳を研ぎ澄ましていた。ハリーの目の前で、ドラコ・マルフォイはアルバス・ダンブルドアをただ見つめていた。ダンブルドアは、なんと、ほほえんだ。

「ドラコ、ドラコ、君には人は殺せぬ」

「わかるもんか」ドラコが切り返した。

その言い方がいかにも子供っぽいと自分でも気づいたらしく、ハリーはドラコが顔を赤らめるのを、緑の明かりの下で見た。

「僕に何ができるかなど、校長にわかるものか」

マルフォイは前より力強く言った。

「これまで僕がしてきたことだって知らないだろう！」

「いやいや、知っておる」ダンブルドアがおだやかに言った。

「君はケイティ・ベルとロナルド・ウィーズリーを危うく殺すところじゃった。この一年間、君はわしを殺そうとして、だんだん自暴自棄になっていた。失礼じゃが、ドラコ、全部中途半端な試みじゃったのう……あまりに生半可なので、正直言うて君が本気なのかどうか、わしは疑うた……」

「本気だった！」マルフォイが激しい口調で言った。

「この一年、僕はずっと準備してきた。そして今夜――」

城のずっと下のほうから、押し殺したような叫び声がハリーの耳に入ってきた。マルフォイは、ぎくりと体をこわばらせて後ろを振り返った。

「誰かが善戦しているようじゃの」

ダンブルドアは茶飲み話でもしているようだった。

「しかし、君が言いかけておったのは……おう、そうじゃ、死喰い人を、この学校に首尾よく案内してきたということじゃのう。それは、さすがにわしも不可能じゃと思うておったのじゃが……どうやったのかね？」

しかしマルフォイは答えなかった。下のほうで何事か起こっているのに耳を澄ましたまま、ほとんどハリーと同じぐらい体を硬直させていた。

「君一人で、やるべきことをやらねばならぬかもしれんのう」ダンブルドアがうながした。

「わしの護衛が、君の援軍をくじいてしまったとしたらどうなるかの？　たぶん気づいておろうが、今夜ここには、『不死鳥の騎士団』の者たちも来ておる。それに、いずれにせよ、君には援護など必要ない……わしはいま、杖を持たぬ……自衛できんのじゃ」

マルフォイは、ダンブルドアを見つめただけだった。

「なるほど」

マルフォイが、しゃべりもせず動きもしないので、ダンブルドアがやさしく言った。

「みんなが来るまで、怖くて行動できないのじゃな」

「怖くない！」

マルフォイが唸《うな》った。しかし、まだまったくダンブルドアを傷つける様子がない。

「そっちこそ怖いはずだ！」

「なぜかね？　ドラコ、君がわしを殺すとは思わぬ。無垢《むく》な者にとって、人を殺すことは、思いのほか難しいものじゃ……それでは、君の友達が来るまで、聞かせておくれ……どうやって連中を潜入させたのじゃね？　準備が整うまで、ずいぶんと時間がかかったようじゃが」

マルフォイは、叫びだしたい衝動か、突き上げる吐き気と戦っているかのようだった。ダンブルドアの心臓にぴたりと杖を向けてにらみつけながら、マルフォイはゴクリとつばを飲み、数回深呼吸した。それからこらえきれなくなったように口を開いた。

「壊れて、何年も使われていなかった『姿をくらますキャビネット棚』を直さなければならなかったんだ。去年、モンタギューがその中で行方不明になったキャビネットだ」

「あぁぁー」

ダンブルドアのため息は、うめきのようでもあった。ダンブルドアはしばらく目を閉じた。

「賢いことじゃ……確か、対になっておったのう？」

「もう片方は、『ボージン・アンド・バークス』の店だ」マルフォイが言った。

「二つの間に通路のようなものができるんだ。モンタギューが、ホグワーツにあったキャビネット棚に押し込まれたとき、どっちつかずに引っかかっていたけど、ときどき学校で起こっていることが聞こえたし、ときどき店の出来事も聞こえたと話してくれた。まるで棚が二か所の間を往《い》ったり来たりしているみたいに。しかし自分の声は誰にも届かなかったって……結局あいつは、試験にはパスしていなかったけど、無理やり『姿あらわし』したんだ。おかげで死にかけた。みんなは、おもしろいでっち上げ話だと思っていたけど、僕だけはその意味がわかった――ボージンでさえ知らなかった――壊れたキャビネット棚を修理すれば、それを通ってホグワーツに入る方法があるだろうと気づいたのは、この僕だ」

「見事じゃ」ダンブルドアがつぶやいた。

「それで、死喰い人たちは、君の応援に、『ボージン・アンド・バークス』からホグワーツに入り込むことができたのじゃな……賢い計画じゃ、実に賢い……それに、君も言うたように、わしの目と鼻の先じゃ……」

「そうだ」

マルフォイは、ダンブルドアにほめられたことで、皮肉にも勇気となぐさめを得たようだった。

「そうなんだ！」

「しかし、時には――」ダンブルドアが言葉を続けた。「キャビネット棚を修理できないのではないかと思ったこともあったのじゃろうな？　そこで、粗雑で軽率な方法を使おうとしたのう。どう考えてもほかの者の手に渡ってしまうのに、呪われたネックレスをわしに送ってみたり……わしが飲む可能性はほとんどないのに、蜂蜜酒に毒を入れてみたり……」

「そうだ。だけど、それでも誰が仕組んだのか、わからなかったろう？」

マルフォイがせせら笑った。ダンブルドアの体が、防壁にもたれたままわずかにずり落ちた。足の力が弱ってきたにちがいない。ハリーは自分を縛っている呪文に抗《あらが》って、声もなくむなしくもがいた。

「実はわかっておった」ダンブルドアが言った。「君にまちがいないと思っておった」

「じゃ、なぜ止めなかった？」マルフォイが詰め寄った。

「そうしようとしたのじゃよ、ドラコ。スネイプ先生が、わしの命を受けて、君を見張っておった――」

「あいつは**校長**の命令で動いていたんじゃない。僕の母上に約束して――」

「もちろん、ドラコ、スネイプ先生は、君にはそう言うじゃろう。しかし――」

「あいつは二重スパイだ。あんたも老いぼれたものだ。あいつは校長のために働いていたんじゃない。あんたがそう思い込んでいただけだ！」

「その点は、意見がちがうと認め合わねばならんのう、ドラコ。わしは、スネイプ先生を信じておるのじゃ――」

「それじゃ、あんたには事態がわかってないってことだ！」マルフォイがせせら笑った。

「あいつは僕を助けたいとさんざん持ちかけてきた――全部自分の手柄にしたかったんだ――一枚加わりたかったんだ――『何をしておるのかね？　君がネックレスを仕掛けたのか？　あれは愚かしいことだ。全部だいなしにしてしまったかもしれん――』。だけど僕は、『必要の部屋』で何をしているのか、あいつに教えなかった。あした、あいつが目を覚ましたときには全部終わっていて、もうあいつは、闇の帝王のお気に入りじゃなくなるんだ。僕に比べればあいつは何者でもなくなる。ゼロだ！」

「満足じゃろうな」

ダンブルドアがおだやかに言った。

「誰でも、一生懸命やったことをほめてほしいものじゃ、もちろんのう……しかし、それにしても君には共犯者がいたはずじゃ……ホグズミードの誰かが。ケイティにこっそりあれを手渡す――あれを――あぁぁ……」

ダンブルドアは再び目を閉じてこくりとうなずいた。まるでそのまま眠り込むかのようだった。

「……もちろん……ロスメルタじゃ。いつから『服従の呪文』にかかっておるのじゃ？」

「やっとわかったようだな」マルフォイがあざけった。

下のほうから、また叫び声が聞こえた。今度はもっと大きい声だった。マルフォイはびくっとしてまた振り返ったが、すぐダンブルドアに視線を戻した。ダンブルドアは言葉を続けた。

「それでは、哀れなロスメルタが、店のトイレで待ち伏せして、一人でトイレにやってくるホグワーツの学生の誰かにネックレスを渡すよう、命令されたというわけじゃな？　それに毒入り蜂蜜酒……ふむ、当然ロスメルタなら、わしへのクリスマスプレゼントだと信じて、スラグホーンにボトルを送る前に、君にかわって毒を盛ることもできた……実に鮮やかじゃ……実に……哀れむべきフィルチさんは、ロスメルタのボトルを調べようなどとは思うまい……どうやってロスメルタと連絡を取っていたか、話してくれるかの？　学校に出入りする通信手段は、すべて監視されていたはずじゃが」

「コインに呪文をかけた」

杖を持った手がひどく震えていたが、マルフォイは、話し続けずにはいられないかのようにしゃべった。

「僕が一枚、あっちがもう一枚だ。それで僕が命令を送ることができた――」

「『ダンブルドア軍団』というグループが先学期に使った、秘密の伝達手段と同じものではないかな？」

ダンブルドアが聞いた。気軽な会話をしているような声だったが、ハリーは、ダンブルドアがそう言いながらまた二、三センチずり落ちるのに気がついた。

「ああ、あいつらからヒントを得たんだ」

マルフォイはゆがんだ笑いを浮かべた。

「蜂蜜酒に毒を入れるヒントも、『穢《けが》れた血』のグレンジャーからもらった。図書館であいつが、フィルチは毒物を見つけられないと話しているのを聞いたんだ」

「わしの前で、そのような侮蔑的な言葉は使わないでほしいものじゃ」

ダンブルドアが言った。マルフォイが残忍な笑い声を上げた。

「いまにも僕に殺されるというのに、この僕が、『穢れた血』と言うのが気になるのか？」

「気になるのじゃよ」ダンブルドアが言った。

まっすぐ立ち続けようと踏んばって、ダンブルドアの両足が床を上すべりするのを、ハリーは見た。

「しかし、いまにもわしを殺すということについては、ドラコよ、すでに数分という長い時間がたったし、ここには二人しかおらぬ。わしはいま丸腰で、君が夢にも思わなかったほど無防備じゃ。にもかかわらず、君はまだ行動を起こさぬ……」

ひどく苦いものを口にしたかのように、マルフォイの口が思わずゆがんだ。

「さて、今夜のことじゃが」ダンブルドアが続けた。

「どのように事が起こったのか、わしには少しわからぬところがある……君はわしが学校を出たことを知っていたのかね？　いや、なるほど」

ダンブルドアは、自分で自分の質問に答えた。

「ロスメルタが、わしが出かけるところを見て、君の考えたすばらしいコインを使って、君に知らせたのじゃ。そうにちがいない……」

「そのとおりだ」マルフォイが言った。

「だけど、ロスメルタは校長が一杯飲みに出かけただけで、すぐ戻ってくると言った……」

「なるほど、確かにわしは飲み物を飲んだのう……そして、戻ってきた……かろうじてじゃが」

ダンブルドアがつぶやくように言った。

「それで君は、わしを罠《わな》にかけようとしたわけじゃの？」

「僕たちは、『闇の印』を塔の上に出して、誰が殺されたのかを調べに、校長が急いでここに戻るようにしようと決めたんだ」マルフォイが言った。「そして、うまくいった！」

「ふむ……そうかもしれぬし、そうでないかもしれぬ……」ダンブルドアが言った。

「それでは、殺された者はおらぬと考えていいのじゃな？」

「誰かが死んだ」マルフォイの声が、一オクターブ高くなったように思われた。

「そっちの誰かだ……誰かわからなかった。暗くて……僕が死体をまたいだ……僕は校長が戻ったときに、ここで待ちかまえているはずだった。ただ、『不死鳥』のやつらが邪魔して……」

「さよう。そういうくせがあるでのう」ダンブルドアが言った。

下から聞こえる騒ぎや叫び声が、一段と大きくなった。今度は、ダンブルドア、マルフォイ、ハリーのいる屋上に直接つながる螺旋階段で戦っているような音だった。ハリーの心臓は、透明の胸の中で誰にも聞こえはしなかったが、雷のようにとどろいた……誰かが死んだ……マルフォイが死体をまたいだ……誰だったんだ？

「いずれにせよ時間がない」ダンブルドアが言った。

「君の選択肢を話し合おうぞ、ドラコ」

「**僕の選択肢！**」マルフォイが大声で言った。

「僕は杖を持ってここに立っている――校長を殺そうとしている――」

「ドラコよ、もう虚仮威《こけおど》しはおしまいにしようぞ。わしを殺すつもりなら、最初にわしを『武装解除』したときにそうしていたじゃろう。方法論をあれこれと楽しくおしゃべりして、時間を費やすことはなかったじゃろう」

「僕には選択肢なんかない！」

マルフォイが言った。そして突然、ダンブルドアと同じぐらい蒼白《そうはく》になった。

「僕はやらなければならないんだ！　あの人が僕を殺す！　僕の家族を皆殺しにする！」

「君の難しい立場はよくわかる」ダンブルドアが言った。

「わしがいままで君に対抗しなかった理由が、それ以外にあると思うかね？　わしが君を疑っていると、ヴォルデモート卿《きょう》に気づかれてしまえば、君は殺されてしまうと、わしにはわかっていたのじゃ」

マルフォイはその名を聞いただけでひるんだ。

「君に与えられた任務のことは知っておったが、それについて君と話をすることができなんだ。あの者が君に対して『開心術』を使うかもしれぬからのう」

ダンブルドアが語り続けた。

「しかしいまやっと、お互いに率直な話ができる……何も被害はなかった。君は誰をも傷つけてはおらぬ。もっとも予期せぬ犠牲者たちが死ななかったのは、君にとって非常に幸運なことではあったのじゃが……ドラコ、わしが助けてしんぜよう」

「できっこない」

マルフォイの杖を持った手が激しく震えていた。

「誰にもできない。あの人が僕にやれと命じた。やらなければ殺される。僕にはほかに道がない」

「ドラコ、我々の側に来るのじゃ。我々は、君の想像もつかぬほど完璧に、君をかくまうことができるのじゃ。その上、わしが今夜『騎士団』の者を母上のもとにつかわして、母上をもかくまうことができる。父上のほうは、いまのところアズカバンにいて安全じゃ……時が来れば、父上も我々が保護しよう……正しいほうにつくのじゃ、ドラコ……君は殺人者ではない……」

マルフォイはダンブルドアをじっと見つめた。

「だけど、僕はここまでやりとげたじゃないか」ドラコがゆっくりと言った。

「僕が途中で死ぬだろうと、みんながそう思っていた。だけど、僕はここにいる……そして校長は僕の手中にある……杖を持っているのは僕だ……あんたは僕のお情けで……」

「いや、ドラコ」

ダンブルドアが静かに言った。

「いま大切なのは、君の情けではなく、わしの情けなのじゃ」

マルフォイは無言だった。口を開け、杖を持つ手がまだ震えていた。ハリーには、心なしかマルフォイの杖がわずかに下がったように見えた――。

しかし、突然、階段を踏み鳴らして駆け上がってくる音がして、次の瞬間、マルフォイは、屋上に躍り出た黒いローブの四人に押しのけられた。身動きできず、瞬《まばた》きできない目を見開いて、恐怖にかられながら、ハリーは四人の侵入者を見つめた。階下の戦いは、死喰い人が勝利したらしい。

ずんぐりした男が、奇妙に引きつった薄ら笑いを浮かべながら、グググッと笑った。

「ダンブルドアを追い詰めたぞ！」

男は、妹かと思われるずんぐりした小柄な女のほうを振り向きながら言った。女は勢い込んでニヤニヤ笑っていた。

「ダンブルドアには杖がない。一人だ！　よくやった、ドラコ、よくやった！」

「こんばんは、アミカス」

ダンブルドアはまるで茶会に客を迎えるかのように、落ち着いて言った。

「それにアレクトもお連れくださったようじゃな……ようおいでくだされた……」

女は怒ったように、小さく忍び笑いをした。

「死の床で、冗談を言えば助かると思っているのか？」女があざけった。

「冗談とな？　いや、いや、礼儀というものじゃ」ダンブルドアが答えた。

「殺《や》れ」

ハリーの一番近くに立っていた、もつれた灰色の髪の、大柄で手足の長い男が言った。動物のような口ひげが生えている。死喰い人の黒いローブがきつすぎて、着心地が悪そうだった。ハリーが聞いたこともない種類の、神経を逆なでするような吠《ほ》え声だ。泥と汗、それにまちがいなく血のにおいがまじった強烈な悪臭がハリーの鼻をついた。汚らしい両手に長い黄ばんだ爪が伸びている。

「フェンリールじゃな？」ダンブルドアが聞いた。

「そのとおりだ」男がしわがれ声で言った。

「会えてうれしいか、ダンブルドア？」

「いや、そうは言えぬのう……」

フェンリール・グレイバックは、とがった歯を見せてニヤリと笑った。血をたらたらとあごに滴らせ、グレイバックはゆっくりといやらしく唇をなめた。

「しかしダンブルドア、俺が子供好きだということを知っているだろうな」

「いまでは満月を待たずに襲っているということかな？　異常なことじゃ……毎月一度では満足できぬ

ほど、人肉が好きになったのか？」

「そのとおりだ」グレイバックが言った。

「驚いたかね、え？　ダンブルドア？　怖いかね？」

「はてさて、多少嫌悪感を覚えるのを隠すことはできまいのう」ダンブルドアが言った。

「それに、確かに驚いたのう。このドラコが、友人の住むこの学校に、よりによって君のような者を招待するとは……」

「僕じゃない」

マルフォイが消え入るように言った。グレイバックから目をそむけ、ちらりとでも見たくないという様子だった。

「こいつが来るとは知らなかったんだ――」

「ダンブルドア、俺はホグワーツへの旅行を逃すようなことはしない」

グレイバックがしわがれ声で言った。

「食い破るのどがいくつも待っているというのに……うまいぞ、うまいぞ……」

グレイバックは、ダンブルドアに向かってニタニタ笑いながら、黄色い爪で前歯の間をほじった。

「おまえをデザートにいただこうか。ダンブルドア」

「だめだ」

四人目の死喰い人が鋭く言った。厚ぼったい野蛮な顔をした男だ。

「我々は命令を受けている。ドラコがやらねばならない。さあ、ドラコ、急げ」

マルフォイはいっそう気がくじけ、おびえた目でダンブルドアの顔を見つめていた。ダンブルドアはますます青ざめ、防壁に寄りかかった体がさらにずり落ちたせいで、いつもより低い位置に顔があった。

「俺に言わせりゃ、こいつはどうせもう長い命じゃない！」

ゆがんだ顔の男が言うと、妹がググググッと笑ってあいづちを打った。

「なんてざまだ――いったいどうしたんだね、ダンビー？」

「ああ、アミカス、抵抗力が弱り、反射神経が鈍くなってのう」ダンブルドアが言った。「要するに、年じゃよ……そのうち、おそらく、君も年を取る……君が幸運ならばじゃが……」

「何が言いたいんだ？　え？　何が言いたいんだ？」男は急に乱暴になった。「相変わらずだな、え？　ダンビー。口ばかりで何もしない。なんにも。闇の帝王が、なぜわざわざおまえを殺そうとするのか、わからん！　さあ、ドラコ、やれ！」

しかしその時、またしても下から、気ぜわしく動く音、大声で叫ぶ声が聞こえた。

「**連中が階段を封鎖した――レダクト！　粉々！　レダクト！**」

ハリーは心が躍った。この四人が相手を全滅させたわけじゃない。戦いを抜け出して塔の屋上に来ただけだ。そしてどうやら、背後に障壁を作ってきたらしい――。

「さあ、ドラコ、早く！」野蛮な顔の男が、怒ったように言った。

しかし、マルフォイの手はどうしようもなく震え、ねらいさえ定められなかった。

「俺がやる」

グレイバックが両手を突き出し、牙をむいて唸りながら、ダンブルドアに向かっていった。

「だめだと言ったはずだ！」

野蛮な顔の男が叫んだ。閃光《せんこう》が走り、狼男《おおかみおとこ》が吹き飛ばされた。グレイバックは防壁に衝突し、憤怒の形相でよろめいた。ハリーの胸は激しく動悸《どうき》していた。ダンブルドアの呪文に閉じ込められてそこにいる自分の気配を、そばの誰かが聞きつけないはずはないと思われた――動けさえしたら、透明マントの下から呪いをかけられるのに――。

「ドラコ、殺るんだよ。さもなきゃ、おどき。かわりに誰かが――」

女がかん高い声で言った。ちょうどその時、屋上への扉が再びパッと開き、スネイプが杖を引っさげて現れた。暗い目がすばやくあたりを見回し、防壁に力なく寄りかかっているダンブルドアから、怒り狂った狼男をふくむ四人の死喰い人、そしてマルフォイへと、スネイプの目が走った。

「スネイプ、困ったことになった」

ずんぐりしたアミカスが、目と杖でダンブルドアをしっかりととらえたまま言った。

「この坊主にはできそうもない――」

その時、誰かほかの声が、スネイプの名をひっそりと呼んだ。

「セブルス……」

その声は、今夜のさまざまな出来事の中でも、一番ハリーをおびえさせた。初めて、ダンブルドアが懇願している。

スネイプは無言で進み出て、荒々しくマルフォイを押しのけた。三人の死喰い人は一言も言わずに後ろに下がった。狼男でさえおびえたように見えた。

スネイプは一瞬、ダンブルドアを見つめた。その非情な顔のしわに、嫌悪と憎しみが刻まれていた。

「セブルス……頼む……」

スネイプは杖を上げ、まっすぐにダンブルドアをねらった。

「**アバダ　ケダブラ！**」

緑の閃光がスネイプの杖先からほとばしり、ねらいたがわずダンブルドアの胸に当たった。ハリーの恐怖の叫びは、声にならなかった。沈黙し、動くこともできず、ハリーはダンブルドアが空中に吹き飛ばされるのを見ているほかなかった。ほんのわずかの間、ダンブルドアは光るどくろの下に浮いているように見えた。それから、仰向けにゆっくりと、大きなやわらかい人形のように、ダンブルドアは屋上の防壁のむこう側に落ちて、姿が見えなくなった。

第28章　プリンスの逃亡

　ハリーは自分も空を飛んでいるような気がした。**ほんとうのことじゃない……ほんとうのことであるはずがない……。**

「ここから出るのだ。早く」スネイプが言った。

　スネイプはマルフォイの襟首をつかみ、真っ先に扉から押し出した。グレイバックと、ずんぐりした兄妹がそのあとに続いた。二人とも興奮に息をはずませている。三人がいなくなったとき、ハリーはもう体が動かせることに気づいた。まひしたまま防壁に寄りかかっているのは、魔法のせいではなく、恐怖とショックのせいだった。残忍な顔の死喰《しく》い人が、最後に塔の屋上から扉のむこうに消えようとした瞬間、ハリーは透明マントをかなぐり捨てた。

「**ペトリフィカス　トタルス！　石になれ！**」

　四人目の死喰い人はろう人形のように硬直し、背中を硬いもので打たれたかのように、ばったりと倒れた。その体が倒れるか倒れないうちに、ハリーはもう、その死喰い人を乗り越え、暗い階段を駆け下りていた。

　恐怖がハリーの心臓を引き裂いた……ダンブルドアの所へ行かなければならないし、スネイプを捕らえなければならない……二つのことがなぜか関連していた……二人を一緒にすれば、起こってしまった出来事をくつがえせるかもしれない……ダンブルドアが死ぬはずはない……。

　ハリーは螺旋《らせん》階段の最後の十段をひと飛びに飛び下り、杖《つえ》をかまえてその場に立ち止まった。薄暗い廊下はもうもうとほこりが立っていた。天井の半分は落ち、ハリーの目の前で戦いがくり広げられていた。しかし、誰が誰と戦っているのかを見極めようとしたその時、あの憎むべき声が叫んだ。

「**終わった。行くぞ！**」

スネイプの姿が廊下の向こう端から、角を曲がって消えようとしていた。スネイプとマルフォイは、無傷のままで戦いからの活路を見出したらしい。ハリーがそのあとを追いかけて突進したとき、誰かが乱闘から離れてハリーに飛びかかった。狼男《おおかみおとこ》のグレイバックだった。ハリーが杖を掲げる間もなく、グレイバックがのしかかってきた。ハリーは仰向けに倒れた。汚らしいもつれた髪がハリーの顔にかかり、汗と血の悪臭が鼻とのどを詰まらせ、血に飢えた熱い息がハリーののど元に――。

「**ペトリフィカス　トタルス！　石になれ！**」

ハリーは、グレイバックが自分の体の上に倒れ込むのを感じた。満身の力でハリーは狼男を押しのけ、床に転がした。その時、緑の閃光《せんこう》がハリーめがけて飛んできた。ハリーはそれをかわして、乱闘の中に頭から突っ込んでいった。床に転がっていた何かグニャリとしたすべりやすいものに、ハリーは足を取られて倒れた。二つの死体が血の海にうつ伏せになっている。しかし、調べているひまはない。今度は目の前で炎のように舞っている赤毛が目に入った。ジニーが、ずんぐりした死喰い人のアミカスとの戦いに巻き込まれている。アミカスが次々と投げつける呪詛《じゅそ》を、ジニーがかわしていた。アミカスはグッグッと笑いながら、スポーツでも楽しむようにからかっていた。

「**クルーシオ、苦しめ――クルーシオ――**いつまでも踊っちゃいられないよ、お嬢ちゃん――」

「**インペディメンタ！　妨害せよ！**」ハリーが叫んだ。

呪いはアミカスの胸に当たった。キーッと豚のような悲鳴を上げて吹っ飛んだアミカスは、反対側の壁に激突して壁伝いにずるずるとずり落ち、ロン、マクゴナガル先生、ルーピンの背後に姿を消した。

三人も、それぞれ死喰い人との一騎打ちの最中だ。そのむこうで、トンクスが巨大なブロンドの魔法使いと戦っているのが見えた。その男の、所かまわず飛ばす呪文が、周りの壁に跳ね返って石を砕き、近くの窓を粉々にしている――。

「ハリー、どこから出てきたの？」

ジニーが叫んだが、それに答えている間はなかった。ハリーは頭を低くし、先を急いで走った。頭上で何かが炸裂《さくれつ》するのを、ハリーは危うくかわしたが、壊れた壁があたり一面に降り注いだ。スネイプを逃がすわけにはいかない。スネイプに追いつかなければならない――。

「**これでもか！**」マクゴナガル先生が叫んだ。

ハリーがちらと目をやると、死喰い人のアレクトが両腕で頭を覆いながら、廊下を走り去るところだった。兄の死喰い人がそのすぐあとを走っている。ハリーは二人を追いかけようとした。ところが、何かにつまずき、次の瞬間、ハリーは誰かの足の上に倒れていた。見回すと、ネビルの丸顔が、蒼白《そうはく》になって床に張りついているのが目に入った。

「ネビル、大丈――？」

「だいじょぶ」

ネビルは、腹を押さえながらつぶやくように言った。

「ハリー……スネイプとマルフォイが……走っていった……」

「わかってる。任せておけ！」

ハリーは、倒れた姿勢のままで、一番派手に暴れまわっている巨大なブロンドの死喰い人めがけて呪詛をかけた。呪いが顔に命中して、男は苦痛の吠《ほ》え声を上げ、よろめきながらくるりと向きを変えて、兄妹のあとからドタバタと逃げ出した。

ハリーは急いで立ち上がり、背後の乱闘の音を無視して廊下を疾走した。戻れと叫ぶ声にも耳をかさず、床に倒れたまま生死もわからない人々の無言の呼びかけにも応えず……。

曲がり角でスニーカーが血ですべり、ハリーは横すべりした。スネイプはとっくの昔にここを曲がった――すでに「必要の部屋」のキャビネット棚に入ってしまったということもありうるだろうか？　それとも「騎士団」が棚を確保する措置を取って、死喰い人の退路を断っただろうか？

聞こえる音といえば、曲がり角から先の、人気のない廊下を走る自分の足音と、ドキドキという心臓の鼓動だけだ。その時、血染めの足跡を見つけた。少なくとも逃走中の死喰い人の一人は、正面玄関に向かったのだ――「必要の部屋」はほんとうに閉鎖されたのかもしれない――。

次の角をまた横すべりしながら曲がったとき、呪いがハリーのかたわらをかすめて飛んできた。鎧《よろい》の陰に飛び込むと、鎧が爆発した。兄妹の死喰い人が、行く手の大理石の階段を駆け下りていくのが見え、ハリーは二人をねらって呪いをかけたが、踊り場にかかった絵に描かれている、かつらをつけた魔女の何人かに当たっただけだった。肖像画の主たちは、悲鳴を上げて隣の絵に逃げ込んだ。壊れた鎧を乗り越えて飛び出したとき、ハリーはまたしても叫び声や悲鳴を聞いた。城の中のほかの人々が目を覚ましたらしい……。

兄妹に追いつきたい、スネイプとマルフォイを追い詰めたいと、ハリーは近道の一つへと急いだ。スネイプたちはまちがいなくもう、校庭に出てしまったはずだ。隠れた階段の真ん中あたりにある、消える一段を忘れずに飛び越し、ハリーは階段の一番下にあるタペストリーをくぐって外の廊下に飛び出した。そこには、とまどい顔のハッフルパフ生が大勢、パジャマ姿で立っていた。

「ハリー！　音が聞こえたんだ。誰かが『闇の印』のことを言ってた――」

アーニー・マクミランが話しかけてきた。

「どいてくれ！」

ハリーは叫びながら男の子を二人突き飛ばして、大理石の階段の踊り場に向かって疾走し、そこからまた階段を駆け下りた。樫《かし》の正面扉は吹き飛ばされて開いていた。敷石には血痕が見える。おびえた生徒たちが数人、壁を背に身を寄せ合って立ち、その中の一人、二人は両腕で顔を覆って、かがみ込んだままだった。巨大なグリフィンドールの砂時計が呪いで打ち砕かれ、中のルビーがゴロゴロと大きな音を立てながら、敷石の上を転がっている……。

ハリーは、玄関ホールを飛ぶように横切り、暗い校庭に出た。校門から出れば、三つの影が芝生を横切って校門に向かうのを、ハリーはようやっと見分けることができた。「姿くらまし」ができる——影から判断して、巨大なブロンドの死喰い人と、それより少し先に、スネイプとマルフォイだ……。

三人を追って矢のように走るハリーの肺を、冷たい夜気が切り裂いた。遠くでパッとひらめいた光が、ハリーの追う姿の輪郭を一瞬浮かび上がらせた。なんの光か、ハリーにはわからなかったが、かまわず走り続けた。まだ呪いでねらいを定められる距離にまで近づいていない——。

もう一度閃光が走り、叫び声と光の応酬——そしてハリーは事態をのみ込んだ。ハグリッドが小屋から現れ、死喰い人たちの逃亡を阻止しようとしていたのだ。息をするたびに胸が裂け、みずおちは燃えるように熱かったが、ハリーはますます速く走った。頭の中で勝手に声がした……**ハグリッドまでも……ハグリッドだけはどうか……**。

何かが背後からハリーの腰を強打した。ハリーは前のめりに倒れ、顔を打って鼻血が流れ出した。杖をかまえて転がりながら、相手が誰なのかはもうわかっていた。ハリーが近道を使っていったん追い越した兄妹が、後ろから迫ってきたのだ……。

「**インペディメンタ！　妨害せよ！**」

もう一度転がり、暗い地面に伏せながら、ハリーは叫んだ。呪文が奇跡的に一人に命中し、相手がよろめいて倒れ、もう一人をつまずかせた。ハリーは急いで立ち上がり、駆けだした。スネイプを追って……。

雲の切れ目から突然現れた三日月に照らされ、今度はハグリッドの巨大な輪郭が見えた。ブロンドの死喰い人が、森番めがけて矢継ぎ早に呪いをかけていたが、ハグリッドの並はずれた力と、巨人の母親から受け継いだ堅固な皮膚とが、ハグリッドを護《まも》っているようだった。しかし、スネイプとマルフォイは、まだ走り続けていた。もうすぐ校門の外に出てしまう。そして「姿くらまし」ができる――。

ハリーは、ハグリッドとその対戦相手の脇を猛烈な勢いで駆け抜け、スネイプの背中をねらって叫んだ。

「**ステューピファイ！　まひせよ！**」

はずれた。赤い閃光はスネイプの頭上を通り過ぎた。スネイプが叫んだ。

「**ドラコ、走るんだ！**」

そしてスネイプが振り向いた。二十メートルの間をはさみ、スネイプとハリーはにらみ合い、同時に杖をかまえた。

「**クルーシ**――」

しかしスネイプは呪いをかわし、ハリーは、呪詛を言い終えないうちに仰向けに吹き飛ばされた。一回転して立ち上がったその時、巨大な死喰い人が背後で叫んだ。

「**インセンディオ！　燃えよ！**」

バーンという爆発音がハリーの耳に聞こえ、あたり一面にオレンジ色の光が踊った。ハグリッドの小屋が燃えていた。

「ファングが中にいるんだぞ。この悪党め――！」ハグリッドが大声で叫んだ。

「**クルーシ**――」

踊る炎に照らされた目の前の姿に向かって、ハリーは再び叫んだ。しかしスネイプは、またしても呪文を阻止した。薄ら笑いを浮かべているのが見えた。

「ポッター、おまえには『許されざる呪文』はできん！」

炎が燃え上がる音、ハグリッドの叫ぶ声、閉じ込められたファングがキャンキャンと激しく吠える声を背後に、スネイプが叫んだ。

「おまえにはそんな度胸はない。その能力も――」

「**インカーセ**――」

ハリーは、吠えるように唱えた。しかしスネイプは、わずらわしげに、わずかに腕を動かしただけで、呪文を軽くいなした。

「戦え！」ハリーが叫んだ。

「戦え、臆病者――」

「臆病者？　ポッター、我輩をそう呼んだか？」スネイプが叫んだ。

「おまえの父親は、四対一でなければ、けっして我輩を攻撃しなかったものだ。そういう父親を、いったいどう呼ぶのかね？」

「**ステューピ**――」

「また防がれたな。ポッター、おまえが口を閉じ、心を閉じることを学ばぬうちは、何度やっても同じことだ」

スネイプはまたしても呪文をそらせながら、冷笑した。

「さあ、**行くぞ！**」

スネイプはハリーの背後にいる巨大な死喰い人に向かって叫んだ。

「もう行く時間だ。魔法省が現れぬうちに――」

「**インペディ**――」

しかし、呪文を唱え終わらないうちに、死ぬほどの痛みがハリーを襲った。ハリーはがっくりと芝生にひざをついた。誰かが叫んでいる。僕はこの苦しみできっと死ぬ。スネイプが僕を、死ぬまで、そうでなければ気が狂うまで拷問するつもりなんだ――。

「やめろ！」

スネイプの吠えるような声がして、痛みは、始まったときと同じように突然消えた。ハリーは杖を握りしめ、あえぎながら、暗い芝生に丸くなって倒れていた。どこか上のほうでスネイプが叫んでいた。

「命令を忘れたのか？　ポッターは、闇の帝王のものだ――手出しをするな！　行け！　行くんだ！」

兄妹と巨大な死喰い人が、その言葉に従って校門めがけて走りだし、地面が振動するのをハリーは顔の下に感じた。怒りのあまり、ハリーは言葉にならない言葉をわめいた。その瞬間、ハリーは、自分が生きようが死のうがどうでもよかった。やっとの思いで立ち上がり、よろめきながら、ハリーはひたすらスネイプに近づいていった。いまやヴォルデモートと同じぐらい激しく憎むその男に――。

「**セクタム**――」

スネイプは軽く杖を振り、またしても呪いをかわした。しかし、いまやほんの二、三メートルの距離まで近づいていたハリーは、ついにスネイプの顔をはっきりと見た。赤々と燃える炎が照らし出したその顔には、もはや冷笑も嘲笑もなく、怒りだけが見えた。あらんかぎりの力で、ハリーは念力を集中させた。

「**レビ**――」

「やめろ、ポッター！」スネイプが叫んだ。

バーンと大きな音がして、ハリーはのけぞって吹っ飛び、またしても地面にたたきつけられた。今度は杖が手を離れて飛んでいった。スネイプが近づいてきて、ダンブルドアと同じように杖もなく丸腰で横たわっているハリーを見下ろした。ハグリッドの叫び声とファングの吠え声が聞こえた。燃え上がる小屋の明かりに照らされた、青白いスネイプの顔は、ダンブルドアに呪いをかける直前と同じく、憎しみに満ち満ちていた。

「我輩の呪文を本人に対してかけるとは、ポッター、どういう神経だ？　そういう呪文の数々を考え出したのは、この我輩だ――我輩こそ『半純血のプリンス』だ！　我輩の発明したものを、汚らわしいおまえの父親と同じように、この我輩に向けようというのか？　そんなことはさせん……**許さん！**」

ハリーは自分の杖に飛びついたが、スネイプの発した呪いで、杖は数メートル吹っ飛んで、暗闇の中に見えなくなった。

「それなら殺せ」

ハリーがあえぎながら言った。恐れはまったくなく、スネイプへの怒りと侮蔑しか感じなかった。

「先生を殺したように、僕も殺せ、この臆病――」

「**我輩を**――」

スネイプが叫んだ。その顔が突然、異常で非人間的な形相になった。あたかも、背後で燃え盛る小屋に閉じ込められて、キャンキャン吠えている犬と同じ苦しみを味わっているような顔だった。

「――**臆病者と呼ぶな！**」

スネイプが空を切った。ハリーは顔面を白熱した鞭《むち》のようなもので打たれるように感じ、仰向けに地面にたたきつけられた。目の前にチカチカ星が飛び、一瞬、体中から息が抜けていくような気がした。

その時、上のほうで羽音がした。何か巨大なものが星空を覆った。バックビークがスネイプに襲いかかっていた。かみそりのように鋭い爪に飛びかかられ、スネイプはのけぞってよろめいた。いましがた地面にたたきつけられたときの衝撃でくらくらしながら、ハリーが上半身を起こしたとき、スネイプが必死で走っていくのを見た。バックビークが、巨大な翼を羽ばたかせてかん高い鳴き声を上げながら、そのあとを追っていた。ハリーがこれまでに聞いたことがないようなバックビークの鳴き声だった――。

ハリーはやっとのことで立ち上がり、ふらふらしながら杖を探した。追跡を続けたいとは思ったが、指で芝生を探り小枝を投げ捨てながら、ハリーにはもう遅すぎるとわかっていた。思ったとおり、杖を見つけ出して振り返ったときには、ヒッポグリフが校門の上で輪を描いて飛んでいる姿が見えただけだった。スネイプはすでに境界線のすぐ外で「姿くらまし」しおおせていた。

「ハグリッド」

まだぼうっとした頭で、ハリーはあたりを見回しながらつぶやいた。

「**ハグリッド？**」

もつれる足で燃える小屋のほうに歩いていくと、背中にファングを背負った巨大な姿が、炎の中からぬっと現れた。安堵《あんど》の声を上げながら、ハリーはがっくりとひざを折った。手足はガクガク震え、体中が痛んで、荒い息をするたびに痛みが走った。

「大丈夫か、ハリー？　だいじょぶか？　何かしゃべってくれ、ハリー……」

ハグリッドのでかいひげ面が、星空を覆い隠して、ハリーの顔の上で揺れていた。木材と犬の毛の焼け焦げたにおいがした。ハリーは手を伸ばし、そばで震えているファングの生きた温かみを感じて安心した。

「僕は大丈夫だ」ハリーがあえいだ。

「ハグリッドは？」

「ああ、俺はもちろんだ……あんなこっちゃ、やられはしねえ」

ハグリッドは、ハリーのわきの下に手を入れて、ぐいと持ち上げた。ハリーの足が一瞬、地面を離れるほどの怪力で抱き上げてから、ハグリッドはハリーをまたまっすぐに立たせてくれた。ハグリッドの片目の下に深い切り傷があり、それがどんどん腫れ上がって血が滴っているのが見えた。

「小屋の火を消そう」ハリーが言った。「呪文は、**アグアメンティ、水よ……**」

「そんなようなもんだったな」

ハグリッドがもそもそ言った。そしてくすぶっているピンクの花柄の傘をかまえて唱えた。

「**アグアメンティ！　水よ！**」

傘の先から水がほとばしり出た。ハリーも杖を上げたが、腕は鉛のように重かった。ハリーも「**アグアメンティ**」と唱えた。ハリーとハグリッドは一緒に小屋に放水し、やっと火を消した。

「たいしたこたあねえ」

数分後、焼け落ちて煙を上げている小屋を眺めながら、ハグリッドが楽観的に言った。

「この程度ならダンブルドアが直せる……」

その名を聞いたとたん、ハリーは胃に焼けるような痛みを感じた。沈黙と静寂の中で、恐怖が込み上げてきた。

「ハグリッド……」

「ボウトラックルを二匹、肢《あし》を縛っちょるときに、連中がやってくるのが聞こえたんだ」

ハグリッドは焼け落ちた小屋を眺めながら、悲しそうに言った。

「あいつら、焼けて小枝と一緒くたになっちまったにちげえねえ。かわいそうになあ……」

「ハグリッド……」

「しかし、ハリー、何があったんだ？　俺は、死喰い人が城から走り出してくるのを見ただけだ。だけんど、いってえスネイプは、あいつらと一緒に何をしてたんだ？　スネイプはどこに行っちまった――？

連中を追っかけていったのか？」

「スネイプは……」ハリーは咳《せき》払いした。パニックと煙で、のどがからからだった。

「ハグリッド、スネイプが殺した……」

「殺した？」

ハグリッドが大声を出して、ハリーをのぞき込んだ。

「スネイプが殺した？　ハリー、おまえさん、何を言っちょる？」

「ダンブルドアを」ハリーが言った。「スネイプが殺した……ダンブルドアを」

ハグリッドはただハリーを見ていた。わずかに見えている顔の部分が、飲み込めずにポカンとしていた。

「ハリー、ダンブルドアがどうしたと？」

「死んだんだ。スネイプが殺した……」

「何を言っちょる」ハグリッドが声を荒らげた。

「スネイプがダンブルドアを殺した――バカな、ハリー。なんでそんなことを言うんだ？」

「この目で見た」

「まさか」

「ハグリッド、僕、見たんだ」

ハグリッドが首を振った。信じていない。かわいそうにという表情だった。ハリーは頭を打って混乱しちょる、もしかしたら呪文の影響が残っているのかもしれねえ……ハグリッドがそう考えているのが、ハリーにはわかった。

「つまり、こういうこった。ダンブルドアがスネイプに、死喰い人と一緒に行けと命じなさったにちげぇねえ」

ハグリッドが自信たっぷりに言った。

「スネイプがバレねえようにしねえといかんからな。さあ、学校まで送っていこう。ハリー、おいで……」

ハリーは反論も説明もしなかった。まだ、どうしようもなく震えていた。ハグリッドにはすぐわかるだろう。あまりにもすぐに……。城に向かって歩いていくと、いまはもう多くの窓に灯《あか》りがついているのが見えた。ハリーには城内の様子がはっきり想像できた。部屋から部屋へと人が行き交い、話をしているだろう。死喰い人が侵入した、「闇の印」がホグワーツの上に輝いている、誰かが殺されたにちがいない……。

行く手に正面玄関の樫の扉が開かれ、馬車道と芝生に灯りがあふれ出していた。ゆっくり、恐る恐る、ガウン姿の人々が階段を下りてきて、夜の闇へと逃亡した死喰い人がまだそのへんにいるのではないかと、こわごわあたりを見回していた。しかしハリーの目は、一番高い塔の下の地面に釘《くぎ》づけになっていた。その芝生に横たわっている、黒く丸まった姿が見えるような気がしたが、現実には遠すぎて、見えるはずがなかった。ダンブルドアのなきがらが横たわっているはずの場所を、ハリーが声もなく見つめているその間にも、人々はそのほうに向かって動いていた。

「みんな、何を見ちょるんだ？」

ぴったりあとについているファングを従えて、城の玄関に近づいたハグリッドが言った。

「芝生に横たわっているのは、ありゃ、なんだ？」

ハグリッドは鋭くそう言うなり、今度は人だかりがしている天文台の塔の下に向かって歩きだした。

「ハリー、見えるか？　塔の真下だが？　『闇の印』の下だ……まさか……誰か、上から放り投げられたんじゃあ――？」

ハグリッドがだまり込んだ。口に出すさえ恐ろしい考えだったにちがいない。並んで歩きながら、ハリーはこの半時間の間に受けたさまざまな呪いで、顔や両脚が痛むのを感じていた。しかし、そばにいる別の人間が痛みを感じているような、奇妙に他人事のような感覚だった。現実の、そして逃れようもない感覚は、胸を強くしめつけている苦しさだ……。

ハリーとハグリッドは、何かつぶやいている人群れの中を通って、夢遊病者のように一番前まで進んだ。そこにぽっかりと空いた空間を、学生や先生たちがぼうぜんとして取り巻いていた。

ハグリッドの、苦痛と衝撃にうめく声が聞こえた。しかし、ハリーは立ち止まらなかった。ゆっくりとダンブルドアが横たわっているそばまで進み、そこにうずくまった。

ダンブルドアにかけられた「金縛りの術」が解けたときから、ハリーはもう望みがないことを知っていた。術者が死んだからこそ、術が解けたにちがいない。しかし、こうして骨が折れ、大の字に横たわるその姿を目にする心の準備は、まだできていなかった。これまでも、そしてこれから先も、ハリーにとって最も偉大な魔法使いの姿が、そこにあった。

ダンブルドアは目を閉じていた。手足が不自然な方向に向いていることを除けば、眠っているかのようだった。ハリーは手を伸ばし、半月めがねを曲がった鼻にかけなおし、口から流れ出たひと筋の血を自分のそででぬぐった。それからハリーは、年齢を刻んだその聡明な顔をじっと見下ろし、とほうもない、理解を超えた真実をのみ込もうと努力した。ダンブルドアはもう二度と再びハリーに語りかけることはなく、二度と再びハリーを助けることもできないのだという真実を……。

背後の人垣がざわめいた。長い時間がたったような気がしたが、ふと、ハリーは自分が何か固いものの上にひざまずいていることに気づいて、見下ろした。

もう何時間も前に、ダンブルドアと二人でやっと手に入れたロケットが、ダンブルドアのポケットから落ちていた。おそらく地面に落ちた衝撃のせいで、ロケットのふたが開いていた。いまのハリーには、もうこれ以上なんの衝撃も、恐怖や悲しみも感じることはできなかったが、ロケットを拾い上げたとき、何かがおかしいと気づいた……。

ハリーは、手の中でロケットを裏返した。「憂いの篩《ふるい》」で見たロケットほど大きくないし、なんの刻印もない。スリザリンの印とされるS字の飾り文字もどこにもない。しかも、中には何もなく、肖像画が入っているはずの場所に、羊皮紙の切れ端が折りたたんで押し込んであるだけだった。

自分が何をしているか考えもせず、ハリーは無意識に羊皮紙を取り出して開き、背後にともっているたくさんの杖灯りに照らしてそれを読んだ。

闇の帝王へ
あなたがこれを読むころには、私はとうに死んでいるでしょう。

しかし、私があなたの秘密を発見したことを知ってほしいのです。

ほんとうの分霊箱は私が盗みました。できるだけ早く破壊するつもりです。

死に直面する私が望むのは、あなたが自らに比肩する相手に見えたそのときに、もう一度、死ぬべき存在となることです。

R・A・B

この書きつけが何を意味するのか、ハリーにはわからなかったし、どうでもよかった。ただ一つのことだけが重要だった。これは分霊箱ではなかった。ダンブルドアはむだにあの恐ろしい毒を飲み、自らを弱めたのだ。ハリーは羊皮紙を手の中で握りつぶした。ハリーの後ろでファングがワオーンと遠吠えし、ハリーの目は、涙で焼けるように熱くなった。

第29章　不死鳥の嘆き

「行こう、ハリー……」

「いやだ」

「ずっとここにいるわけにはいかねえ。ハリー……さあ、行こう……」

「いやだ」

ハリーはダンブルドアのそばを離れたくなかった。どこにも行きたくなかった。ハリーの肩でハグリッドの手が震えていた。その時、別の声が言った。

「ハリー、行きましょう」

もっと小さくて、もっと温かい手が、ハリーの手を包み、引き上げた。ハリーはほとんど何も考えずに、引かれるままにその手に従った。人混みの中を、無意識に歩きながら、漂ってくる花のような香りで、自分の手を引いて城に向かっているのがジニーだと、ハリーは初めて気がついた。言葉にならない声々がハリーの心を打ちのめし、すすり泣きや泣き叫ぶ声が夜を突き刺した。ハリーはただ歩き続け、玄関ホールに入る階段を上った。ハリーの目の端に、人々の顔がぼんやりと見えた。ハリーを見つめ、ささやき、いぶかっている。二人が大理石の階段に向かうと、床に転がっているグリフィンドールのルビーが、滴った血のように光った。

「医務室に行くのよ」ジニーが言った。

「けがはしてない」ハリーが言った。

ていた。

「マクゴナガルの命令よ」ジニーが言った。

「みんなもそこにいるわ。ロンもハーマイオニーも、ルーピンも、みんな――」

恐怖が再びハリーの胸をかき乱した。置き去りにしてきた、ぐったりと動かない何人かのことを忘れていた。

「ジニー、ほかに誰が死んだの？」

「心配しないで。私たちは大丈夫」

「でも、『闇の印』が――マルフォイが誰かの死体をまたいだと言った――」

「ビルをまたいだのよ。だけど、大丈夫。生きてるわ」

しかし、ジニーの声のどこかに、ハリーは不吉なものを感じ取った。

「ほんとに？」

「もちろんほんとうよ……ビルは、ちょっと――ちょっと面倒なことになっただけ。グレイバックに襲われたの。マダム・ポンフリーは、ビルが――いままでと同じ顔じゃなくなるだろうって……」

ジニーの声が少し震えた。

「どんな後遺症があるか、はっきりとはわからないの――つまり、グレイバックは狼人間《おおかみにんげん》だし、でも、襲ったときは変身していなかったから」

「でも、ほかのみんなは……ほかにも死体が転がっていた……」

「ネビルが入院しているけど、マダム・ポンフリーは、完全に回復するだろうって。それからフリットウィック先生がノックアウトされたけど、でも大丈夫。ちょっとくらくらしているだけ。レイブンクロー生の様子を見にいくって、言い張っていたわ。死喰《しく》い人が一人死んだけど、大きなブロンドのやつがあたりかまわず発射していた『死の呪文』に当たったのよ――ハリー、あなたの『フェリックス薬』

を飲んでいなかったら、私たち全員死んでいたと思うわ。でも、全部すれすれにそれていったみたい――」

医務室に着いて扉を押し開くと、ネビルが扉近くのベッドに横になっているのが目に入った。眠っているのだろう。ロン、ハーマイオニー、ルーナ、トンクス、ルーピンが、医務室の一番奥にあるもう一つのベッドを囲んでいた。扉が開く音で、みんないっせいに顔を上げた。ハーマイオニーが駆け寄って、ハリーを抱きしめた。ルーピンも心配そうな顔で近寄ってきた。

「ハリー、大丈夫か？」

「僕は大丈夫……ビルはどうですか？」

誰も答えなかった。ハーマイオニーの背中越しにベッドを見ると、ビルが寝ているはずの枕の上に、見知らぬ顔があった。ひどく切り裂かれて不気味な顔だった。マダム・ポンフリーが、きついにおいのする緑色の軟膏《なんこう》を傷口に塗りつけていた。マルフォイの「**セクタムセンプラ**」の傷を、スネイプが杖《つえ》でやすやすと治したことを、ハリーは思い出した。

「呪文か何かで、傷を治せないんですか？」ハリーが校医に聞いた。

「この傷にはどんな呪文も効きません」マダム・ポンフリーが言った。

「知っている呪文は全部試してみましたが、狼人間のかみ傷には治療法がありません」

「だけど、満月のときにかまれたわけじゃない」

ロンが、見つめる念力でなんとか治そうとしているかのように、兄の顔をじっと見ながら言った。

「グレイバックは変身してなかった。だから、ビルは絶対にほ――本物の――？」

ロンがとまどいがちにルーピンを見た。

「ああ、ビルは本物の狼人間にはならないと思うよ」ルーピンが言った。

「しかし、まったく汚染されないということではない。呪いのかかった傷なんだ。完全には治らないだろう。そして――そしてビルはこれから、なんらかの、狼的な特徴を持つことになるだろう」

「でも、ダンブルドアなら、何かうまいやり方を知ってるかもしれない」ロンが言った。

「ダンブルドアはどこだい？　ビルはダンブルドアの命令で、あの狂ったやつらと戦ったんだ。ダンブルドアはビルに借りがある。ビルをこんな状態で放ってはおけないはずだ――」

「ロン――ダンブルドアは死んだわ」ジニーが言った。

「まさか！」

ハリーが否定してくれることを望むかのように、ルーピンの目がジニーからハリーへと激しく移動した。しかしハリーが否定しないことがわかると、ビルのベッド脇の椅子にがっくりと座り込み、両手で顔を覆った。しかしハリーはルーピンが取り乱すのを初めて見た。見てはいけない個人の傷を見てしまったような気がして、ハリーはルーピンから目をそらし、ロンを見た。だまってロンと目を見交わすことで、ハリーは、ジニーの言葉のとおりだと伝えた。

「どんなふうにお亡くなりになったの？」

トンクスが小声で聞いた。

「どうしてそうなったの？」

「スネイプが殺した」ハリーが言った。

「僕はその場にいた。僕は見たんだ。僕たちは、『闇の印』が上がっていたので、天文台の塔に戻った……ダンブルドアは病気で、弱っていた。でも、階段を駆け上がってくる足音を聞いたとき、ダンブルドアはそれが罠《わな》だとわかったんだと思う。ダンブルドアは僕を金縛りにしたんだ。僕はなんにもできなかった。透明マントをかぶっていたんだ――そしたらマルフォイが扉から現れて、ダンブルドアを『武装解除』した――」

ハーマイオニーが両手で口を覆った。ロンはうめき、ルーナの唇が震えた。

「――次々に死喰い人がやってきた――そして、スネイプが――それで、スネイプがやった。『アバダ ケダブラ』を」

ハリーはそれ以上続けられなかった。

マダム・ポンフリーがワッと泣きだした。誰も校医のポンフリーに気を取られなかったが、ジニーだけがそっと言った。

「シーッ！　だまって聞いて！」

マダム・ポンフリーは嗚咽《おえつ》をのみ込み、指を口に押し当ててこらえながら、目を見開いた。暗闇のどこかで、不死鳥が鳴いていた。ハリーが初めて聞く、恐ろしいまでに美しい、打ちひしがれた嘆きの歌だった。そしてハリーは、以前に不死鳥の歌を聞いて感じたと同じように、その調べを自分の外にではなく、内側に感じた。ハリー自身の嘆きが不思議にも歌になり、校庭を横切り、城の窓を貫いて響き渡っていた。

全員がその場にたたずんで、歌に聞き入った。どのくらいの時間がたったのだろう。ハリーにはわからなかった。自分たちの追悼の心を映した歌を聞くことで、痛みが少しやわらいでいくのはなぜなのかもわからなかった。しかし、医務室の扉が再び開いたときには、ずいぶん長い時間がたったような気がした。マクゴナガル先生が入ってきた。みんなと同じように、マクゴナガル先生にも戦いの痕が残り、顔がすりむけ、ローブは破れていた。

「モリーとアーサーがここへ来ます」

その声で音楽の魔力が破られた。全員が夢から醒《さ》めたように、再びビルを振り返ったり、目をこすったり、首を振ったりした。

「ハリー、何が起こったのですか？　ハグリッドが言うには、あなたが、ちょうど――ちょうどそのことが起こったとき、ダンブルドア校長と一緒だったということですが。ハグリッドの話では、スネイプ先生が何かに関わって――」

「スネイプが、ダンブルドアを殺しました」ハリーが言った。

一瞬ハリーを見つめたあと、マクゴナガル先生の体がぐらりと揺れた。すでに立ち直っていたマダム・ポンフリーが走り出て、どこからともなく椅子を取り出し、マクゴナガルの体の下に押し込んだ。

「スネイプ」

椅子に腰を落としながら、マクゴナガル先生が弱々しくくり返した。

「私たち全員が怪しんでいました……しかし、ダンブルドアは信じていた……いつも……。**スネイプが**……信じられません……」

「スネイプは熟達した閉心術士だ」

ルーピンが似つかわしくない乱暴な声で言った。

「そのことはずっとわかっていた」

「しかしダンブルドアは、スネイプは誓って私たちの味方だと言ったわ！」

トンクスが小声で言った。

「私たちの知らないスネイプの何かを、ダンブルドアは知っているにちがいないって、私はいつもそう思っていた……」

「スネイプを信用するに足る鉄壁の理由があると、ダンブルドアは常々そうほのめかしていました」

マクゴナガルは、タータンの縁取りのハンカチを目頭に当て、あふれる涙を押さえながらつぶやいた。

「もちろん……スネイプは、過去が過去ですから……当然みんなが疑いました……しかしダンブルドアが私にはっきりと、スネイプの悔恨は絶対に本物だとおっしゃいました……スネイプを疑う言葉は、一言も聞こうとなさらなかった！」

「ダンブルドアを信用させるのに、スネイプが何を話したのか、知りたいものだわ」トンクスが言った。

「僕は知ってる」ハリーが言った。

全員が振り返ってハリーを見つめた。

「スネイプがヴォルデモートに流した情報のおかげで、ヴォルデモートは僕の父さんと母さんを追い詰めたんだ。そしてスネイプはダンブルドアに、自分は何をしたのかわかっていなかった、自分がやったことを心から後悔している、二人が死んだことを申し訳なく思っているって、そう言ったんだ」

「それで、ダンブルドアはそれを信じたのか？」

ルーピンが信じられないという声で言った。

「ダンブルドアは、スネイプがジェームズの死をすまなく思っていると言うのを信じた？　スネイプはジェームズを**憎んでいた**のに……」

「それにスネイプは、僕の母さんのことも、これっぽっちも価値があるなんて思っちゃいなかった」ハリーが言った。

「だって、母さんはマグル生まれだ……『穢《けが》れた血』って、スネイプは母さんのことをそう呼んだ……」

ハリーがどうしてそんなことを知っているのか、誰も尋ねなかった。全員が恐ろしい衝撃を受け、すでに起きてしまったとほうもない現実を消化しきれずに、ぼうぜんとしているようだった。

「全部私《わたくし》の責任です」

突然マクゴナガル先生が言った。ぬれたハンカチを両手でねじりながら、マクゴナガル先生は混乱した表情だった。

「私が悪いのです。今夜、フィリウスにスネイプを迎えにいかせました。応援に来てくれるようにと、私がスネイプを迎えにいかせたのです！　危険な事態を知らせなければ、スネイプが死喰い人に加勢することもなかったでしょうに。フィリウスの知らせを受けるまでは、スネイプは、死喰い人があの場所に来ているとは知らなかったと思います。そういう予定だとは知らなかったと思います」

「あなたの責任ではない、ミネルバ」ルーピンがきっぱりと言った。

「我々全員が、もっと援軍が欲しかった。スネイプが駆けつけてくると思って、みんな喜んだ……」

「それじゃ、戦いの場に着いたとき、スネイプは死喰い人の味方についたんですか？」

ハリーは、スネイプの二枚舌も破廉恥な行為も、残らずくわしく知りたかった。スネイプを憎み、復《ふく》讐《しゅう》を誓う理由をもっと集めたいと熱くなった。

「何が起こったのか、私にははっきりわかりません」

マクゴナガル先生は、気持ちが乱れているようだった。

「わからないことだらけです……ダンブルドアは、数時間学校を離れるから念のため廊下の巡回をするようにとおっしゃいました……リーマス、ビル、ニンファドーラを呼ぶようにと……そしてみんなで巡回しました。まったく静かなものでした。校外に通じる秘密の抜け道は、全部警備されていましたし、誰も空から侵入できないこともわかっていました。城に入るすべての入口には強力な魔法がかけられていました。いったい死喰い人がどうやって侵入したのか、私にはいまだにわかりません……」

「僕は知っています」

ハリーが言った。そして「姿をくらますキャビネット棚」が対になっていること、魔法の通路が二つの棚を結ぶことを簡単に説明した。

「それで連中は、『必要の部屋』から入り込んだんです」

そんなつもりはなかったのに、ハリーは、ロンとハーマイオニーをちらりと見た。二人とも打ちのめされたような顔だった。

「ハリー、僕、しくじった」ロンが沈んだ声で言った。

「僕たち、君に言われたとおりにしたんだ。忍びの地図を調べたら、マルフォイが地図では見つからなかったから、『必要の部屋』にちがいないと思って、僕とジニーとネビルが見張りにいったんだ……だけど、マルフォイに出し抜かれた」

「見張りを始めてから一時間ぐらいで、マルフォイがそこから出てきたの」ジニーが言った。

「一人で、あの気持ちの悪いしなびた手を持って――」

「あの『輝きの手』だ」ロンが言った。

「ほら、持っている者だけに明かりが見えるってやつだ。覚えてるか？」

「とにかく」

ジニーが続けた。

「マルフォイは、死喰い人を外に出しても安全かどうかを偵察に出てきたにちがいないわ。だって、私たちを見たとたん、何かを空中に投げて、そしたらあたりが真っ暗になって――」

「――ペルー製の『インスタント煙幕』だ」ロンが苦々しく言った。

「フレッドとジョージの。相手を見て物を売れって、あいつらに一言、言ってやらなきゃ」

「私たち、何もかも全部やってみたわ――『**ルーモス**』、『**インセンディオ**』」ジニーが言った。

「何をやっても暗闇を破れなかった。廊下から手探りで抜け出すことしかできなかったわ。その間に、誰かが急いでそばを通り過ぎる音がした。当然マルフォイは、あの『手』のおかげで見えたから、連中を誘導してたんだわ。でも私たちは、仲間に当たるかもしれないと思うと、呪文も何も使えやしなかった。明るい廊下に出たときには、連中はもういなかった」

「幸いなことに」

ルーピンがかすれ声で言った。

「ロン、ジニー、ネビルは、それからすぐあとに我々と出会って、何があったかを話してくれた。数分後に我々は、天文台の塔に向かっていた死喰い人を見つけた。マルフォイは、ほかにも見張りの者がいるとは、まったく予想していなかったらしい。いずれにせよ『インスタント煙幕』は尽きていたらしい。戦いが始まり、連中は散らばって、我々が追った。ギボンが一人抜け出して、塔に上がる階段に向かった——」

「『闇の印』を打ち上げるため？」ハリーが聞いた。

「ギボンが打ち上げたにちがいない。そうだ。連中は『必要の部屋』を出る前に、示し合わせたにちがいない」ルーピンが言った。

「しかしギボンは、そのままとどまって、一人でダンブルドアを待ち受ける気にはならなかったのだろう。階下に駆け戻って、また戦いに加わったのだから。そして、私をわずかにそれた『死の呪い』に当たった」

「それじゃ、ロンが、ジニーやネビルと一緒に『必要の部屋』を見張っていたのなら」

ハリーはハーマイオニーのほうを向いた。

「君は——？」

「スネイプの部屋の前、そうよ」

ハーマイオニーは目に涙を光らせながら、小声で言った。

「ルーナと一緒に。ずいぶん長いことそこにいたんだけど、何も起こらなかった……上のほうで何が起こっているのかわからなかったの。ロンが忍びの地図を持っていたし……フリットウィック先生が地下牢《ろう》に走ってきたのは、もう真夜中近くだった。死喰い人が城の中にいるって、叫んでいたわ。私とルーナがそこにいることには、全然気がつかなかったのじゃないかと思う。まっすぐにスネイプの部屋に飛び込んで、スネイプに自分と一緒に来て加勢してくれと言っているのが聞こえたわ。それからドサッという大きな音がして、スネイプが部屋から飛び出してきたの。そして私たちのことを見て――そして――」

「どうしたんだ?」ハリーは先をうながした。

「私、ばかだったわ、ハリー!」

ハーマイオニーが上ずった声でささやくように言った。

「スネイプは、フリットウィック先生が気絶したから、私たちで面倒を見なさいって言った。そして自分は――自分は死喰い人との戦いの加勢に行くからって――」

ハーマイオニーは恥じて顔を覆い、指の間から話し続けたので声がくぐもっていた。

「私たち、フリットウィック先生を助けようとして、スネイプの部屋に入ったの。そしたら、先生が気を失って床に倒れていて……ああ、いまならはっきりわかるわ。スネイプがフリットウィックに『失神呪文』をかけたのよ。でも気がつかなかった。ハリー、私たち、気がつかなかったの。スネイプを、みすみす行かせてしまった!」

「君の責任じゃない」

ルーピンがきっぱりと言った。

「ハーマイオニー、スネイプの言うことに従わなかったり、邪魔をしたりしたら、あいつはおそらく君もルーナも殺していただろう」

「それで、スネイプは上階に来た」

ハリーは頭の中で、スネイプの動きを追っていた。スネイプはいつものように黒いローブをなびかせ、大理石の階段を駆け上がりながらマントの下から杖を取り出す。

「そして、みんなが戦っている場所を見つけた……」

「私たちは苦戦していて、形勢不利だった」トンクスが低い声で言った。

「ギボンは死んだけれど、ほかの死喰い人は、死ぬまで戦う覚悟のようだった。ネビルが傷つき、ビルはグレイバックにかみつかれた……真っ暗だった……呪いがそこら中に飛び交って……マルフォイが姿を消した。すり抜けて塔への階段を上ったにちがいない……ほかの死喰い人も、マルフォイのあとから次々階段を駆け上がった。そのうちの一人がなんらかの呪文を使って、上ったあとの階段に障壁を作った……ネビルが突進して、空中に放り投げられた――」

「僕たち、誰も突破できなかった」ロンが言った。

「それに、あのでっかい死喰い人のやつが、相変わらず、あたりかまわず呪詛《じゅそ》を飛ばしていて、それがあちこちの壁に跳ね返ってきたけど、きわどいところで僕たちには当たらなかった……」

「そしたらそこにスネイプがいた」トンクスが言った。

「そして、すぐいなくなった――」

「スネイプがこっちに向かってくるところを見たわ。でも、そのすぐあとに、大男の死喰い人の呪詛が飛んできて、危うく私に当たるところだった。それで私、ヒョイとかわしたとたんに、何もかも見失ってしまったの」ジニーが言った。

「私は、あいつが、呪いの障壁などないかのように、まっすぐ突っ込んでいくのを見た」ルーピンが言った。

「私もそのあとに続こうとしたのだが、ネビルと同じように跳ね返されてしまった……」

「スネイプは、私たちの知らない呪文を知っていたにちがいありません」

マクゴナガルがつぶやくように言った。

「何しろ——スネイプは『闇の魔術に対する防衛術』の先生なのですから……私は、スネイプが、塔に逃げ込んだ死喰い人を追いかけるのに急いでいるのだとばかり思っていたのです……」

「追いかけてはいました」ハリーは激怒していた。

「でも阻止するためでなく、加勢するためです……それに、その障壁を通り抜けるには、きっと『闇の印』を持っていないといけないにちがいない——それで、スネイプが下に戻ってきたときは、何があったんですか？」

「ああ、大男の死喰い人の呪詛で、天井の半分が落下してきたところだった。おかげで階段の障壁の呪いも破れた」ルーピンが言った。

「我々全員が駆けだした——とにかく、まだ立てる者はそうした——するとスネイプと少年が、ほこりの中から姿を現した——当然、我々は二人を攻撃しなかった——」

「二人を通してしまったんだ」トンクスがうつろな声で言った。

「死喰い人に追われているのだと思って——そして、気がついたら、ほかの死喰い人とグレイバックが戻ってきていて、また戦いが始まった——スネイプが何か叫ぶのを聞いたようにも思ったけど、なんと言っているのかわからなかった——」

「あいつは、『終わった』って叫んだ」ハリーが言った。

「やろうとしていたことを、やりとげたんだ」

全員がだまり込んだ。フォークスの嘆きが、暗い校庭の上にまだ響き渡っていた。夜の空気を震わせるその音楽を聞きながら、ハリーの頭に、望みもしない、考えたくもない思いが忍び込んできた……ダンブルドアのなきがらは、もう塔の下から運び出されたのだろうか？　それからどうなるのだろう？　どこに葬られるのだろう？　ハリーはポケットの中で拳をギュッと握りしめた。右手の指の関節に、偽の分霊箱のひんやりとした小さい塊を感じた。

医務室の扉が勢いよく開きみんなを飛び上がらせた。ウィーズリー夫妻が急ぎ足で入ってきた。そのすぐ後ろに、美しい顔を恐怖にこわばらせたフラーの姿があった。

「モリー――アーサー――」

マクゴナガル先生が飛び上がって、急いで二人を迎えた。

「お気の毒です――」

「ビル」

めちゃめちゃになったビルの顔を見るなり、ウィーズリー夫人はマクゴナガル先生のそばを走り過ぎ、小声で呼びかけた。

「ああ、**ビル！**」

ルーピンとトンクスが急いで立ち上がり、身を引いて、ウィーズリー夫妻がベッドに近寄れるようにした。ウィーズリー夫人は、息子に覆いかぶさり、血だらけの額に口づけした。

「息子はグレイバックに襲われたとおっしゃいましたかね？」

ウィーズリー氏が、気がかりでたまらないようにマクゴナガル先生に聞いた。

「しかし、変身してはいなかったのですね？　すると、どういうことなのでしょう？　ビルはどうなりますか？」

「まだわからないのです」マクゴナガル先生は、助けを求めるようにルーピンを見た。

「アーサー、おそらく、なんらかの汚染はあるだろう」ルーピンが言った。

「めずらしいケースだ。おそらく例がない……ビルが目を覚ましたとき、どういう行動に出るかはわからない……」

ウィーズリー夫人は、マダム・ポンフリーからいやなにおいの軟膏を受け取り、ビルの傷に塗り込みはじめた。

「そして、ダンブルドアは……」ウィーズリー氏が言った。

「ミネルバ、ほんとうかね……ダンブルドアはほんとうに……？」

マクゴナガル先生がうなずいたとき、ハリーは、ジニーが自分のそばで身動きするのを感じて、ジニーを見た。ジニーは少し目を細めて、フラーを凝視していた。フラーは凍りついたような表情でビルを見下ろしていた。

「ダンブルドアが逝ってしまった」

ウィーズリー氏がつぶやくように言った。しかし、ウィーズリー夫人の目は、長男だけを見ていた。すすり泣きはじめたウィーズリー夫人の涙が、ズタズタになったビルの顔にポトポト落ちた。

「もちろん、どんな顔になったってかまわないわ……そんなことは……どうでもいいことだわ……でもこの子はとってもかわいい、ちっ――ちっちゃな男の子だった……いつでもとってもハンサムだった……それに、もうすぐ結――結婚するはずだったのに！」

「それ、どーいう意味でーすか？」

突然フラーが大きな声を出した。

「どーいう意味でーすか？　このいとが結婚する**あーずだった？**」

ウィーズリー夫人が、驚いたように涙にぬれた顔を上げた。

「でも――ただ――」

「ビルがもう、わたしと結婚したくなーいと思うのでーすか？」フラーが問い詰めた。「こんなかみ傷のせーいで、このいとがもう、わたしを愛さなーいと思いまーすか？」

「いいえ、そういうことではなくて――」

「だって、このいとは、わたしを愛しまーす！」

フラーはすっと背筋を伸ばし、長い豊かなブロンドの髪をサッと後ろに払った。

「狼人間なんかが、ビルに、わたしを愛することをやめさせられませーん！」

「まあ、ええ、きっとそうでしょう」ウィーズリー夫人が言った。

「でも、もしかしたら――もうこんな――この子がこんな――」

「わたしが、このいとと結婚したくなーいだろうと思ったのでーすか？　それとも、もしかして、そうなっておしいと思いまーしたか？」

フラーは鼻の穴をふくらませた。

「このいとがどんな顔でも、わたしが気にしまーすか？　わたしだけで充分ふーたりぶん美しいと思いまーす！　傷痕は、わたしのアズバンドが勇敢だという印でーす！　それに、それはわたしがやりまーす！」

フラーは激しい口調でそう言うなり、軟膏を奪ってウィーズリー夫人を押しのけた。ウィーズリー夫人は、夫に倒れかかり、フラーがビルの傷をぬぐうのを、なんとも奇妙な表情で見つめていた。誰も何も言わなかった。ハリーは身動きすることさえ遠慮した。みんなと同じように、ハリーもドカーンと爆発が来る時を待っていた。

「大おばのミュリエルが――」

長い沈黙のあと、ウィーズリー夫人が口を開いた。

「とても美しいティアラを持っているわ――小鬼《ゴブリン》製のよ――あなたの結婚式に貸していただけるように、大おばを説得できると思うわ。大おばはビルが大好きなの。それにあのティアラは、あなたの髪にとても似合うと思いますよ」

「ありがとう」フラーが硬い口調で言った。

「それは、きーっと、美しいでしょう」

そして――ハリーには、どうしてそうなったのかよくわからなかったが――二人の女性は抱き合って泣きだした。何がなんだかまったくわからず、いったい世の中はどうなっているんだろうといぶかりながら、ハリーは振り返った。ロンもハリーと同じ気持ちらしく、ポカンとしていたし、ジニーとハーマイオニーは、あっけに取られて顔を見合わせていた。

「わかったでしょう！」

張り詰めた声がした。トンクスがルーピンをにらんでいた。

「フラーはそれでもビルと結婚したいのよ。かまれたというのに！　そんなことはどうでもいいのよ！」

「次元がちがう」

ルーピンはほとんど唇を動かさず、突然表情がこわばっていた。

「ビルは完全な狼人間にはならない。事情がまったく――」

「でも、わたしも気にしないわ。気にしないわ！」

トンクスは、ルーピンのローブの胸元をつかんで揺すぶった。

「百万回も、あなたにそう言ったのに……」

トンクスの守護霊やくすんだ茶色の髪の意味、誰かがグレイバックに襲われたといううわさを聞きつけてダンブルドアに会いに駆けつけた理由――ハリーには突然、そのすべてがはっきりわかった。トンクスが愛したのは、シリウスではなかったのだ……。

「私も、**君に**百万回も言った」

ルーピンはトンクスの目をさけて、床を見つめながら言った。

「私は君にとって、年を取りすぎているし、貧乏すぎる……危険すぎる……」

「リーマス、あなたのそういう考え方はばかげているって、私は最初からそう言ってますよ」

ウィーズリー夫人が、抱き合ったフラーの背中を軽くたたきながら、フラーの肩越しに言った。

「ばかげてはいない」

ルーピンがしっかりした口調で言った。

「トンクスには、誰か若くて健全な人がふさわしい」

「でも、トンクスは君がいいんだ」

ウィーズリー氏が、小さくほほえみながら言った。

「それに、結局のところ、リーマス、若くて健全な男が、ずっとそのままだとはかぎらんよ」

ウィーズリー氏は、二人の間に横たわっている息子のほうを悲しそうに見た。

「いまは……そんなことを話す時じゃない」

ルーピンは、落ち着かない様子で周りを見回し、みんなの目をさけながら言った。

「ダンブルドアが死んだんだ……」

「世の中に、少し愛が増えたと知ったら、ダンブルドアは誰よりもお喜びになったでしょう」

マクゴナガル先生がそっけなく言った。

その時、扉が再び開いて、ハグリッドが入ってきた。ひげや髪に埋もれてわずかしか見えない顔が、泣き腫らしてぐしょぬれだった。巨大な水玉模様のハンカチを握りしめ、ハグリッドは全身を震わせて泣いていた。

「す……すませました、先生」ハグリッドは声を詰まらせた。

「俺が、は――運びました。スプラウト先生は子供たちをベッドに戻しました。フリットウィック先生は横になっちょりますが、すーぐよくなるっちゅうとります。スラグホーン先生は、魔法省に連絡したと言っちょります」

「ありがとう、ハグリッド」

マクゴナガル先生はすぐさま立ち上がり、ビルの周りにいる全員を見た。

「私は、魔法省が到着したときに、お迎えしなければなりません。ハグリッド、寮監の先生方に――スリザリンはスラグホーンが代表すればよいでしょう――ただちに私の事務室に集まるようにと知らせてください。あなたも来てください」

ハグリッドがうなずいて向きを変え、重い足取りで部屋を出ていった。その時、マクゴナガル先生がハリーを見下ろして言った。

「寮監たちに会う前に、ハリー、あなたとちょっとお話があります。一緒に来てください……」

ハリーは立ち上がって、ロン、ハーマイオニー、ジニーに「あとでね」とつぶやくように声をかけ、マクゴナガル先生に従って医務室を出た。外の廊下は人気《ひとけ》もなく、聞こえる音と言えば、遠くの不死鳥の歌声だけだった。しばらくしてハリーは、マクゴナガル先生の事務室ではなく、ダンブルドアの校長室に向かっていることに気がついた。一瞬、間を置いて、ハリーはやっと気づいた。そうだ、マクゴナガル先生は副校長だった……当然いまは、校長になったのだ……怪獣像《ガーゴイル》の護《まも》る部屋は、いまやマクゴナガル先生の部屋だった……。

二人はだまって動く螺旋《らせん》階段を上り、円形の校長室に入った。校長室は変わってしまったかもしれないと、ハリーは漠然と考えていた。もしかしたら黒い幕で覆われているかもしれないし、ダンブルドアのなきがらが横たわっているかもしれない。しかし、その部屋は、ほんの数時間前、ハリーとダンブルドアが出発したときとほとんど変わっていないように見えた。銀の小道具類は、華奢《きゃしゃ》な脚のテーブルの上でくるくる回り、ポッポッと煙を上げていたし、グリフィンドールの剣《つるぎ》は、ガラスのケースの中で月光を受けて輝き、組分け帽子は机の後ろの棚にのっていた。しかし、フォークスの止まり木はからっぽだった。不死鳥は校庭に向かって嘆きの歌をうたい続けている。そして、ホグワーツの歴代の校長の肖像画に、新しい一枚が加わっていた……ダンブルドアが机を見下ろす金の額縁の中でまどろんでいる。半月めがねを曲がった鼻にのせ、おだやかでなごやかな表情だ。

その肖像画を一瞥《いちべつ》したあと、マクゴナガル先生は自分に活を入れるかのような、見慣れない動作をした。それから机のむこう側に移動し、ハリーと向き合った。くっきりとしわが刻まれた、張り詰めた顔だった。

「ハリー」先生が口を開いた。

「ダンブルドア先生と一緒に学校を離れて、今夜何をしていたのかを知りたいものです」

「お話しできません、先生」

ハリーが言った。聞かれることを予想し、答えを準備していた。ここで、この部屋で、ダンブルドアは、ロンとハーマイオニー以外には、授業の内容を打ち明けるなとハリーに言ったのだ。

「ハリー、重要なことかもしれませんよ」マクゴナガル先生が言った。

「そうです」ハリーが答えた。

「とても重要です。でも、ダンブルドア先生は誰にも話すなとおっしゃいました」

マクゴナガル先生は、ハリーをにらみつけた。

「ポッター」

呼び方が変わったことにハリーは気がついた。

「ダンブルドア校長がお亡くなりになったことで、事情が少し変わったことはわかるはずだと思いますが――」

「そうは思いません」ハリーは肩をすくめた。

「ダンブルドア先生は、自分が死んだら命令に従うのをやめろとはおっしゃいませんでした」

「しかし――」

「でも、魔法省が到着する前に、一つだけお知らせしておいたほうがよいと思います。マダム・ロスメルタが『服従の呪文』をかけられています。マルフォイや死喰い人の手助けをしていました。だからネックレスや蜂蜜酒が――」

「ロスメルタ？」

マクゴナガル先生は信じられないという顔だった。しかしそれ以上何も言わないうちに、扉をノックする音がして、スプラウト、フリットウィック、スラグホーン先生が、ぞろぞろと入ってきた。そのあとから、ハグリッドが巨体を悲しみに震わせ、涙をぼろぼろ流しながら入ってきた。

「スネイプ！」

一番ショックを受けた様子のスラグホーンが、青い顔に汗をにじませ、吐き捨てるように言った。

「スネイプ！　わたしの教え子だ！　あいつのことは知っているつもりだった！」

しかし、誰もそれに反応しないうちに、壁の高い所から、鋭い声がした。短い黒い前髪を垂らした土気色の顔の魔法使いが、からの額縁に戻ってきたところだった。

「ミネルバ、魔法大臣はまもなく到着するだろう。大臣は魔法省から、いましがた『姿くらまし』した」

「ありがとう、エバラード」

マクゴナガル先生は礼を述べ、急いで寮監の先生方のほうを向いた。

「大臣が着く前に、ホグワーツがどうなるかをお話ししておきたいのです」

マクゴナガル先生が早口に言った。

「私個人としては、来年度も学校を続けるべきかどうか、確信がありません。一人の教師の手にかかって校長が亡くなったのは、ホグワーツの歴史にとって、とんでもない汚点です。恐ろしいことです」

「ダンブルドアはまちがいなく、学校の存続をお望みだったろうと思います」

スプラウト先生が言った。

「たった一人でも学びたい生徒がいれば、学校はその生徒のために存続すべきでしょう」

「しかし、こういうことのあとで、一人でも生徒が来るだろうか？」

スラグホーンが、シルクのハンカチを額の汗に押し当てながら言った。

「親が子供を家に置いておきたいと望むだろうし、そういう親を責めることはできない。個人的には、ホグワーツがほかと比べてより危険だとは思わんが、母親たちもそのように考えるとは期待できないでしょう。家族をそばに置きたいと願うでしょうな。自然なことだ」

「私も同感です」

マクゴナガル先生が言った。

「それに、いずれにしても、ダンブルドアがホグワーツ閉校という状況を一度も考えたことがないというのは、正しくありません。『秘密の部屋』が再び開かれたとき、ダンブルドアは学校閉鎖を考えられました――それに、私にとっては、ダンブルドアが殺されたことのほうが、スリザリンの怪物が城の内奥に隠れ棲《す》んでいることよりも、おだやかならざることです……」

「理事たちと相談しなくてはなりませんな」

フリットウィック先生が小さなキーキー声で言った。額に大きな青あざができていたが、スネイプの部屋で倒れたときの傷は、それ以外にないようだった。

「定められた手続きに従わねばなりません。拙速に決定すべきことではありませんぞ」

「ハグリッド、何も言わないですね」マクゴナガル先生が言った。

「あなたはどう思いますか。ホグワーツは存続すべきですか？」

先生方のやり取りを、大きな水玉模様のハンカチを当てて泣きながら、だまって聞いていたハグリッドが、真っ赤に泣き腫らした目を上げて、かすれ声で言った。

「俺にはわかんねえです、先生……寮監と校長が決めるこってす……」

「ダンブルドア校長は、いつもあなたの意見を尊重しました」

マクゴナガル先生がやさしく言った。

「私もそうです」

「そりゃ、俺はとどまります」

ハグリッドが言った。大粒の涙が目の端からぼろぼろこぼれ続け、もじゃもじゃひげに滴り落ちていた。

「俺の家です。十三歳のときから俺の家だったです。俺に教えてほしいっちゅう子供がいれば、俺は教える。だけんど……俺にはわからねえです……ダンブルドアのいねえホグワーツなんて……」

ハグリッドはゴクリとつばを飲み込み、またハンカチで顔を隠した。みんながだまり込んだ。

「わかりました」

マクゴナガル先生は窓から校庭をちらりと眺め、大臣がもうやってくるかどうかを確かめた。

「では、私はフィリウスと同意見です。理事会にかけるのが正当であり、そこで最終的な結論が出るでしょう」

「さて、学生を家に帰す件ですが……一刻も早いほうがよいという意見があります。必要とあらば、明日にもホグワーツ特急を手配できます――」

「ダンブルドアの葬儀はどうするんですか？」ハリーはついに口を出した。

「そうですね……」

マクゴナガル先生の声が震え、きびきびした調子が少しかげった。

「私――私は、ダンブルドアが、このホグワーツに眠ることを望んでおられたのを知っています――」

「それなら、そうなりますね？」ハリーが激しく言った。

「魔法省がそれを適切だと考えるならです」マクゴナガル先生が言った。

「ただ、これまで、ほかのどの校長もそのようには――」

「ダンブルドアほどこの学校にお尽くしなさった校長は、ほかに誰もいねえ」ハグリッドがうめくように言った。

「ホグワーツこそ、ダンブルドアの最後の安息の地になるべきです」フリットウィック先生が言った。

「そのとおり」スプラウト先生が言った。

「それなら」ハリーが言った。「葬儀が終わるまでは、生徒を家に帰すべきではありません。みんなもきっと――」

最後の言葉がのどに引っかかった。しかし、スプラウト先生が引き取って続けた。

「お別れを言いたいでしょう」

「よくぞ言った」

フリットウィック先生がキーキー言った。

「よくぞ言ってくれた！　生徒たちは敬意を表すべきだ。それがふさわしい。家に帰す列車は、そのあとで手配できる」

「賛成」スプラウト先生が大声で言った。

「わたしも……まあ、そうですな……」

スラグホーンがかなり動揺した声で言った。ハグリッドは、押し殺したすすり泣きのような声で賛成した。

「大臣が来ます」

校庭を見つめながら、突然マクゴナガル先生が言った。

「大臣は……どうやら代表団を引き連れています……」

「先生、もう行ってもいいですか？」ハリーがすぐさま聞いた。

今夜はルーファス・スクリムジョールに会いたくもないし、質問されるのもいやだった。

「よろしい」マクゴナガル先生が言った。「それに、お急ぎなさい」

マクゴナガル先生はつかつかと扉まで歩いていって、ハリーのために扉を開けた。ハリーは急いで螺旋階段を下り、人気のない廊下に出た。透明マントは天文台の塔の上に置きっ放しにしてしまったが、なんの問題もなかった。ハリーが通り過ぎるのを見ている人は、誰もいない。フィルチも、ミセス・ノリスも、ピーブズさえもいなかった。グリフィンドールの談話室に向かう通路に出るまで、ハリーは誰にも出会わなかった。

「ほんとうなの？」

ハリーが近づくと、「太った婦人《レディ》」が小声で聞いた。

「ほんとうにそうなの？　ダンブルドアが――死んだって？」

「ほんとうだ」ハリーが言った。

「太った婦人」は声を上げて泣き、合言葉を待たずに入口を開けてハリーを通した。

部屋中がしんとなった。

ハリーが思ったとおり、談話室は人でいっぱいだった。近くに座っているグループの中に、ディーンとシェーマスがいるのが見えた。寝室には誰もいないか、またはそれに近い状態にちがいない。ハリーは誰とも口をきかず、誰とも目を合わさずにまっすぐ談話室を横切って、男子寮へのドアを通り寝室に行った。

期待どおり、ロンがハリーを待っていた。服を着たままでベッドに腰かけていた。ハリーも自分の四本柱のベッドにかけ、しばらくは、ただ互いに見つめ合うだけだった。

「学校の閉鎖のことを話しているんだ」ハリーが言った。

「ルーピンがそうだろうって言ってた」ロンが言った。

しばらく沈黙が続いた。

「それで？」

家具が聞き耳を立てているとでも思ったのか、ロンが声をひそめて聞いた。

「見つけたのか？　手に入れたのか？　あれを――分霊箱を？」

ハリーは首を横に振った。黒い湖で起こったすべてのことが、いまでは昔の悪夢のように思われた。ほんとうに起こったことだろうか？　ほんの数時間前に？

「手に入らなかった?」ロンはがっくりしたように言った。「そこにはなかったのか?」

「いや」ハリーが言った。「誰かに盗られたあとで、かわりに偽物が置いてあった」

「もう**盗られてた**——?」

ハリーは、だまって偽物のロケットをポケットから取り出し、開いてロンに渡した。くわしい話はあとでいい……今夜はどうでもいいことだ……最後の結末以外は。意味のない冒険の末、ダンブルドアの生命がはてたこと以外は……。

「R・A・B」ロンがつぶやいた。「でも、誰なんだ?」

「さあ」

ハリーは服を着たままベッドに横になり、ぼんやりと上を見つめた。「R・A・B」には、なんの興味も感じなかった。何に対しても、二度と再び興味など感じることはないのかもしれない。横たわっていると、突然、校庭が静かなのに気がついた。フォークスが歌うのをやめていた。

なぜそう思ったのかはわからないが、ハリーは不死鳥が去ってしまったことを悟った。永久にホグワーツから去ってしまったのだ。ダンブルドアが学校を去り、この世を去ったと同じように……ハリーから去ってしまったと同じように。

第30章 白い墓

授業はすべて中止され、試験は延期された。何人かの生徒たちが、それから二日のうちに、急いで両親にホグワーツから連れ去られた――双子のパチル姉妹は、ダンブルドアが亡くなった次の日の朝食の前にいなくなったし、ザカリアス・スミスは、気位の高そうな父親に護衛されて城から連れ出された。一方シェーマス・フィネガンは、母親と一緒に帰ることを真っ向から拒否した。二人は玄関ホールでどなり合ったが、結局、母親が折れて、シェーマスは葬儀が終わるまで学校に残ることになった。ダンブルドアに最後のお別れを告げようと、魔法使いや魔女たちがホグズミード村に押し寄せたため、母親がホグズミードに宿を取るのに苦労したと、シェーマスはハリーとロンに話した。

葬儀の前日の午後遅く、家一軒ほどもある大きなパステル・ブルーの馬車が、十二頭の巨大なパロミノの天馬《ペガサス》に引かれて空から舞い降り、禁じられた森の端に着陸した。それを初めて目にした低学年の生徒たちが、ちょっとした興奮状態になった。小麦色の肌に黒髪の、きりりとした巨大な女性が馬車から降り立ち、待ち受けていたハグリッドの腕の中に飛び込んだのを、ハリーは窓から見た。一方、魔法大臣率いる魔法省の役人たちは、城の中に泊まった。ハリーは、その誰とも顔を合わせないように細心の注意を払っていた。遅かれ早かれ、ダンブルドアが最後にホグワーツから外出したときの話をしろと、また言われるにちがいないからだ。

ハリー、ロン、ハーマイオニー、そしてジニーは、ずっと一緒に過ごした。四人の気持ちとは裏腹の、よい天気だった。ダンブルドアが生きていたなら、ジニーの試験も終わり、宿題の重荷からも解放されたこの学期末の時間を、どんなにちがう気持ちで過ごせたことか……。

ハリーにはどうしても言わなければならないこと、そうするのが正しいとわかっていることがあったが、容易には切り出せず、先のばしにしていた。自分にとって一番の心の安らぎになっているものを失うのは、あまりにもつらかったからだ。

四人は一日に二度、医務室に見舞いにいった。ネビルは退院したが、ビルはまだマダム・ポンフリーの手当てを受けていた。傷痕は相変わらずひどかった。実のところ、はっきりとマッド-アイ・ムーディに似た顔になっていたが、幸い両目と両脚はついていた。しかし、人格は前と変わりないようだった。一つだけ変わったと思われるのは、ステーキのレアを好むようになったことだ。

「……それで、このいとがわたしと結婚するのは、とーてもラッキーなことでーすね」

フラーは、ビルの枕をなおしながらうれしそうに言った。

「なぜなら、イギリース人、お肉を焼きすーぎます。わたし、いーつもそう言ってましたね」

「ビルがまちがいなくあの女と結婚するんだってこと、受け入れるしかないみたいね」

その夜、四人でグリフィンドールの談話室の窓際に座り、開け放した窓から夕暮れの校庭を見下ろしながら、ジニーがため息をついた。

「そんなに悪い人じゃないよ」ハリーが言った。「ブスだけどね」ジニーが眉を吊《つ》り上げたので、ハリーがあわててつけ加えると、ジニーはしかたなしにクスクス笑った。

「そうね、ママががまんできるなら、私もできると思うわ」

「ほかに誰か知ってる人が死んでないか？」

「夕刊予言者新聞」に目を通していたハーマイオニーに、ロンが聞いた。ハーマイオニーは、無理に強がっているようなロンの声の調子にたじろいだ。

「いいえ」新聞をたたみながら、ハーマイオニーがたしなめるように言った。「スネイプを追っているけど、まだなんの手がかりも……」

「そりゃ、ないだろう」

この話題が出るたびに、ハリーは腹を立てていた。

「ヴォルデモートを見つけるまでは、スネイプも見つからないさ。それに魔法省の連中は、いままで一度だって見つけたためしがないじゃないか……」

「もう寝るわ」ジニーがあくびしながら言った。

「私、あまりよく寝てないの……あれ以来……少し眠らなくちゃ」

ジニーはハリーにキスして（ロンはあてつけがましくそっぽを向いた）、あとの二人におやすみと手を振り、女子寮に帰っていった。寮のドアが閉まったとたん、ハーマイオニーが、いかにもハーマイオニーらしい表情で、ハリーのほうに身を乗り出した。

「ハリー、私、発見したことがあるの。今朝、図書館で……」

「R・A・B？」ハリーが椅子に座りなおした。

これまでのハリーなら、興奮したり好奇心にかられたり、謎の奥底が知りたくて、もどかしい思いをしたものだったが、もはやそのようには感じられなくなっていた。まず本物の分霊箱に関する真実を知るのが任務だ、ということだけはわかっていた。それができたとき初めて、目の前に伸びる曲折した暗い道を、少しは先に進むことができるだろう。ハリーが、ダンブルドアと一緒に歩きだした道のりだ。その旅をひとりで続けなければならないのだということを、ハリーはいま、思い知っていた。あと四個もの分霊箱が、どこかにある。その一つ一つを探し出して消滅させなければ、ヴォルデモート自身を殺す可能性さえない。ハリーは、分霊箱の名前を列挙することで、それを手の届く所に持ってくることができるかのように、何度も復唱していた。ロケット……カップ……蛇……グリフィンドールかレイブンクロー縁《ゆかり》の品……ロケット……カップ……蛇……グリフィンドールかレイブンクロー縁の品……。

このマントラのような呪文は、ハリーが眠り込むときに、頭の中で脈打ちはじめるらしい。カップやロケットや謎の品々がびっしりと夢に現れ、しかもどうしても近づけない。ダンブルドアが縄ばしごを出して助けようとするが、ハリーがはしごを上りはじめたとたんにはしごは何匹もの蛇に変わってしまう……。

ダンブルドアが亡くなった次の朝、ハリーは、ロケットの中のメモをハーマイオニーに見せていた。ハーマイオニーも、その時は、これまで読んだ本に出てきた、あまり有名でない魔法使いの中に、その頭文字に当てはまる人物を思いつかなかった。しかしそれ以来、ハーマイオニーは、何も宿題がない生徒にしてはやや必要以上に足しげく、図書館に通っていたのだ。

「ちがうの」ハーマイオニーは悲しそうに答えた。

「努力してるのよ、ハリー。でも、なんにも見つからない……同じ頭文字で、そこそこ名前の知られている魔法使いは二人いるわ――ロザリンド・アンチゴーネ・バングズ……『斧《おの》振り男』ルパート・ブルックスタントン……でも、この二人はまったく当てはまらないみたい。あのメモから考えると、分霊箱を盗んだ人物は、ヴォルデモートを知っていたらしいけど、バングズも『斧振り男』も、ヴォルデモートとはまったく関係がないの……。そうじゃなくて、実は、あのね……スネイプのことなの」

ハーマイオニーは、その名前を口にすることさえ過敏になっているようだった。

「あいつがどうしたって？」ハリーはまた椅子に沈み込んで、重苦しく聞いた。

「ええ、ただね、『半純血のプリンス』について、ある意味では私が正しかったの」

ハーマイオニーは遠慮がちに言った。

「ハーマイオニー、蒸し返す必要があるのかい？　僕がいま、どんな思いをしているかわかってるのか？」

「ううん――ちがうわ――ハリー、そういう意味じゃないの！」

あたりを見回して、誰にも聞かれていないかどうかを確かめながら、ハーマイオニーがあわてて言った。

「あの本が、一度はアイリーン・プリンスの本だったたっていう私の考えが、正しかったたっていうだけ。あのね……アイリーンはスネイプの母親だったの！」

「あんまり美人じゃないと思ってたよ」ロンが言ったが、ハーマイオニーは無視した。

「ほかの古い『予言者新聞』を調べていたら、アイリーン・プリンスがトビアス・スネイプっていう人と結婚したという、小さなお知らせがのっていたの。それからしばらくして、またお知らせがあって、アイリーンが出産したって――」

「――殺人者をだろ」ハリーが吐き捨てるように言った。

「ええ……そうね」ハーマイオニーが言った。

「だから……私がある意味では正しかったわけ。スネイプは『半分プリンス』であることを誇りにしていたにちがいないわ。わかる？　『予言者新聞』によれば、トビアス・スネイプはマグルだったわ」

「ああ、それでぴったり当てはまる」ハリーが言った。

「スネイプは、ルシウス・マルフォイとか、ああいう連中に認められようとして、純血の血筋だけを誇張したんだろう……ヴォルデモートと同じだ。純血の母親、マグルの父親……純血の血統が半分しかないのを恥じて、『闇の魔術』を使って自分を恐れさせようとしたり、自分で仰々しい新しい名前をつけたり――ヴォルデモート『**卿**《きょう》』――半純血の『**プリンス**』――ダンブルドアはどうしてそれに気づかなかったんだろう――？」

ハリーは言葉をとぎらせ、窓の外に目をやった。ダンブルドアがスネイプに対して、許しがたいほどの信頼を置いていたということが、どうしても頭から振り払えない……しかし、ハリー自身が同じような思い込みをしていたことを、ハーマイオニーがいま、期せずして思い出させてくれた……走り書きの呪文がだんだん悪意のこもったものになってきていたのに、ハリーは、あんなに自分を助けてくれた、あれほど賢い男の子が悪人のはずはないと、かたくなにそう考えていた。

自分を助けてくれた……いまになってみれば、それは耐えがたい思いだった……。

「あの本を使っていたのに、スネイプがどうして君を突き出さなかったのか、わかんないなあ」ロンが言った。

「君がどこからいろいろ引っ張り出してくるのか、わかってたはずなのに」

「あいつはわかってたさ」ハリーは苦い思いで言った。

「僕が『**セクタムセンプラ**』を使ったとき、あいつにはわかっていたんだ。『開心術』を使う必要なんかなかった……それより前から知っていたかもしれない。スラグホーンが、魔法薬学で僕がどんなに優秀かを吹聴していたから……自分の使った古い教科書を、棚の奥に置きっ放しにしなんか、しておくべきじゃなかったんだ。そうだろう？」

「だけど、どうして君を突き出さなかったんだろう？」

「あの本との関係を、知られたくなかったんじゃないかしら」ハーマイオニーが言った。

「ダンブルドアがそれを知ったら、不快に思われたでしょうから。それに、スネイプが自分のものじゃないっていしらを切っても、スラグホーンはすぐに筆跡を見破ったでしょうね。とにかく、あの本は、スネイプの昔の教室に置き去りになっていたものだし、ダンブルドアは、スネイプの母親が『プリンス』という名前だったことを知っていたはずよ」

「あの本を、ダンブルドアに見せるべきだった」ハリーが言った。「ヴォルデモートは、学生のときでさえ邪悪だったと、ダンブルドアがずっと僕に教えてくれていたのに。そして僕は、スネイプも同じだったという証拠を手にしていたのに――」

「『邪悪』という言葉は強すぎるわ」ハーマイオニーが静かに言った。

「あの本が危険だって、さんざん言ったのは君だぜ！」

「私が言いたいのはね、ハリー、あなたが自分を責めすぎているということなの。『プリンス』がひねくれたユーモアのセンスの持ち主だとは思ったけど、殺人者になりうるなんて、まったく思わなかったわ……」

「誰も想像できなかったよ。スネイプが、ほら……あんなことをさ」ロンが言った。

それぞれの思いに沈みながら、三人ともだまり込んだ。しかしハリーは、二人とも自分と同じことを考えているのを知っていた。明日の朝、ダンブルドアのなきがらが葬られるのだということを。ハリーは、葬儀というものに参列したことがなかった。シリウスが死んだときは、埋葬するなきがらがなかった。何が行われるのか予想できず、ハリーは何を目にするのか、どういう気持ちになるのかが、少し心配だった。葬儀が終われば、ダンブルドアの死が自分にとって、もっと現実的なものになるのだろうか。ときどき、その恐ろしい事実が自分を押しつぶしそうになるときはあった。しかし、ハリーの心には、何も感じられない空白の時間が広がっていて、城の中で誰もそれ以外の話はしていないにもかかわらず、その空白の時間の中では、ダンブルドアがいなくなったことがいまだに信じられなかった。確かに、シリウスのときとはちがい、何か抜け穴はないか、なんとかダンブルドアが戻ってくる道はないかと、必死で探したりはしなかった……ハリーは、ポケットの中の偽の分霊箱の、冷たい鎖をまさぐった。お守りとしてではなく、それがどれほどの代償を払ったものなのか、これから何をなすべきなのかを思い出させてくれるものとして、ハリーはどこに行くにもこれを持ち歩いていた。

次の日、ハリーは荷造りのため早く起きた。ホグワーツ特急は、葬儀の一時間後に出発することになっていた。一階に下りていくと、大広間は沈痛な雰囲気に包まれていた。全員が式服を着て、誰もが食欲を失っているようだった。マクゴナガル先生は、教職員テーブルの中央にある王座のような椅子を、空席のままにしていた。ハグリッドの椅子も空席だった。たぶん、朝食など見る気もしないのだろうと、ハリーは思った。しかしスネイプの席には、ルーファス・スクリムジョールが無造作に座っていた。その黄ばんだ目が大広間を見渡したとき、ハリーは視線を合わせないようにした。スクリムジョールが自分を探している気がして、落ち着かなかった。スクリムジョールの随行者の中に、赤毛で縁角めがねのパーシー・ウィーズリーがいるのを、ハリーは見つけた。ロンは、パーシーに気づいた様子を見せなかったが、やたらと憎しみを込めてニシンの燻製《くんせい》を突き刺した。

スリザリンのテーブルでは、クラッブとゴイルがヒソヒソ話をしていた。図体の大きな二人なのに、その間でいばり散らしている背の高い青白い顔のマルフォイがいないと、奇妙にしょんぼりしているように見えた。ハリーは、マルフォイのことをあまり考えていなかった。もっぱら、スネイプだけを憎悪していた。しかし、塔の屋上でマルフォイの声が恐怖に震えたことも、ほかの死喰《しく》い人がやってくる前に杖《つえ》を下ろしたことも忘れてはいなかった。ハリーには、マルフォイが、ダンブルドアを殺しただろうとは思えなかった。マルフォイが、闇の魔術のとりこになったことは嫌悪していたが、いまではその気持ちに、ほんのわずかの哀れみがまじっていた。マルフォイは、いまどこにいるのだろう。ヴォルデモートは、マルフォイも両親をも殺すと脅して、マルフォイに何をさせようとしているのだろう？

考えにふけっていたハリーは、ジニーに脇腹をこづかれて、我に返った。マクゴナガル先生が立ち上がっていた。大広間の悲しみに沈んだざわめきが、たちまちやんだ。

「まもなく時間です」マクゴナガル先生が言った。「それぞれの寮監に従って、校庭に出てください。グリフィンドール生は、私についておいでなさい」

全員がほとんど無言で、各寮のベンチから立ち上がり、ぞろぞろと行列して歩きだした。スリザリンの列の先頭に立つスラグホーンを、ハリーがちらりと見ると、銀色の刺繍《ししゅう》を施した、豪華なエメラルド色の長いローブをまとっていた。ハッフルパフの寮監であるスプラウト先生がこんなにこざっぱりしているのを、ハリーは見たことがなかった。帽子にはただの一つも継ぎはぎがない。玄関ホールに出ると、マダム・ピンスが、ひざまで届く分厚い黒ベールをかぶって、フィルチの脇に立っていた。フィルチのほうは、樟脳《しょうのう》のにおいがプンプンする、古くさい黒の背広にネクタイ姿だった。

正面扉から石段に踏み出したとき、ハリーは全員が湖に向かっているのがわかった。太陽が、温かくハリーの顔をなでた。マクゴナガル先生のあとから黙々と歩き、何百という椅子が何列も何列も並んでいる場所に着いた。中央に一本の通路が走り、正面に大理石の台がしつらえられて、椅子は全部その台に向かって置かれている。あくまでも美しい夏の日だった。

椅子の半分ほどがすでに埋まり、質素な身なりから格式ある服装まで、老若男女、ありとあらゆる種類の追悼者が着席していた。ほとんどが見知らぬ参列者たちだったが、わずかに「不死鳥の騎士団」のメンバーをふくむ、何人かは見分けられた。キングズリー・シャックルボルト、マッド‐アイ・ムーディ、不思議なことに髪が再びショッキング・ピンクになったトンクスは、リーマス・ルーピンと手をつないでいる。ウィーズリー夫妻、フラーに支えられたビル、その後ろには、黒いドラゴン革の上着を着たフレッドとジョージがいた。さらに、一人で二人半分の椅子を占領しているマダム・マクシーム、「漏れ鍋」の店主のトム、ハリーの近所に住んでいるスクイブのアラベラ・フィッグ、「妖女シスターズ」の毛深いベース奏者、「夜の騎士バス」の運転手のアーニー・プラング、ダイアゴン横丁で洋装店を営むマダム・マルキン。ハリーが、顔だけは知っている人たちも参列している。「ホッグズ・ヘッド」の店主、ホグワーツ特急で車内販売のカートを押している魔女などだ。城のゴーストたちも、まぶしい太陽光の中ではほとんど見えなかったが、動いたときだけ、きらめく空気の中でおぼろげに光るつかみ所のない姿が見えた。

ハリー、ロン、ハーマイオニー、ジニーの四人は、横並びの列の一番端で、湖の際の席に並んで座った。参列者が互いにささやき合う声が、芝生を渡るそよ風のような音を立てていたが、鳥の声のほうがずっとはっきりと聞こえた。参列者はどんどん増え続けた。ネビルがルーナに支えられて席に着くのを見て、ハリーは二人に対する熱い思いが一度に込み上げてきた。ダンブルドアが亡くなったあの夜、DAのメンバーの中で、ハーマイオニーの呼びかけに応えたのは、この二人だけだった。ハリーは、それがなぜなのかを知っていた。DAがなくなったことを、一番さびしく思っていたのがこの二人だ……たぶん、再開されることを願って、しょっちゅうコインを見ていたのだろう……。

コーネリウス・ファッジが、みじめな表情で四人のそばを通り過ぎ、いつものようにライムグリーンの山高帽をくるくる回しながら、列の前方に歩いていった。ハリーは、リータ・スキーターにも気づいたが、鉤爪《かぎづめ》を真っ赤に塗った手に、メモ帳をがっちりつかんでいるのには向かっ腹が立った。さらに、ドローレス・アンブリッジを見つけて、腸《はらわた》が煮えくり返る思いがした。ガマガエル顔に見え透いた悲しみを浮かべて、黒いビロードのリボンを灰色の髪のカールのてっぺんに結んでいる。ケンタウルスのフィレンツェが、衛兵のように湖のほとりに立っている姿を目にしたアンブリッジは、ぎくりとして、そこからずっと離れた席までおたおたと走っていった。

最後に先生方が着席した。最前列のスクリムジョールが、マクゴナガル先生の隣で厳粛な、威厳たっぷりの顔をしているのが見えた。ハリーは、スクリムジョールにしても、そのほかのお偉方にしても、ダンブルドアが死んだことをほんとうに悲しんでいるのだろうかと疑った。その時、音楽が聞こえてきた。不思議な、この世のものとも思えない音楽だ。ハリーは魔法省に対する嫌悪感も忘れて、どこから聞こえてくるのかとあたりを見回した。ハリーだけではなく、ドキリと驚いたような大勢の顔が、音の源を探してあちこちを見ていた。

「あそこだわ」ジニーがハリーの耳にささやいた。

陽《ひ》の光を受けて緑色に輝く、澄んだ湖面の数センチ下に、ハリーはその姿を見た。突然、亡者を思い出してぞっとしたが、それは水中人《マーピープル》たちが合唱する姿だった。青白い顔を水中にゆらめかせ、紫がかった髪をその周りにゆらゆらと広げて、ハリーの理解できない不思議な言葉で歌っている。首筋がザワザワするような音楽だったが、不ゆかいな音ではなかった。別れと悲嘆の気持ちを雄弁に伝える歌だ。歌う水中人の荒々しい顔を見下ろしながら、ハリーは、少なくとも水中人はダンブルドアの死を悲しんでいる、という気がした。その時、ジニーがまたハリーをこづき、振り返らせた。

椅子の間に設けられたひと筋の通路を、ハグリッドがゆっくりと歩いてくるところだった。顔中を涙で光らせ、ハグリッドは声を出さずに泣いていた。その両腕に抱かれ、金色の星をちりばめた紫のビロードに包まれているのが、それとわかるダンブルドアのなきがらだ。のど元に熱いものが込み上げてきた。不思議な音楽に加えて、ダンブルドアのなきがらがこれほど身近にあるという思いが、一瞬、その日の温かさをすべて奪い去ってしまったような気がした。ロンは衝撃を受けたように蒼白《そうはく》な顔だった。ジニーとハーマイオニーのひざに、ぼろぼろと大粒の涙がこぼれ落ちた。

正面で何が行われているのか、四人にはよく見えなかったが、ハグリッドがなきがらを台の上にそっとのせたようだった。それからハグリッドは、トランペットを吹くような大きな音を立てて鼻をかみながら通路を引き返した。とがめるような目をハグリッドに向けた何人かの中に、ドローレス・アンブリッジがいるのをハリーは見た……ダンブルドアならちっとも気にしなかったにちがいないと、ハリーにはわかっていた。ハグリッドがそばを通ったとき、ハリーは親しみを込めて合図を送ってみたが、ハグリッドの泣き腫らした目では、自分の行き先が見えていることさえ不思議だった。ハグリッドが向かっていく先の後列の席をちらりと見たハリーは、ハグリッドが何に導かれているのかがわかった。そこに、ちょっとしたテントほどの大きさの上着とズボンとを身に着けた、巨人のグロウプがいた。醜い大岩のような頭を下げ、おとなしく、ほとんど普通の人間のように座っている。ハグリッドが異父弟のグロウプの隣に座ると、グロウプはハグリッドの頭をポンポンとたたいたが、その強さにハグリッドの座った椅子の脚が地中にめり込んだ。ハリーはほんの一瞬、ゆかいになり、笑いだしたくなった。しかしその時、音楽がやみ、ハリーはまた正面に向きなおった。

黒いローブの喪服を着た、ふさふさした髪の、小さな魔法使いが立ち上がり、ダンブルドアのなきがらの前に進み出た。何を言っているのか、ハリーには聞き取れなかった。とぎれとぎれの言葉が、何百という頭の上を通過して後方の席に流れてきた。「高貴な魂」……「知的な貢献」……「偉大な精神」……あまり意味のない言葉だった。ハリーの知っているダンブルドアとは、ほとんど無縁の言葉だった。ダンブルドアが二言三言をどう考えていたかを、ハリーは突然思い出した。

——そーれ、わっしょい、こらしょい、どっこらしょい——。

またしても込み上げてくる笑いを、ハリーはこらえなければならなかった……こんな時だというのに、僕はいったいどうしたんだろう？

ハリーの左のほうで軽い水音がして、水中人が水面に姿を現し、聞き入っているのが見えた。二年前、ダンブルドアが水辺にかがみ込み、マーミッシュ語で水中人の女長《おさ》と話をしていたことを、ハリーは思い出した。いまハリーが座っている場所の、すぐ近くだった。ダンブルドアは、どこでマーミッシュ語を習ったのだろう。

ついにダンブルドアに聞かずじまいになってしまったことが、あまりにも多い。ハリーが話さずじまいになってしまったことが、あまりにも多い……。

そのとたん、まったく突然に、恐ろしい真実が、これまでになく完璧に、否定しようもなくハリーを打ちのめした。ダンブルドアは死んだ。逝ってしまった……冷たいロケットを、ハリーは痛いほど強く握りしめた。それでも熱い涙がこぼれ落ちるのを止めることはできなかった。ハリーは、ジニーやほかのみんなから顔をそむけて湖を見つめ、禁じられた森に目をやった。喪服の小柄な魔法使いは、単調な言葉をくり返している……木々の間に何かが動いた。ケンタウルスたちもまた、最後の別れを惜しみに出てきたのだ。ケンタウルスたちが人目に触れる所には姿を現さず、弓を脇に抱え、半ば森影に隠れてじっと立ち尽くしたまま参列者を見つめているのが見える。最初に禁じられた森に入り込んだときの悪夢のような経験を、ハリーは思い出した。

あの当時の仮の姿のヴォルデモートと初めて遭遇したこと、ヴォルデモートとの対決のこと、そして、そのあとまもなく、勝ち目のない戦いについて、ダンブルドアと話し合ったことを思い出した。ダンブルドアは言った。何度も何度も戦って、戦い続けることが大切だと。そうすることで初めて、たとえ完全に根絶できなくとも、悪を食い止めることが可能なのだと……。

熱い太陽の下に座りながら、ハリーははっきりと気づいた。ハリーを愛した人々が、一人、また一人とハリーの前で敵に立ちはだかり、あくまでもハリーを護《まも》ろうとしたのだ。父さん、母さん、名付け親、そしてついにダンブルドアまでも。しかし、いまやそれは終わった。自分とヴォルデモートの間に、もうほかの誰をも立たせるわけにはいかない。両親の腕に護られ、自分を傷つけるものは何もないなどという幻想は、未来永劫《えいごう》捨て去らなければならない。一歳のときにすでに捨てるべきだった。もはやハリーはこの悪夢から醒めることはないし、「ほんとうは安全なのだ、すべては思い込みにすぎないのだ」と闇の中でささやくなぐさめの声もない。最後の、そして最も偉大な庇護《ひご》者が死んでしまった。そしてハリーは、これまでより、もっとひとりぼっちだった。

喪服の小柄な魔法使いが、やっと話すのをやめて席に戻った。ほかの誰かが立ち上がるのを、ハリーは待った。おそらく魔法大臣の弔辞などが続くのだろうと思った。しかし、誰も動かなかった。

やがて何人かが悲鳴を上げた。ダンブルドアのなきがらとそれをのせた台の周りに、まばゆい白い炎が燃え上がった。炎はだんだん高く上がり、なきがらがおぼろにしか見えなくなった。白い煙が渦を巻いて立ち昇り、不思議な形を描いた。ほんの一瞬、青空に楽しげに舞う不死鳥の姿を見たような気がして、ハリーは心臓が止まる思いがした。しかし次の瞬間、炎は消え、そのあとには、ダンブルドアのなきがらと、なきがらをのせた台とを葬った、白い大理石の墓が残されていた。

天から雨のように矢が降り注ぎ、再び衝撃の悲鳴が上がった。しかし矢は参列者からはるかに離れた所に落ちた。それがケンタウルスの死者への表敬の礼なのだと、ハリーにはわかった。ケンタウルスは参列者にしっぽを向け、すずしい木々の中へと戻っていった。同じく水中人も、緑色の湖の中へとゆっくり沈んでいき、姿が見えなくなった。

ハリーは、ジニー、ロン、ハーマイオニーを見た。ロンは太陽がまぶしいかのように顔をくしゃくしゃにしかめていた。ハーマイオニーの顔は涙で光っていたが、ジニーはもう泣いてはいなかった。ハリーの視線を、ジニーは燃えるような強いまなざしで受け止めた。ハリーが出場しなかったクィディッチ優勝戦で勝ったあと、ハリーに抱きついたときにジニーが見せた、あのまなざしだった。その瞬間ハリーは、二人が完全に理解し合ったことを知った。ハリーがいま何をしようとしているかを告げても、ジニーは「気をつけて」とか「そんなことをしないで」とは言わず、ハリーの決意を受け入れるだろう。なぜなら、ジニーがハリーに期待しているのは、それ以外の何物でもないからだ。ダンブルドアが亡くなって以来ずっと、言わなければならないとわかっていたことをついに言おうと、ハリーは自分を奮い立たせた。

「ジニー、話があるんだ……」

ハリーはごく静かな声で言った。周囲のざわめきがだんだん大きくなり、参列客が立ち上がりはじめていた。

「君とはもう、つき合うことができない。もう会わないようにしないといけない。一緒にはいられないんだ」

「何かばかげた気高い理由のせいね。そうでしょう？」ジニーは奇妙にゆがんだ笑顔で言った。

「君と一緒だったこの数週間は、まるで……まるで誰かほかの人の人生を生きていたような気がする」ハリーが言った。

「でも僕はもう……僕たちはもう……。僕にはいま、ひとりでやらなければならないことがあるんだ」

ジニーは泣かなかった。ただハリーを見つめていた。

「ヴォルデモートは、敵の親しい人たちを利用する。すでに君をおとりにしたことがある。しかもその時は、僕の親友の妹というだけで。僕たちの関係がこのまま続けば、君がどんなに危険な目にあうか、考えてみてくれ。あいつはかぎつけるだろう。あいつにはわかってしまうだろう。あいつは君を使って僕をくじこうとするだろう」

「私が気にしないって言ったら？」ジニーが、激しい口調で言った。

「僕が気にする」ハリーが言った。

「これが君の葬儀だったら、僕がどんな思いをするか……それが僕のせいだったら……」

ジニーは目をそらし、湖を見た。

「私、あなたのことを完全にあきらめたことはなかった」ジニーが言った。「完全にはね。想《おも》い続けていたわ……ハーマイオニーが、私は私の人生を生きてみなさいって言ってくれたの。誰かほかの人とつき合って、あなたのそばにいるとき、もう少し気楽にしていたらどうかって。だって、あなたが同じ部屋にいるだけで、私が口もきけなかったことを、覚えてるでしょう？　だからハーマイオニーは、私がもう少し——私らしくしていたら、あなたが少しは気づいてくれるかもしれないって、そう考えたの」

「賢い人だよ、ハーマイオニーは」ハリーはほほえもうと努力しながら言った。

「もっと早く君に申し込んでいればよかった。そうすれば長い間……何か月も……もしかしたら何年も……」

「でもあなたは、魔法界を救うことで大忙しだった」ジニーは半分笑いながら言った。

「そうね……私、驚いたわけじゃないの。結局はこうなると、私にはわかっていた。あなたは、ヴォルデモートを追っていなければ満足できないだろうって、私にはわかっていた。たぶん、私はそんなあなたが大好きなのよ」

ハリーは、こうした言葉を聞くのが耐えがたいほどつらかった。このままジニーのそばに座っていたら、自分の決心が鈍らないという自信はなかった。ロンを見ると、高い鼻の先から涙を滴らせながら、自分の肩に顔をうずめてすすり泣くハーマイオニーを抱き、その髪をなでていた。ハリーは、みじめさを体中ににじませて立ち上がり、ジニーとダンブルドアの墓に背を向けて、湖に沿って歩きだした。だまって座っているより、動いているほうが耐えやすいような気がした。同じように、すぐにでも分霊箱を追跡し、ヴォルデモートを殺すほうが、それを待っていることより耐えやすい……。

「ハリー！」

振り返ると、ルーファス・スクリムジョールだった。ステッキにすがって足を引きずりながら、岸辺の道を大急ぎでハリーに近づいてくるところだった。

「君と一言話がしたかった……少し一緒に歩いてもいいかね？」

「ええ」ハリーは気のない返事をして、また歩きだした。

「ハリー、今回のことは、恐ろしい悲劇だった」スクリムジョールが静かに言った。「知らせを受けて、私がどんなに愕然《がくぜん》としたか、言葉には表せない。ダンブルドアは偉大な魔法使いだった。君も知っているように、私たちには意見の相違もあったが、しかし、私ほどよく知る者はほかに――」

「なんの用ですか？」ハリーはぶっきらぼうに聞いた。

スクリムジョールはむっとした様子だったが、前のときと同じように、すぐに表情を取りつくろい、悲しげな物わかりのよい顔になった。

「君は、当然だが、ひどいショックを受けている」スクリムジョールが言った。「君がダンブルドアと非常に親しかったことは知っている。おそらく君は、ダンブルドアの一番のお気に入りだったろう。二人の間の絆《きずな》は――」

「なんの用ですか？」ハリーは、立ち止まってくり返した。

スクリムジョールも立ち止まってステッキに寄りかかり、今度は抜け目のない表情でハリーをじっと見た。

「ダンブルドアが死んだ夜のことだが、君と一緒に学校を抜け出したと言う者がいてね」

「誰が言ったのですか？」ハリーが言った。

「ダンブルドアが死んだあと、塔の屋上で何者かが、死喰い人の一人に『失神呪文』をかけた。それに、その場に箒《ほうき》が二本あった。ハリー、魔法省はその二つを足すことぐらいできる」

「それはよかった」ハリーが言った。

「でも、僕がダンブルドアとどこに行こうと、二人が何をしようと、僕にしか関わりのないことです。ダンブルドアはほかの誰にも知られたくなかった」

「それほどまでの忠誠心は、もちろん称賛すべきだ」

スクリムジョールは、いらいらを抑えるのが難しくなってきているようだった。

「しかし、ハリー、ダンブルドアはいなくなった。もういないのだ」

「ここに、誰一人としてダンブルドアに忠実な者がいなくなったとき、ダンブルドアは初めてこの学校からほんとうにいなくなるんです」

ハリーは思わずほほえんでいた。

「君、君……ダンブルドアといえども、まさかよみがえることは――」

「できるなんて言ってません。あなたにはわからないでしょう。でも、僕には何もお話しすることはありません」

スクリムジョールは躊躇《ちゅうちょ》していたが、やがて、気づかいのこもった調子を装って言った。

「魔法省としては、いいかね、ハリー、君にあらゆる保護を提供できるのだよ。私の闇祓《やみばら》いを二人、喜んで君のために配備しよう――」

ハリーは笑った。

「ヴォルデモートは、自分自身で僕を手にかけたいんだ。闇祓いがいたって、それが変わるわけじゃない。ですから、お申し出はありがたいですが、お断りします」

「では」スクリムジョールは、いまや冷たい声になっていた。

「クリスマスに、私が君に要請したことは――」

「なんの要請ですか？　ああ、そうか……あなたがどんなにすばらしい仕事をしているかを、僕が世の中に知らせる。そうすれば――」

「――みんなの気持ちが高揚する！」

スクリムジョールがかみつくように言った。ハリーはしばらく、スクリムジョールをじっと観察した。

「スタン・シャンパイクを、もう解放しましたか？」

スクリムジョールの顔色が険悪な紫色に変わり、いやでもバーノンおじさんを彷彿とさせた。

「なるほど。君は――」

「骨の髄までダンブルドアに忠実」ハリーが言った。「そのとおりです」

スクリムジョールは、しばらくハリーをにらみつけていたが、やがてきびすを返し、足を引きずりながら、それ以上一言も言わずに去っていった。パーシーと魔法省の一団が、席に座ったままますすり泣いているハグリッドとグロウプを、不安げにちらちら見ながら、大臣を待っているのが見えた。ロンとハーマイオニーが急いでハリーのほうにやってくる途中、スクリムジョールとすれちがった。ハリーはみんなに背を向け、二人が追いつきやすいようにゆっくり歩きだした。ブナの木の下で、二人が追いついた。何事もなかった日々には、その木陰に座って三人で楽しく過ごしたものだった。

「スクリムジョールは、何が望みだったの？」

ハーマイオニーが小声で聞いた。

「クリスマスのときと同じことさ」ハリーは肩をすくめた。

「ダンブルドアの内部情報を教えて、魔法省のために新しいアイドルになれってさ」

ロンは、一瞬自分と戦っているようだったが、やがてハーマイオニーに向かって大声で言った。

「いいか、僕は戻って、パーシーをぶんなぐる！」

「だめ」ハーマイオニーは、ロンの腕をつかんできっぱりと言った。

「僕の気持ちがすっきりする！」

ハリーは笑った。ハーマイオニーもちょっとほほえんだが、城を見上げながらその笑顔が曇った。

「もうここには戻ってこないなんて、耐えられないわ」ハーマイオニーがそっと言った。

「ホグワーツが閉鎖されるなんて、どうして？」

「そうならないかもしれない」ロンが言った。

「家にいるよりここのほうが危険だなんて言えないだろう？　どこだっていまは同じさ。僕はむしろ、ホグワーツのほうが安全だって言うな。この中のほうが、護衛している魔法使いがたくさんいる。ハリー、どう思う？」

「学校が再開されても、僕は戻らない」ハリーが言った。

ロンはポカンとしてハリーを見つめた。ハーマイオニーが悲しそうに言った。

「そう言うと思ったわ。でも、それじゃあなたは、どうするつもりなの？」

「僕はもう一度ダーズリーの所に帰る。それがダンブルドアの望みだったから」ハリーが言った。

「でも、短い期間だけだ。それから僕は永久にあそこを出る」

「でも、学校に戻ってこないなら、どこに行くの？」

「ゴドリックの谷に、戻ってみようと思っている」ハリーがつぶやくように言った。

ダンブルドアが死んだ夜から、ハリーはずっとそのことを考えていた。

「僕にとって、あそこがすべての出発点だ。あそこに行く必要があるという気がするんだ。そうすれば、両親の墓に詣でることができる。そうしたいんだ」

「それからどうするんだ？」ロンが聞いた。

「それから、残りの分霊箱を探し出さなければならない」

ハリーは、むこう岸の湖に映っている、ダンブルドアの白い墓に目を向けた。

「僕がそうすることを、ダンブルドアは望んでいた。だからダンブルドアは、僕に分霊箱のすべてを教えてくれたんだ。ダンブルドアが正しければ――僕はそうだと信じているけど――あと四個の分霊箱がどこかにある。探し出して破壊しなければならないんだ。それから七個目を追わなければならない。まだヴォルデモートの身体の中にある魂だ。そして、あいつを殺すのは僕なんだ。もしその途上でセブルス・スネイプに出会ったら」

ハリーは言葉を続けた。

「僕にとってはありがたいことで、あいつにとっては、ありがたくないことになる」

長い沈黙が続いた。参列者はもうほとんどいなくなって、取り残された何人かが、ハグリッドに寄り添って抱きかかえている小山のようなグロウプから、できるだけ遠ざかっていた。ハグリッドの吠《ほ》えるような哀切の声はまだやまず、湖面に響き渡っていた。

「僕たち、行くよ、ハリー」ロンが言った。

「え？」

「君のおじさんとおばさんの家に」ロンが言った。

「それから君と一緒に行く。どこにでも行く」

「だめだ――」

ハリーが即座に言った。そんなことは期待していなかった。この危険極まりない旅に、自分はひとりで出かけるのだということを、二人に理解してもらいたかったのだ。

「あなたは、前に一度こう言ったわ」ハーマイオニーが静かに言った。「私たちがそうしたいなら、引き返す時間はあるって。その時間はもう充分にあったわ、ちがう？」

「何があろうと、僕たちは君と一緒だ」ロンが言った。

「だけど、おい、何をするより前に、僕のパパとママの所に戻ってこないといけないぜ。ゴドリックの谷より前に」

「どうして？」

「ビルとフラーの結婚式だ。忘れたのか？」

ハリーは驚いてロンの顔を見た。結婚式のようなあたりまえのことがまだ存在しているなんて、信じられなかった。しかしすばらしいことだった。

「ああ、そりゃあ、僕たち、見逃せないな」しばらくしてハリーが言った。

ハリーは、我知らず偽の分霊箱を握りしめていた。いろいろなことがあるけれど、目の前に暗く曲折した道が伸びてはいるけれど、一か月後か、一年後か、十年後か、やがてはヴォルデモートとの最後の対決の日が来ると、わかってはいるけれど、ロンやハーマイオニーと一緒に過ごせる、最後の平和な輝かしい一日がまだ残されていると思うと、ハリーは心が浮き立つのを感じた。

J.K. ローリング

J.K. ローリングは、不朽の人気を誇る「ハリー・ポッター」シリーズの著者。1990年、旅の途中の遅延した列車の中で「ハリー・ポッター」のアイデアを思いつくと、全7冊のシリーズを構想して執筆を開始。1997年に第1巻『ハリー・ポッターと賢者の石』が出版、その後、完結までにはさらに10年を費やし、2007年に第7巻となる『ハリー・ポッターと死の秘宝』が出版された。シリーズは現在85の言語に翻訳され、発行部数は6億部を突破、オーディオブックの累計再生時間は10億時間以上、制作された8本の映画も大ヒットとなった。また、シリーズに付随して、チャリティのための短編『クィディッチ今昔』と『幻の動物とその生息地』(ともに慈善団体〈コミック・リリーフ〉と〈ルーモス〉を支援)、『吟遊詩人ビードルの物語』(〈ルーモス〉を支援)も執筆。『幻の動物とその生息地』は魔法動物学者ニュート・スキャマンダーを主人公とした映画「ファンタスティック・ビースト」シリーズが生まれるきっかけとなった。大人になったハリーの物語は舞台劇『ハリー・ポッターと呪いの子』へと続き、ジョン・ティファニー、ジャック・ソーンとともに執筆した脚本も書籍化された。その他の児童書に『イッカボッグ』(2020年)『クリスマス・ピッグ』(2021年)があるほか、ロバート・ガルブレイスのペンネームで発表し、ベストセラーとなった大人向け犯罪小説「コーモラン・ストライク」シリーズも含め、その執筆活動に対し多くの賞や勲章を授与されている。J.K. ローリングは、慈善信託〈ボラント〉を通じて多くの人道的活動を支援するほか、性的暴行を受けた女性の支援センター〈ベイラズ・プレイス〉、子供向け慈善団体〈ルーモス〉の創設者でもある。
J.K. ローリングに関するさらに詳しい情報はjkrowlingstories.comで。

松岡佑子 訳

翻訳家。国際基督教大学卒、モントレー国際大学院大学国際政治学修士。日本ペンクラブ会員。スイス在住。訳書に「ハリー・ポッター」シリーズ全7巻のほか、「少年冒険家トム」シリーズ、映画オリジナル脚本版「ファンタスティック・ビースト」シリーズ、『ブーツをはいたキティのはなし』『とても良い人生のために』『イッカボッグ』『クリスマス・ピッグ』(以上静山社)がある。

ハリー・ポッターと謎のプリンス〈25周年記念特装版〉

2024年12月1日　第1刷発行

著者　J.K. ローリング
訳者　松岡佑子
発行者　松岡佑子
発行所　株式会社静山社
〒102-0073 東京都千代田区九段北1-15-15
電話・営業 03-5210-7221　https://www.sayzansha.com

装丁　城所潤+大谷浩介(ジュン・キドコロ・デザイン)
装画　カワグチタクヤ
組版　アジュール
印刷　中央精版印刷株式会社
製本　株式会社ブックアート

ISBN978-4-86389-923-0　Not to be Sold Separately